Operationsverstärker

Martin Alles

Operationsverstärker

Schaltungstechnik in Theorie und Praxis

Springer Vieweg

Martin Alles
Fakultät für Technik
Hochschule Heilbronn
Obersulm, Deutschland

ISBN 978-3-662-72535-1 ISBN 978-3-662-72536-8 (eBook)
https://doi.org/10.1007/978-3-662-72536-8

Die Deutsche Nationalbibliothek verzeichnet diese Publikation in der Deutschen Nationalbibliografie; detaillierte bibliografische Daten sind im Internet über https://portal.dnb.de abrufbar.

Springer Vieweg ist ein Imprint der eingetragenen Gesellschaft Springer-Verlag GmbH, DE und ist ein Teil von Springer Nature.
Die Anschrift der Gesellschaft ist: Heidelberger Platz 3, 14197 Berlin, Germany

Competing Interests Der/die Autor*in hat keine für den Inhalt dieses Manuskripts relevanten Interessenkonflikte.

Einleitung

Dieses Buch widmet sich der analogen Elektronik mit Operationsverstärkern. Es folgt den Grundsätzen, die in [1] beschrieben sind: Die Welt ist analog. Das wird auch bei der vorschreitenden Digitalisierung so bleiben. Oder anders gesagt: Jedes System, das mit der Umwelt interagiert, benötigt analoge Sensoren und analoge Ausgaben. Auch wenn diese Funktionalität mal mehr, mal weniger „versteckt" wird, erfordert eine effiziente und gute Aufnahme von Umweltdaten die analoge Verarbeitung der Sensordaten. Häufig erfolgt danach die Analog-Digital-Wandlung, damit die Daten per Mikrocontroller verarbeitet werden können. Die Analog-Digital-Wandlung muss sorgfältig erfolgen, da es regelmäßig zu Informationsverlusten kommt. Dafür können die digitalisierten Daten ohne Informationsverlust übertragen und verarbeitet werden. Die Ausgabe der Daten erfolgt entweder digital mit geeigneter Filterung oder über einen Digital-Analog-Wandler um schließlich in sehr vielen Fällen analoge Ausgangssignale zu liefern. Gute Systeme benötigen daher ausgezeichnete analoge Signalverarbeitung. Der Aufwand für die analoge Schaltungstechnik und Simulation ist in der Regel deutlich höher als für digitale Systeme. Aus diesem Grund ist es wichtig, die Grundlagen der Analogtechnik gut zu beherrschen.

Zwei weitere Gründe sprechen für ein gutes Verständnis der Analogtechnik. Zum einen werden Prozessoren und Mikrocontroller immer schneller. Je höher die Taktfrequenz wird, desto wichtiger werden analoge und Hochfrequenzeffekte. Die digitalen Signale weichen bei hohen Frequenzen immer mehr von den idealen digitalen Verläufen ab. Hier ist analoges Verständnis für eine Weiterentwicklung eminent wichtig. Der letzte Grund betrifft die fortschreitende Entwicklung und Nutzung maschinellen Lernens. Hier sind seit einiger Zeit analoge Schaltungen als Bestandteil neuronaler Netze Gegenstand der Forschung. Mit analogen Schaltungstechniken ist es möglich, den Energiebedarf eines neuronalen Netzes entscheidend zu verringern [2]. Lt. [3] ist bei der Kombination spezieller Hardwarearchitekturen mit analoger Vektor-Matrix-Multiplikation eine Reduzierung des Energiebedarfs um mehrere Größenordnungen gegenüber reinen digitalen Lösungen möglich. In wenigen Jahren wurde durch analoge Schaltungsteile der Energiebedarf erheblich verringert. Waren im Jahre 2015 noch 1 TOPS/W (TOPS/W: Tera-Operations per second per Watt) möglich [4], hat sich der Wirkungsgrad in wenigen Jahren auf etwa 300 TOPS/W vervielfacht [5].

Die Bedeutung analoger Schaltungen und von Operationsverstärkern wird in den folgenden Aussagen deutlich: „Das Leben ist analog." [1] „Op amps are as prolific in analog circuits as salt and pepper is on food." [2]

Für analoge Anwendungen in neuronalen Netzen werden aktuell zwei Hauptströmungen untersucht [6]. Das eine betrifft optische Schaltkreise auf der Basis von Photonen, die hier nicht weiter betrachtet werden. Der andere Punkt betrifft das Ersetzen digitaler Schaltkreise durch analoge. Dabei ist das Hauptziel, den Energiebedarf drastisch zu reduzieren, wie es auch bereits vorher dargestellt wurde. Ein weiterer Punkt ist, dass analoge Computer mit den aktuellen Kenntnissen andere Möglichkeiten als digitale Prozessoren bieten. Vereinzelt werden analoge Computer aktuell mit Quantencomputern verglichen. Hier bleibt die weitere Entwicklung abzuwarten.

In diesem Buch werden zahlreiche Anwendungen mit Operationsverstärkern (OP) beschrieben. Im ersten Kapitel werden die Grundlagen der Wechselstromrechnung gelegt. Hier werden auch Filter und einige weitere Grundlegende Begriffe erläutert. Im zweiten Kapitel wird der Differenzverstärker als Eingangsstufe eines Operationsverstärkers vorgestellt und ausführlich diskutiert. Es werden auch weitere Erweiterungen beispielsweise zu einem Mischer besprochen. Das dritte Kapitel widmet sich dem internen Aufbau von Operationsverstärkern und dem Unterschied zwischen OPs mit bipolaren Transistoren oder Feldeffekttransistoren. Das umfangreiche Kapitel vier stellt zahlreiche Operationsverstärkerschaltungen vor. Diese Schaltungen bilden in vielen Fällen die Grundlage für die analoge Signalverarbeitung und -aufbereitung. Neben dem idealisierten Verhalten wird nahezu jede Schaltung von einem praktischen Aufbau mit der entsprechenden Messung begleitet. Kapitel fünf widmet sich der Darstellung der Unterschiede zwischen idealisierten Operationsverstärkern und den realen Bauteilen. Neben der theoretischen Darstellung wird eine Messtechnik zur Bestimmung etlicher Parameter besprochen. Das abschließende Kapitel sechs diskutiert das Stabilitätsverhalten von Operationsverstärkern. Hierbei spielt das Frequenzverhalten des Operationsverstärkers eine wesentliche Rolle.

Wie in jedem einführendem Buch zum Thema analoger Schaltungstechnik erfolgte in allen Kapiteln eine Auswahl der zu behandelnden Themen. Auf diese Weise soll insbesondere die Anschaulichkeit gewahrt bleiben. Dazu soll auch die Darstellung mit sehr vielen Abbildungen von Schaltplänen, Schaltungsaufbauten und Messungen beitragen. Dabei wird jedes Kapitel von zahlreichen Messaufbauten auf dem Steckbrett und den zugehörigen Messungen begleitet. So lädt dieses Buch direkt zu einem Nachbau und vergleichenden Untersuchungen ein. Schließlich wird dem Aspekt eines Lehrbuches entsprechend jedes Kapitel mit Verständnisfragen und Übungsaufgaben abgeschlossen. Die Antworten der Fragen und Lösungswerte sind im Anhang enthalten. Ausführliche Lösungen zu den Aufgaben sind per SpringerLink verfügbar.

Der Autor dankt der Firma Rohde & Schwarz, München (www.rsd.de), für die freundliche Erlaubnis, in diesem Buch die Screenshots eines Oszilloskops dieser Firma zu verwenden. Ein weiterer Dank geht an die Firma ELV, Leer (www.elv.de), für die ebenfalls freundliche Erlaubnis, Fotos der von ELV vertriebenen Prototypenadapter für Steckbretter zu verwenden. Dadurch konnten die Aufbauten und Messungen in diesem Buch sehr anschaulich dargestellt werden.

Ein weiterer Dank geht an die ausgezeichnete Betreuung durch das Lektorat und die Projektleitung des Springer-Verlages.

Literatur

1. B.M. Ivkovic, „Der wichtigste Bestandteil in der digitalen Welt", Elektronik, 01-02 2022, S. 14ff.
2. Microchip, „Op Amp Topologies and DC-Specifications", Application Note AN722, 1999, ww1.microchip.com/downloads/aemDocuments/documents/APID/ApplicationNotes/ApplicationNotes/00722a.pdf, abgerufen am 3.8.2025
3. T. Rizzo,S. Strangio, G. Iannaccone, „Time Domain Analog Neuromorphic Engine Based on High-Density Non-Volatile Memory in Single-Poly CMOS", IEEE Access, Vol. 10, 2022, p. 49154-49166, DOI 10.1109/ACCESS.2022.3172488
4. J. Lu, S. Young, I. Arel, J. Holleman, „A 1 TOPS/W Analog Deep Machine-Learning Engine With Floating-Gate Storage in 0.13 μm CMOS", IEEE Journal of Solid-State Circuits, Vol. 50, No. 1, Jan. 2015, pp. 270-281, DOI 10.1109/JSSC.2014.2356197
5. M. Yamaguchi, G. Iwamoto, Y. Nishimura, H. Tamukoh, T. Morie, „An Energy-Efficient Time-Domain Analog CMOS BinaryConnect Neural Network Processor Based on a Pulse-Width Modulation Approach", IEEE Access, Vol. 9, 2021, p. 2644-2654, DOI 10.1109/ACCESS.2020.3047619
6. B. Moyer, „Developers turn to analog for neural nets", Semiconductor Engineering, semiengineering.com/developers-turn-to-analog-for-neural-nets/, abgerufen am 10.7.2025

Inhaltsverzeichnis

Grundlagen

1

1.1 Lernziele Kap. 1

Dieses Kapitel beginnt mit einer kurzen Beschreibung der verwendeten Messtechnik. Im nächsten Abschnitt werden elektronische Grundelemente, also Dioden und Transistoren, kurz wiederholt. Im folgenden Abschnitt werden die Grundlagen von Wechselspannung und –strom beschrieben. Dabei wird besonderes Augenmerk auf den Zusammenhang von Spannung und Strom an den Grundelementen Widerstand, Spule und Kondensator gelegt. Die Beschreibung der elektrischen Vorgänge erfolgt mit dem Zeigerdiagramm und der komplexen Wechselstromrechnung. In einem weiteren Abschnitt wird die Größe Dezibel eingeführt. Sie können Verhältnisse in Dezibel umrechnen. Diese Größe wird in Kap. 6 bei der Beschreibung der Stabilitätseigenschaften von Operationsverstärkern verwendet. In den abschließenden Abschnitten werden Übertragungsfunktionen anhand einfacher Filter beschrieben. Zur grafischen Veranschaulichung werden Übertragungsfunktionen gerne im Bode-Diagramm dargestellt. Nachdem Sie dieses Kapitel bearbeitet haben, können Sie Bode-Diagramme mit den entsprechenden Näherungsgeraden zeichnen. Dieses Verfahren wird in Kap. 6 für die Untersuchung der Stabilität von Operationsverstärkerschaltungen verwendet.

Ergänzende Information Die elektronische Version dieses Kapitels enthält Zusatzmaterial, auf das über folgenden Link zugegriffen werden kann https://doi.org/10.1007/978-3-662-72536-8_1.

M. Alles, *Operationsverstärker*, https://doi.org/10.1007/978-3-662-72536-8_1

1.2 Schaltungen, Steckbrett und Oszilloskopmessungen

Damit das Verständnis für die in diesem Buch gezeigten elektronischen Schaltungen erleichtert wird, sind zahlreiche Schaltungen auf einem Steckbrett aufgebaut worden. Diese Fotos sind in den jeweiligen Kapiteln enthalten. Dabei sollte man wissen, wie die Steckbretter intern aufgebaut sind, um die Beschaltung der Bauteile nachvollziehen zu können. Das soll an dem Beispiel in Abb. 1.1 erläutert werden. Die Verbindungen, die sich innerhalb des Steckbretts befinden, sind in dieser Abbildung grün markiert. An den beiden Längsseiten oben und unten gibt es waagerechte Verbindungen, die in der Regel für Versorgungsspannungen und Masse verwendet werden. Die Spannungen sind rechts neben dem Foto benannt. Im mittleren Bereich sind jeweils fünf Kontakte verbunden. So können in der Mitte ICs im DIL-Gehäuse (DIL: Dual in Line) in das Steckbrett eingesteckt werden. In dem dargestellten Beispiel ist die Anode der linken Diode beispielsweise mit der blauen Leitung verbunden, die nach links aus dem Bild herausführt. Bei der rechten Diode sind Kathode, 100 kΩ-Widerstand (mit 100 k beschriftet), die weiße und die grüne Leitung verbunden.

An etlichen Stellen in diesem Buch sind Bildschirmfotos der einen oder anderen Oszilloskopmessung gezeigt. Damit diese Abbildungen richtig interpretiert werden können, ist in Abb. 1.2 beispielhaft ein Bildschirmfoto einer Oszilloskopmessung dargestellt. In der Abbildung sind einige Bereich durch Umrandungen und Zahlen hervorgehoben, die im Folgenden erläutert werden.

Im mittleren Bereich sind zunächst die beiden gemessenen Spannungskurven ① dargestellt. Dabei sind horizontal Zeiten und vertikal Spannungswerte aufgetragen. Hier ist eine Messung mit zwei sinusförmigen Spannungen dargestellt. Die beiden Spannungen wurden am Kanal 1 (C1) und Kanal 2 (C2) gemessen. Der jeweilige Nullpunkt ist durch die Marker ② am linken Rand dargestellt. Hier haben beide Nullpunkte den gleichen vertikalen Wert, beide Marker liegen deshalb übereinander. Im Bereich ③ ist der vertikale Maßstab angegeben: Für die blaue Kurve (Kanal 1, C1) entspricht die Höhe eines Rechtecks 10 mV,

Abb. 1.1 Beispielschaltung und Verbindungen auf dem Steckbrett, s. Text

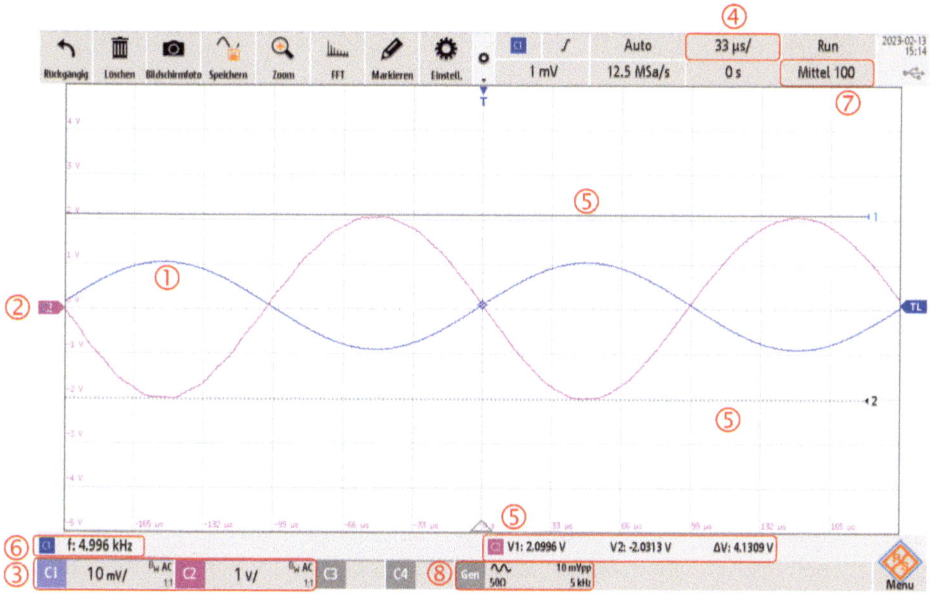

Abb. 1.2 Beispielhafte Darstellung eines Oszilloskop-Bildschirms. Erläuterungen zu den umrandeten Bereichen und den Zahlen s. Text

bei der violetten Kurve (Kanal 2, C2) sind es 1 V. Die horizontale Zeiteinteilung ist im Bereich ④ angegeben. Die Angabe 33 µs bedeutet, dass die Breite der Rechtecke einer Zeitdauer von 33 µs entspricht. Üblich sind auch die Angaben 10 mV/□, 1 V/□ und 33 µs/□. Dabei steht das Quadrat jeweils für den Bereich eines Rechtecks in Abb. 1.2. Mit ⑤ ist die Cursorfunktion gekennzeichnet. Dazu gehören hier zwei horizontale Linien, die auf dem Bildschirm verschoben werden können. Im unteren Bereich ist angegeben, welchen Spannungswerten diese Linien entsprechen. Ein wichtiger Punkt ist, dass durch die Angabe der violetten Bezeichnung C2 angegeben ist, dass sich die beiden Cursorlinien auf die Messung des Kanals 2 beziehen. Am unteren Rand ⑥ werden Messungen an den Messkurven und die Ergebnisse dargestellt. Hier ist nur die Frequenzmessung aktiviert. Weitere Informationen zur Messaufnahme des Oszilloskops sind im Bereich ⑦ dargestellt: Die dargestellt Messkurve entsteht hier als Mittelwert aus 100 einzelnen Messungen. Das hier verwendete Oszilloskop verfügt über einen internen Signalgenerator. Informationen zur Einstellung des Generators sind im Bereich ⑧ dargestellt. Die Angaben bedeuten, dass ein Sinussignal mit einer Amplitude von 10 mV mit einer Frequenz von 5 kHz an einer Last von 50 Ω generiert wird. Weitere Informationen zu Oszilloskopmessungen finden sich auch in [1, 2]. In der Regel werden in diesem Buch Zahlenwerte mit einer Genauigkeit von typischerweise drei bis vier signifikanten Stellen angegeben.

Abb. 1.3 Schaltbild einer Diode

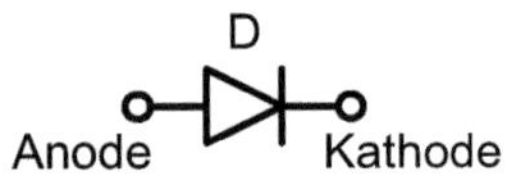

1.3 Kurze Zusammenfassung der Funktionsweise von Dioden und Transistoren

Für das Verständnis des Differenz- und Operationsverstärkers ist das grundlegende Verhalten von Dioden und Transistoren als elektronische Grundbausteine erforderlich. Hier wird nur eine kurze Zusammenfassung gegeben. Eine genauere Darstellung findet sich in [1].

1.3.1 Dioden

Das Schaltbild einer Diode ist in Abb. 1.3 gezeigt. Die schematische Pfeilrichtung zeigt die mögliche Flussrichtung in der technischen Stromrichtung an. Für viele Anwendungen ist eine sehr einfache Beschreibung ausreichend: Bei einer negativen Spannung zwischen Anode und Kathode sperrt die Diode, der Strom ist also 0 A. Das gilt auch für eine Spannung, die niedriger als die Diodenspannung U_{D} ist. Diese Spannung hat für Standarddioden in der Regel einen Wert von 0,6 V bis 0,7 V.

Für Spannungswerte oberhalb der Diodenspannung kann entsprechend dieser einfachen Beschreibung ein beliebiger Strom fließen. Für viele Diodenschaltungen ist diese vereinfachte Beschreibung ausreichend. Bei den Operationsverstärkerschaltungen in Kap. 4 ist jedoch zum Teil eine genauere Betrachtung erforderlich.

1.3.2 Bipolartransistoren

Die Schaltbilder von NPN- und PNP-Bipolartransistoren sind in Abb. 1.4 dargestellt. Mit Bipolartransistoren kann ein Basisstrom I_{Basis} in einen verstärkten Kollektorstrom I_{C} umgewandelt werden:

$$I_{\mathrm{C}} = B \cdot I_{\mathrm{Basis}} \tag{1.1}$$

Der Proportionalitätsfaktor ist die Stromverstärkung B, die in der hier verwendeten einfachen Beschreibung konstant ist. Dieser Zusammenhang gilt für Gleichströme, wie in Gl. (1.1) angegeben, aber auch näherungsweise für Kleinsignalanwendungen:

$$i_{\mathrm{C}} = \beta \cdot i_{\mathrm{Basis}}. \tag{1.2}$$

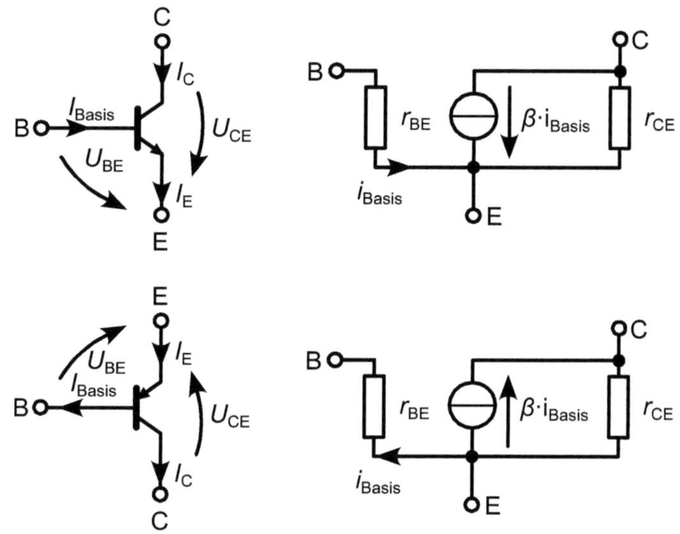

Abb. 1.4 Oben: Schaltbild eines NPN-Bipolartransistors (links) und zugehöriges Kleinsignal-Ersatzschaltbild (rechts). Darunter sind das Schaltbild und das Kleinsignal-Ersatzschaltbild eines PNP-Bipolartransistors gezeigt. Für beide Transistoren sind die wichtigen Spannungs- und Strompfeile eingezeichnet

Für diesen Fall wird häufig das Formelzeichen β verwendet. Das Kleinsignal-Ersatzschaltbild wird für die Beschreibung des Bipolartransistors mit sinusförmigen Signalen mit kleiner Amplitude verwendet. Hier wird ein vereinfachtes Schaltbild mit einem Basis-Emitterwiderstand, einem Kollektor-Emitterwiderstand und einer gesteuerten Stromquelle verwendet, s. Abb. 1.4 links.

Weitere Informationen zu Bipolartransistoren und eine ausführliche Herleitung des Kleinsignal-Ersatzschaltbildes sind in [1, 6] beschrieben.

1.3.3 Feldeffekttransistoren

Ein Feldeffekttransistor gehört zur zweiten großen Gruppe der Transistoren. Im Gegensatz zu Bipolartransistoren wird hier eine Spannung zur Ansteuerung verwendet. Das bedeutet, dass Feldeffekttransistoren im Idealfall verlustfrei angesteuert werden können. Feldeffekttransistoren gibt es in einigen Varianten. Zu den häufiger genutzten Transistoren gehören n- und p-Kanal MOS-FETs und n- bzw. p-Kanal Junction-FETs. Das Schaltbild eines n- und eines p-Kanal MOS-FETs und eines n-Junction-FETs sind in Abb. 1.5 gezeigt. Hier ist auch das vereinfachte Ersatzschaltbild eines Feldeffekttransistors dargestellt.

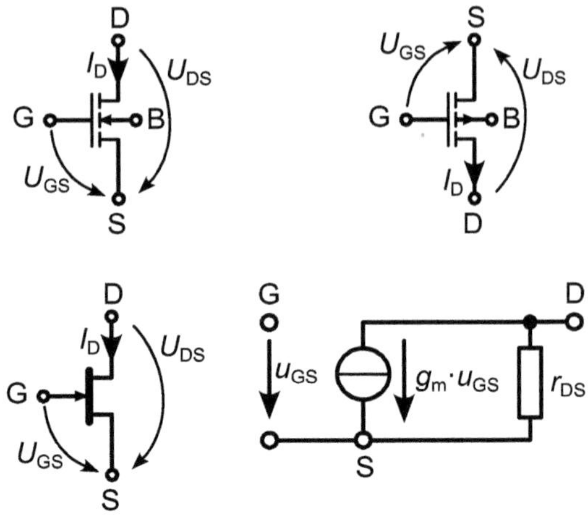

Abb. 1.5 Oben: Schaltbild eines n-Kanal (links) und eines p-Kanal MOSFETs (rechts). In beiden Schaltbildern sind die wichtigen Spannungs- und Strompfeile eingezeichnet. Darunter ist links das Schaltbild eines n-JFETs gezeigt. Rechts unten ist das Kleinsignal-Ersatzschaltbild eines n-Kanal Feldeffekttransistors dargestellt

Weitere Informationen zu Feldeffekttransistoren, insbesondere zur Berechnung des Drainstroms, und auch die Herleitung des vereinfachten Kleinsignal-Ersatzschaltbildes findet sich in [1, 6].

1.4 Komplexe Wechselstromrechnung

Die komplexe Wechselstromrechnung ist ein wichtiges Berechnungsverfahren für sinusförmige Spannungen und Ströme. Dieses Verfahren wird für Filterfunktionen intensiv genutzt und spielt damit ebenfalls bei Operationsverstärkern eine große Rolle, wenn es um die Bandbreite oder auch Stabilitätsanalysen geht.

Eine ausführliche Beschreibung der komplexen Wechselstromrechnung erfolgt beispielsweise in [3–5]. Hier sollen kurz einige Punkte für den Umgang von Widerständen, Kondensatoren und Spulen im Wechselstromkreis zusammengefasst werden. Für sinusförmige Wechselspannungen und –ströme spielt die Phasenlage der Signale eine wichtige Rolle. In diesem Buch wird die bewährte Zeigerdarstellung in der komplexen Ebene verwendet, s. beispielsweise Abb. 1.6. Dabei wird der Betrag der Spannung durch die Länge und die Phasenlage durch den Winkel zur reellen Achse dargestellt. Das Zeigerdiagramm stellt damit eine Momentaufnahme zu einem bestimmten Zeitpunkt dar. Die fortlaufende Zeit wird durch Rotation der Zeiger gegen den Uhrzeigersinn beschrieben.

Die Gesetze der Parallel- und Reihenschaltung gelten ebenfalls für Wechselsignale. Für die Parallelschaltung zweier Bauteile gilt:

- An beiden Bauteilen liegt die gleiche Spannung an. Für beide Bauteile gibt es gleiche Spannungszeiger. Beide Bauteile haben damit den gleichen Spannungsbetrag und Spannungswinkel (auch als Spannungsphase bezeichnet)! Die Ströme durch die beiden

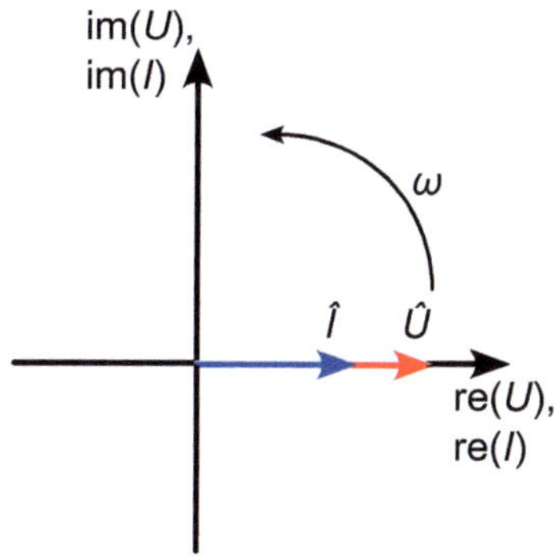

Abb. 1.6 Strom- und Spannungszeiger für einen Widerstand. re() und im() stehen für den Real- und den Imaginärteil der Spannung bzw. des Stromes. Eingezeichnet ist auch die Drehung der Zeiger mit der Kreisfrequenz ω

Bauteile sind in der Regel unterschiedlich. Die Ströme können sich durch den Betrag und die Phasenlage unterscheiden.

- Die vektorielle (grafische) Addition der Ströme ergibt den Gesamtstrom, es gilt nicht mehr, dass die Beträge wie bei Gleichstrom direkt addiert werden können.

Für die Reihenschaltung zweier Bauteile gilt:

- Durch beide Bauteile fließt der gleiche Strom. Beide Bauteile haben den gleichen Stromzeiger. Die Spannungen und damit auch die Spannungszeiger sind im Allgemeinen unterschiedlich.
- Die vektorielle Summe der beiden Spannungszeiger ergibt die Gesamtspannung, die an beiden Bauteilen anliegt.

Spannungen und Ströme werden in der Wechselstromrechnung als Zeiger in der komplexen Ebene dargestellt, s. Abb. 1.6. Damit werden komplexe Werte und Rechnungen anstelle von Sinus- und Cosinusfunktionen verwendet. Die Berechnung wird dadurch wesentlich vereinfacht. Häufig werden komplexen Größen zur besseren Übersichtlichkeit mit einem Unterstrich versehen. Das gilt in diesem Buch insbesondere für das erste Kapitel.

Noch ein Hinweis: In der Mathematik wird für die imaginäre Einheit, also die Wurzel aus -1, der Buchstabe i verwendet. In der Elektrotechnik hat sich stattdessen der Buchstabe j als imaginäre Einheit etabliert, letztendlich um eine Verwechslung mit Strömen zu vermeiden.

1.4.1 Rechenregeln für Ströme und Spannungen

Widerstand, Leitwert

Die Berechnung des Stroms aus der Spannung eines Widertands und umgekehrt erfolgt über das ohmsche Gesetz, das auch für Wechselsignale bzw. komplexe Größen gilt:

$$\widehat{U} = R \cdot \hat{I} \text{ bzw.} \underline{U} = R \cdot \underline{I} \tag{1.3}$$

Bei einem Widerstand bzw. Leitwert sind Strom und Spannung in Phase, d. h. im Zeigerdiagramm haben Spannungs- und Stromzeiger den gleichen Winkel, s. Abb. 1.6. Die Phasenlage des Strom- bzw. Spannungszeigers kann natürlich im allgemeinen Fall beliebige Werte annehmen. Das gilt insbesondere dann, wenn weitere Elemente (Induktivitäten, Kapazitäten) im Wechselstromkreis enthalten sind.

Spule (Induktivität)

Für den Zusammenhang zwischen Spannung und Strom an der Induktivität gilt:

$$u_{\mathrm{L}} = L \cdot \frac{\mathrm{d}i_{\mathrm{L}}}{\mathrm{d}t} \tag{1.4}$$

Diese Formel besagt, dass die Spannung u_{L} an der Spule nicht direkt proportional zum Strom sondern proportional zur zeitlichen Ableitung des Stromes ist. Das bedeutet unter anderem, dass die Spannung $u_{\mathrm{L}}(t) = 0$ V ist, wenn der sinusförmige Strom maximal bzw. minimal ist, da zu diesen Zeitpunkten die Ableitung, also die Steigung des Stroms i_{L}, 0 ist, s. Abb. 1.7.

Die Ableitung der Sinusfunktion ist die Cosinusfunktion. Damit folgt eine Phasenverschiebung von 90° zwischen Strom und Spannung an einer Induktivität. Der prinzipielle Verlauf der Spannung $u_{\mathrm{L}}(t)$ in Abhängigkeit der Zeit bzw. des Stromes $i_{\mathrm{L}}(t)$ ist in Abb. 1.8 dargestellt.

Man erkennt, dass der Strom der Induktivität der Spannung hinterher läuft, beispielsweise wird das Spannungsmaximum nach 15 ms erreicht, das Strommaximum jedoch erst nach 20 ms. Das resultierende Zeigerbild für die Induktivität ist in Abb. 1.9 dargestellt.

Als Proportionalitätsfaktor zwischen der Strom- und der Spannungsamplitude an einer Spule gilt:

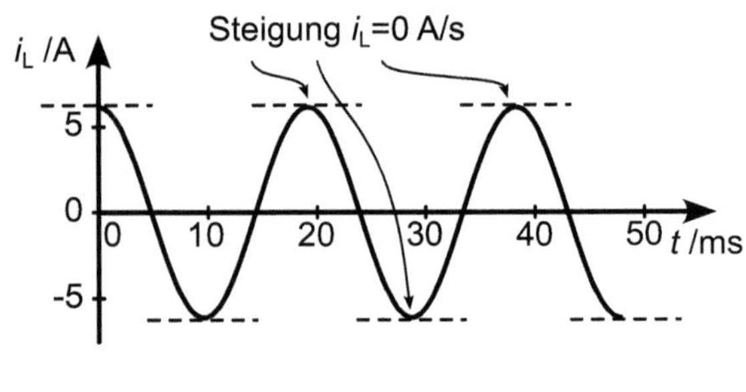

Abb. 1.7 Strom i_{L} durch eine Induktivität. Die Zeitpunkte, an denen die Ableitung des Spulenstroms 0 ist, sind durch gestrichelte Linien markiert

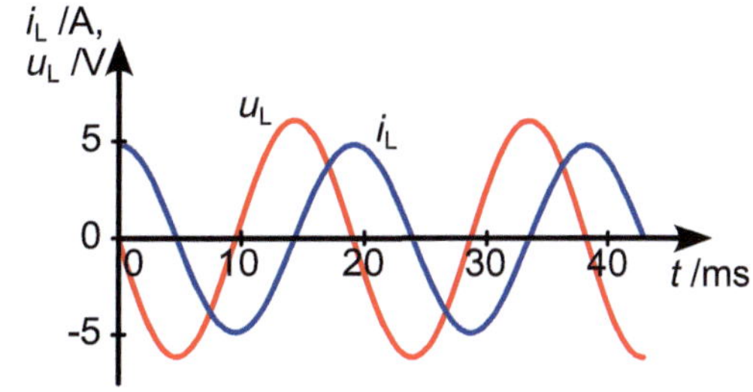

Abb. 1.8 Spannung als Ableitung des Stroms an einer Spule. Dargestellt ist der zeitliche Verlauf der Spannung u_L und des Stroms i_L

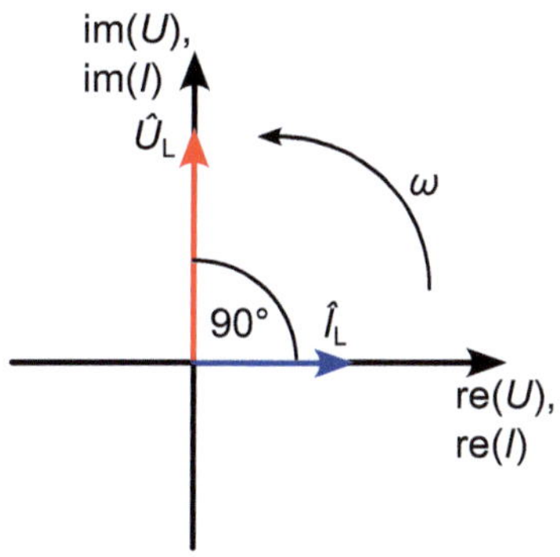

Abb. 1.9 Strom- und Spannungszeiger an einer Spule. Der Strom folgt der Spannung mit einem Winkelversatz von 90°

$$u_L(t) = L \cdot \frac{di_L(t)}{dt} \text{ mit } i_L(t) = \hat{I} \cdot \sin(\omega t + \varphi_0)$$

$$\iff u_L(t) = L \cdot \frac{d}{dt}\left(\hat{I} \cdot \sin(\omega t + \varphi_0)\right) = \omega L \cdot \hat{I} \cdot \cos(\omega t + \varphi_0). \tag{1.5}$$

Damit folgt für die Amplitude:

$$\widehat{U} = \omega L \cdot \hat{I} \tag{1.6}$$

Der Proportionalitätsfaktor ωL wird als induktiver Blindwiderstand X_L bezeichnet:

$$X_L = \omega L. \tag{1.7}$$

Die Einheit des Blindwiderstandes ist: $[\omega L] = \frac{1}{s} \cdot H = \frac{1}{s} \cdot \frac{Vs}{A} = \frac{V}{A} = \Omega$.

Aus dem Zeigerdiagramm in der komplexen Ebene in Abb. 1.9 wird ersichtlich, dass sich der Spannungszeiger aus dem Stromzeiger durch Multiplikation mit dem Blindwiderstand X_L und der imaginären Einheit j ergibt. Die imaginäre Einheit j beschreibt dabei die Phasendrehung um 90°:

$$\underline{U} = j\omega L \cdot \underline{I} \tag{1.8}$$

Der Faktor $j\omega L$ ist der komplexe Widerstand $\underline{Z}_L$ der Induktivität:

$$\underline{Z}_L = j\omega L. \tag{1.9}$$

Das Foto einer Messung der Reihenschaltung aus einer Spule mit 10 mH und einem Widerstand von 1 kΩ ist in Abb. 1.10 dargestellt, das zugehörige Oszilloskopbild in Abb. 1.11. Der Widerstand wird hier für die Strommessung genutzt: Der Spannungsabfall am Widerstand ist direkt proportional zum Strom durch die Spule: mit dem Widerstandswert von 1 kΩ entspricht die Spannung von 1 V einem Strom von 1 mA. Im Oszilloskopbild sind die Spannungen an der Spule (Kanal 2) und die Differenzspannung am Widerstand (Mathematikfunktion) dargestellt. Die Phasendifferenz zwischen beiden Spannungen beträgt 88,16° und weicht damit vom idealen Sollwert von 90° etwas ab. Die Abweichung lässt sich durch den ohmschen Widerstand der Spulenwicklung erklären. Als weitere Messwerte sind die Amplituden der drei Spannungen dargestellt. Aus diesen Werten lassen sich zunächst der Strom durch die Reihenschaltung und anschließend die Impedanz der Spule und die Gesamtimpedanz bestimmen. Die Amplitude des Stroms ergibt sich aus dem halben Messwert der Spitze-Spitze-Spannung des Mathematikkanals zu

$$\hat{I} = \frac{\widehat{U}_{\text{Math}}}{2} \cdot \frac{1}{R} = 304{,}4\,\mu\text{A}.$$

Entsprechend folgt für die Impedanz X_L und die Induktivität L der Spule:

$$X_L = \frac{U_L}{I} = 1{,}256\,\text{k}\Omega \text{ und}$$

Abb. 1.10 Reihenschaltung mit einem Widerstand von 1 kΩ und einer Spule mit 10 mH auf dem Steckbrett. Das sinusförmige Wechselsignal wird über die grüne Leitung (oben) eingespeist. Diese Leitung ist auch an Kanal 1 des Oszilloskops angeschlossen, die weiße Leitung (rechts) an Kanal 2. Die orangene Leitung im unteren Bereich ist der Masseanschluss

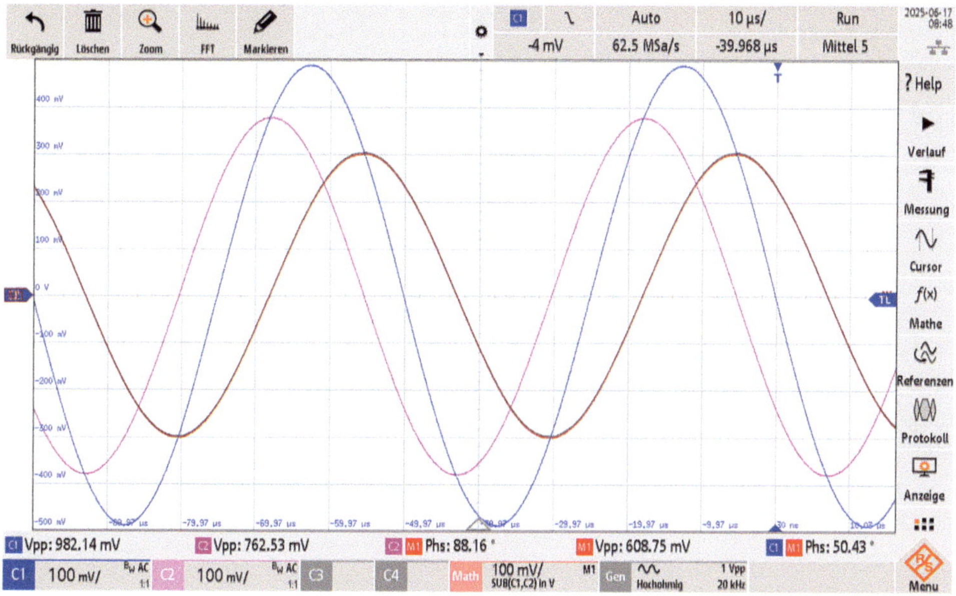

Abb. 1.11 Messung der in Abb. 1.10 dargestellten Reihenschaltung. Die Gesamtspannung wird am Kanal 1 (blau) gemessen, die Spannung an der Spule mit Kanal 2. Zusätzlich ist per Mathematikfunktion die Differenzspannung am Widerstand dargestellt (braun). Die Skalierung beträgt für die drei Kurven 100 mV/□. Außerdem sind einige Messwerte eingeblendet. Die Reihenschaltung wird mit einer sinusförmigen Spannung mit einer Amplitude von 0,5 V und einer Frequenz von 20 kHz betrieben

$$L = \frac{X_L}{2\pi f} = 9{,}97\ \text{mH}.$$

Hier wurde eine Frequenz $f = 20$ kHz eingesetzt. Sehr gut ist sichtbar, dass der Messwert ausgezeichnet zum Nominalwert von 10 mH passt. Der Vollständigkeit halber soll noch angegeben werden, dass sich die Gesamtimpedanz der Reihenschaltung zu 1613 Ω ergibt.

Kondensator (Kapazität)

An einem Kondensator gilt als Zusammenhang zwischen Strom und Spannung:

$$i_C = C \cdot \frac{\mathrm{d}u_C(t)}{\mathrm{d}t}. \tag{1.10}$$

Hier hängt der Strom nicht direkt vom zeitlichen Verlauf der Spannung ab, sondern ist proportional zur zeitlichen Ableitung der Spannung. Der Strom $i_C(t)$ durch den Kondensator ist beispielsweise 0 A, wenn die sinusförmige Spannung maximal bzw. minimal ist. Dieser Zusammenhang ist in Abb. 1.12 dargestellt.

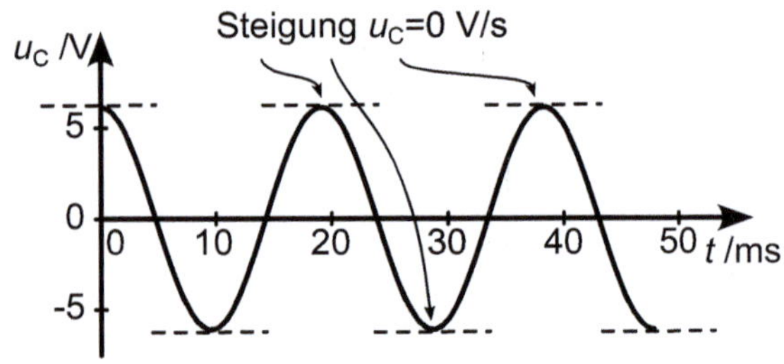

Abb. 1.12 Sinusförmige Spannung an einem Kondensator. Die Stellen mit einer Spannungsänderung von 0 V/s sind durch die gestrichelten Linien markiert

Da sich der Stromverlauf aus der Ableitung der Spannung ergibt, folgt für den Kondensator eine Phasenverschiebung von 90° zwischen dem Strom und der Spannung, s. Abb. 1.13. Im Gegensatz zur Induktivität läuft beim Kondensator der Strom vor der Spannung. Der Phasenwinkel φ ist hier also negativ. Das zugehörige Zeigerdiagramm ist in Abb. 1.14 dargestellt.

Der Proportionalitätsfaktor zwischen Spannungs- und Stromamplitude ist bei einem Kondensator:

$$i_C(t) = C \cdot \frac{\mathrm{d}u_C(t)}{\mathrm{d}t} \text{mit } u_C(t) = \widehat{U} \cdot \sin(\omega t + \varphi_0)$$

$$\Longleftrightarrow \quad i_C(t) = C \cdot \frac{\mathrm{d}}{\mathrm{d}t}\Big(\widehat{U} \cdot \sin(\omega t + \varphi_0)\Big) = \omega C \cdot \widehat{U} \cdot \cos(\omega t + \varphi_0).$$

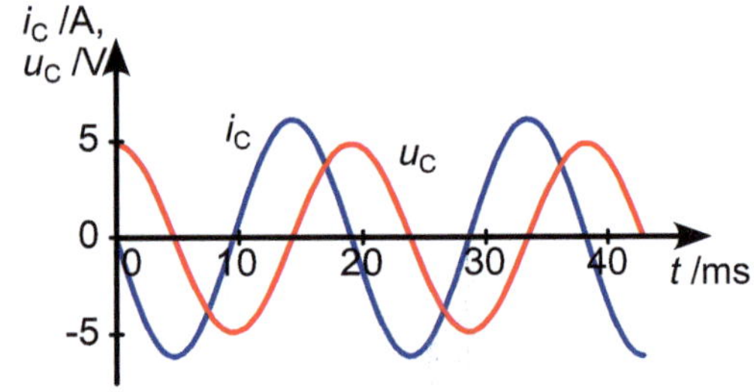

Abb. 1.13 Verlauf von Spannung u_C und Strom i_C beim Kondensator für sinusförmige Signale

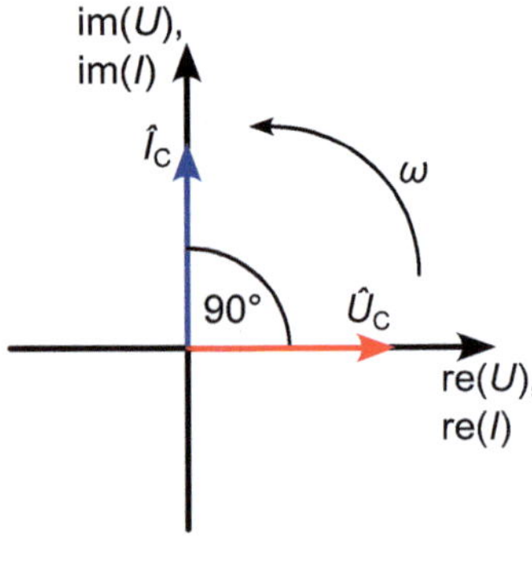

Abb. 1.14 Zeigerdiagramm in der komplexen Ebene für eine sinusförmige Spannung und Strom an einem Kondensator

$$\Longleftrightarrow \quad i_{\mathrm{C}}(t) = \omega C \cdot \widehat{U} \cdot \cos(\omega t + \varphi_0) \tag{1.11}$$

Für die Amplitude des Stroms folgt:

$$\hat{I} = \omega C \cdot \widehat{U} \tag{1.12}$$

dabei wird der Faktor

$$X_{\mathrm{C}} = \frac{1}{\omega C} \tag{1.13}$$

als kapazitiver Blindwiderstand bezeichnet.

Für die Einheit gilt: $\left[\frac{1}{\omega C}\right] = s \cdot \frac{1}{F} = s \cdot \frac{\mathrm{V}}{\mathrm{C}} = s \cdot \frac{\mathrm{V}}{\mathrm{As}} = \Omega$.

Aus dem Zeigerdiagramm in der komplexen Ebene folgt: Der Stromzeiger $\hat{I}$ auf der reellen Achse wird mit dem Faktor $\frac{1}{\omega C}$ skaliert, auf die negative imaginäre Achse (Faktor –j) abgebildet und ergibt damit den zugehörigen Spannungszeiger $\hat{U}$:

$$\underline{U} = -\mathrm{j} \cdot \frac{1}{\omega C} \cdot \underline{I}. \tag{1.14}$$

Der komplexe kapazitive Widerstand $\underline{Z}_{\mathrm{C}}$ ist folglich:

$$\underline{Z}_{\mathrm{C}} = -\frac{\mathrm{j}}{\omega C} = -\mathrm{j} \cdot \frac{\mathrm{j}}{\mathrm{j}} \frac{1}{\mathrm{j}\omega C} = \frac{1}{\mathrm{j}\omega C}. \tag{1.15}$$

Die Reihenschaltung aus Widerstand und Kondensator ist als Foto in Abb. 1.15 dargestellt, die zugehörige Messung in Abb. 1.16. Auch hier ist die „Hauptaufgabe" des

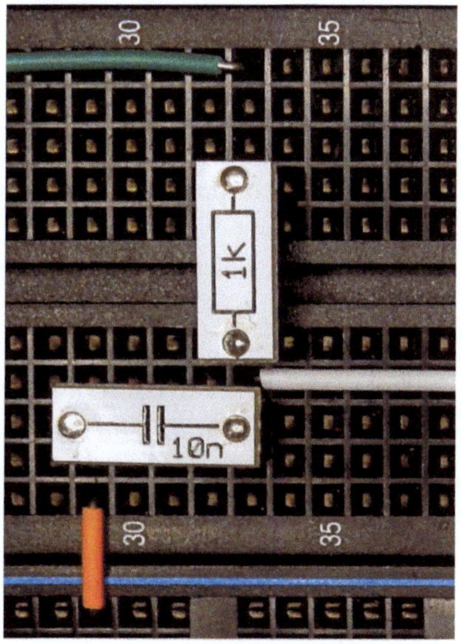

Abb. 1.15 Foto einer Reihenschaltung aus Widerstand und Kondensator auf dem Steckbrett. Das sinusförmige Wechselsignal wird über die obere grüne Leitung eingespeist. Diese Leitung ist gleichzeitig mit Kanal 1 des Oszilloskops verbunden. Die Spannung an Kanal 2 wird über die weiße rechte Leitung gemessen. Die orangene Leitung unten stellt den Masseanschluss dar

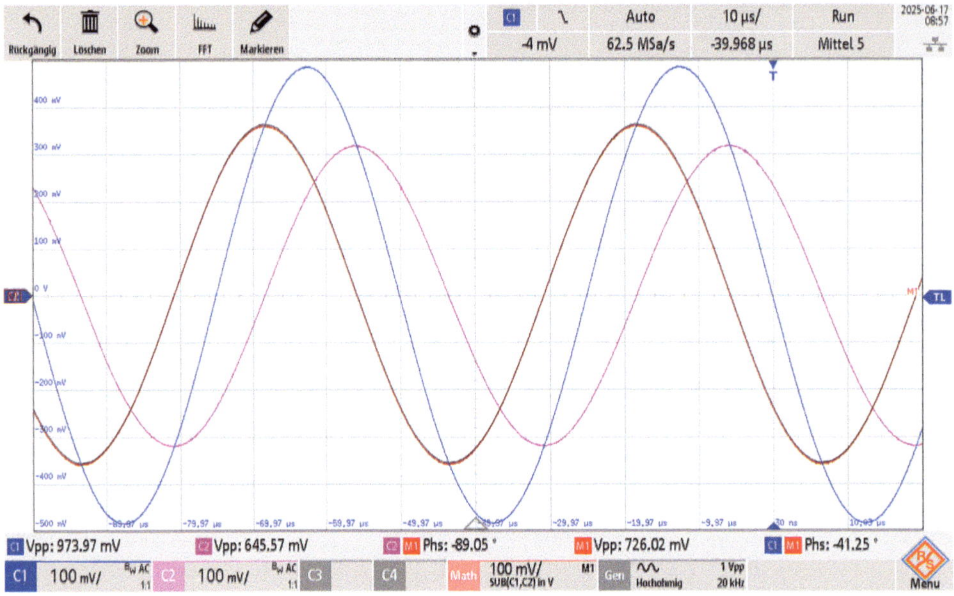

Abb. 1.16 Messung der in Abb. 1.15 gezeigten Reihenschaltung aus Widerstand und Kondensator mit dem Oszilloskop. Die Schaltung wird mit einem sinusförmigen Signal mit einer Amplitude von 0,5 V und einer Frequenz von 20 kHz betrieben. Kanal 1 (blau) entspricht der eingespeisten Spannung, Kanal 2 (pink) der Spannung am Kondensator. Die berechnete Spannung am Mathematikkanal (braun) ist die Differenzspannung am Widerstand und damit proportional zum Strom durch den Kondensator. Die Skalierung ist 100 mV/□ für die drei Kanäle. Zusätzlich sind einige Messwerte angegeben

Widerstands die Messung des Stroms durch den Kondensator. Die Auswertung der Messung erfolgt prinzipiell analog zur vorher dargestellten Auswertung für die Spule. Sehr gut ist erkennbar, dass der Phasenwinkel zwischen der Kondensatorspannung und dem Strom mit $-89{,}05°$ sehr nahe am theoretischen Wert von $-90°$ liegt. Aus der Messung ergeben sich die folgende Werte: Strom $\hat{I} = 363\ \mu\text{A}$, Blindwiderstand des Kondensators $X_\text{C} = 889{,}3\ \Omega$, Kapazität $C = 8{,}95$ nF. Offensichtlich weicht die Kapazität vom angegebenen Nominalwert (10 nF) um gut 10 % ab.

Betrag und Phasenverschiebung komplexer Größen

Eine komplexe Zahl $\underline{Z}$ wird häufig durch einen Unterstrich markiert. Diese Kennzeichnung ist üblich, wird aber nicht immer konsequent verwendet. Manchmal deutet ein Wegfall des Unterstrichs eine Betragsbildung an. Eine komplexe Zahl $\underline{Z}$ wird im Allgemeinen durch den Real- und Imaginärteil beschrieben. Diese beiden Größen lassen sich im Zeigerdiagramm direkt ablesen, s. Abb. 1.17. Hier ist ein komplexer Widerstandswert $\underline{Z} = R + \text{j}X$ dargestellt.

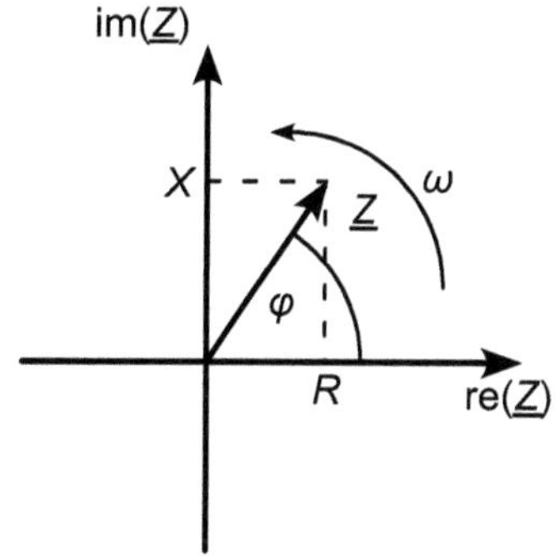

Abb. 1.17 Darstellung eines komplexen Widerstands mit Phasenwinkel φ, Realteil R und Imaginärteil X

Mit Transformation in die reelle Ebene und dem Satz des Pythagoras folgt für den Betrag Z:

$$Z^2 = \mathrm{re}(\underline{Z})^2 + \mathrm{im}(\underline{Z})^2 \text{ bzw.}$$
$$|\underline{Z}| = Z = \sqrt{R^2 + X^2} \tag{1.16}$$

mit dem Realteil R und dem Imaginärteil X.

Der Phasenwinkel φ der komplexen Größe ist ebenfalls in Abb. 1.17 dargestellt. Für den Phasenwinkel ergibt sich durch Transformation in die reelle Ebene:

$$R = Z \cdot \cos(\varphi), X = Z \cdot \sin(\varphi) \tag{1.17}$$

und

$$\tan(\varphi) = \frac{X}{R} \Longleftrightarrow \varphi = \arctan\left(\frac{X}{R}\right). \tag{1.18}$$

Hinweis: Für die vorzeichenrichtige Berechnung des Phasenwinkels φ gibt es in Tabellenkalkulationsprogrammen oder Programmiersprachen häufig die atan2()-Funktion.

Daneben gilt die eulersche Formel

$$\cos(\varphi) + \mathrm{j} \cdot \sin(\varphi) = \mathrm{e}^{\mathrm{j}\varphi}. \tag{1.19}$$

Mit der eulerschen Formel folgt für den komplexen Widerstand:

$$\underline{Z} = Z \cdot \mathrm{e}^{\mathrm{j}\varphi}. \tag{1.20}$$

Die folgenden Beziehungen bilden die Grundlage für die Transformation in den komplexen Bereich:

- $U \rightarrow \underline{U}$ (komplexe Spannung)
- $I \rightarrow \underline{I}$ (komplexer Strom)

- $R \to \underline{Z} = R + \mathrm{j}\omega L$ (komplexer Widerstand bzw. Induktivität)
- $G \to \underline{Y} = G + \mathrm{j}\omega C$ (komplexer Leitwert bzw. Kapazität)

Die Rechnung mit komplexen Zahlen bietet folgende Vorteile:

- Die umständliche Rechnung mit Sinus- und Cosinusfunktionen wird durch die komplexe Wechselstromrechnung vermieden.
- Die komplexe Wechselstromrechnung hat einfache Zusammenhänge zur Berechnung von Spannung und Strom an den vier passiven Bauteilen Widerstand, Leitwert, Kondensator und Spule.

Es gilt:

$$\frac{\underline{U}}{\underline{I}} = R \quad \text{(Widerstand)}$$

$$\frac{\underline{I}}{\underline{U}} = G \quad \text{(Leitwert)}$$

$$\frac{\underline{U}}{\underline{I}} = \frac{1}{\mathrm{j}\omega C} \quad \text{(Kondensator)}$$

$$\frac{\underline{U}}{\underline{I}} = \mathrm{j}\omega L \quad \text{(Spule)}$$

Die Phasenverschiebung zwischen Spannung und Strom ist in der komplexen Rechnung automatisch durch die imaginäre Einheit j enthalten.

Beispiele zur Reihen- und Parallelschaltung

In einer Reihenschaltung aus Widerstand und Kapazität soll der Phasenwinkel zwischen Spannung und Strom 45° betragen. Der Widerstand beträgt $R = 1{,}5\ \mathrm{k\Omega}$, die Frequenz der Wechselspannung $f = 1{,}25\ \mathrm{kHz}$. Der Wert der erforderlichen Kapazität und der Betrag des Scheinwiderstandes X_{Ges} sollen bestimmt werden.

Die zugehörige Schaltung und der Aufbau auf dem Steckbrett sind in Abb. 1.18 dargestellt:

Für die beiden Bauteilen gilt: Am Widerstand R sind Strom und Spannung in Phase, während am Kondensator C der Strom 90° vor der Spannung läuft.

In der Reihenschaltung werden beide Bauteile vom gleichen Strom durchflossen. Die Spannung am Widerstand und der Kapazität stehen senkrecht aufeinander. Diese Verhältnisse sind im Zeigerdiagramm in Abb. 1.19 abgebildet.

Aus der geometrischen Überlegung folgt für die Beträge der Spannungen am Kondensator und Widerstand:

$$|\underline{U}_{\mathrm{C}}| = |\underline{U}_{\mathrm{R}}|.$$

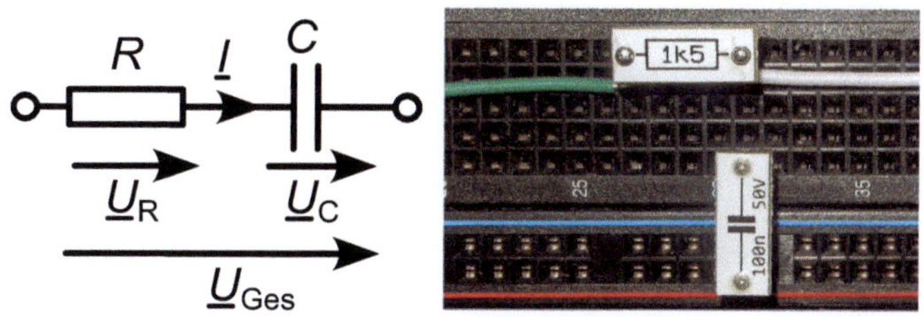

Abb. 1.18 Links: Schaltbild der Reihenschaltung aus Widerstand und Kapazität, rechts Foto der Schaltung auf dem Steckbrett. Über die grüne Leitung wird das sinusförmige Signal eingespeist. Die weiße Leitung dient zum Messen der Kondensatorspannung. Die untere, rote Querleiste ist hier an Masse angeschlossen

Abb. 1.19 Zeigerdiagramm zur Reihenschaltung eines Widerstands R und einer Kapazität C

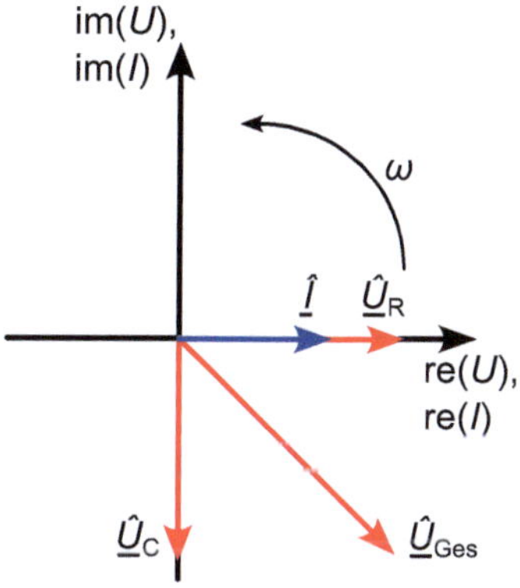

Da der Betrag des Stromes durch die beiden Bauteile in der Reihenschaltung gleich sein muss, gilt für die Beträge:

$$\frac{\underline{U}_\text{C}}{I} = \frac{\underline{U}_\text{R}}{I} \iff \frac{1}{\omega C} = R.$$

Für die Kapazität C folgt mit den gegebenen Werten:

$$C = \frac{1}{\omega R} = \frac{1}{2\pi f R} = \frac{1}{2\pi \cdot 1{,}25\ \text{kHz} \cdot 1{,}5\ \text{k}\Omega} = 84{,}9\ \text{nF}.$$

Damit ergibt sich die Impedanz X_C des Kondensators zu 1,5 kΩ und ist damit genauso groß wie der Widerstandswert R. Die Messung der Schaltung aus Abb. 1.18 ist in Abb. 1.20 dargestellt. Hier wird eine sinusförmige Spannung mit einer Frequenz von 1,25 kHz in eine Reihenschaltung aus einem Widerstand mit 1,5 kΩ und einer Kapazität von 100 nF eingespeist. Dieses Signal wird mit Kanal 1 gemessen. Die Spannung an Kanal 2 entspricht der Spannung am Kondensator. Über die Mathematikfunktion wird die Differenzspannung am Widerstand gebildet. Auf den ersten Blick wird deutlich, dass die

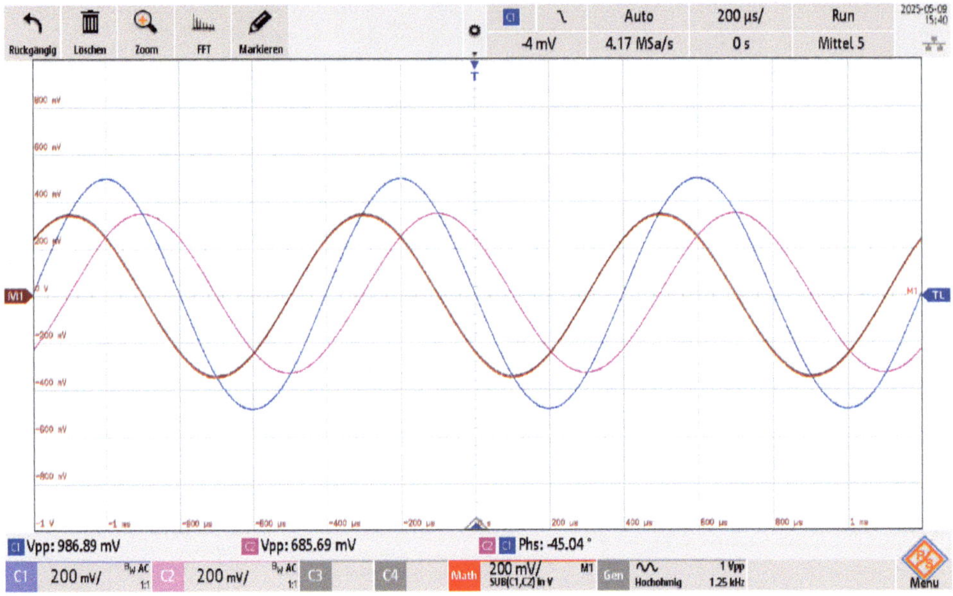

Abb. 1.20 Oszilloskopbildschirm der Messung zur Schaltung in Abb. 1.18. Kanal 1 (blau) entspricht der Gesamtspannung, Kanal 2 (pink) der Spannung U_C am Kondensator. Über die Mathematikfunktion (braune Kurve) wird die Spannung U_R am Widerstand als Differenz der Gesamtspannung und der Spannung U_C gebildet. Gut ist die Phasendifferenz von $-45°$ zu erkennen. Die Skalierung ist 200 mV/□ für die drei Messkurven

Spannungsamplituden am Widerstand und Kondensator identisch sind. Dementsprechend ist auch der Phasenwinkel recht genau bei $-45°$. Der gesamte Scheinwiderstand Z der Schaltung ergibt sich aus der quadratischen Summe der beiden Widerstände mit dem Satz des Pythagoras zu:

$$Z = \sqrt{R^2 + X_\mathrm{C}^2} = \sqrt{1{,}5\ \mathrm{k}\Omega^2 + 1{,}5\ \mathrm{k}\Omega^2} = 2{,}12\ \mathrm{k}\Omega\,.$$

Alternativ kann die Berechnung auch auf die folgende Weise erfolgen. Mit Gl. (1.17) gilt:

$$Z = \frac{R}{\cos(\varphi)} = \frac{1{,}5\ \mathrm{k}\Omega}{\cos(45°)} = 2{,}12\ \mathrm{k}\Omega\,.$$

Damit ist der Scheinwiderstand der Reihenschaltung bestimmt. Die Kapazität C wird über den Scheinwiderstand X_C und Gl. (1.18) mit den gegebenen Werten berechnet:

$$\tan(\varphi) = \frac{X}{R} \iff X = R \cdot \tan(\varphi) = 1{,}5\ \mathrm{k}\,\Omega \cdot \tan\big(45°\big) = 1{,}5\ \mathrm{k}\,\Omega\,.$$

Die Berechnung der Tangensfunktion des Phasenwinkels erfolgt natürlich mit den Beträgen. Die Kapazität hat damit wieder den bereits bekannten Wert von 84,9 nF.

In der Reihenschaltung ist der Strom durch alle Bauelemente gleich, d. h. der Strom fließt ohne Phasen- oder Betragsänderung durch die Reihenschaltung. Die Spannungen an den einzelnen Bauelementen sind über $U = Z \bullet I$ proportional zur jeweiligen Impedanz Z. Gleichzeitig sind bei einem ohmschen Widerstand Strom und Spannung in Phase. Der Phasenwinkel φ ergibt sich zwischen der Gesamtspannung an beiden Bauteilen und dem Strom.

In allgemeiner Form gilt für die Reihenschaltung aus Kondensator und Widerstand für die Impedanz Z und den Phasenwinkel φ:

$$\underline{Z} = R + \frac{1}{\mathrm{j}\omega C}, Z = \sqrt{R^2 + \frac{1}{(\omega C)^2}} = \frac{U_{\mathrm{Ges}}}{I} \tag{1.21}$$

$$\varphi = \arctan\left(-\frac{1}{\omega CR}\right) = -\arctan\left(\frac{1}{\omega CR}\right) \tag{1.22}$$

Aus der in Abb. 1.20 gezeigten Messung ergeben sich die folgenden Zahlenwerte: $|\hat{U}_{\mathrm{C}}| = 686$ mV (Kanal 2), $|\hat{U}_{\mathrm{Ges}}| = 987$ mV (Kanal 1), $|\hat{U}_{\mathrm{R}}| = 710$ mV (Mathematikfunktion bzw. aus $\hat{U}_{\mathrm{C}}$ und $\hat{U}_{\mathrm{Ges}}$ berechnet), $|\hat{I}| = 473$ µA (aus $\hat{U}_{\mathrm{R}}$ und dem Widerstand berechnet). Bei einem Phasenwinkel φ von 45° sollten die Beträge der Spannungen am Widerstand und dem Kondensator identisch sein. Hier kommt es offensichtlich zu einer kleinen Abweichung. Der Phasenwinkel φ kann als Phasenversatz zwischen $\hat{U}_{\mathrm{Ges}}$ (Kanal 1) und der Differenzspannung $\hat{U}_{\mathrm{R}}$ bestimmt werden. Dabei wird ausgenutzt, dass die Spannung am Widerstand auch mit dem Phasenwinkel proportional zum Strom ist. Die Messfunktion des Oszilloskops ergibt einen Wert von −45°. Anmerkung: Für die Schaltung wurde ein Kondensator mit einem Nominalwert von 100 nF verwendet, s. Abb. 1.18. Offensichtlich weicht der echte Kapazitätswert jedoch ab.

Für die Reihenschaltung aus Widerstand und Induktivität in Abb. 1.21 gilt: Durch

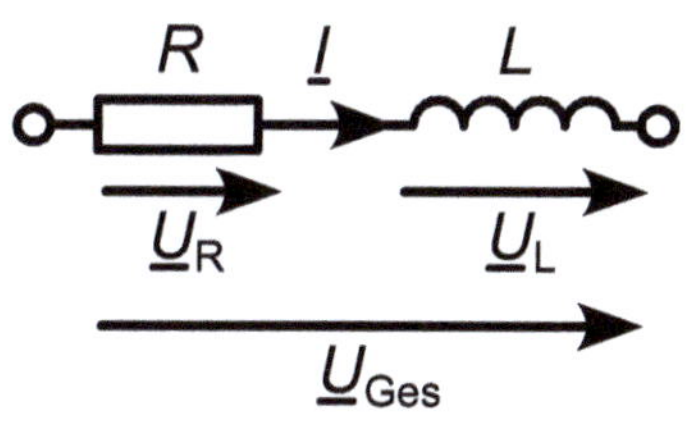

Abb. 1.21 Links: Reihenschaltung aus Induktivität L und Widerstand R, rechts Foto der Schaltung auf dem Steckbrett. Die sinusförmige Spannung wird über die grüne linke Leitung eingespeist. Die Spannung an der Spule wird über die rechte weiße Leitung gemessen. Die Spule ist über die kurze graue Leitung an Masse (untere rote Querreihe) angeschlossen

beide Bauelemente fließt jeweils der gleiche Strom (Betrag, Phase), am Widerstand ist die Spannung in Phase, während an der Spule zwischen Spannung und Strom ein Winkel von 90° ist (Spannung vor Strom an der Induktivität). Für den komplexen Widerstand dieser Anordnung gilt:

$$\underline{Z} = \frac{\underline{U}}{\underline{I}} = \frac{\underline{U}_\mathrm{R} + \underline{U}_\mathrm{L}}{\underline{I}} = R + \mathrm{j}\omega L, Z = \sqrt{R^2 + (\omega L)^2} = \frac{U_\mathrm{Ges}}{I}. \tag{1.23}$$

Für den Phasenwinkel φ zwischen Gesamtspannung (Spannungssumme) und Strom gilt mit dem Zeigerdiagramm in Abb. 1.22:

$$\tan(\varphi) = \frac{\underline{U}_\mathrm{L}}{\underline{U}_\mathrm{R}} = \frac{\omega L}{R} \iff \varphi = \arctan(\frac{\omega L}{R}). \tag{1.24}$$

Die Messung der Schaltung aus Abb. 1.21 ist in Abb. 1.23 gezeigt. Hier wurde ein Widerstand von 220 Ω und eine Spule mit einer Induktivität von 10 mH verwendet. Für diese Messung wurde mit dem Signalgenerator des Oszilloskops eine sinusförmige Spannung an den Widerstand angeschlossen. Diese Spannung ist am Kanal 1 sichtbar, die Spannung U_L an der Spule an Kanal 2. Per Mathematikfunktion wird die Differenz U_R aus der eingespeisten Spannung und der Spannung an der Spule gebildet. Auch hier wird deutlich, dass die Spannungsamplituden am Widerstand und an der Spule nahezu gleich sind. Gut ist die Phasenverschiebung von 43° bei einer Frequenz von 3,5 kHz sichtbar. Dieser Wert ist sehr nahe am theoretischen Wert von 45°. Die zahlenmäßige Auswertung der Messung ergibt die folgenden Zahlenwerte: $|\hat{U}_\mathrm{L}| = 608$ mV (Kanal 2), $|\hat{U}_\mathrm{Ges}| = 897$ mV (Kanal 1), $|\hat{U}_\mathrm{R}| = 660$ mV (Mathematikfunktion bzw. aus $\hat{U}_\mathrm{L}$ und $\hat{U}_\mathrm{Ges}$ berechnet), $|\hat{I}| = 2{,}998$ mA (ohmsches Gesetz). Die Spannungswerte deuten bereits an, dass der Phasenwinkel etwas von 45° abweicht.

Im Folgenden wird die Parallelschaltung aus einem Widerstand R und einer Induktivität L in Abb. 1.24 untersucht. Dabei gilt zunächst, dass beide Bauteile die gleiche Spannung haben (sowohl Betrag als auch Phase), aber durchaus von einem unterschiedlichen Strom

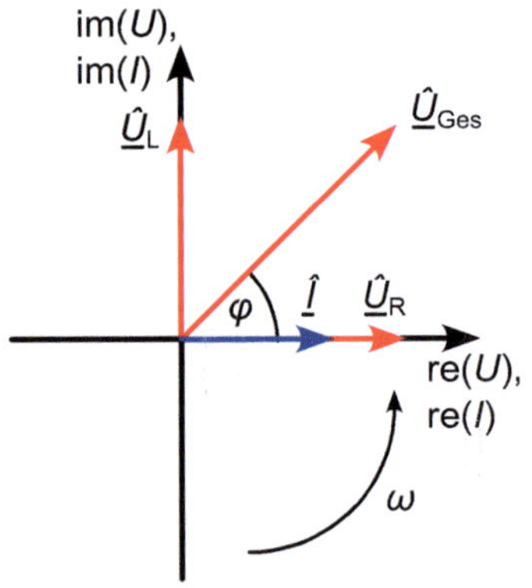

Abb. 1.22 Zeigerdiagramm für eine Reihenschaltung aus Induktivität L und Widerstand R

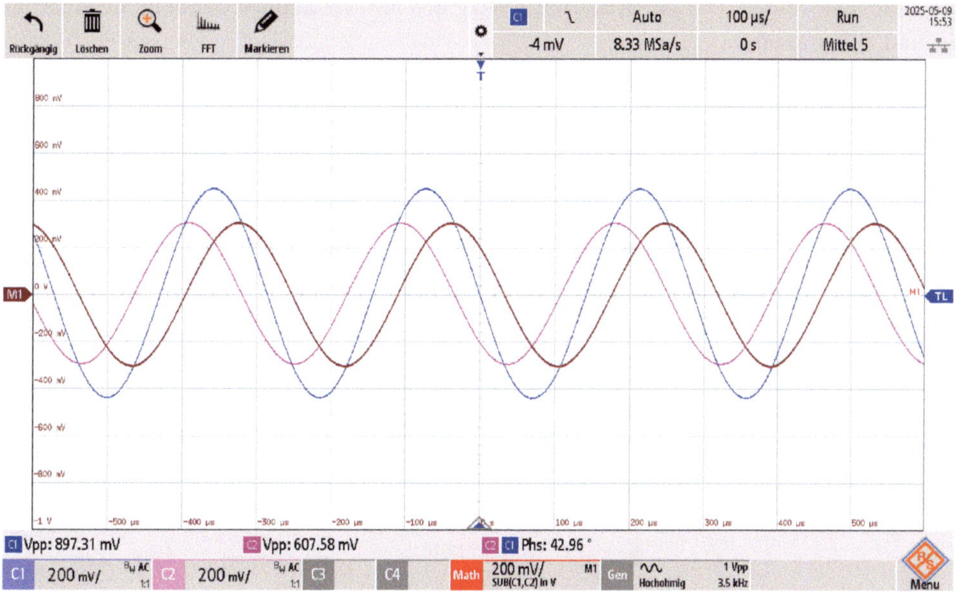

Abb. 1.23 Messung der Reihenschaltung aus Abb. 1.21 mit einem Widerstand R (220 Ω) und einer Spule L (10 mH). Das sinusförmige Signal hat eine Frequenz von 3,5 kHz. Dieses Signal wird an Kanal 1 gemessen. Die Spannung U_L an der Spule wird an Kanal 2 gemessen. Per Mathematikfunktion wird die Differenz aus der Gesamtspannung und der Spannung U_L gebildet. Diese Spannung entspricht der Spannung U_R am Widerstand. Die Skalierung ist 200 mV/□ für die drei dargestellten Messkurven

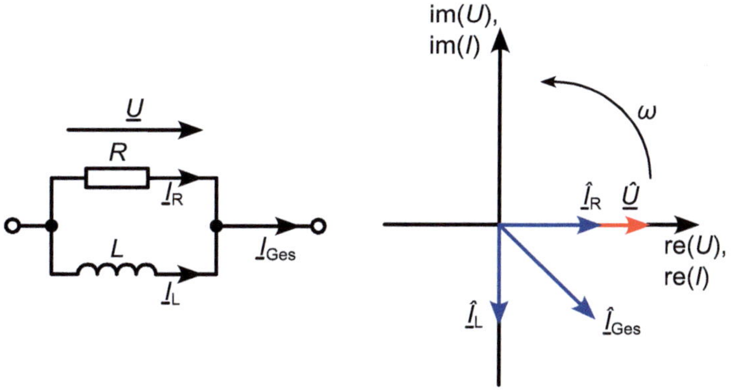

Abb. 1.24 Links: Parallelschaltung mit Widerstand R und Induktivität L, rechts: zugehöriges Zeigerdiagramm

durchflossen werden. Der Gesamtstrom I setzt sich aus der Summe der beiden Teilströme I_{R} und I_{L} zusammen.

In komplexer Form gilt:

$$\underline{I} = \underline{I}_{\mathrm{R}} + \underline{I}_{\mathrm{L}}.$$

Mit den bekannten Zusammenhängen aus Gl. 1.3 und 1.6 zwischen Spannung und Strom an den beiden Elementen

$$\underline{I}_{\mathrm{R}} = \frac{\underline{U}}{R} \quad \text{und} \quad \underline{I}_{\mathrm{L}} = \frac{\underline{U}}{\mathrm{j}\omega L} \quad \text{folgt}$$

$$\underline{I} = \frac{\underline{U}}{R} + \frac{\underline{U}}{\mathrm{j}\omega L}.$$

Die komplexe Impedanz $\underline{Z}$ der Parallelschaltung ist:

$$\underline{Z} = \frac{\underline{U}}{\underline{I}} = \frac{\underline{U}}{\frac{\underline{U}}{R} + \frac{\underline{U}}{\mathrm{j}\omega L}} = \frac{1}{\frac{1}{R} + \frac{1}{\mathrm{j}\omega L}} = \frac{R \cdot \mathrm{j}\omega L}{R + \mathrm{j}\omega L}, Z = \frac{1}{\sqrt{\frac{1}{R^2} + \frac{1}{(\omega L)^2}}} = \frac{U}{I_{\mathrm{Ges}}}. \tag{1.25}$$

Das zugehörige Zeigerdiagramm ist in Abb. 1.24 rechts gezeigt. Aus geometrischen Überlegungen folgt für den Phasenwinkel φ:

$$\tan(\varphi) = \frac{\underline{I}_{\mathrm{L}}}{\underline{I}_{\mathrm{R}}} = \frac{\frac{U}{\omega L}}{\frac{U}{R}} = \frac{R}{\omega L} \iff \varphi = \arctan(\frac{R}{\omega L}). \tag{1.26}$$

Als letzter Fall wird die Parallelschaltung aus Widerstand und Kondensator behandelt. Die Schaltung ist in Abb. 1.25 links dargestellt.

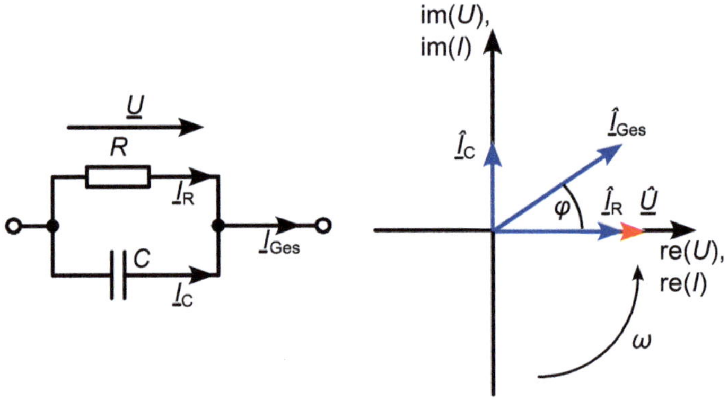

Abb. 1.25 Links: Parallelschaltung mit Widerstand R und Kapazität C, rechts zugehöriges Zeigerdiagramm

Tab. 1.1 Spule, Widerstand und Kondensator als komplexe Widerstände

Spule (Induktivität) L	Widerstand R	Kondensator (Kapazität) C
I läuft 90° nach U, U läuft 90° vor I	I und U in Phase	I läuft 90° vor U, U läuft 90° nach I
$\underline{Z} = \mathrm{j}\omega L$	$Z = R$	$Z = \frac{1}{\mathrm{j}\omega C}$
$\varphi = +90°$	$\varphi = 0°$	$\varphi = -90°$

Tab. 1.2 Reihenschaltung von Spule bzw. Kondensator mit einem Widerstand

Reihenschaltung $L + R$	Reihenschaltung $C + R$
Spannung U_{Ges} vor Strom I	Spannung U_{Ges} nach Strom I
$\underline{Z}_{\mathrm{Ges}} = R + \mathrm{j}\omega L$	$\underline{Z}_{\mathrm{Ges}} = R + \frac{1}{\mathrm{j}\omega C}$
$Z_{\mathrm{Ges}} = \sqrt{R^2 + (\omega L)^2}$	$Z_{\mathrm{Ges}} = \sqrt{R^2 + \frac{1}{(\omega C)^2}}$
$\varphi = \arctan\left(\frac{\omega L}{R}\right)$	$\varphi = -\arctan\left(\frac{1}{\omega CR}\right)$

An beiden Bauteilen liegt der gleiche (komplexe) Spannungswert an, während der Strom durch den Widerstand und den Kondensator unterschiedlich ist. Hier gilt für die Stromsumme in der Parallelschaltung:

$$\underline{I} = \underline{I}_{\mathrm{R}} + \underline{I}_{\mathrm{C}} = \frac{\underline{U}}{R} + \mathrm{j}\omega C \cdot \underline{U}.$$

Damit folgt für den komplexen Widerstand Z der Parallelschaltung:

$$\underline{Z} = \frac{\underline{U}}{\underline{I}} = \frac{\underline{U}}{\frac{\underline{U}}{R} + \mathrm{j}\omega C \cdot \underline{U}} = \frac{1}{\frac{1}{R} + \mathrm{j}\omega C} = \frac{R}{1 + \mathrm{j}\omega CR}, \quad Z = \frac{1}{\sqrt{\frac{1}{R^2} + (\omega C)^2}} = \frac{U}{I_{\mathrm{Ges}}}. \tag{1.27}$$

Das zugehörige Zeigerdiagramm ist in Abb. 1.25 rechts dargestellt.

Für den Phasenwinkel gilt:

$$\tan(-\varphi) = \frac{\underline{I}_{\mathrm{C}}}{\underline{I}_{\mathrm{R}}} = \frac{\omega C \cdot U}{\frac{U}{R}} = \omega CR \iff \varphi = -\arctan(\omega CR). \tag{1.28}$$

Das Minuszeichen in der Tangensfunktion kommt in diesem Fall daher, dass die Spannung dem Strom zeitlich hinterher läuft und der Phasenwinkel φ negativ wird. Das Foto einer Parallelschaltung aus Widerstand und Kondensator auf dem Steckbrett ist in Abb. 1.26 dargestellt. Für die Messung des Stroms wurde ein weiterer Widerstand von 100 Ω oberhalb der Parallelschaltung ergänzt. Die zugehörige Messung ist in Abb. 1.27 gezeigt. Die Auswertung dieser Messung ist hier nur mit den Endergebnissen dargestellt. Aus der Amplitude der Spannung am Mathematikkanal ergibt sich ein Strom durch die

Tab. 1.3 Parallelschaltung von Spule bzw. Kondensator mit einem Widerstand

Parallelschaltung $L + R$	Parallelschaltung $C + R$
Spannung U_{Ges} vor Strom I	Spannung U_{Ges} nach Strom I
$\underline{Z}_{Ges} = \frac{R \cdot j\omega L}{R + j\omega L}$	$\underline{Z}_{Ges} = \frac{R}{1 + j\omega CR}$
$Z_{Ges} = \frac{\omega LR}{\sqrt{R^2 + (\omega L)^2}}$	$Z_{Ges} = \frac{R}{\sqrt{1 + (\omega CR)^2}}$
$\varphi = \arctan\left(\frac{R}{\omega L}\right)$	$\varphi = -\arctan(\omega CR)$

Abb. 1.26 Parallelschaltung aus Kondensator (10 nF) und Widerstand (1 kΩ) auf dem Steckbrett. Der obere 100 Ω Widerstand wird zur Messung des Stromes verwendet. Die sinusförmige Spannung (Frequenz 30 kHz, Amplitude 0,5 V) wird über die obere grüne Leitung eingespeist. Hier ist auch Kanal 1 angeschlossen. Über die weiße, rechte Leitung wird die Spannung der Parallelspannung an Kanal 2 gemessen. Die untere, blau markierte Querleiste ist an Masse angeschlossen

Parallelschaltung von $\hat{I} = 867{,}2\ \mu\text{A}$. Mit der Spannungsamplitude von 424,5 mV (Kanal 2) ergibt sich für die Parallelschaltung eine Impedanz von 489,5 Ω. Mit dem ohmschen Widerstand von 1 kΩ und der quadratischen Summe der Impedanzen lässt sich der Blindwiderstand X_C des Kondensators zu 561,4 Ω bestimmen. Der Phasenwinkel φ ergibt sich für diesen Fall zu −60,7°. Der gemessene Wert von −59,9° passt ausgezeichnet zu diesem Wert.

In Tab. 1.1 sind die Impedanzen und Phasenwinkel der drei Elemente Spule, Widerstand und Kondensator noch einmal zusammengestellt. In Tab. 1.2 sind die Eigenschaften der Reihenschaltung aus Spule und Widerstand bzw. Kondensator und Widerstand zusammengestellt, in Tab. 1.3 die zugehörigen Größen für die Parallelschaltung.

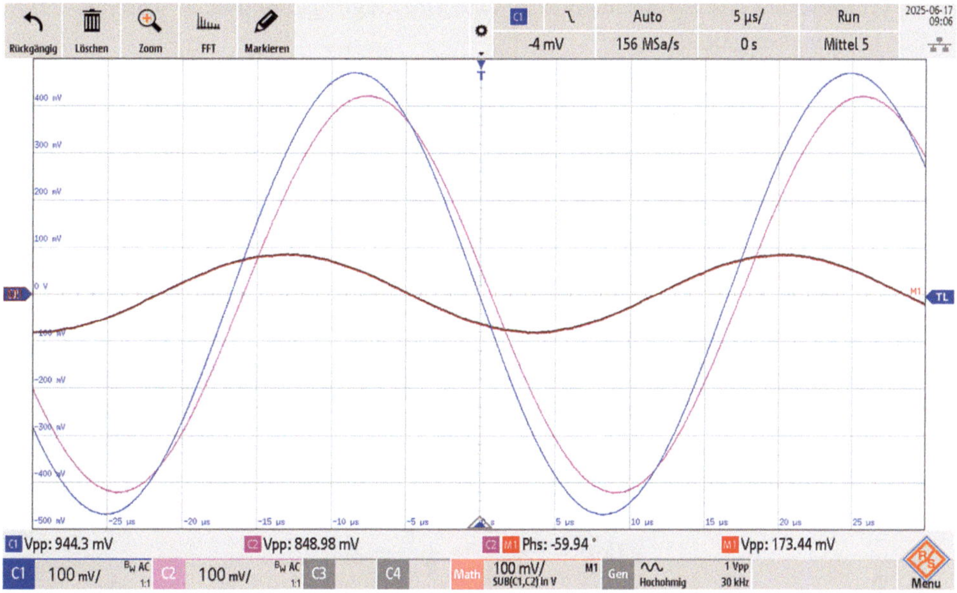

Abb. 1.27 Messung der Schaltung in Abb. 1.26. Die blaue Kurve (Kanal 1) entspricht der Gesamtspannung, die pinkfarbene Kurve der Spannung an der Parallelschaltung. Die Differenzspannung von Kanal 1 und 2 (Mathematikfunktion, braune Messkurve) entspricht folglich der Spannung am 100 Ω-Widerstand in Abb. 1.26. Die Skalierung ist 100 mV/□ für die drei Kurven. Zusätzlich sind einige Messwerte eingeblendet

1.5 Dezibel

In der Elektronik kommt es häufig vor, dass sehr große und sehr kleine Zahlenwerte verwendet werden. Außerdem kommen häufiger Multiplikationen von Zahlenwerten vor. Aus diesen Gründen hat es sich bewährt, mit logarithmischen Werten zu arbeiten. Dabei hat sich insbesondere die Größe Dezibel und die abgeleiteten Größen bewährt. Die Größe Dezibel (dB) weist die folgenden Eigenschaften auf:

- Dezibel (dB) ist eine logarithmische Verhältniszahl und besitzt damit streng genommen keine Einheit. Allerdings werden umgerechnete Zahlen immer mit dB gekennzeichnet. Damit wird dB praktisch einer Einheit gleichgestellt.
- Die Umrechnung von „linearen" Werten in das logarithmische Dezibel ist nur für Beträge üblich.

Für Spannungs- und Stromverhältnisse gilt:

$$F|_{\text{dB}} = 20\text{dB} \cdot \log\left|\underline{F}\right|, \tag{1.29}$$

dabei kennzeichnet das Formelzeichen $|F|$ eine Übertragungsfunktion, s. Abschn. 1.7.

Für Leistungsverhältnisse gilt:

$$F|_{\mathrm{dB}} = 10\mathrm{dB} \cdot \log|\underline{F}|. \tag{1.30}$$

Der Grund für die unterschiedlichen Vorfaktoren 10 dB bzw. 20 dB ist, dass die Leistung P proportional zu U^2 bzw. I^2 ist:

$$P = \frac{U^2}{R} = I^2 \cdot R. \tag{1.31}$$

Das Quadrat wird aus der Logarithmusfunktion gezogen und ergibt den Faktor 2 für Spannungs- bzw. Stromwerte. Eine einfache Berechnung soll beispielhaft mit dem Spannungsteiler aus Abb. 1.28 durchgeführt werden. Für diesen Spannungsteiler gilt, dass die beiden Widerstände den gleichen Wert haben.

Die Übertragungsfunktion berechnet sich aus dem Spannungsteiler zu

$$\underline{F}(\mathrm{j}\omega) = \frac{\underline{U}_{\mathrm{Aus}}}{\underline{U}_{\mathrm{Ein}}} = \frac{R}{R+R} = \frac{1}{2}.$$

Damit lässt sich der Betrag der Übertragungsfunktion in Dezibel berechnen:

$$F|_{\mathrm{dB}} = 20\ \mathrm{dB} \cdot \log\left|\frac{1}{2}\right| = -6\ \mathrm{dB}.$$

Für die Leistung am Eingang und Ausgang gilt:

$$P_{\mathrm{Ein}} = \frac{U_{\mathrm{Ein}}^2}{R} \quad \text{und}$$

$$P_{\mathrm{Aus}} = \frac{\left(\frac{U_{\mathrm{Ein}}}{2}\right)^2}{R} = \frac{U_{\mathrm{Ein}}^2}{4R}.$$

Das Leistungsverhältnis ist in Dezibel:

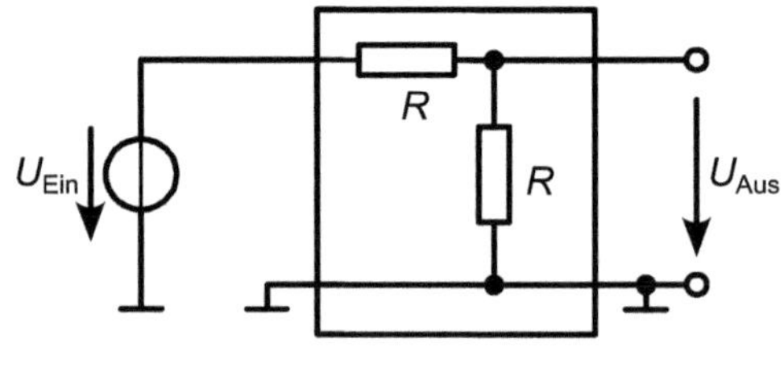

Abb. 1.28 Spannungsteiler als einfaches Beispiel zur Berechnung der Dezibel-Werte

Tab. 1.4 Einige Umrechnungswerte für Spannungs-, Strom- und Leistungsverhältnisse. Die Werte für 3, 6 und 12 dB sind auf die üblichen Werte gerundet

$\lvert\underline{F}\rvert$ (Spannung, Strom)	$\lvert\underline{F}\rvert$(Leistung)	F /dB
$1.000.000 = 10^6$	10^{12}	120
$100.000 = 10^5$	10^{10}	100
$100 = 10^2$	$10.000 = 10^4$	40
$\sqrt{1000} \approx 31{,}623$	$1000 = 10^3$	30
10	$100 = 10^2$	20
4	16	12
$\sqrt{10} \approx 3{,}1623$	10	10
2	4	6
$\sqrt{2}$	2	3
1	1	0
$1/\sqrt{2}$	1/2	−3
1/2	1/4	−6
$1/\sqrt{10} \approx 0{,}31623$	1/10	−10
1/10	$1/100 = 10^{-2}$	−20

$$F|_{\text{dB}} = 10\ \text{dB} \cdot \log\left|\frac{\frac{U_{\text{Ein}}^2}{4R}}{\frac{U_{\text{Ein}}^2}{R}}\right| = 10\ \text{dB} \cdot \log\frac{1}{4} = -6\ \text{dB}.$$

In Dezibel ausgedrückt ist das Verhältnis von Spannungen (oder Strömen) und Leistungen gleich. Daher wird für Spannungen und Ströme der Faktor 20 dB und für Leistungen der Faktor 10 dB verwendet!

Leistungsgrößen sind: Leistung, Energie, Widerstand und Rauschzahl. Zu den Spannungsgrößen zählen auch Feldgrößen z. B. des elektrischen Feldes.

In Tab. 1.4 sind einige Dezibel-Werte für Spannungen bzw. Ströme und Leistungen aufgeführt. Aus der Tabelle wird deutlich, dass insbesondere besonders große oder kleine Verhältniszahlen in „handliche" Zahlen umgerechnet werden.

1.5.1 Rechenregeln für Dezibel

- Die Multiplikation von Übertragungsverhältnissen wird auf eine Addition der Dezibelwerte zurückgeführt. Mathematisch gilt: $\log(a \cdot b) = \log(a) + \log(b)$.
- Eine Verzehnfachung eines Spannungs- bzw. Stromverhältnisses bedeutet eine Addition von 20 dB.
- Eine Division durch zehn für ein Spannungs- bzw. Stromverhältnis entspricht einer Subtraktion von 20 dB.

- Die Verdopplung des Spannungs-, bzw. Stromverhältnisses entspricht einer Addition von 6 dB.
- Die Halbierung des Spannungs-, bzw. Stromverhältnisses entspricht einer Subtraktion von 6 dB.

Mit den letzten vier Regeln lässt sich ein Übertragungswert relativ einfach mit einer Genauigkeit von mindestens 2 dB umrechnen.

Für Leistungsverhältnisse gelten die folgenden Regeln:

- Verzehnfachung: Addition von 10 dB.
- Division durch 10: Subtraktion von 10 dB.
- Verdoppelung: Addition von 3 dB.
- Halbierung: Subtraktion von 3 dB.

Die Rückrechnung von Dezibel-Werten (logarithmischen Werten) in lineare Werte erfolgt aufgrund der unterschiedlichen Vorfaktoren getrennt für Spannungs-/Stromverhältnisse und Leistungsverhältnisse:

$$|\underline{F}| = 10^{F|_{[\mathrm{dB}]}/20\mathrm{dB}} \quad (\text{für Spannungs}-,\ \text{oder Stromverhältnisse}) \tag{1.32}$$

$$|\underline{F}| = 10^{F|_{[\mathrm{dB}]}/10\mathrm{dB}} \quad (\text{für Leistungsverhältnisse}). \tag{1.33}$$

1.6 Vierpolanalyse

In der Elektronik werden Vierpole häufig durch Messdaten oder Funktionen beschrieben. Das gilt beispielsweise für Filter. Hier wird die (komplexe) Ausgangsspannung $\underline{U}_{\mathrm{Aus}}$ in Abhängigkeit der Eingangsspannung $\underline{U}_{\mathrm{Ein}}$ dargestellt. Beide Spannungen sind im Allgemeinen komplexe Funktionen.

Ein allgemeiner Vierpol ist beispielhaft in Abb. 1.29 dargestellt. In dieser Form wird

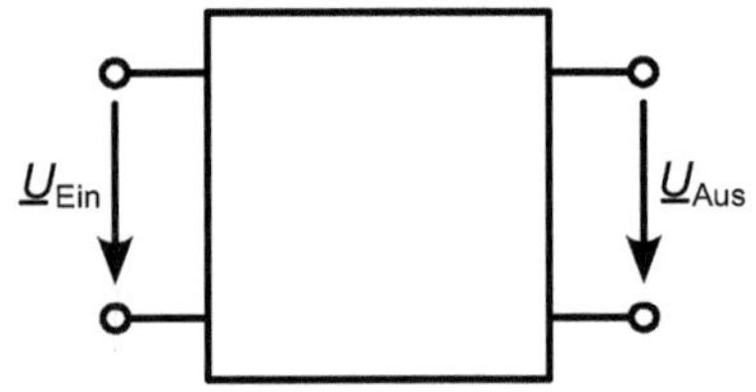

Abb. 1.29 Allgemeine Darstellung eines Vierpols mit komplexer Ein- und Ausgangsspannung. In dem Schaltungsblock wird eine Schaltung oder ein beschreibendes Symbol dargestellt

der Vierpol durch ein Quadrat mit den entsprechenden Anschlüssen gezeichnet. Häufig werden in das Quadrat Symbole oder ein Stichwort für die Funktion eingetragen (Filter, Verstärker, ADC, …). Die Bezeichnung Vierpol leitet sich von den vier Anschlussleitungen ab. Häufig sind zwei Leitungen auf Massepotenzial (je eine Leitung am Eingang und eine Leitung am Ausgang). Manchmal werden aber auch differentielle Signale verwendet. In diesem Fall hat der Vierpol einen oder keinen Masseanschluss. Neben dem Begriff Vierpol ist ebenfalls die Bezeichnung Zweitor üblich. Dabei werden der Eingang und der Ausgang als jeweils ein Tor bezeichnet. Für die Mehrzahl der Schaltungsblöcke gibt es ein Eingangs- und ein Ausgangstor. Bei manchen Schaltungsblöcken gibt es mehrere Ausgangstore, beispielsweise bei einem Umschalter, oder mehrere Eingangstore.

Typischerweise wird bei einem Vierpol am Eingang eine Spannung $\underline{U}_{\mathrm{Ein}}$ vorgegeben. Am Ausgang steht die Spannung $\underline{U}_{\mathrm{Aus}}$ zur Verfügung, die hier hochohmig abgegriffen wird, d. h. der Vierpol wird ausgangsseitig nicht belastet. Der Eingangs- und der Ausgangswiderstand spielen demnach eine große Rolle. Da für Vierpole häufig das Frequenzverhalten betrachtet wird, wird gerne mit komplexen Spannungen gearbeitet.

Die Beschreibung des Vierpols kann durch die folgenden Möglichkeiten erfolgen:

- Ein Schaltplan erlaubt oft eine genaue Beschreibung, allerdings ist der Zusammenhang zwischen Ausgangs- und Eingangssignal bereits bei etwas umfangreicheren Schaltungen sehr schwer zu erkennen.
- Messwerte erlauben eine genaue Darstellung, allerdings sind nur diskrete Werte für spezielle Messbedingungen darstellbar. Mathematische Zusammenhänge, also beispielsweise proportionale Zusammenhänge sind nicht direkt sichtbar.
- Die Berechnung der Ausgangsspannung aus der Eingangsspannung, als Übertragungsfunktion oder -kennlinie. Für einfache Vierpole ist das gut möglich.
- Eine grafische Veranschaulichung, beispielsweise als Bode-Diagramm, Ortskurve, Pol-Nullstellendiagramm oder eine vereinfachende Darstellung mit den wesentlichen Merkmalen.

Hier wird im Folgenden die Übertragungsfunktion und das Pol-Nullstellendiagramm genutzt.

1.7 Übertragungsfunktion

Die Übertragungsfunktion ist das Verhältnis der Ausgangsspannung in Bezug zur Eingangsspannung in Abhängigkeit der Frequenz. Ist die Eingangsspannung und die Übertragungsfunktion bekannt, kann die Ausgangsspannung direkt bestimmt werden. Mathematisch gilt:

$$\underline{F}(\mathrm{j}\omega) = \frac{\underline{U}_{\mathrm{Aus}}}{\underline{U}_{\mathrm{Ein}}}. \tag{1.34}$$

$\underline{U}_{\mathrm{Aus}}$ und $\underline{U}_{\mathrm{Ein}}$ sind Wechselspannungen mit der Kreisfrequenz ω, die über die eulersche Formel definiert sind:

$$\underline{U}_{\mathrm{Aus}}(\omega) = \widehat{U}_{\mathrm{Aus}} \cdot \mathrm{e}^{\mathrm{j}\omega t} \quad \text{und}$$

$$\underline{U}_{\mathrm{Ein}}(\omega) = \widehat{U}_{\mathrm{Ein}} \cdot \mathrm{e}^{\mathrm{j}\omega t}.$$

Ein sehr einfaches Beispiel für eine Übertragungsfunktion ist der in Abb. 1.30 links dargestellte Vierpol. Es handelt sich hier um einen einfachen Spannungsteiler. Die Ausgangsspannung ist

$$\underline{U}_{\mathrm{Aus}}(\omega) = \frac{R}{R+R} \cdot \underline{U}_{\mathrm{Ein}}$$

Damit ist die Übertragungsfunktion

$$\underline{F}(\mathrm{j}\omega) = \frac{\underline{U}_{\mathrm{Aus}}}{\underline{U}_{\mathrm{Ein}}} = \frac{R}{R+R} = \frac{1}{2}$$

Ein weiteres Beispiel ist der in Abb. 1.30 rechts gezeigte Tiefpass.

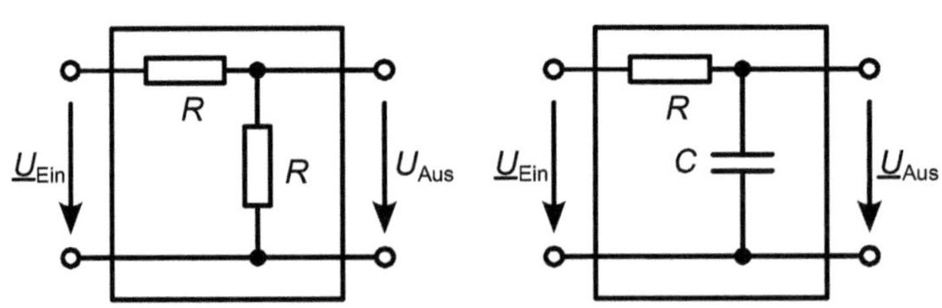

Abb. 1.30 Vierpol als Tiefpass, s. Text

Die Ausgangsspannung $\underline{U}_{\text{Aus}}$ des Vierpols ist (komplexer Spannungsteiler):

$$\underline{U}_{\text{Aus}} = \frac{1/\mathrm{j}\omega C}{R + 1/\mathrm{j}\omega C} \cdot \underline{U}_{\text{Ein}} = \frac{1}{1 + \mathrm{j}\omega RC} \cdot \underline{U}_{\text{Ein}}$$

Die Übertragungsfunktion ist damit:

$$\underline{F}(\mathrm{j}\omega) = \frac{\underline{U}_{\text{Aus}}}{\underline{U}_{\text{Ein}}} = \frac{1}{1 + \mathrm{j}\omega RC}. \tag{1.35}$$

Für den Betrag gilt:

$$\left|\underline{F}(\mathrm{j}\omega)\right| = \frac{1}{\sqrt{1^2 + (\omega RC)^2}} = \frac{1}{\sqrt{1 + (\omega RC)^2}}. \tag{1.36}$$

Die Phasendrehung wird aus Gl. (1.35) mit der konjugiert-komplexen Erweiterung bestimmt. Dabei wird die komplexe Funktion mit dem Nenner der Übertragungsfunktion mit negiertem Imaginärteil erweitert. Für diesen Fall wird der Nenner der Übertragungsfunktion eine reelle Größe:

$$\underline{F}(\mathrm{j}\omega) = \frac{1 - \mathrm{j}\omega RC}{1 + (\omega RC)^2}.$$

Das Verhältnis aus Imaginärteil zu Realteil ist die Tangensfunktion des Phasenwinkels φ. Da der Nenner durch die konjugiert-komplexe Erweiterung reell ist, genügt hier die Betrachtung des Zählers:

$$\tan\varphi = \frac{\mathrm{im}\{1 - \mathrm{j}\omega RC\}}{\mathrm{re}\{1 - \mathrm{j}\omega RC\}} = -\frac{\omega RC}{1}$$

$$\Rightarrow \varphi = -\arctan(\omega RC). \tag{1.37}$$

Eine wichtige Größe bei Filtern ist die Grenzfrequenz f_{g} oder 3 dB-Frequenz $f_{3\text{dB}}$. Bei dieser Frequenz gilt für den einfachen Tiefpass:

- Das Signal am Ausgang des Filters ist auf den Faktor $1/\sqrt{2}$ des Maximalwertes abgefallen:

$$U_{3\text{dB}} = \frac{1}{\sqrt{2}} U_{\text{Max}}.$$

- Die Ausgangsleistung des Filters beträgt die Hälfte der Maximalleistung:

$$P_{3\text{dB}} = \frac{1}{2} P_{\text{Max}}.$$

- Der Realteil der Übertragungsfunktion ist bei der Grenzfrequenz betragsmäßig genauso groß wie der Imaginärteil:

$$\left|\mathrm{re}\{\underline{F}(\omega)\}\right| = \left|\mathrm{im}\{\underline{F}(\omega)\}\right|.$$

- Der Phasenwinkel beträgt bei der Grenzfrequenz entweder + 45° oder −45°. Bei dem hier vorliegenden Tiefpass ist die Phasendrehung −45°.

Die Berechnung der Grenzfrequenz des einfachen Tiefpasses kann über jede der vier vorgestellten Möglichkeiten erfolgen. In der Regel wird die Grenzfrequenz über den Betrag bestimmt. Für den Tiefpass gilt in diesem Fall:

$$\begin{aligned}
&\left|\mathrm{re}\{\underline{F}(\omega)\}\right| = \left|\mathrm{im}\{\underline{F}(\omega)\}\right| \\
\Longleftrightarrow\;& \left|\frac{1}{1+(\omega RC)^2}\right| = \left|\frac{-\omega RC}{1+(\omega RC)^2}\right| \\
\Longleftrightarrow\;& 1 = \omega RC \Longleftrightarrow \omega = \frac{1}{RC}. \\
\Rightarrow\;& \omega_\mathrm{g} = \frac{1}{RC} \Longleftrightarrow f_\mathrm{g} = \frac{1}{2\pi RC}.
\end{aligned} \tag{1.38}$$

1.8 Bode-Diagramm

In einem Bode-Diagramm werden der Betragsverlauf und der Phasengang in zwei Diagrammen übereinander dargestellt. Für den Tiefpass in Abb. 1.30 rechts gelten die beiden Gleichungen:

$$\left|\underline{F}(\mathrm{j}\omega)\right| = \frac{1}{\sqrt{1+(\omega RC)^2}} \qquad \text{(Wdh.)}$$

$$\varphi = -\arctan(\omega RC) \qquad \text{(Wdh.)}$$

1.8.1 Betragskurve

Der Betrag der Übertragungsfunktion wird häufig grafisch dargestellt. Zur Darstellung gibt es verschiedene Möglichkeiten, die in Abb. 1.31 und 1.32 gezeichnet sind. Die erste Version ist in Abb. 1.31 oben gezeigt. Hier sind Betrag und Frequenz linear dargestellt. Man erkennt, dass die Kurve mit wachsender Frequenz zunächst steil abfällt und dann flacher verläuft. Offensichtlich ist diese Kurve nur begrenzt auswertbar, da die Änderung des Betrags in einem sehr schmalen Frequenzbereich erfolgt.

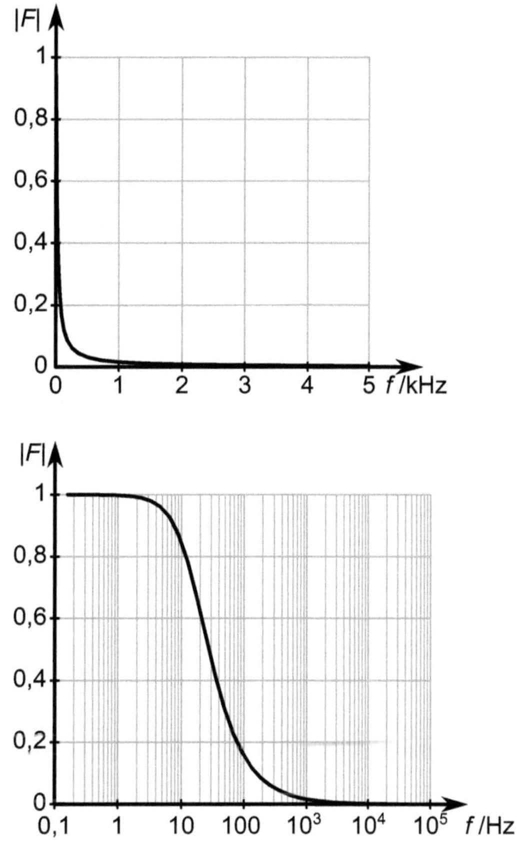

Abb. 1.31 Oben: Darstellung der Übertragungsfunktion eines Tiefpasses mit linearer Frequenz- und Betragsachse. Die Grenzfrequenz des Tiefpasses beträgt 15,92 Hz. Unten: Übertragungsfunktion des gleichen Tiefpasses mit logarithmischer Frequenz- und linearer Betragsachse

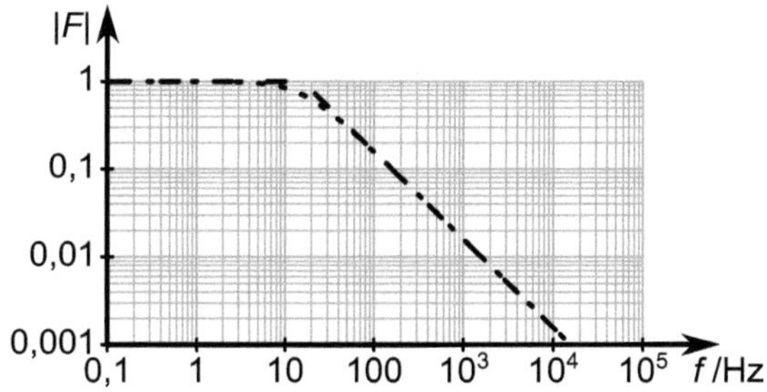

Abb. 1.32 Übertragungsfunktion eines Tiefpasses mit logarithmischer Frequenz- und Betragsachse (gepunktet) und mit Näherungsgeraden (gestrichelt). In weiten Bereichen liegen die beiden Kurven aufeinander. Die Daten des Tiefpasses sind identisch zum Tiefpass in Abb. 1.31

Für die zweite Darstellungsart in Abb. 1.31 unten ist die Frequenzachse logarithmisch skaliert, die Betragskurve weiterhin linear. Man erkennt einen Verlauf, der von einer horizontalen Linie in einem schmalen Frequenzbereich von etwa 1 Hz bis 1 kHz fast auf 0 abfällt. Anschließend bleibt die Kurve nahezu bei 0. Auch diese Kurve ist hinsichtlich der Grenzfrequenz und des genauen Verlaufs schwierig auswertbar.

In der dritten Version in Abb. 1.32 sind die Frequenzachse und der Betrag logarithmisch dargestellt. Für den Betrag wird später die Größe Dezibel (dB) verwendet.

In dieser Darstellung verläuft der Betrag in sehr guter Näherung zunächst horizontal, knickt bei der Grenzfrequenz mit einer Rundung ab und verläuft mit linearem Abfall zu höheren Frequenzen.

Diese letzte Version wird überwiegend für schnelle Skizzen verwendet, wobei als Näherung die Rundung weggelassen wird und nur die zwei Näherungsgeraden gezeichnet werden, die sich dann bei der Grenzfrequenz berühren. Diese Geraden sind strichpunktiert in Abb. 1.32 eingezeichnet.•

In guter Näherung wird der Betragsverlauf auf die folgende Weise gezeichnet:

- Die Frequenzachse wird logarithmisch skaliert.
- Die Betragsachse wird ebenfalls logarithmisch skaliert.
- Die Grenzfrequenz (3 dB-Frequenz) wird berechnet und markiert.
- Unterhalb der Grenzfrequenz wird eine Gerade mit dem Betrag 1 gezeichnet (passiver Tiefpass).
- Oberhalb der Grenzfrequenz wird eine Gerade gezeichnet, die bei der jeweils zehnfachen Frequenz auf ein Zehntel abfällt.

Ein Bereich auf der Frequenzachse von einer Frequenz f bis zur zehnfachen Frequenz $10\,f$ wird als Dekade bezeichnet. Die Rechnung mit „Zehnteln“ ist teilweise schwierig. Aus diesem Grund wird in der Elektronik, der Hochfrequenz- und der Regelungstechnik die Größe Dezibel (dB) verwendet.

Mit den Definitionen aus dem vorigen Kapitel kann die Regel zur grafischen Konstruktion des Spannungsverlaufs eines Tiefpasses neu aufgestellt werden:

- Die Frequenzachse wird logarithmisch skaliert. Dabei ist zu beachten, dass bei dieser Skalierung die Frequenz 0 Hz nicht enthalten ist!
- Die Betragsachse wird in Dezibel (dB) aufgetragen.
- Die 3 dB-Frequenz wird rechnerisch bestimmt und markiert.
- Unterhalb der ersten (niedrigsten) Grenzfrequenz verläuft die Betragsfunktion als Gerade mit dem Betrag 0 dB.
- Oberhalb der Grenzfrequenz wird die Betragsfunktion durch eine Gerade mit einem Abfall von 20 dB pro Dekade bzw. 6 dB pro Oktave (Oktave = Frequenzverdoppelung) dargestellt.
- Der maximale Fehler beträgt genau bei der Grenzfrequenz 3 dB.

- Für eine höhere Genauigkeit kann der Übergang zwischen der horizontalen und der abfallenden Geraden um die Grenzfrequenz herum skizziert werden. Diese genauere Zeichnung wird in diesem Buch jedoch nicht verwendet!

1.8.2 Phasenverlauf

Analog zum Betrag wird die Phase aufgetragen. Das bedeutet, dass auch für den Phasenverlauf die Frequenzachse logarithmisch skaliert wird. Der Phasengang eines Tiefpasses ist beispielhaft in Abb. 1.33 dargestellt.

In guter Näherung kann der Phasenverlauf durch drei Geraden gezeichnet werden:

- Ist die Frequenz niedriger als eine Dekade unter der Grenzfrequenz (also bei weniger als einem Zehntel der Grenzfrequenz) wird eine Gerade mit einer Phase von 0° eingezeichnet.
- Im Bereich von einer Dekade unter der Grenzfrequenz bis zu einer Dekade oberhalb der Grenzfrequenz wird eine Gerade gezeichnet, die von 0° auf −90° abfällt und bei der Grenzfrequenz genau den Wert von −45° hat.
- Oberhalb einer Dekade über der Grenzfrequenz (also oberhalb der zehnfachen Frequenz) wird eine Gerade mit einer Phase von −90° gezeichnet.

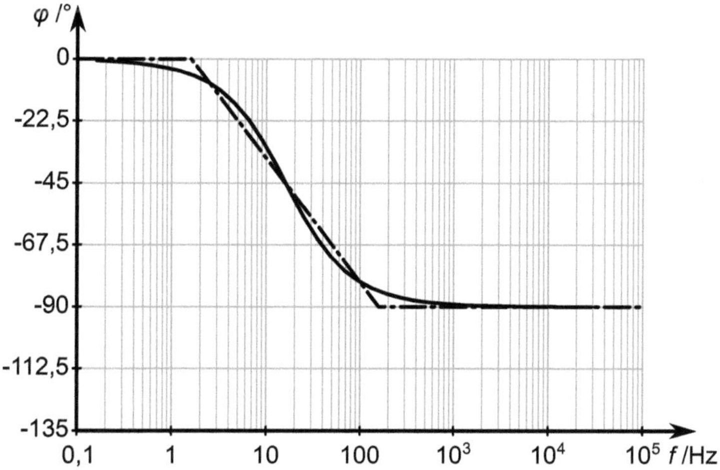

Abb. 1.33 Berechneter Phasengang eines Tiefpasses (durchgezogene Linie) und mit strichpunktierten Näherungsgeraden

Diese Näherungsgeraden sind in Abb. 1.33 strichpunktiert eingezeichnet. Der maximale Fehler dieser Näherungsgeraden gegenüber den genauen Werten beträgt $+5{,}7°$ bei $f_g/10$ bzw. $-5{,}7°$ bei $10 \bullet f_g$.

1.8.3 Bode-Diagramm

Die beiden Grafiken, also die Betragsfunktion in Dezibel und der Phasengang, jeweils mit logarithmischer Frequenzteilung, werden als Bode-Diagramm bezeichnet. Dabei sind der Betrag oben und der Phasengang darunter dargestellt.

Zusammenfassung der Konstruktionsvorschriften des Bode-Diagramms (z. T. für einen Tiefpass):

- Das Bode-Diagramm wird zunächst mit Näherungsgeraden konstruiert, sowohl für den Betrag als auch die Phase.
- Evtl. kann das Bode-Diagramm an den Knickstellen genauer gezeichnet werden. Nur hier können „gebogene" Linien vorkommen! Diese genaue Zeichnung wird in diesem Buch jedoch nicht verwendet.
- Bei jeder 3 dB-Frequenz ändert sich die Betragskurve! Bei einem Tiefpass 1. Ordnung beginnt zu höheren Frequenzen hin, also nach rechts, ein Abfall von −20 dB/Dekade. Das bedeutet, für einen Tiefpass ändert sich die Steigung für Frequenzen oberhalb der Grenzfrequenz um −20 dB/Dekade. Das gilt auch dann, wenn unterhalb der Grenzfrequenz die Betragskurve eine Steigung aufweist. Bei einem Tiefpass zweiter Ordnung fallen im Prinzip zwei Grenzfrequenzen zusammen. In diesem Fall ändert sich die Steigung der Betragskurve zu höheren Frequenzen um $2 \cdot (-20)$ dB/Dekade, also um −40 dB/Dekade.
- Die Phase ändert sich für einen Tiefpass erster Ordnung an der Grenzfrequenz genau um $-45°$. Die Phasendrehung setzt eine Dekade vor der Grenzfrequenz mit $0°$ ein und dreht bis $\varphi = -90°$ bei der zehnfachen Grenzfrequenz. Damit ist die Steigung der Phase −45°/Dekade für einen Tiefpass erster Ordnung über die beiden Dekaden. Bei einem Tiefpass zweiter Ordnung fallen die beiden Grenzfrequenzen zusammen und die beiden Phasendrehungen addieren sich. Damit ist die Phasendrehung eine Dekade unter der Grenzfrequenz $0°$, bei der Grenzfrequenz $-45° + (-45°) = -90°$ und $-180°$ eine Dekade oberhalb der Grenzfrequenz.

Ein nach dieser Konstruktionsvorschrift gezeichnetes Bode-Diagramm eines Tiefpasses mit einer Kreisgrenzfrequenz von 100 Hz ist in Abb. 1.34 gezeichnet. Das Format des Bodeplots entspricht der Darstellung in Kap. 6. Generell wird in diesem Buch das Bode-Diagramm immer mit Näherungsgeraden verwendet.

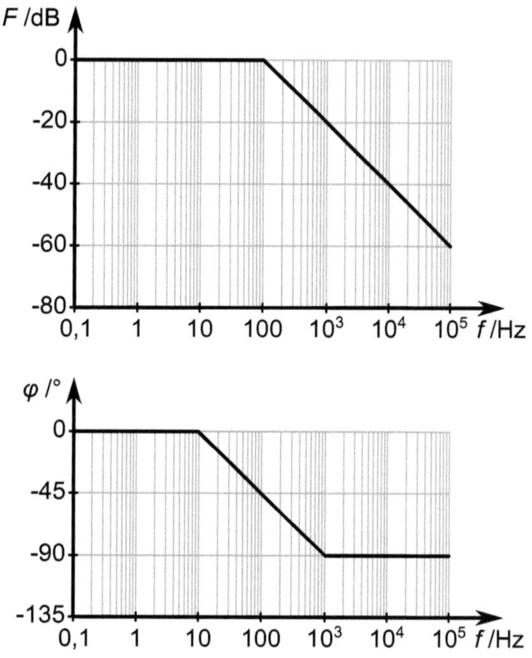

Abb. 1.34 Bode-Diagramm eines Tiefpasses mit einer Grenzfrequenz von 100 Hz. Dargestellt sind die Näherungsgeraden für den Betrag- und den Phasenverlauf

1.8.4 Ablesen von Zahlenwerten aus dem Bode-Diagramm

Das Ablesen von Zahlenwerten aus dem Bode-Diagramm ist ein wenig „schwierig“. Der Grund ist, dass die logarithmische Skalierung deutlich von linearen Skalierungen abweicht. Die grau gezeichneten Hilfslinien beispielsweise in Abb. 1.34 stehen jeweils für Zwischenwerte von zwei bis neun. Schaut man sich beispielsweise den Frequenzbereich von 10 Hz bis 100 Hz an, stehen die grauen Linien für 20 Hz, 30 Hz, usw. bis 90 Hz. Der Abstand von 10 Hz bis 20 Hz ist dabei fast so groß, wie der Abstand von 50 Hz bis 100 Hz.

Die geometrische Mitte der Frequenzen ergibt sich aus dem Grundwert der Dekade, also hier 10 Hz, multipliziert mit $10^{1/2}$, also 10 Hz • 3,16 = 31,6 Hz. Ähnlich kann der Bereich geometrisch in drei oder vier Teilbereich eingeteilt werden. Bei der Aufteilung in drei Bereichen ergibt sich ein Faktor von $10^{1/3} = 2{,}154$. Hier ergeben sich die Frequenzen 10 Hz, 21,54 Hz, 46,42 Hz und 100 Hz. Diese Aufteilungen sind beispielhaft in Abb. 1.35 dargestellt.

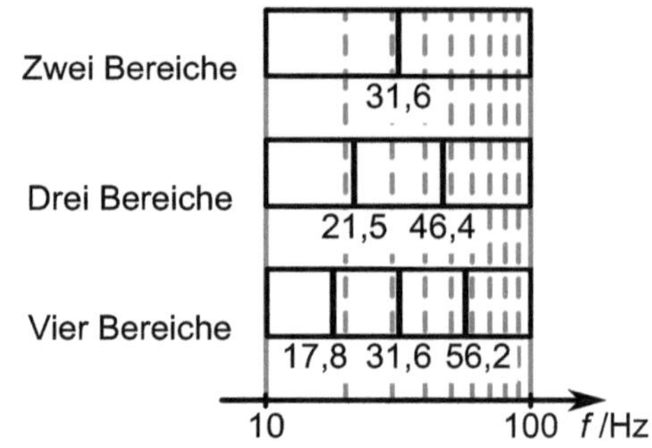

Abb. 1.35 Bestimmung der Zwischenwerte bei logarithmischer Skalierung. Hier wurde der Frequenzbereich von 10 Hz bis 100 Hz in zwei, drei und vier Bereiche aufgeteilt, die die gleiche geometrische Abmessung haben. Die Zwischenwerte sind in die Grafik eingetragen

1.8.5 Messung eines Tief- und eines Hochpasses, Darstellung als Bode-Diagramm

In diesem Abschnitt werden einige Messungen mit den theoretischen Kurven des Bode-Diagramms verglichen. Auf diese Weise soll die Genauigkeit der Näherungsgeraden, aber auch die Grenzen, aufgezeigt werden.

Ein Foto eines einfachen Tiefpasses und die zugehörige Messung sind in Abb. 1.36 dargestellt. Hier wurde die Betrags- und die Phasenkurve in einem Koordinatensystem dargestellt. Als Bauteilwerte wurden ein Widerstand von 1 kΩ und eine Kapazität von 10 nF verwendet. Die Messung wurde mit einem Oszilloskop mit integriertem Signalgenerator aufgenommen. Rein rechnerisch ergibt sich hier eine Grenzfrequenz von 15,915 kHz. Dieser Wert kann aus Abb. 1.36 in guter Näherung abgelesen werden.

Für die Messung in Abb. 1.37 wurde der Wert der Kapazität um den Faktor zehn auf 100 nF erhöht. Gut ist zu erkennen, dass die Grenzfrequenz gegenüber Abb. 1.40 jetzt auf ein Zehntel gesunken ist.

1.8.6 Messung eines mehrfachen Tiefpasses und Darstellung im Bode-Diagramm

Soll der Abfall an der Grenzfrequenz steiler als mit −20 dB pro Dekade erfolgen, besteht die Möglichkeit, mehrere Tiefpässe in Reihe zu schalten. Bei der naheliegenden Schaltung nach Abb. 1.38 oben ergibt sich das Problem, dass die Tiefpässe nicht mehr unabhängig voneinander berechnet werden können, da der nachgeschaltete Tiefpass mit R_2, C_2 den ersten Tiefpass belastet. Genauer ausgedrückt: Die Eingangsimpedanz des nachgeschalteten Tiefpasses ist in der Größenordnung der Ausgangsimpedanz des vorgeschalteten Tiefpasses und ändert sich mit der Frequenz. Um die Näherung des unbelasteten Spannungsteilers aufrechtzuerhalten, muss der Widerstand R_2 im Vergleich zu R_1 sehr hoch gewählt werden. Das führt entweder zu niedrigen Widerstandswerten von

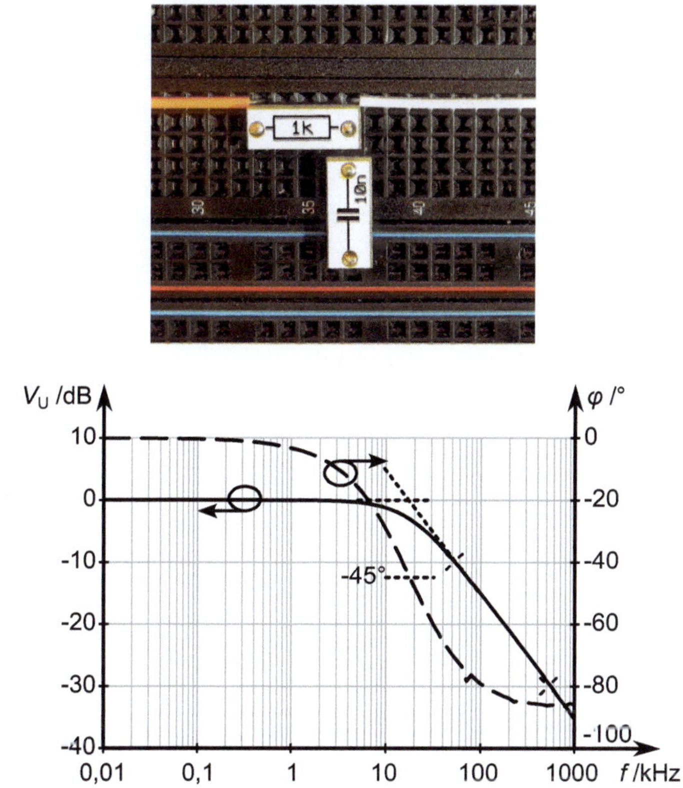

Abb. 1.36 Oben: Foto eines einfachen Tiefpasses mit einem Widerstand von 1 kΩ und einem Kondensator mit 10 nF auf dem Steckbrett. Das Eingangssignal wird über die orangefarbene Leitung links oben eingespeist. Das Ausgangssignal wird an der weißen Leitung rechts oben gemessen. Der Kondensator ist mit dem unteren Ende an Masse (blau markierte Querreihe) angeschlossen. Unten: Gemessenes Bode-Diagramm des Tiefpasses. Der Betrag ist mit der durchgezogenen Linie, der Phasengang mit der gestrichelten Linie dargestellt. Die beiden Kreuze markieren eine Steigung von −20 dB/Dekade. Die gepunktete Hilfslinie markiert eine Phase von −45° bzw. den Schnittpunkt der Näherungsgeraden für die Betragskurve. Hier wurden Betrags- und Phasenverlauf abweichend vom üblichen Bode-Diagramm in einem Diagramm zusammengefasst

R_1 oder zu geringen Strömen im zweiten Tiefpassfilter mit R_2 und C_2. Dieses Verhalten wird in der Regel vermieden, in dem Operationsverstärker als Entkoppelverstärker verwendet werden. Als Entkoppelverstärker wird ein nichtinvertierender Verstärker mit einem Verstärkungsfaktor von 1 verwendet, s. Abschn. 4.3. Dabei wird insbesondere der hochohmige Eingangswiderstand dieser Operationsverstärkerschaltung ausgenutzt. Die resultierende Schaltung ist ebenfalls in Abb. 1.38 dargestellt.

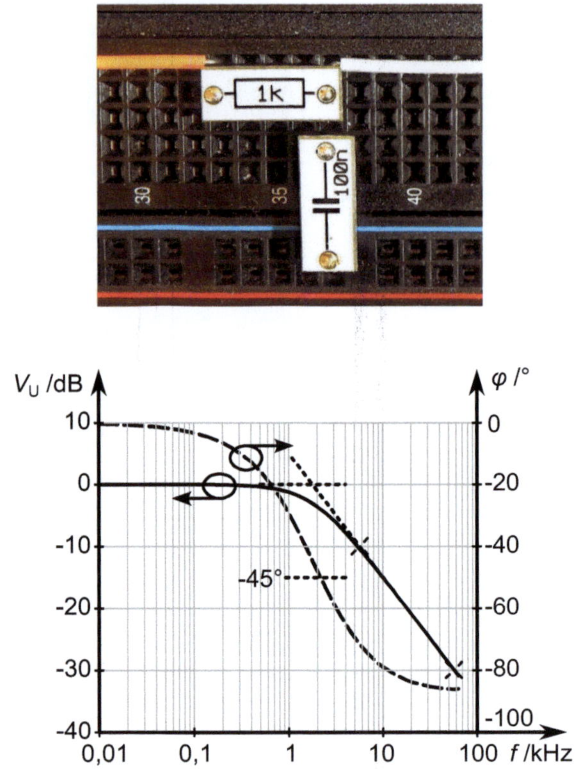

Abb. 1.37 Oben: Foto eines Tiefpasses mit 1 kΩ und 100 nF auf dem Steckbrett. Gegenüber Abb. 1.36 wurde nur der Wert des Kondensators verändert. Unten: Zugehörige Messung des Bode-Diagramms. Der Betrag ist mit der durchgezogenen Linie, der Phasengang mit der gestrichelten Linie dargestellt. Die beiden Kreuze markieren eine Steigung von −20 dB/Dekade. Die gepunktete Hilfslinie markiert eine Phase von −45° bzw. den Schnittpunkt der Näherungsgeraden für die Betragskurve

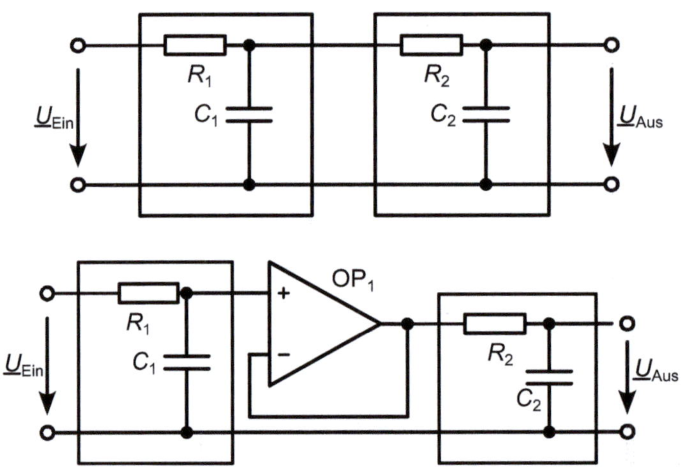

Abb. 1.38 Oben: naheliegende, jedoch „ungenaue" Schaltung zur Realisierung eines doppelten Tiefpasses. Unten: Realisierung eines doppelten Tiefpasses mit einem Entkoppelverstärker zwischen den beiden Filterstufen

Der Operationsverstärker OP_1 bewirkt, dass jeder Tiefpass einzeln für sich berechnet werden kann. Gegenüber einem einfachen Tiefpass (mit einer Widerstands-Kondensator-Kombination) ergibt sich für die Grenzfrequenz eines doppelten Tiefpasses mit jeweils gleicher Grenzfrequenz jedoch eine Änderung. Grund ist, dass bei der ursprünglichen Grenzfrequenz

$$f_g = \frac{1}{2\pi RC} \qquad \text{(Wdh.)}$$

die Dämpfung jetzt nicht mehr −3 dB sondern −6 dB beträgt, da sich für die Dezibelwerte eine Verdoppelung ergibt. Die Berechnung der Grenzfrequenz erfolgt dann deutlich aufwendiger. Manchmal wird dieser Effekt ignoriert und näherungsweise die Grenzfrequenz des einfachen Tiefpasses verwendet.

Hier steht die Konstruktion des Bode-Diagramms mit Näherungsgeraden im Vordergrund. Für die Konstruktion des Bode-Diagramms gilt für den doppelten Tiefpass, dass ausgehend von der angegebenen Grenzfrequenz eines Tiefpasses eine Gerade mit einem Abfall von −40 dB/Dekade gezeichnet wird. Ein doppelter Tiefpass mit Entkopplungsverstärker wurde auf dem Steckbrett aufgebaut, s. Abb. 1.39. Die Messung ist in Abb. 1.40 gezeigt. Hier wurden auch die Näherungsgeraden für das Bode-Diagramm eingezeichnet. Gut erkennbar ist, dass die Steigung der Näherungsgeraden recht genau zur Messung passt. Aus dem Verlauf dieser Näherungsgerade folgt eine Grenzfrequenz von etwa 1,7 kHz beim Schnittpunkt mit der waagerechten 0 dB Linie. Aus dem Phasenverlauf ergibt sich jedoch eine Grenzfrequenz von etwa 700 Hz bei einer Phase von −45°. Die Berechnung der Grenzfrequenz entsprechend Gl. (1.38) ergibt eine Grenzfrequenz von 1,59 kHz. Dieser Wert passt gut zum Verlauf der Näherungsgeraden im Betragsdiagramm. Im Phasendiagramm ergibt sich bei dieser Frequenz ein Wert von etwa −90°. Dieser Wert passt zur Theorie, wenn beachtet wird, dass hier ein doppelter Tiefpass verwendet wird.

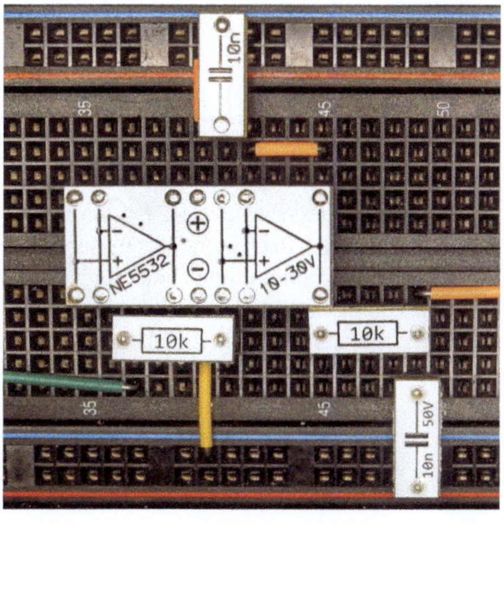

Abb. 1.39 Schaltung eines „doppelten" Tiefpasses auf dem Steckbrett. Das Eingangssignal wird über die grüne Leitung links unten zugeführt, das Ausgangssignal wird über die orangene Leitung rechts unten gemessen

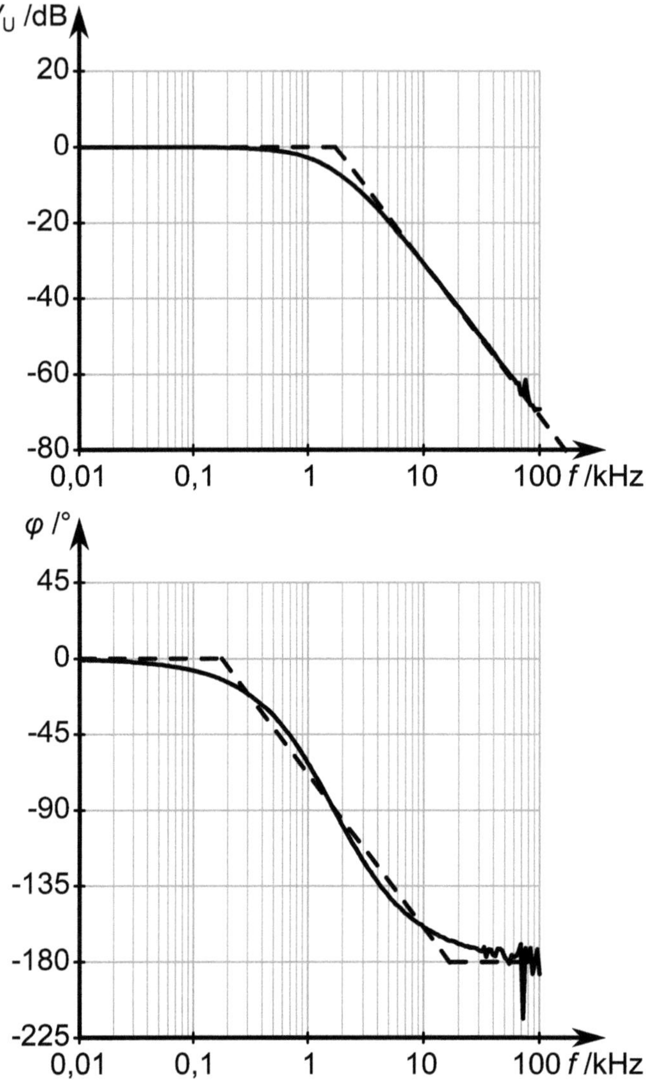

Abb. 1.40 Gemessenes Bode-Diagramm für einen doppelten Tiefpass mit zwei Operationsverstärkern. Oben ist der Betrag und unten der Phasenverlauf jeweils mit durchgezogenen Linien dargestellt. Die gestrichelten Linien sind die Näherungsgeraden für eine Grenzfrequenz von 1,59 kHz. Im Bereich von etwa 40 kHz bis 100 kHz kommt es zu Messfehlern, die durch den zackenförmigen Verlauf sichtbar sind. Weitere Erläuterungen, s. Text

Für die nächste Messung wurden zwei Tiefpassfunktionen mit unterschiedlichen Grenzfrequenzen direkt kombiniert, also keine Operationsverstärker zur Trennung verwendet. Das Ergebnis ist in Abb. 1.41 dargestellt. Gut ist zu erkennen, dass die Phase wieder bis nahe an $-180°$ läuft. Im Betragsverlauf sind die zwei unterschiedlichen Steigungen zu erkennen. Bei einer Frequenz von 1,59 kHz ist die niedrigere Grenzfrequenz. Hier beginnt der Übergang auf die Steigung von -20 dB/Dekade. Die zweite Grenzfrequenz sollte bei 15,9 kHz liegen. Laut Messung scheint die Grenzfrequenz jedoch bei etwa 40 kHz zu liegen. Erst bei dieser Frequenz ist die Phase auf $-135°$ gesunken. Hier ist auch im Betragsverlauf der Übergang auf die Steigung von -40 dB/Dekade zu erkennen. Zwei Punkte sind hier zu ergänzen: Es kommt hier zu einer Überlagerung des Phasenverlaufs bei beiden Grenzfrequenzen. Dazu kommt, dass die Spannungssignale bei einer Frequenz von mehr als 50 kHz sehr gering sind. Gegenüber den eingespeisten Signalen ist

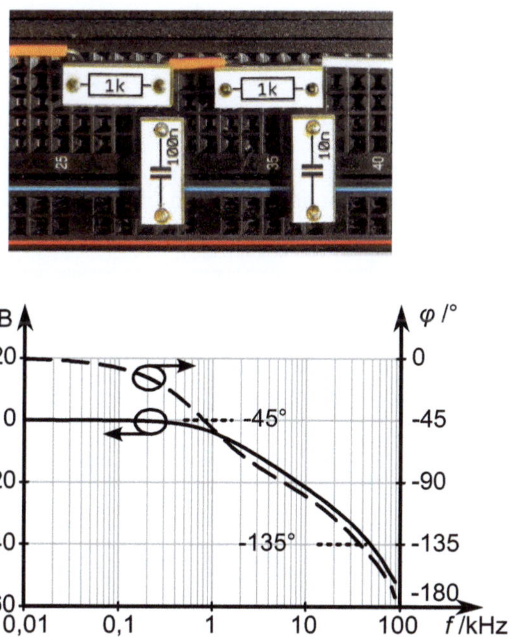

Abb. 1.41 Oben: Foto eines passiven doppelten Tiefpasses. Der erste Tiefpass wird aus einem Kondensator mit 100 nF und einem Widerstand von 1 kΩ gebildet, der zweite Tiefpass hat die Bauteilwerte 10 nF und 1 kΩ. Über die orangefarbige Leitung links oben wird das Eingangssignal eingespeist. Das Ausgangssignal wird mit der weißen Leitung oben rechts gemessen. Die blau markierte Querreihe unten ist an Masse angeschlossen. Unten: Gemessenes Bode-Diagramm des doppelten Tiefpasses. Der Betrag ist mit der durchgezogenen Linie, der Phasengang mit der gestrichelten Linie dargestellt. Die gepunkteten Linien markieren eine Phase von $-45°$ bzw. $-135°$ entsprechend der beiden Grenzfrequenzen

die Amplitude um etwa −50 dB geringer, also auf etwa ein Zehntausendstel abgefallen. Hier stören Rauschanteile und Störsignale die automatische Messung des Phasengangs.

1.9 Hochpass

Der Schaltplan eines RC-Hochpasses erster Ordnung ist in Abb. 1.42 dargestellt.

Die Übertragungsfunktion $\underline{F}(\mathrm{j}\omega)$ ist:

$$\underline{F}(\mathrm{j}\omega) = \frac{\underline{U}_{\mathrm{Aus}}}{\underline{U}_{\mathrm{Ein}}} = \frac{R}{R + \frac{1}{\mathrm{j}\omega C}}$$
$$\Longleftrightarrow \underline{F}(\mathrm{j}\omega) = \frac{\mathrm{j}\omega RC}{1 + \mathrm{j}\omega RC}. \tag{1.39}$$

Für die Berechnung des Betrags wird die Übertragungsfunktion zunächst konjugiert komplex erweitert:

$$\underline{F}(\mathrm{j}\omega) = \frac{\mathrm{j}\omega RC \cdot (1 - \mathrm{j}\omega RC)}{(1 + \mathrm{j}\omega RC) \cdot (1 - \mathrm{j}\omega RC)} = \frac{(\omega RC)^2 + \mathrm{j}\omega RC}{1 + (\omega RC)^2}. \tag{1.40}$$

Der Betrag wird gebildet, in dem der Real- und Imaginärteil jeweils quadriert und dann addiert werden. Danach wird die Wurzel gezogen:

$$\left|\underline{F}(\mathrm{j}\omega)\right| = \sqrt{\frac{(\omega RC)^4 + (\omega RC)^2}{\left[1 + (\omega RC)^2\right]^2}} = \sqrt{\frac{(\omega RC)^2\left[1 + (\omega RC)^2\right]}{\left[1 + (\omega RC)^2\right]^2}} = \sqrt{\frac{(\omega RC)^2}{1 + (\omega RC)^2}}$$
$$\Longleftrightarrow \underline{F}(\mathrm{j}\omega) = \frac{\omega RC}{\sqrt{1 + (\omega RC)^2}}. \tag{1.41}$$

Der Phasengang ist:

$$\tan\varphi = \frac{\omega RC}{(\omega RC)^2} = \frac{1}{\omega RC}$$
$$\Rightarrow \varphi = \arctan\left(\frac{1}{\omega RC}\right). \tag{1.42}$$

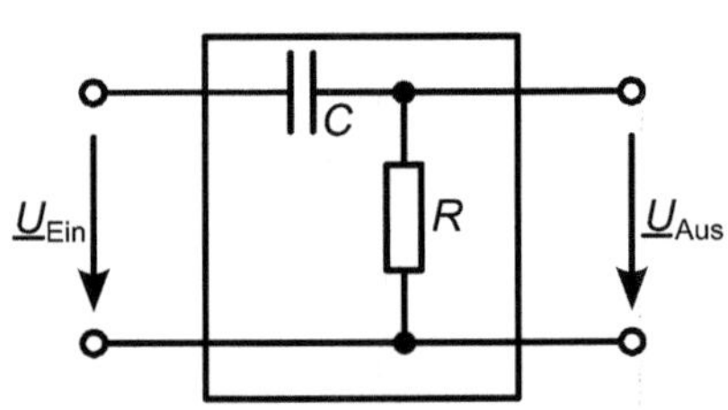

Abb. 1.42 Schaltung eines RC-Hochpasses

Die 3 dB-Grenzfrequenz wird bestimmt, in dem Real- und Imaginärteil gleichgesetzt werden. Mit Gl. 1.40 gilt:

$$\begin{aligned}(\omega RC)^2 &= \omega RC \\ \iff \omega RC &= 1 \\ \iff \omega_{3\mathrm{dB}} &= \frac{1}{RC}. \end{aligned} \tag{1.43}$$

Der Phasenwinkel bei der Grenzfrequenz ist

$$\varphi_{3\mathrm{dB}} = \arctan\left(\frac{1}{\omega_{3\mathrm{dB}} RC}\right) = \arctan\left(\frac{1}{\frac{1}{RC} \cdot RC}\right) = \arctan(1) = +45°. \tag{1.44}$$

Der Phasenwinkel bei einer Kreisfrequenz $\omega = 0$ Hz ist $\varphi = 90°$, bei unendlich hoher Kreisfrequenz ($\omega = \infty$) gilt $\varphi = 0°$.

Mit diesen Informationen kann das Bode-Diagramm für einen Hochpass gezeichnet werden, s. Abb. 1.43. Unterhalb der Grenzfrequenz steigt der Betrag mit 20 dB/Dekade an und wechselt bei der Grenzfrequenz auf eine waagerechte Linie mit einer Steigung von 0 dB/Dekade. Die Phase beginnt bei +90° und wechselt im Bereich von einer Dekade

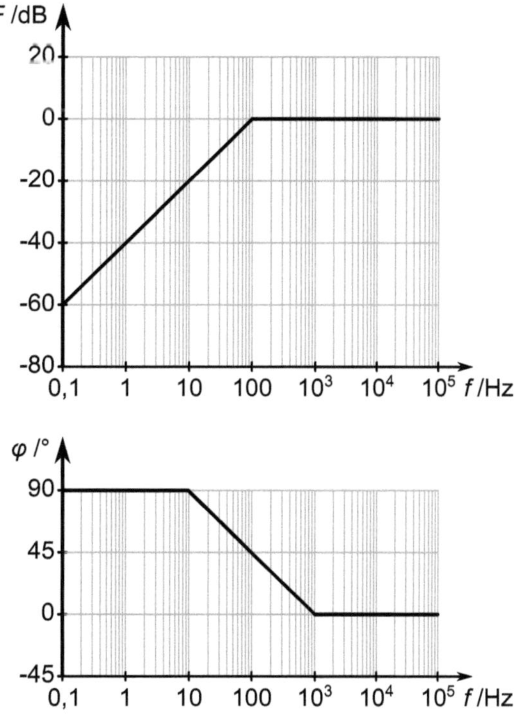

Abb. 1.43 Bode-Diagramm für einen Hochpass (Grenzfrequenz 100 Hz). Im unteren Teilbild beginnt die Phase bei +90°

unterhalb der Grenzfrequenz bis eine Dekade oberhalb der Grenzfrequenz auf 0°. Dabei ist die Steigung in diesem Bereich −45°/Dekade. Genau an der Grenzfrequenz beträgt die Phase +45°.

Für die im Abb. 1.44 dargestellte Messung wurden die Position des Widerstandes und der Kapazität gegenüber Abb. 1.36 vertauscht, sodass anstelle eines Tiefpassverhaltens ein passiver Hochpass realisiert wurde. Rein rechnerisch ergibt sich hier wieder eine Grenzfrequenz von 15,915 kHz. Dieser Wert kann aus der in Abb. 1.44 gezeigten Messung ebenfalls abgelesen werden.

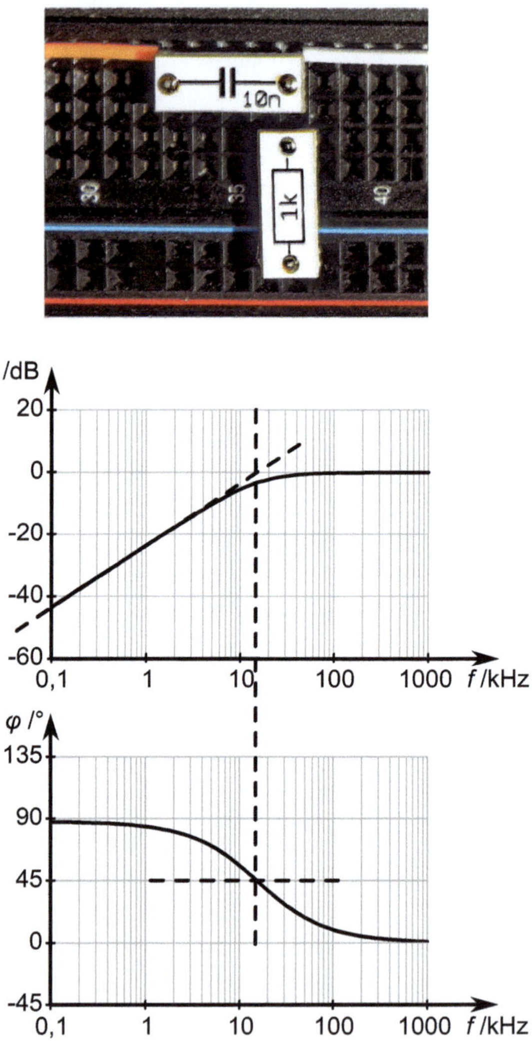

Abb. 1.44 Oben: Passiver Hochpass auf dem Steckbrett, bestehend aus einem Kondensator mit 10 nF und einem Widerstand von 1 kΩ. Das Eingangssignal wird über die orangefarbene Leitung links oben eingespeist. Das Ausgangssignal wird über die weiße Leitung rechts oben gemessen. Die blau markierte Querreihe unten ist an Masse angeschlossen. Unten: Zugehörige Messung des Bode-Diagramms. Hilfslinien markieren einen Phasenwert von +45° bzw. die Steigung von 20 dB/Dekade. Beide Bedingungen werden bei der gleichen Frequenz von etwa 16 kHz erreicht, s. gestrichelte senkrechte Linie

1.10 Bandpass (Kombination aus Hochpass und Tiefpass)

Ein Bandpass kann zur Auswahl eines bestimmten Frequenzbereiches genutzt werden. Bei der in Abb. 1.45 dargestellten Kombination aus Tiefpass (links) und Hochpass (rechts) ist eine Entkopplung mit einem Verstärker (Verstärkungsfaktor $V_\mathrm{U} = 1$) ergänzt worden.

Die Gesamtübertragungsfunktion des Filters bestimmt sich aus dem Produkt der Einzelübertragungsfunktionen.

$$\underline{F}_\mathrm{Ges} = \underline{F}_\mathrm{TP} \cdot V_\mathrm{U} \cdot \underline{F}_\mathrm{HP}.$$

Damit gilt hier:

$$\underline{F}_\mathrm{Ges} = \frac{1}{1 + \mathrm{j}\omega R_1 C_1} \cdot 1 \cdot \frac{\mathrm{j}\omega R_2 C_2}{1 + \mathrm{j}\omega R_2 C_2}. \tag{1.45}$$

Die Betragsfunktion lässt sich hier einfacher aus dem Produkt der Betragsfunktion von Hochpass und Tiefpass bestimmen:

$$\left|\underline{F}_\mathrm{Ges}\right| = \frac{1}{\sqrt{1 + (\omega R_1 C_1)^2}} \cdot \frac{\omega R_2 C_2}{\sqrt{1 + (\omega R_2 C_2)^2}}. \tag{1.46}$$

Die Bestimmung des Phasengangs ist relativ aufwendig und soll deshalb hier nicht hergeleitet werden. Die Rechnung erfolgt über die konjugiert-komplexe Erweiterung und anschließende Bestimmung des Real- und Imaginärteils. Das Ergebnis ist.

$$\tan\varphi = \frac{1 - \omega^2 R_1 R_2 C_1 C_2}{\omega(R_1 C_1 + R_2 C_2)}. \tag{1.47}$$

Die Besonderheiten des Bandpasses sind:

- Es gibt zwei Grenzfrequenzen: ω_G2 (Hochpass) und ω_G1 (Tiefpass)
- Für das Bode-Diagramm in Abb. 1.46 gilt: $\omega_\mathrm{G2} << \omega_\mathrm{G1}$

An den beiden Grenzfrequenzen gilt:

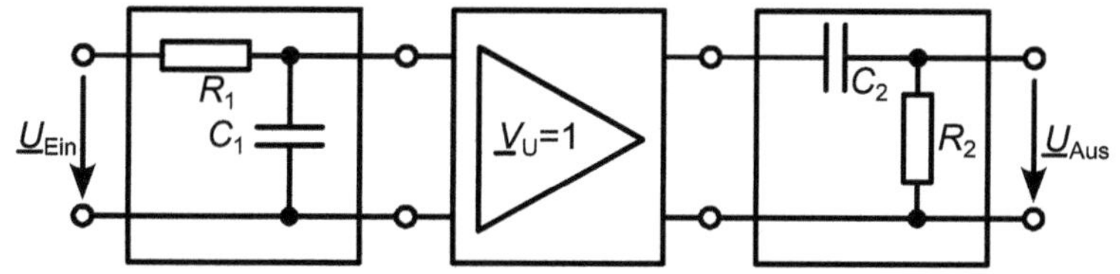

Abb. 1.45 Bandpass als Kombination aus Tiefpass und Hochpass mit Entkoppelverstärker

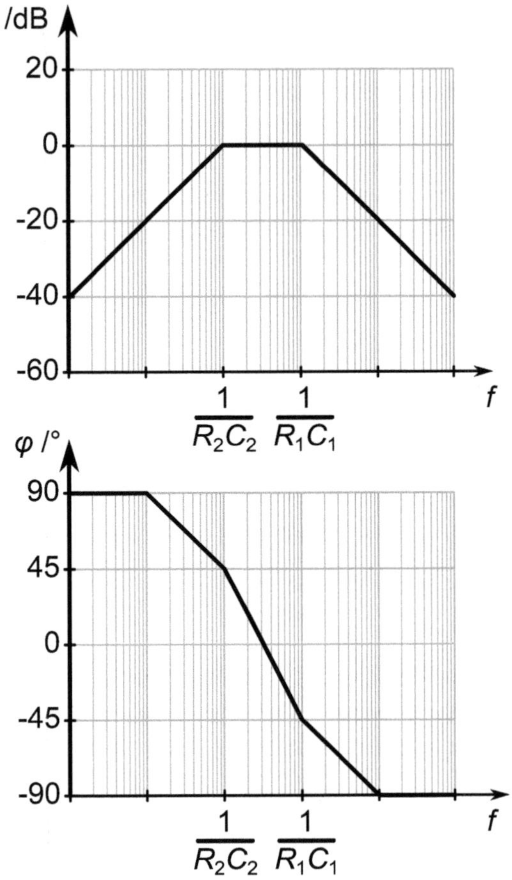

Abb. 1.46 Bode-Diagramm eines Bandpasses

$$|\underline{F}| = -3\text{dB für } \omega = \omega_{G1} \text{ oder } \omega = \omega_{G2} \tag{1.48}$$

$$\varphi = +45°\text{für } \omega = \omega_{G1} \text{ und } \varphi = -45°\text{für } \omega = \omega_{G2}. \tag{1.49}$$

1.11 Übersicht passive Filterstrukturen

In diesem Abschnitt sind die grundlegenden Filterstrukturen, also Tief- und Hochpass kurz zusammengestellt. Dargestellt sind die klassischen Filterstrukturen, die aus einem Widerstand und einem Kondensator bzw. einem Widerstand und einer Spule bestehen. Bei diesen einfachen Filtern ist die Phasenänderung −90°. Die Steigung in der Betragskurve beträgt −20 dB/ Dekade für den Tiefpass bzw. +20 dB/ Dekade für den Hochpass.

Im Frequenzbereich bis ca. 1 MHz werden in der Regel *RC*-Schaltungen verwendet. Aufgrund der Bauteilwerte sind Spulen häufig erst in Frequenzbereichen von etwa 10 MHz und höher gut nutzbar. In Tab. 1.5 sind diese Filterstrukturen schematisch als Schaltplan, mit einem vereinfachten Bode-Diagramm und mit der Berechnung der Grenzfrequenz dargestellt.

Tab. 1.5 Grundlegende passive Filterstrukturen

Filter	Schaltbild	Übertragungsfunktion	Grenzfrequenz	Schematisches Bode-Diagramm
Einfacher Tiefpass (*RC*)	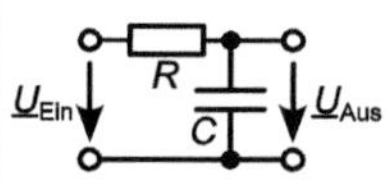	$\underline{F}(j\omega) = \frac{1}{1+j\omega RC} = \frac{1}{1+j\omega/\omega_g}$	$f_g = \frac{1}{2\pi RC}$, $\omega_g = \frac{1}{RC}$	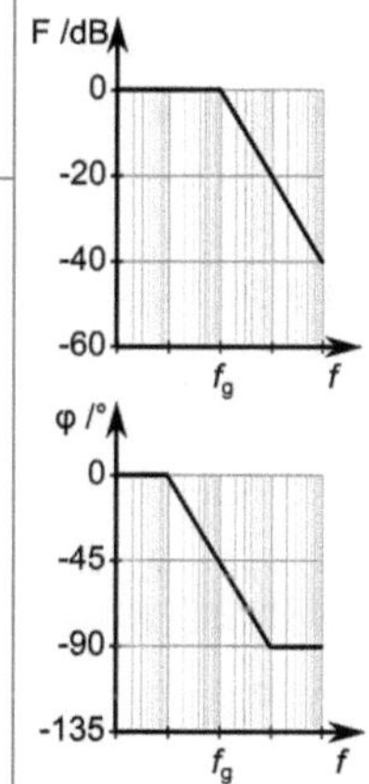
Einfacher Tiefpass (*RL*)	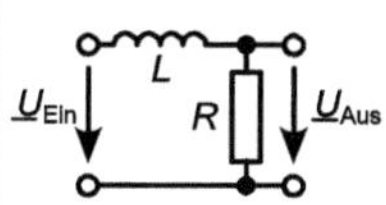	$\underline{F}(j\omega) = \frac{1}{1+j\omega RC} = \frac{R}{R+j\omega L}$	$f_g = \frac{R}{2\pi L}$, $\omega_g = \frac{R}{L}$	
Einfacher Hochpass (*RC*)	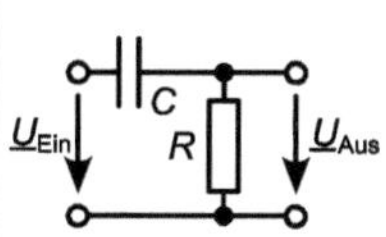	$\underline{F}(j\omega) = \frac{j\omega RC}{1+j\omega RC} = \frac{j\omega/\omega_g}{1+j\omega/\omega_g} = \frac{j\omega}{\omega_g+j\omega}$	$f_g = \frac{1}{2\pi RC}$, $\omega_g = \frac{1}{RC}$	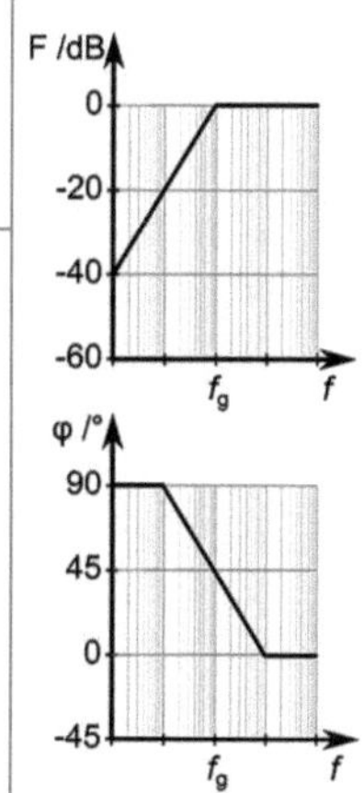
Einfacher Hochpass (*RL*)	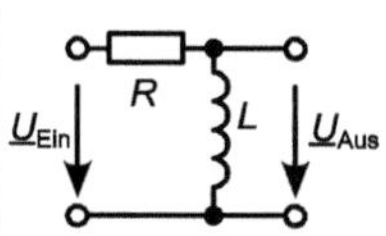	$\underline{F}(j\omega) = \frac{j\omega L}{R+j\omega L} = \frac{j\omega/\omega_g}{1+j\omega/\omega_g} = \frac{j\omega}{\omega_g+j\omega}$	$f_g = \frac{R}{2\pi L}$, $\omega_g = \frac{R}{L}$	

1.12 Verständnisfragen zu Kapitel 1

1.12.1 Wechselstromrechnung

Frage 1.1: In einer Parallelschaltung aus einem ohmschen Widerstand $R = 120\ \Omega$ und einer Induktivität wird ein Phasenwinkel φ von 45° zwischen Spannung U und Gesamtstrom I_{Ges} gemessen. Welchen Betrag hat der Blindwiderstand X_L? Wie ändert sich der Phasenwinkel bei einer Erhöhung bzw. einer Reduzierung der Frequenz?

Frage 1.2: Für eine Parallelschaltung an einer Wechselspannungsquelle werden ein Kondensator C und ein Widerstand R verwendet. Geben Sie an, in welchem Verhältnis der Phasenwinkel φ und das Verhältnis der Ströme zueinander stehen.

Frage 1.3: Für eine Reihenschaltung an einer Wechselspannungsquelle sollen die Spannungen an den beiden Bauteilen einen Winkel von 180° zueinander haben. Welche Bauteile müssen verwendet werden? Welche Bauteilwerte sind möglich?

1.12.2 Dezibel

Frage 1.4: Welche Gründe sprechen bei der mehrfachen Filterung oder Verstärkung für die Verwendung von Dezibel?

Frage 1.5: Warum ist die Verwendung von Dezibelwerten beim Auftreten sehr großer Wertebereich sinnvoll?

Frage 1.6: Sind die folgenden Gleichungen lösbar? Welche „Einheit" hat das Ergebnis für x (dB oder dBm)? Hinweis: "dBm" bezieht sich auf eine Referenzleistung von 1 mW und ist eine Leistungseinheit. Dabei entsprechen 0 dBm einer Leistung von 1 mW.

a)	35 dB + 17 dB = 23 dBm-x	☐ dB; ☐ dBm; ☐ nicht lösbar
b)	52 dB−67 dBm = x	☐ dB; ☐ dBm; ☐ nicht lösbar
c)	13 dBm = 17 dBm – x	☐ dB; ☐ dBm; ☐ nicht lösbar
d)	17 dBm + 0 dBm = 18 dB + x	☐ dB; ☐ dBm; ☐ nicht lösbar
e)	0 dB + 0 dBm + 0 dBm = x	☐ dB; ☐ dBm; ☐ nicht lösbar
f)	23 dB + 7 dB = 23 dBm + x	☐ dB; ☐ dBm; ☐ nicht lösbar
g)	14 dBm – 13 dBm + 6 dB = 12 dB + x	☐ dB; ☐ dBm; ☐ nicht lösbar

Frage 1.7: Wie groß ist eine Spannungsverstärkung um den Faktor 2 / 4 / 10 / 20 in Dezibel? Bestimmen Sie auch eine Spannungsverstärkung um einen Faktor von 25 mit den oben genannten Faktoren.

1.12.3 Bode-Diagramm, Filterstruktur

Frage 1.8: Welcher maximale Fehler tritt bei der Verwendung von Näherungsgeraden im Bode-Diagramm auf? Geben Sie den Fehler und die zugehörige Frequenz an.

Frage 1.9: In welche Richtung ändert sich die Phase beim Tiefpass und beim Hochpass?

Frage 1.10: Konstruieren Sie den Frequenzgang für einen Tiefpass bei einer Grenzfrequenz von 100 Hz, für einen doppelten Tiefpass bei 100 Hz und für eine Reihenschaltung mit drei Tiefpässen bei Frequenzen von 10 Hz, 100 Hz und 10 kHz. Verwenden Sie jeweils ein Bode-Diagramm.

Frage 1.11: Was ist der Unterschied zwischen Polstelle, Grenzfrequenz und 3dB-Frequenz?

Frage 1.12: Wie kann aus einem Schaltplan eines Filters anschaulich das Übertragungsverhalten bestimmt werden?

1.13 Aufgaben zu Kapitel 1

Aufgabe 1.1

In einer Parallelschaltung aus einem Widerstand mit $R = 10\ \Omega$ und einer komplexen Impedanz einer Spule oder eines Kondensators werden die dargestellten Ströme durch den Widerstand (i_R) und durch das unbekannte Bauteil (i_X) gemessen.

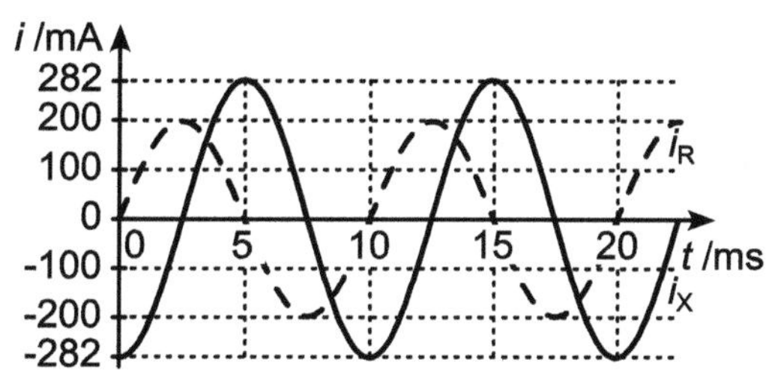

a) Bestimmen Sie die Frequenz und Amplitude der angelegten Sinusspannung!
b) Handelt es sich bei dem verwendeten Bauteil um eine Spule oder einen Kondensator? Begründen Sie Ihre Wahl.
c) Berechnen Sie den Kapazitäts- bzw. Induktivitätswert des unbekannten Bauteils.
d) Bestimmen Sie die Amplitude des Gesamtstroms, den die Spannungsquelle liefert.

Aufgabe 1.2

In einer Reihenschaltung aus einem Widerstand $R = 50\ \Omega$ und einem Blindwiderstand X werden die dargestellte Spannung U_R am Widerstand und die Gesamtspannung U_{Ges} gemessen.

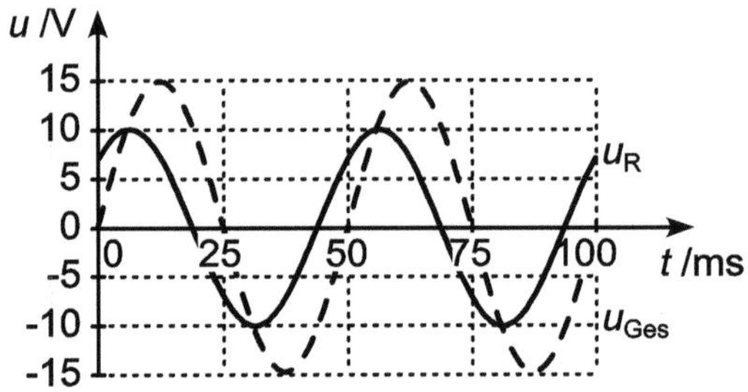

a) Geben Sie an, ob es sich bei dem unbekannten Bauteil um einen Kondensator oder eine Spule handelt.
b) Berechnen Sie den Gesamtstrom als Amplitude und Effektivwert.
c) Bestimmen Sie den Wert des Blindelementes in μF bzw. mH.
d) Welcher Phasenwinkel ergibt sich zwischen dem Gesamtstrom I_{Ges} und der Spannung U_X am Blindelement?
e) Der Phasenwinkel φ soll auf einen Betrag von 45° geändert werden. Bestimmen Sie das in Reihe zu schaltende zusätzliche Bauteil. Welche Bauteilwerte in μF bzw. mH können verwendet werden?

Aufgabe 1.3

Für die dargestellte Schaltung mit einer Wechselspannungsquelle gilt:

Die Spannungsamplitude beträgt $\hat{U} = 20$ V, die Frequenz $f = 200$ Hz. Die Bauteilwerte sind: $R = 50\ \Omega$, $C = 33\ \mu$F.

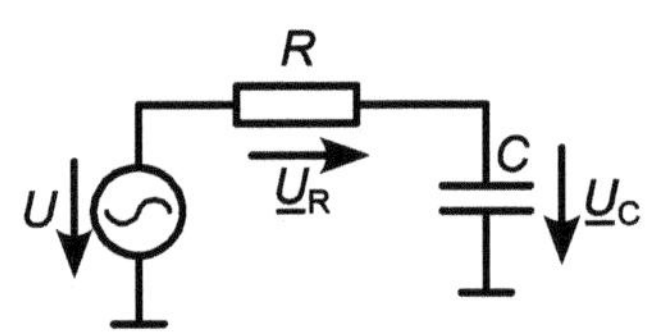

a) Wie groß ist der Blindwiderstand X_C der Kapazität?
b) Bestimmen Sie den Betrag des Gesamtwiderstandes!
c) Welche Spannungen stellen sich am Widerstand R und an der Kapazität C ein?
d) Zeichnen Sie das Zeigerdiagramm mit den Spannungen $\hat{U}$, $\hat{U}_R$, $\hat{U}_C$ und dem Strom $\hat{I}$ in das vorbereitete Diagramm und ergänzen Sie die Skalierung.

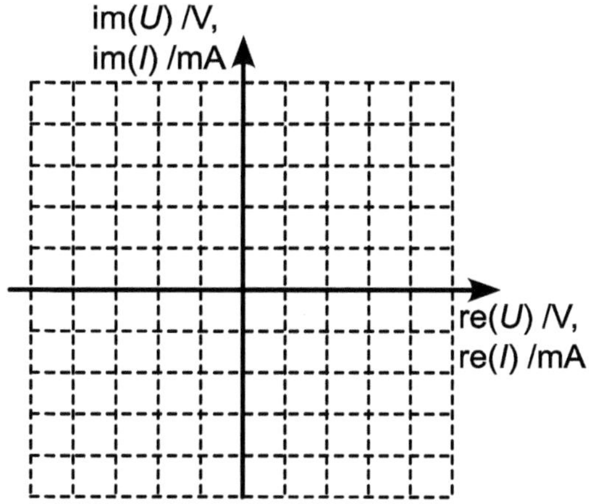

Aufgabe 1.4

Für die unten dargestellte Schaltung gelten die folgenden Bauteilwerte: $X_C = 50\ \Omega$, $X_L = 100\ \Omega$, $R_1 = 100\ \Omega$, $R_2 = 100\ \Omega$.

Zeichnen Sie ein maßstäbliches Zeigerdiagramm in das folgende leere Diagramm mit dem Strömen I_R, I_C, I_L und den Spannungen U, U_C, U_L und U_{R1}. Wählen Sie die Spannung U_{R2} zu 2 V auf der reellen Achse. Verwenden Sie den folgenden Maßstab: 1 V entspricht 2 Skalenteilen, 10 mA entsprechen 1 Skalenteil.

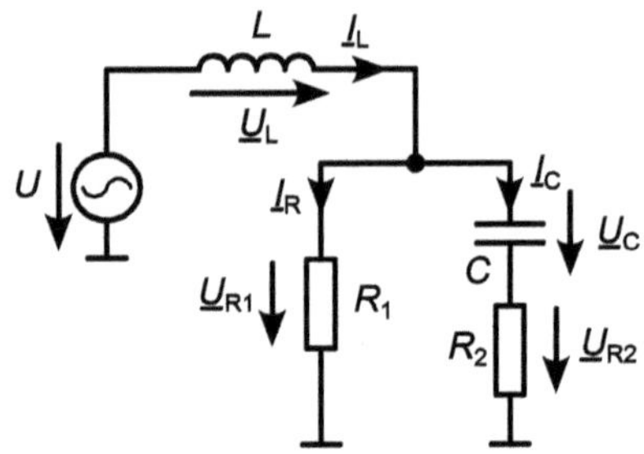

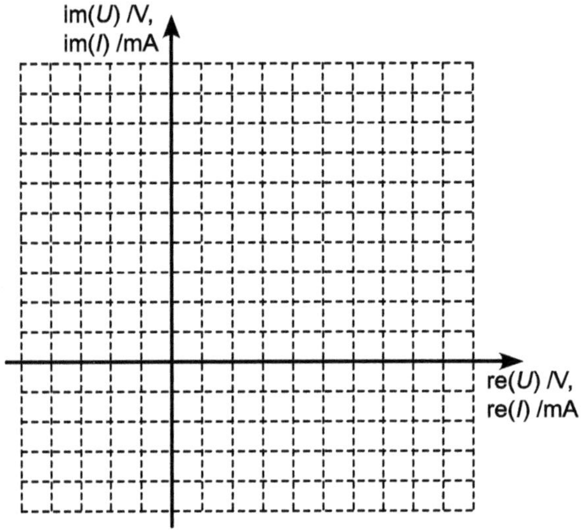

Aufgabe 1.5

Gegeben ist die Schaltung in der folgenden Abbildung.

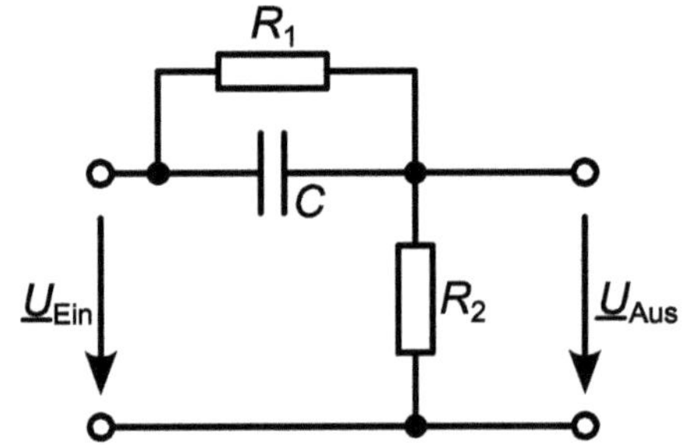

a) Berechnen Sie die komplexe Übertragungsfunktion $F(\mathrm{j}\omega)$

b) Bestimmen Sie alle Grenzfrequenzen allgemein, d. h. als Formel!

Für die folgenden Aufgabenteile c) bis e) gilt: $R_1 = 1000\ \Omega$, $R_2 = 10{,}1\ \Omega$, $C = 159\ \text{nF}$

c) Bestimmen Sie die Grenzfrequenzen als Zahlenwert.
d) Bestimmen Sie aus dem Schaltbild den Betrag der Übertragungsfunktion für hohe und niedrige Frequenzen in dB!
e) Zeichnen Sie mit Teilaufgabe d) das Bode-Diagramm.

Literatur zu Kapitel 1

1. M. Alles, „Einführung in die elektronische Schaltungstechnik Dioden, Transistoren und Grundschaltungen", Springer-Vieweg Verlag, Berlin, 2024, 978-3-662-69277-6
2. J. Müller, „Digitale Oszilloskope", beam-Verlag, Marburg, 2017, 978-3-88976-1682
3. S. Altmann, D. Schlayer, „Lehr- und Übungsbuch Elektrotechnik", Fachbuchverlag Leipzig im Hanser-Verlag, München, 2008, 978-3-446414266
4. J. Hoffmann, A. Klönne, „Wechselstromtechnik", Oldenbourg Verlag, München, 2012, 978-3-486-70935-3
5. K. Küpfmüller, „Einführung in die theoretische Elektrotechnik"; Springer-Verlag Berlin, 1990, 3-540-51620-4
6. U. Tietze, Ch. Schenk, „Halbleiter-Schaltungstechnik", Springer-Verlag, Berlin, 2002, 3-540-42849-6

Weiterführende Literatur

7. G. Hartmann, „Grundlagen der Elektrotechnik", AULA-Verlag, Wiebelsheim, 2013, 978-3-89104-779-8
8. H. Clausert, G. Wiesemann, V. Hinrichsen, J. Stenzel, „Grundgebiete der Elektrotechnik 2", Oldenbourg Verlag, München, 2007, 978-3-486-57698-6
9. J. Liepe, „Schaltungen der Elektrotechnik und Elektronik – verstehen und lösen mit NI Multisim", Fachbuchverlag Leipzig im Carl Hanser Verlag, München, 2011, 978-3-446-42733-4

Differenzverstärker als Eingangsstufe 2

2.1 Lernziele Kap. 2 Differenzverstärker als Eingangsstufe

Nach dem Sie dieses Kapitel bearbeitet haben, können Sie die Schaltung eines Differenzverstärkers mit zwei bzw. drei Transistoren zeichnen bzw. erkennen. Sie können die Eigenschaften eines Differenzverstärkers beschreiben. Aus der Schaltung des Differenzverstärkers können Sie jeweils ein Kleinsignalschaltbild für ein Differenz- und ein Gleichtaktsignal zeichnen. Schließlich können Sie den Arbeitspunkt der Schaltung und einige Parameter des Differenzverstärkers bestimmen. Hier spielt das Kleinsignal-Ersatzschaltbild (KS-ESB) eines Transistors seine Stärke bei der Herleitung aussagekräftiger Formeln aus, die für eine weitere Optimierung der Schaltung genutzt werden. Als Gütekriterium wird die Gleichtaktunterdrückung vorgestellt.

Für eine einfachere Nachvollziehbarkeit wird in diesem Kapitel der Differenzverstärker mit Bipolartransistoren beschrieben. Mit der Schaltung und dem KS-ESB werden Näherungsformeln abgeleitet, die prinzipiell auch für FET-Differenzverstärker gültig sind.

Abwandlungen des Differenzverstärkers werden erläutert und die Auswirkungen auf das Verstärkungsverhalten durch Bezug auf das Kleinsignal-Ersatzschaltbild diskutiert. Ein Ziel ist es, Parametervariation der Bauteile und das Temperaturverhalten durch eine Gegenkopplung zu reduzieren. Außerdem soll die Gleichtaktverstärkung so weit wie möglich reduziert werden.

Ergänzende Information Die elektronische Version dieses Kapitels enthält Zusatzmaterial, auf das über folgenden Link zugegriffen werden kann https://doi.org/10.1007/978-3-662-72536-8_2.

M. Alles, *Operationsverstärker*, https://doi.org/10.1007/978-3-662-72536-8_2

2.2 Differenzverstärker

Die Schaltung eines Differenzverstärkers als Eingangsstufe ist in Abb. 2.1 dargestellt. In der Grundschaltung besteht der Differenzverstärker aus zwei Transistoren T_1 und T_2. Auch wenn für die Beschreibung hier Bipolartransistoren verwendet werden, gilt das Verhalten sinngemäß auch für Differenzverstärker mit Feldeffekttransistoren. An den Basisanschlüssen werden die Eingangssignale angelegt. Die beiden Emitteranschlüsse werden verbunden und an eine gemeinsame Stromsenke angeschlossen. Anstelle der idealen Stromquelle wird später ein gemeinsamer Lastwiderstand oder ein Transistor verwendet. Die im Schaltbild eingezeichnete negative Spannungsquelle ist hier unnötig, da die Stromquelle die erforderliche Spannung am oberen Anschluss unabhängig von der Spannung am unteren Anschluss liefert. Später ist diese Spannungsquelle jedoch erforderlich. Deshalb ist die negative Spannungsquelle bereits hier enthalten. In der Grundschaltung wird der Differenzverstärker an einer symmetrischen Spannungsversorgung betrieben. Das hat große Vorteile bei Signalen, die auf Masse (0 V) bezogen sind, da dieser Referenzpunkt sowohl im Eingangs- als auch im Ausgangsspannungsbereich enthalten ist.

Der Differenzverstärker hat in der in Abb. 2.1 gezeigten Form zwei Eingänge U_{Ein1} und U_{Ein2}, sowie zwei Ausgänge U_{Aus1} und U_{Aus2}. Es handelt sich also um eine Schaltung, die mit Differenzsignalen arbeitet. Ein großer Vorteil der Differenzverstärker ist,

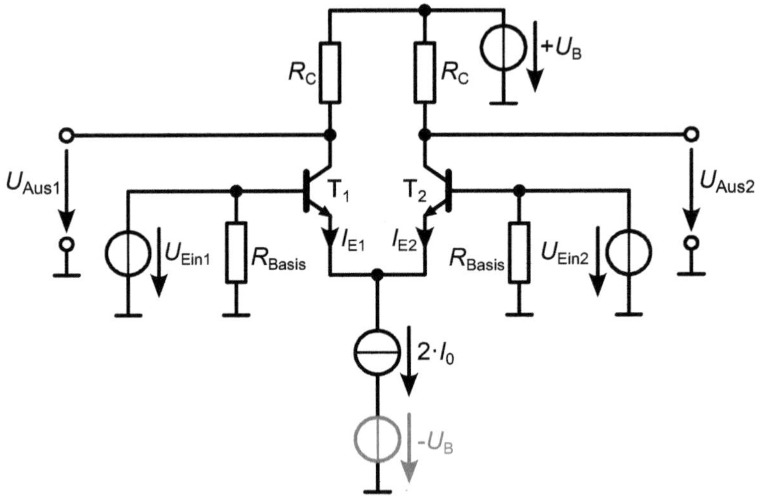

Abb. 2.1 Grundschaltung des Differenzverstärkers als Eingangsstufe. Beispielhafte Werte für die verwendeten Spannungs-, Strom- und Widerstandswerte sind: $R_{\mathrm{Basis}} = 4\ \mathrm{k\Omega}$, $R_C = 2\ \mathrm{k\Omega}$, $I_0 = 3\ \mathrm{mA}$, $+U_B = +12\ \mathrm{V}$, $-U_B = -12\ \mathrm{V}$. Die negative Spannungsquelle ist streng genommen unnötig, s. Text

dass die Differenz zweier Signale verstärkt wird. Dadurch werden Temperatureffekte stark reduziert [2].

Der Differenzverstärker bildet die Eingangsstufe eines Operationsverstärkers, s. Kap. 3. Es gibt in Abschn. 4.5 eine Operationsverstärkerschaltung, die ebenfalls als Differenzverstärker bezeichnet wird. Hier wird deshalb häufig die Bezeichnung Differenzverstärker als Transistorschaltung oder als Eingangsstufe verwendet. Die Eingangsstufe gibt das verstärkte Differenzsignal im Operationsverstärker weiter an den Verstärkungsblock. Dort werden die Spannungssignale hoch verstärkt, bevor sie zur Ausgangsstufe gelangen. Bei manchen Operationsverstärkern erfolgt die Reduzierung auf einen Signalpfad im Differenzverstärker. Häufig wird in der Ausgangsstufe aus dem symmetrischen Spannungssignal ein auf Masse bezogenes Signal generiert.

Die Eingangsspannungen U_{Ein1} und U_{Ein2} können auch als Gleich- und Differenzsignal beschrieben werden. Damit setzen sich die Eingangssignale aus einem gemeinsamen Gleichanteil und einem Differenzanteil zusammen. Es gilt:

$$U_{\text{G}} = \frac{U_{\text{Ein1}} + U_{\text{Ein2}}}{2} \tag{2.1}$$

$$U_{\text{D}} = U_{\text{Ein1}} - U_{\text{Ein2}} \tag{2.2}$$

U_{G} ist der arithmetische Mittelwert der beiden Eingangssignale und U_{D} ist die Differenzspannung. Durch die Aufteilung kann im Folgenden das Verhalten des Differenzverstärkers für Differenzsignale und Gleichtaktsignale getrennt beschrieben werden. An den beiden Ausgängen U_{Aus1} und U_{Aus2} liegen die Ausgangssignale des Differenzverstärkers an.

Die in Abb. 2.1 gezeigte Schaltung wurde auf dem Steckbrett aufgebaut. Ein Foto dieser Schaltung ist Abb. 2.2 dargestellt.

Für eine Messung des Differenzverstärkers wird als Eingangssignal ein sinusförmiges Signal an der linken Basis eingespeist. Das Ausgangssignal wird am Kollektor des rechten Transistors gemessen. Der Oszilloskopbildschirm dieser Messung ist in Abb. 2.3 gezeigt. Deutlich ist erkennbar, dass das Signal verstärkt wird. Die Phasenlage bleibt erhalten, dieser Eingang wirkt also nichtinvertierend auf den verwendeten Ausgang. Aus den Messdaten bzw. den dargestellten Messkurven lässt sich eine Verstärkung von etwa 65 ablesen.

Bei der Messung in der hier beschriebenen Weise wird ein Fehler gemacht. Das Testsignal wird direkt mit der Basis verbunden. Dadurch ändert sich die Gleichspannung am linken Basistransistor auf 0 V. Um einen symmetrischen Betrieb zu ermöglichen, muss das Testsignal entweder mit einem Koppelkondensator oder mit einer hochohmigen Verbindung eingespeist werden. Eine dritte Möglichkeit ist die Einstellung eines passenden Gleichspannungswertes für das Testsignal. Die letzte Möglichkeit wurde für eine weitere

Abb. 2.2 Foto der auf dem Steckbrett aufgebauten Schaltung gemäß Abb. 2.1 Die Widerstandswerte wurden an die E12-Reihe angepasst. Die beiden 2,2 kΩ-Widerstände oben sind die beiden Kollektorwiderstände. Unten sind die beiden 4,7 kΩ-Widerstände der Basisanschlüsse angeordnet. Die obere rot markierte Querreihe ist an +12 V angeschlossen, die untere rot markierte Querreihe an Masse. Die orangefarbene Leitung unten links führt zu einer Stromsenke. Über die grüne Leitung links oben wird ein Eingangssignal eingespeist. Das Ausgangssignal am Kollektor rechts oben wird über die weiße Leitung rechts gemessen

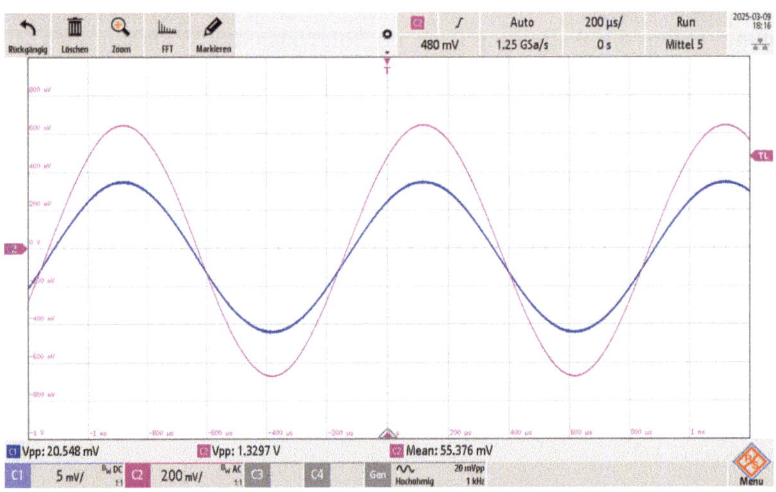

Abb. 2.3 Messung der in Abb. 2.2 gezeigten Schaltung. Als Eingangssignal wurde ein sinusförmiges Signal mit einer Amplitude von 10 mV am linken Transistor verwendet. Dieses Signal wird an Kanal 1 (blau) gemessen. Das Ausgangssignal wird am Kollektor des rechten Transistors am Kanal 2 gemessen. Dieses Signal wird durch die pinkfarbene Linie dargestellt. Die Verstärkung ist durch die Skalierung von 5 mV/□ für Kanal 1 bzw. 200 mV/□ für Kanal 2 deutlich

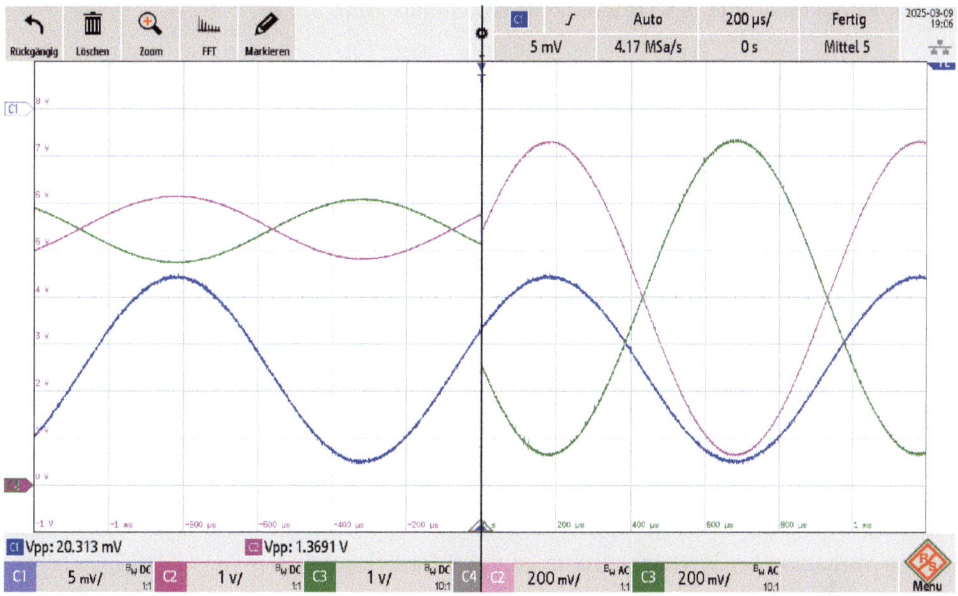

Abb. 2.4 Messung der in Abb. 2.2 gezeigten Schaltung. Als Eingangssignal wurde ein sinusförmiges Signal mit einer Amplitude von 10 mV und einem Gleichspannungsanteil von −27,8 mV am linken Transistor verwendet. Dieses Signal wird an Kanal 1 (blau) gemessen. Hier wurde das Ausgangssignal am rechten Transistor an Kanal 2 (pinkfarbene Linie) gemessen. Das Ausgangssignal am linken Transistor ist durch die grüne Linie für Kanal 3 dargestellt. Die Verstärkung ist durch die Skalierung von 5 mV/□ für Kanal 1 bzw. 1 V/□ für Kanal 2 und Kanal 3 deutlich. Das linke Teilbild wurde mit DC-Kopplung für Kanal 2 und 3 aufgenommen. Für das rechte Teilbild wurde auf AC-Kopplung umgestellt und die Skalierung für Kanal 2 und 3 auf 200 mV/□ angepasst

Messung genutzt. Dabei wurde auch das Ausgangssignal am linken Transistor gemessen. Das zugehörige Oszilloskopbild ist in Abb. 2.4 dargestellt. aus der Messung wird ersichtlich, dass die Spannungsverstärkung ein klein wenig auf 68,5 steigt.

2.3 Übertragungskennlinie des Differenzverstärkers

Die Stromsumme der beiden Emitterströme I_{E1} und I_{E2} entspricht dem Strom $2{\cdot}I_0$ der durch die Stromsenke eingeprägt wird, s. Abb. 2.1. Es gilt:

$$I_{E1} + I_{E2} = 2 \cdot I_0. \tag{2.3}$$

Der Basisstrom durch die Basis-Emitterdioden wird durch eine exponentielle Kennlinie (vgl.. Diodenkennlinie in [1]) angenähert. Das Produkt aus Stromverstärkung und Sperrsättigungsstrom wird in einem Sperrstrom I_S zusammengefasst. Damit ergeben sich die beiden Kollektorströme des Differenzverstärkers aus Abb. 2.1 zu:

$$I_{C1} = I_S \cdot e^{\frac{U_{BE,1}}{U_T}} \tag{2.4}$$

und

$$I_{C2} = I_S \cdot e^{\frac{U_{BE,2}}{U_T}}. \tag{2.5}$$

Hier wurde die Temperaturspannung U_T und die Basis-Emitterspannung U_{BE} verwendet. Die Basisströme werden vernachlässigt, da sie deutlich geringer als die jeweiligen Kollektorströme sind und damit nur wenig zu den Emitterströmen betragen. Dazu kommt, dass die Eingangstransistoren typischerweise eine recht hohe Stromverstärkung aufweisen. Damit sind die Emitterströme und Kollektorströme nahezu gleich groß. Es folgt näherungsweise:

$$I_{C1} + I_{C2} \approx 2 \cdot I_0 \tag{2.6}$$

Das Verhältnis der Kollektorströme ist unter Berücksichtigung von Gl. (2.2):

$$\frac{I_{C1}}{I_{C2}} = \frac{I_S \cdot e^{\frac{U_{BE1}}{U_T}}}{I_S \cdot e^{\frac{U_{BE2}}{U_T}}} = e^{\frac{U_{BE1}}{U_T}} \cdot e^{\frac{-U_{BE2}}{U_T}} = e^{\frac{(U_{BE1}-U_{BE2})}{U_T}} = e^{\frac{U_D}{U_T}} \tag{2.7}$$

Dabei wurden die Basis-Emitterspannungen U_{BE} als Eingangsspannungen verwendet. Damit gilt:

$$I_{C1} = e^{\frac{U_D}{U_T}} \cdot I_{C2} \tag{2.8}$$

$$I_{C2} = e^{-\frac{U_D}{U_T}} \cdot I_{C1} \tag{2.9}$$

Mit der oben genannten Stromsumme in Gl. (2.6) für die Kollektorströme ergibt sich der Kollektorstrom für Transistor T_1 zu:

$$\begin{aligned} 2 \cdot I_0 &= I_{C1} + I_{C1} \cdot e^{-\frac{U_D}{U_T}} = I_{C1} \cdot \left(1 + e^{-\frac{U_D}{U_T}}\right) \\ \Longleftrightarrow I_{C1} &= \frac{2 \cdot I_0}{1 + e^{-\frac{U_D}{U_T}}} \end{aligned} \tag{2.10}$$

In gleicher Weise lässt sich der Kollektorstrom des Transistors T_2 bestimmen:

$$\begin{aligned} 2 \cdot I_0 &= I_{C2} + I_{C2} \cdot e^{\frac{U_D}{U_T}} = I_{C2} \cdot \left(1 + e^{\frac{U_D}{U_T}}\right) \\ \Longleftrightarrow I_{C2} &= \frac{2 \cdot I_0}{1 + e^{U_D/U_T}} \end{aligned} \tag{2.11}$$

Die mathematische Umformung

$$\frac{2}{1+\mathrm{e}^{-x}} = \frac{1+\mathrm{e}^{-x}+1-\mathrm{e}^{-x}}{1+\mathrm{e}^{-x}} = 1 + \frac{1-\mathrm{e}^{-x}}{1+\mathrm{e}^{-x}} = 1 + \tanh\left(\frac{x}{2}\right) \tag{2.12}$$

wird für die Darstellung der Kollektorströme mit der Tangens-Hyperbolicusfunktion verwendet. Dabei wird anstelle der Variablen x der Term $U_\mathrm{D}/U_\mathrm{T}$ eingesetzt:

$$I_\mathrm{C1} = I_0\left[1 + \tanh\left(\frac{U_\mathrm{D}}{2U_\mathrm{T}}\right)\right] \tag{2.13}$$

$$I_\mathrm{C2} = I_0\left[1 - \tanh\left(\frac{U_\mathrm{D}}{2U_\mathrm{T}}\right)\right] \tag{2.14}$$

Für die Umformung des zweiten Kollektorstromes wird die Umrechnung

$$\tanh\left(\frac{x}{2}\right) = \frac{1-\mathrm{e}^{-x}}{1+\mathrm{e}^{-x}} = \frac{\left(1-\mathrm{e}^{-x}\right)\cdot\mathrm{e}^{x}}{\left(1+\mathrm{e}^{-x}\right)\cdot\mathrm{e}^{x}} = \frac{\mathrm{e}^{x}-1}{\mathrm{e}^{x}+1} = -\frac{1-\mathrm{e}^{x}}{1+\mathrm{e}^{x}} = -\tanh\left(-\frac{x}{2}\right) \tag{2.15}$$

ausgenutzt. Die Ausgangsspannungen U_Aus1 und U_Aus2 des Differenzverstärkers können nun über den Spannungsabfall an den Kollektorwiderständen bestimmt werden:

$$U_\mathrm{Aus1} = U_\mathrm{B} - I_0 \cdot R_\mathrm{C}\left[1 + \tanh\left(\frac{U_\mathrm{D}}{2U_\mathrm{T}}\right)\right] \tag{2.16}$$

$$U_\mathrm{Aus2} = U_\mathrm{B} - I_0 \cdot R_\mathrm{C}\left[1 - \tanh\left(\frac{U_\mathrm{D}}{2U_\mathrm{T}}\right)\right] \tag{2.17}$$

Deutlich wird: Es gibt eine Spannung U_B-I_0·R_C, die als konstanter Offset am Ausgang vorhanden ist. Diese Spannung wird als Kollektorarbeitspunkt bezeichnet.

Ein wichtiger Punkt ist, dass in den beiden Gleichungen nur die Differenzspannung enthalten ist. Der gemeinsame Gleichanteil U_G spielt für den Differenzverstärker im Idealfall keine Rolle: Der Gleichanteil wird unterdrückt und kann frei gewählt werden. In der Realität ist in der Regel eine gewisse Gleichtaktabhängigkeit sichtbar. Deshalb sind die Unterdrückung des Gleichanteils und auch ein großer Aussteuerbereich Gütekriterien für Differenzverstärker und Operationsverstärker.

Die Übertragungsfunktion bzw. die Kennlinie des Differenzverstärkers ist für Zahlenwerte von $U_\mathrm{B} = \pm 12$ V, $R_\mathrm{C} = 2$ kΩ und $2 \cdot I_0 = 6$ mA in Abb. 2.5 im obigen Teilbild dargestellt. Die Spice-Simulation der Schaltung aus Abb. 2.1 ist im unteren Teilbild von Abb. 2.5 gezeigt. Für die Simulation wurden die Bauteilwerte nach Abb. 2.1 verwendet. Der wesentliche Unterschied zwischen der Berechnung nach Gl. (2.16) und (2.17) und der Simulation ist, dass die Ausgangsspannung in der Simulation nur bis etwa 0 V sinkt. Der Grund ist, dass bei hohem Stromfluss der Bipolartransistor in Sättigung gerät und sich die Kollektorspannung näherungsweise nur bis zur Basisspannung verringern kann. Die Basisspannung ist wiederum über den Basiswiderstand nahezu auf Massepotential. Das

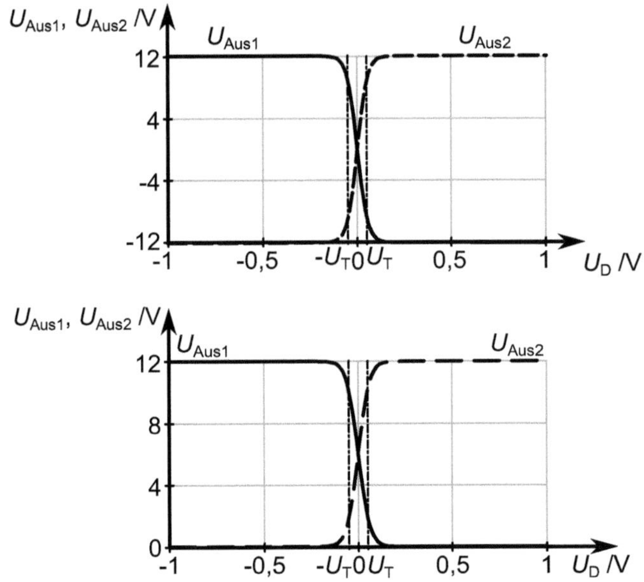

Abb. 2.5 Oben: Berechnung der Ausgangsspannungen U_{Aus1} und U_{Aus2} entsprechend den Gl. (2.16) und (2.17). Unten: Simulation der Übertragungskennlinie eines Differenzverstärkers entsprechend der Schaltung in Abb. 2.1. Der Differenzverstärker wird mit einer symmetrischen Versorgungsspannung von ± 12 V betrieben. Für beide Teilbilder gilt: Der Verlauf der Ausgangsspannung U_{Aus1} ist mit einer durchgezogenen Linie, der Verlauf der Ausgangsspannung U_{Aus2} mit einer gestrichelten Linie dargestellt. Der lineare Bereich befindet sich in der Mitte. Hier gilt für näherungsweise für die Differenzspannung: $-U_T < U_D < U_T$. Das Verhalten des Differenzverstärkers ist daher temperaturabhängig

bedeutet letztendlich, dass sich der Gleichanteil an den Eingängen nur vernachlässigen lässt, wenn er sich in einem bestimmten Bereich bewegt. Dazu werden in Kap. 3 weitere Details angegeben.

Der aktive Bereich der Kennlinie liegt im Bereich $-5 \cdot U_T < U_D < +5 \cdot U_T$. Das Fünffache der Temperaturspannung U_T entspricht bei Raumtemperatur ungefähr 125 mV. Ist die Eingangs-Differenzspannung U_D außerhalb dieses Bereichs, d. h. kleiner als −125 mV oder größer als 125 mV, wird der Differenzverstärker stark übersteuert. Das bedeutet, dass der überwiegende Teil des Stromes der Stromquelle nur über einen Transistor fließt (typischerweise mehr als 99 %), und der andere Transistor praktisch komplett sperrt.

Mit einer Eingangsspannung im Bereich $|U_D| < U_T$ arbeitet der Differenzverstärker im Kleinsignalbetrieb und kann näherungsweise als linearer Verstärker genutzt werden. Das ist der typische Betriebsbereich für einen rückgekoppelten Operationsverstärker. Außerhalb dieses Bereiches verlaufen die Kennlinien flacher, d. h. die Verstärkung nimmt ab und die Verzerrungen nehmen zu.

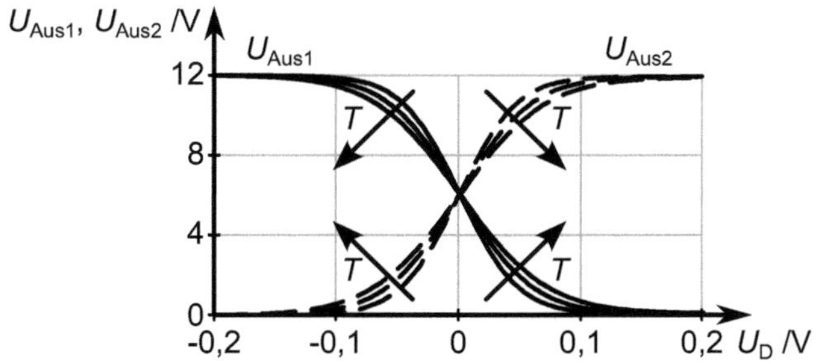

Abb. 2.6 Simulation der Ausgangsspannungen des Differenzverstärkers entsprechend Abb. 2.1 bei Temperaturen von −40 °C, 20 °C und 80 °C. Die Kurve für $T = 20$ °C entspricht der Simulation in Abb. 2.5 unten. Die Spannung U_{Aus1} ist mit durchgezogenen Linien dargestellt, die Spannung U_{Aus2} ist gestrichelt dargestellt. Der Temperaturverlauf ist durch Pfeile verdeutlicht. Gut ist zu erkennen, dass die Kurven symmetrisch sind. Bei steigender Temperatur wird der Kurvenverlauf flacher

Um die Bedeutung der Temperaturspannung beurteilen zu können, ist in Abb. 2.6 die Simulation des Differenzverstärkers aus Abb. 2.1 für drei Temperaturen dargestellt. Damit der Temperatureffekt sichtbar wird, wurde der Simulationsbereich für die Differenzspannung U_D auf ±200 mV eingeschränkt. Man erkennt, dass die Kurven mit wachsender Temperatur flacher verlaufen. Das deutet auf eine Abnahme der Differenzverstärkung mit wachsender Temperatur hin. Ein ähnlicher Effekt tritt mit Stromgegenkopplung auf, s. Abschn. 2.6.

2.4 Eigenschaften des Differenzverstärkers

Der Differenzverstärker hat zwei Eingänge und – je nach Anwendung – ein bis zwei Ausgänge. Die beiden Eingänge wirken unterschiedlich auf die Ausgänge des Operationsverstärkers. Anhand Abb. 2.1 kann nachvollzogen werden, dass für einen Ausgang ein Eingang invertierend und der andere Eingang nichtinvertierend wirkt. Wird beispielsweise der Ausgang U_{Aus1} betrachtet, wirkt der Eingang U_{Ein1} invertierend und der Eingang U_{Ein2} nichtinvertierend. Das kann leicht auf die folgende Weise nachvollzogen werden: Steig die Spannung am Eingang U_{Ein1} an, steigt damit auch der Basis- und der Kollektorstrom von T_1. Der höhere Kollektorstrom von Transistor T_1 sorgt für einen höheren Spannungsabfall am linken Widerstand R_C. Da das „obere" Ende des Kollektorwiderstands fest mit der Betriebsspannung verbunden ist, muss die Ausgangsspannung U_{Aus1} am Kollektor von T_1 niedriger werden. Hier zeigt sich die Stromquelleneigenschaft des Transistors: Die (externe) Kollektorspannung stellt sich passend ein.

Mit dem steigenden Basisstrom von T_1 wird auch der Emitterstrom des linken Transistors höher. Die Stromsenke lässt immer den gleichen Strom fließen. Wenn der

Emitterstrom des linken Transistors T_1 ansteigt, muss gleichzeitig der Emitterstrom des rechten Transistors T_2 niedriger werden. Mit dem geringeren Emitterstrom sinkt natürlich auch der Kollektorstrom. Das hat weiter zur Folge, dass der Spannungsabfall am rechten Kollektorwiderstand geringer wird. Mit der festen Spannung am „oberen" Ende des Kollektorwiderstands R_C rechts muss die Ausgangsspannung U_{Aus2} am Kollektor von T_2 steigen. Dabei wird wieder ausgenutzt, dass sich Transistoren praktisch wie eine gesteuerte Stromquelle verhalten: Die Kollektorspannung stellt sich demnach passend ein.

Allgemein gilt: Sind der Eingang und der Ausgang auf der „gleichen Seite" des Differenzverstärkers, wirkt der Eingang invertierend. Bei Ein- und Ausgang an unterschiedlichen Seiten ist die Wirkung nichtinvertieren.

Im Folgenden werden Differenzverstärker mit einem Ausgang getrennt für Differenz- und Gleichtaktsignale betrachtet.

Der Differenzverstärker soll im Idealfall nur die Differenz-Eingangsspannung verstärken. Dabei kann eine additive Gleichspannung anliegen, die nicht verstärkt werden soll. Bei praktischen Differenzverstärkern werden jedoch beide Spannungsformen, d. h. Differenz-Spannung und Gleichspannung verstärkt.

Damit gilt für die Ausgangsspannung U_{Aus} die allgemeine Formel:

$$U_{Aus} = V_{U,D} \cdot U_D + V_{U,G} \cdot U_G \tag{2.18}$$

Der Verstärkungsfaktor $V_{U,D}$ bezeichnet die gewünschte Differenzverstärkung, während durch den Verstärkungsfaktor $V_{U,G}$ die (ungewollte) Gleichtakt-Verstärkung beschrieben wird. Hinweis: In den anderen Kapiteln dieses Buches wird anstelle von $V_{U,D}$ die Kurzform V_U verwendet. Als Kenngröße bzw. Qualitätsmerkmal eines Differenzverstärkers wird die Gleichtaktunterdrückung (englisch: common mode rejection ratio = *CMRR*) verwendet. Die Gleichtaktunterdrückung berechnet sich aus dem Verhältnis aus Differenz- und Gleichtaktverstärkung und soll möglichst hoch sein:

$$\text{CMRR} = \frac{V_{U,D}}{V_{U,G}} \tag{2.19}$$

2.5 Kleinsignalverstärkung des Differenzverstärkers

Zur Bestimmung der Kleinsignalverstärkung wird der Differenzverstärker zunächst mit einem Differenzsignal und anschließend mit einem Gleichsignal betrachtet. Zur Schaltungsanalyse wird die Stromquelle im gemeinsamen Emitterpfad durch einen gemeinsamen Lastwiderstand R_0 ersetzt. Für beide Eingangssignale wird dann das Kleinsignal-Ersatzschaltbild erstellt und aus dem Kleinsignal-Ersatzschaltbild Gleichungen für die Differenz- und die Gleichtaktverstärkung abgeleitet.

2.5.1 Ansteuerung mit Differenzsignal

In Abb. 2.7 ist die Schaltung des Differenzverstärkers für die Ansteuerung mit einer Differenzspannung U_D dargestellt. Die Ansteuerung erfolgt symmetrisch mit einem positiven und einem negativen Spannungsanteil von $+U_D/2$ bzw. $-U_D/2$. Für die Ableitung einer Verstärkungsformel wird aus dieser Schaltung mit den Regeln aus [1] das zugehörige Kleinsignal-Ersatzschaltbild erzeugt. Dabei gilt, dass feste Gleichspannungsquellen durch Verbindungen ersetzt werden. Für den Transistor wird die bekannte Ersatzschaltung bestehend aus r_{BE}, r_{CE} und der gesteuerten Stromquelle verwendet. Die beiden Eingangsspannungen bleiben im KS-ESB erhalten, da ja genau der Einfluss dieses Eingangssignals untersucht werden soll. Damit ergibt sich zunächst das in Abb. 2.8 dargestellte Kleinsignal-Ersatzschaltbild (KS-ESB).

Zur Analyse wird das Kleinsignal-Ersatzschaltbild in geeigneter Weise umgeformt. Im ersten Schritt werden die beiden Eingänge untersucht: Die beiden Basisspannungen sind betragsmäßig gleich groß, aber entgegengesetzt gerichtet.

Das bedeutet, dass sich die Spannungswerte genau entgegengesetzt ändern. Rechts ist die Basisspannung negativ, links ist die Basisspannung positiv. Da der Betrag der Spannung jeweils gleich ist, muss in der Mitte zwischen den beiden Anschlüssen aufgrund der Symmetrie die Spannung 0 V sein. Die Mitte ist der obere Anschlusspunkt von R_0, in Abb. 2.8 mit ① markiert. Da der zweite Anschluss des Widerstands R_0 ebenfalls auf Masse liegt, beträgt der Spannungsabfall an dem Widerstand 0 V. Damit fließt durch diesen Widerstand kein Strom, der Widerstand kann vernachlässigt werden und durch einen Leerlauf oder Kurzschluss ersetzt werden, ohne dass sich die elektrische Funktion der Schaltung ändert. Hier wird der Widerstand R_0 durch einen Kurzschluss ersetzt. Gleichzeitig wird das Kleinsignal-Ersatzschaltbild aufgrund der Symmetrieeigenschaften auf die

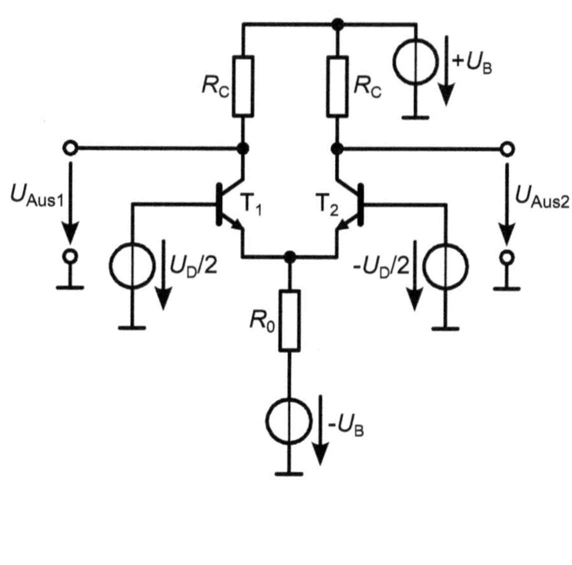

Abb. 2.7 Differenzverstärker zur Schaltungsanalyse mit einem Differenzsignal $U_D/2$ bzw. $-U_D/2$ als Eingangssignal

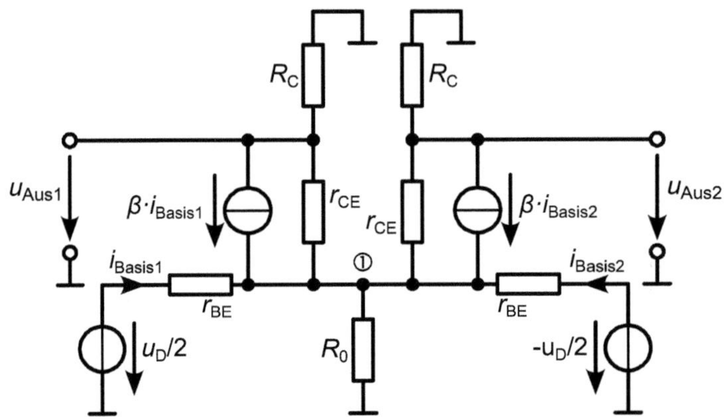

Abb. 2.8 Kleinsignal-Ersatzschaltbild des Differenzverstärkers für Ansteuerung mit einem Differenzsignal. Die Spannungsquellen $u_D/2$ und $-u_D/2$ sind Kleinsignalgrößen, also keine „echten" DC-Quellen

linke Hälfte reduziert und der Widerstand R_C sowie der Ausgang u_{Aus1} nach rechts verschoben. Das resultierende KS-ESB ist in Abb. 2.9 dargestellt. In diesem ESB wurde der Index 1 entfernt. Hier ist gut zu erkennen, dass die Transistoren eine Emitterschaltung ohne Gegenkopplung mit entsprechend hoher Verstärkung bilden [1].

Für die Kleinsignal-Spannungsverstärkung für Differenzsignale gilt die allgemeine Formel:

$$V_{U,D} = \frac{u_{Aus}}{u_{Ein}} \tag{2.20}$$

In diesem Fall ist zu beachten, dass die Eingangsspannung u_{Ein} entsprechend Abb. 2.9 $u_D/2$ ist. Damit gilt für den Basisstrom:

$$u_{Ein} = \frac{u_D}{2} = i_{Basis} \cdot r_{BE}$$

Abb. 2.9 Reduziertes Kleinsignal-Ersatzschaltbild für ein Differenzsignal am Eingang. Die Spannungsquelle $u_D/2$ ist eine Kleinsignalgröße, also keine „echte" DC-Quelle!

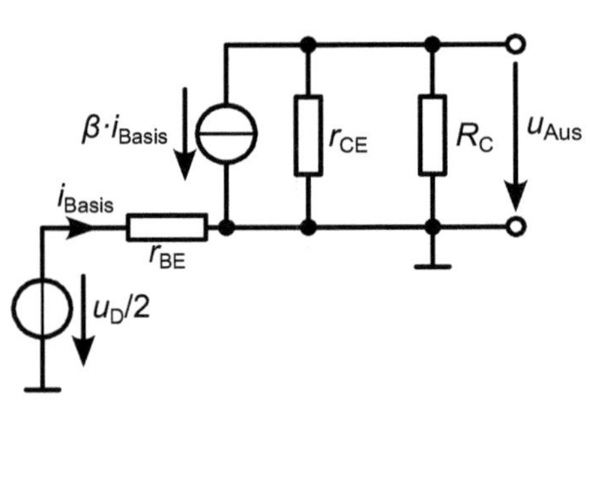

$$\iff u_{\mathrm{D}} = 2 \cdot i_{\mathrm{Basis}} \cdot r_{\mathrm{BE}}$$

Für die Ausgangsspannung gilt:

$$u_{\mathrm{Aus1}} = -\beta \cdot i_{\mathrm{Basis}} \cdot (r_{\mathrm{CE}} || R_{\mathrm{C}})$$

Einsetzen in die obige Gl. (2.20) für die Differenzverstärkung ergibt:

$$V_{\mathrm{U,D}} = -\frac{\beta \cdot i_{\mathrm{Basis}} \cdot (r_{\mathrm{CE}} || R_{\mathrm{C}})}{2 \cdot i_{\mathrm{Basis}} \cdot r_{\mathrm{BE}}}$$

Kürzen ergibt die folgende Gleichung für die Differenzverstärkung:

$$V_{\mathrm{U,D}} = -\frac{\beta \cdot (r_{\mathrm{CE}} || R_{\mathrm{C}})}{2 \cdot r_{\mathrm{BE}}} \tag{2.21}$$

Die vorstehende Gl. (2.21) entspricht bis auf den Faktor ½ dem Verstärkungsfaktor einer Emitterschaltung, s. beispielsweise [1]. Anschaulich lässt sich das so erklären, dass die Differenzspannung am Eingang auf beide Zweige des Differenzverstärkers aufgeteilt wird und sich damit halbiert. Diese Gleichung wird hier ein wenig weiter umgeformt. Für den Kleinsignal-Basis-Emitterwiderstand gilt, s. [1]:

$$r_{\mathrm{BE}} = \frac{U_{\mathrm{T}}}{I_{\mathrm{Basis}}} = \frac{U_{\mathrm{T}} \cdot \beta}{I_{\mathrm{C}}} \tag{2.22}$$

Diese Gleichung wird in Gl. (2.21) eingesetzt, außerdem wird die Parallelschaltung aus r_{CE} und R_{C} durch den kleineren Widerstandswert R_{C} der beiden Widerstände angenähert. Damit folgt:

$$V_{\mathrm{U,D}} = -\frac{\beta \cdot (r_{\mathrm{CE}} || R_{\mathrm{C}})}{2 \cdot \frac{U_{\mathrm{T}} \cdot \beta}{I_{\mathrm{C}}}} = -\frac{I_{\mathrm{C}} \cdot (r_{\mathrm{CE}} || R_{\mathrm{C}})}{2 \cdot U_{\mathrm{T}}} \approx -\frac{I_{\mathrm{C}} \cdot R_{\mathrm{C}}}{2 \cdot U_{\mathrm{T}}}. \tag{2.23}$$

Für den Kollektorwiderstand gilt mit dem ohmschen Gesetz und der Kollektorspannung $U_{\mathrm{C,0}}$ im Arbeitspunkt:

$$I_{\mathrm{C}} = \frac{U_{\mathrm{B}} - U_{\mathrm{C,0}}}{R_{\mathrm{C}}}. \tag{2.24}$$

Durch Einsetzen in Gl. (2.23) folgt als eine Variante zur Berechnung der Differenzspannungsverstärkung $V_{\mathrm{U,D}}$:

$$V_{\mathrm{U,D}} \approx -\frac{I_{\mathrm{C}} \cdot R_{\mathrm{C}}}{2 \cdot U_{\mathrm{T}}} = -\frac{U_{\mathrm{B}} - U_{\mathrm{C,0}}}{2 \cdot U_{\mathrm{T}}}. \tag{2.25}$$

Diese Gleichung besagt: Mit sinkender Kollektorspannung steigt der Betrag der Differenzspannungsverstärkung an. Das gilt natürlich nur in einem bestimmten Bereich. Eine Untergrenze bildet die Basisspannung von etwa 0 V: Ist die Kollektorspannung in diesem Bereich, werden die Transistoren in Sättigung betrieben und die Spanungsverstärkung wird deutlich niedriger. Einige Messwerte sind weiter unten in diesem Kapitel zusammengestellt.

2.5.2 Ansteuerung mit Gleichtaktsignal

An den beiden Eingängen des Differenzverstärkers wird nun ein Gleichtaktsignal angelegt, d. h. die Spannungen an beiden Eingängen sind gleich groß. Damit ergibt sich das Schaltbild in Abb. 2.10. Auch hier wird zunächst das Kleinsignal-Ersatzschaltbild aufgestellt. Gleichzeitig wird der gemeinsame Lastwiderstand R_0 in zwei Lastwiderstände mit jeweils doppeltem Wert aufgeteilt. Es entsteht das in Abb. 2.11 gezeigte KS-ESB.

Die Schaltung ist durch die Aufteilung des Widerstandes R_0 auch wieder komplett symmetrisch. Das bedeutet, dass zwischen dem linken und dem rechten Zweig kein Strom fließt: $i_X = 0$ A. Damit kann diese Verbindung entfallen, ohne die elektrische Funktion der Schaltung zu ändern. Die Reduzierung auf einen Zweig ergibt das reduzierte Kleinsignal-Ersatzschaltbild in Abb. 2.12. Hier wurde der Index 1 weggelassen.

Dieses Ersatzschaltbild ist ein wenig komplexer als das entsprechende Ersatzschaltbild für Differenzspannungen. Aus diesem Grund wird in diesem Schaltbild der Widerstand r_{CE} vernachlässigt, da dieser Widerstand deutlich hochohmiger als die anderen beiden Widerstände ist. (Typische Zahlenwerte bzw. Größenordnungen sind $R_C \approx 1$ kΩ, $R_0 \approx 1$ kΩ und $r_{CE} \approx 100$ kΩ, s. auch [1].) Damit fließt der Strom aus der Stromquelle näherungsweise komplett über den Widerstand $2{\cdot}R_0$ und über R_C Für die Eingangsspannung u_G ergibt sich der Zusammenhang:

$$u_G \approx i_{Basis} \cdot r_{BE} + (\beta \cdot i_{Basis} + i_{Basis}) \cdot 2 \cdot R_0 \tag{2.26}$$

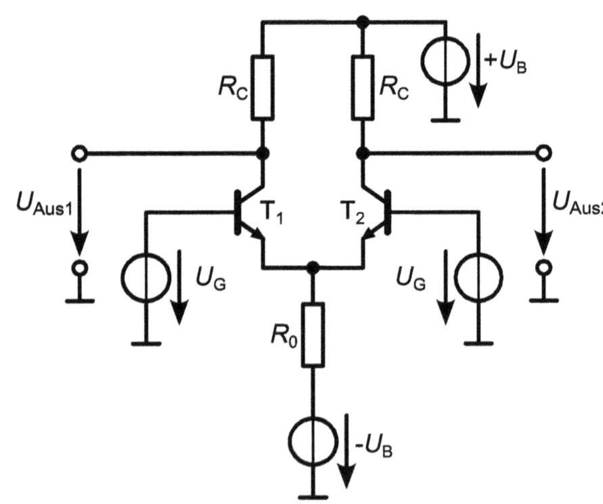

Abb. 2.10 Differenzverstärker mit Gleichtaktsignal am Eingang

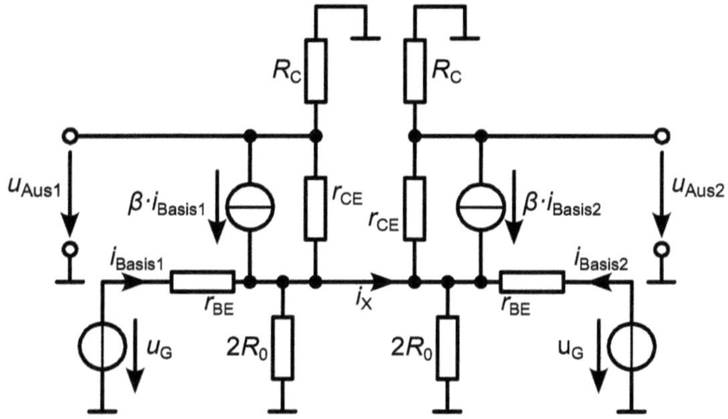

Abb. 2.11 Kleinsignal-Ersatzschaltbild des Differenzverstärkers für ein Gleichtaktsignal. Die Spannungsquellen u_G sind Kleinsignalgrößen, also keine „echten" DC-Quellen

Abb. 2.12 Reduziertes Kleinsignal-Ersatzschaltbild für ein Gleichtaktsignal am Eingang. Die Spannungsquelle u_G bleibt als Eingangsgröße im KS-ESB erhalten

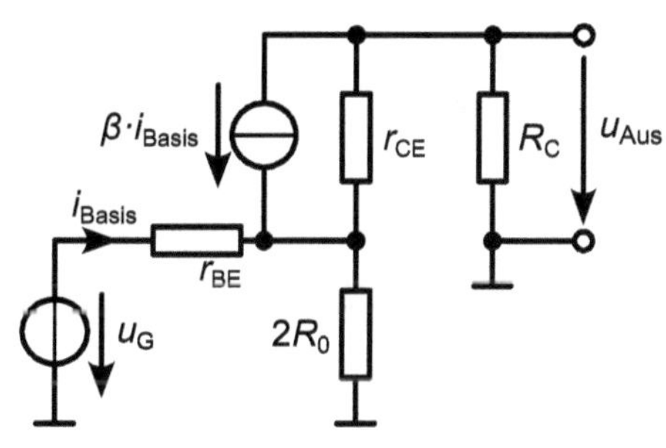

Für die Ausgangsspannung u_{Aus} gilt:

$$u_{Aus} \approx -\beta \cdot i_{Basis} \cdot R_C \tag{2.27}$$

Damit ergibt sich die Gleichtakt-Spannungsverstärkung zu

$$V_{U,G} = \frac{u_{Aus}}{u_G} \approx -\frac{\beta \cdot i_{Basis} \cdot R_C}{i_{Basis} \cdot r_{be} + (1+\beta) \cdot i_{Basis} \cdot 2 \cdot R_0} \tag{2.28}$$

Nach Kürzen des Basisstroms i_{Basis} und unter der Voraussetzung, dass die Stromverstärkung groß ist ($\beta >> 1$) folgt:

$$V_{U,G} \approx -\frac{\beta \cdot R_C}{r_{be} + 2 \cdot \beta \cdot R_0} \tag{2.29}$$

Mit der weiteren Näherung, dass der Kleinsignal-Widerstand r_{BE} deutlich kleiner als die doppelte Stromverstärkung multipliziert mit R_0 ist ($r_{BE} << 2\beta R_0$), ergibt sich die Gleichtaktverstärkung nach Kürzen der Stromverstärkung β schließlich zu

$$V_{\mathrm{U,G}} \approx -\frac{R_{\mathrm{C}}}{2 \cdot R_0}. \tag{2.30}$$

Diese Schaltung entspricht der Emitterschaltung mit Stromgegenkopplung mit der entsprechend relativ geringen Spannungsverstärkung.

2.5.3 Gesamtverstärkung und Gleichtaktunterdrückung

Durch Addition der Gleichtakt- und Differenzverstärkung folgt die Gesamtverstärkung des Differenzverstärkers im Kleinsignalbetrieb mit Gl. (2.21) und (2.30) zu

$$\begin{aligned} u_{\mathrm{Aus}} &= V_{\mathrm{U,D}} \cdot u_{\mathrm{D}} + V_{\mathrm{U,G}} \cdot u_{\mathrm{G}} \\ \Longleftrightarrow \quad u_{\mathrm{Aus}} &= -\frac{\beta \cdot (r_{\mathrm{CE}}||R_{\mathrm{C}})}{2 \cdot r_{\mathrm{BE}}} \cdot u_{\mathrm{D}} - \frac{R_{\mathrm{C}}}{2 \cdot R_0} \cdot u_{\mathrm{G}} \end{aligned} \tag{2.31}$$

Jetzt kann die Gleichtaktunterdrückung nach Gl. (2.19) bestimmt werden:

$$\mathrm{CMRR} = \frac{V_{\mathrm{U,D}}}{V_{\mathrm{U,G}}} = \frac{-\frac{\beta \cdot (r_{\mathrm{CE}}||R_{\mathrm{C}})}{2 \cdot r_{\mathrm{BE}}}}{-\frac{R_{\mathrm{C}}}{2 \cdot R_0}} \tag{2.32}$$

Zur Vereinfachung des Ausdrucks wird wieder r_{CE} vernachlässigt. Da $r_{\mathrm{CE}} >> R_{\mathrm{C}}$ ist, entfällt in der Parallelschaltung näherungsweise der hochohmige Widerstand: $r_{\mathrm{CE}}||R_{\mathrm{C}} \approx R_{\mathrm{C}}$. Mit dieser Vereinfachung folgt:

$$\begin{aligned} \mathrm{CMRR} &= \frac{-\frac{\beta \cdot R_{\mathrm{C}}}{2 \cdot r_{\mathrm{BE}}}}{-\frac{R_{\mathrm{C}}}{2 \cdot R_0}} = \frac{\beta}{\frac{2 \cdot r_{\mathrm{BE}}}{2 \cdot R_0}} \\ \Longleftrightarrow \quad \mathrm{CMRR} &= \frac{\beta \cdot R_0}{r_{\mathrm{BE}}} \end{aligned} \tag{2.33}$$

Hier soll ein kurzer Kommentar zu den beiden Minuszeichen in Gl. (2.31) ergänzt werden. Die Minuszeichen ergeben sich in dieser Beschreibung aufgrund der Wahl des Eingangs bzw. Ausgangs. Das Vorzeichen kann beim Differenzverstärker durch die Änderung des Ausgangspfades und auch durch Vertauschen der beiden Eingänge invertiert werden. In der „echten" Schaltung und auch für Operationsverstärker werden deshalb die Bezeichnungen invertierender und nichtinvertierender Eingang verwendet. Im Schaltbild werden die Eingänge dann mit einem Plus- bzw. einem Minuszeichen markiert.

Werden auch hier wieder die Stromverstärkung β und der Kleinsignal-Basis-Emitterwiderstand r_{BE} entsprechend Gl. (2.22) und (2.24) ersetzt, erhält man die folgende Gleichung, die eine gute Berechnung der Gleichtaktunterdrückung aus den Messdaten erlaubt:

$$\mathrm{CMRR} = \frac{R_0 \cdot \left(U_\mathrm{B} - U_\mathrm{C,0}\right)}{R_\mathrm{C}.U_\mathrm{T}}. \tag{2.34}$$

2.5.4 Messung des Differenzverstärkers

Der Differenzverstärker entsprechend dem Schaltplan in Abb. 2.7 wurde auf dem Steckbrett aufgebaut. Ein Foto dieser Schaltung ist in Abb. 2.13 gezeigt. Für den Differenzverstärker wurden Kollektorwiderstände mit einem Wert von 2,2 kΩ verwendet. Die Basiswiderstände haben einen Widerstandswert von 4,7 kΩ, der gemeinsame Lastwiderstand hat einen Wert von 1,5 kΩ. Damit sich die Basisspannung beim Anschluss des Signalgenerators nicht ändert, wurde die Offsetspannung des Signalgenerators auf –27,8 mV eingestellt. Die Messung der Differenzverstärkung ist in Abb. 2.14 dargestellt, die Messung der Gleichtaktverstärkung in Abb. 2.15. Über die Messfunktionen wird die Spitze-Spitze-Spannung (U_PP) des Eingangs- und des Ausgangssignals gemessen. Die hier verwendete Amplitude entspricht dem halben Spannungswert.

Die Messung der Differenzverstärkung ergibt eine Spitze-Spitze-Spannung von 3,885 V am Ausgang für eine Eingangsspannung von 49,82 mV. Damit ergibt sich die

Abb. 2.13 Foto der auf dem Steckbrett aufgebauten Schaltung aus Abb. 2.7. Die obere, rot markierte Reihe entspricht der positiven Versorgungsspannung von etwa +12 V. Die untere, blau markierte Querreihe ist an die negative Versorgungsspannung von etwa −12 V angeschlossen. Die beiden Transistoren sind über die orangefarbige Leitung in der Mitte an den Emittern verbunden. Beide Emitter sind über den gemeinsamen Lastwiderstand von 1,5 kΩ an Masse angeschlossen. Links und rechts sind die beiden Basiswiderstände zu erkennen. Oberhalb von den beiden Transistoren befinden sich die beiden Kollektorwiderstände. Über die grüne Leitung links oben wird das Eingangssignal eingespeist. Die Messung erfolgt über die weiße Leitung rechts oben

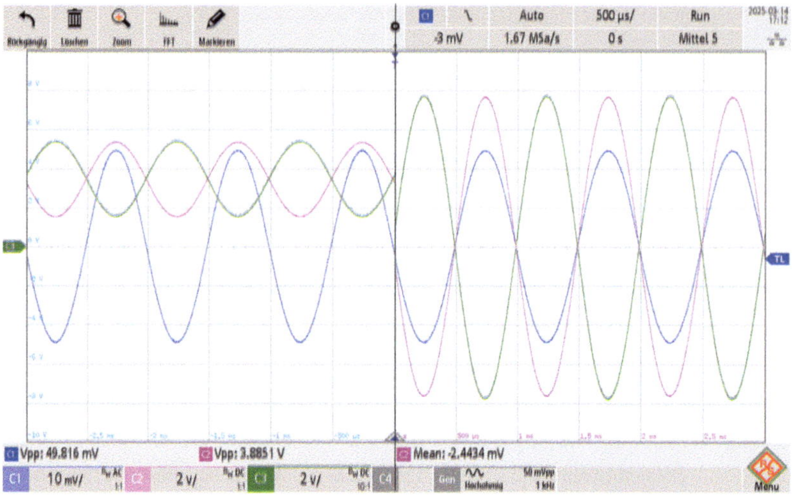

Abb. 2.14 Messung der Differenzverstärkung für die in Abb. 2.13 gezeigten Schaltung. Das Eingangssignal wird an Kanal 1 gemessen (blaue Linie), die beiden Ausgangssignale an Kanal 2 (pinkfarbig) und Kanal 3 (grün). Dargestellt ist die Messung mit AC-Kopplung für Kanal 2 und 3 in der linken Hälfte und für DC-Kopplung in der rechten Hälfte Als Messungen werden die Spitze-Spitze-Spannung im linken Bereich und der Mittelwert an Kanal 2 im rechten Bereich gemessen. Die Skalierung ist 10 mV/□ für Kanal 1 (Eingang) bzw. 2 V/□ für die Ausgangssignale an Kanal 2 und 3

Differenzverstärkung betragsmäßig zu.

$$V_{\mathrm{U,D}} = \frac{\widehat{U}_{\mathrm{Aus}}}{\widehat{U}_{\mathrm{Ein}}} = \frac{1{,}943\ \mathrm{V}}{24{,}91\ \mathrm{mV}} = 78.$$

Der Vergleich mit der Theorie nach Gl. (2.25) zeigt, dass dieser Wert deutlich zu niedrig ist. Laut Messkurve sollte der Betrag der Differenzspannungsverstärkung einen Wert von 146 erreichen. Hierbei wurde eine Temperaturspannung $U_{\mathrm{T}} = 26$ mV für etwa 300 K und ein Wert von 11,5 V für die Betriebsspannung verwendet. Um die Genauigkeit von Gl. (2.25) besser zu beurteilen, wurden für die Differenzverstärkung weitere Messungen durchgeführt. Dabei wurde der gemeinsame Lastwiderstand R_0 variiert. Diese Messungen sind in Tab. 2.1 zusammengestellt. Aus den Zahlenwerten wird deutlich, dass die Genauigkeit der Näherungsgleichung mit wachsendem Lastwiderstand R_0, also geringer werdendem Strom, zunimmt.

Für die Messung der Gleichtaktverstärkung sind die beiden Basisanschlüsse wieder verbunden worden. Die zugehörige Messung liefert eine Ausgangsspannung von 18 mV (Amplitude) bei einer Eingangsspannung von 25 mV (Amplitude). Aus diesen Daten folgen die Gleichtaktverstärkung und die Gleichtaktunterdrückung zu:

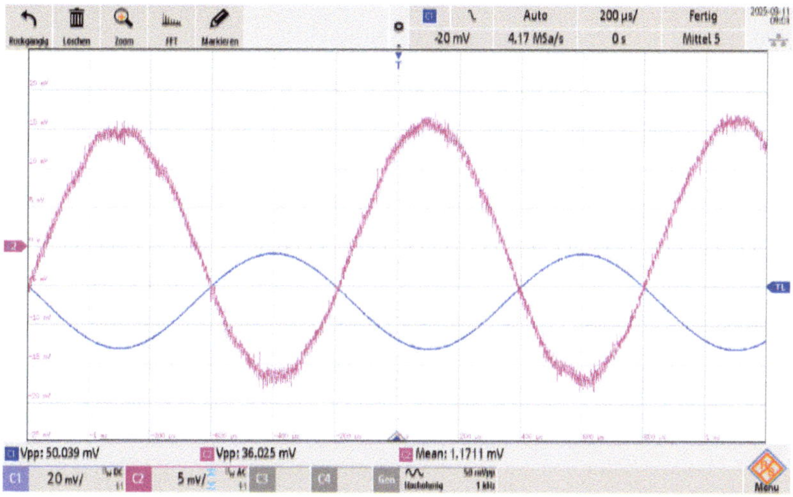

Abb. 2.15 Messung der Gleichtaktverstärkung für die in Abb. 2.13 gezeigten Schaltung eines Differenzverstärkers mit gemeinsamen Lastwiderstand. Das Eingangssignal wird an Kanal 1 gemessen (blaue Linie). Das Ausgangssignal für den Fall, dass beide Basisanschlüsse verbunden sind, wird am Kanal 2 gemessen (pinkfarbige Linie). Deutlich ist erkennbar, dass das Ausgangssignal stark verrauscht ist. Die Skalierung ist 20 mV/□ für Kanal 1 (Eingang) und 5 mV/□ für Kanal 2 (Ausgang)

Tab. 2.1 Vergleich des Betrags der Differenzspannungsverstärkung in Abhängigkeit des Lastwiderstands R_0

Lastwiderstand R_0	Kollektorarbeitspunkt $U_{C,0}$ (Messung)	$\vert V_{U,D}\vert$ (Messung)	$\vert V_{U,D}\vert$ (nach Gl. 2.25)
1,5 kΩ	3,89 V	78	146,3
2,2 kΩ	6,06 V	62,9	104,6
3,3 kΩ	7,9 V	48,7	63,23
4,7 kΩ	9,06 V	37,3	46,92
6,8 kΩ	9,78 V	27,5	33,08
10 kΩ	10,36 V	19,6	21,92

$$V_{U,G} = \frac{\widehat{U}_{aus1}}{\widehat{U}_{ein}} = \frac{18\ \text{mV}}{25\ \text{mV}} = 0{,}72 \text{ und}$$

$$CMRR = \frac{V_{U,D}}{V_{U,G}} = \frac{78}{0{,}72} = 108{,}3.$$

Die Näherungsformel in Gl. (2.30) ergibt eine Gleichtaktverstärkung von 0,733, ist also im Vergleich zum Messwert von 0,72 nur wenig zu hoch. Die Gleichtaktunterdrückung ergibt sich zu 108,3 (Messwert) bzw. 199,6 (Gl. 2.34). Die Differenz wird durch den Unterschied bei der Differenzverstärkung $V_{U,D}$ bewirkt.

2.5.5 Kleinsignal-Eingangswiderstand

Der Differenzverstärker zeigt unterschiedliches Kleinsignal-Verhalten, je nachdem ob ein Gleichtakt- oder ein Differenzsignal angelegt wird. Das wurde bereits für die Verstärkungswerte in diesem Abschnitt gezeigt.

Im Folgenden soll der Kleinsignal-Eingangswiderstand bestimmt werden. Zunächst wird wieder das Kleinsignal-Ersatzschaltbild für Differenzsignale aus Abb. 2.8 bzw. 2.9 herangezogen.

In der allgemeinen Form bestimmt sich der Differenz-Eingangswiderstand über die Formel

$$r_{\text{Ein,D}} = \frac{u_{\text{D}}}{i_{\text{Basis}}} \tag{2.35}$$

Mit dem Basisstrom

$$i_{\text{Basis}} = \frac{u_{\text{D}}/2}{r_{\text{BE}}} \tag{2.36}$$

folgt für den differentiellen Kleinsignal-Eingangswiderstand:

$$r_{\text{Ein,D}} = \frac{u_{\text{D}}}{\frac{u_{\text{D}}/2}{r_{\text{BE}}}} = 2 \cdot r_{\text{BE}}. \tag{2.37}$$

Anschaulich kann die Formel (2.37) auch dadurch hergeleitet werden, dass einfach überlegt wird, welcher Widerstand zwischen den beiden Eingängen des Differenzverstärkers wirksam ist. Da für das KS-ESB jeweils der Kleinsignal-Basis-Emitter-Widerstand r_{BE} zwischen dem Eingang und Masse angeordnet ist, ergibt sich der Gesamtwiderstand aus der Reihenschaltung der beiden Kleinsignal-Basis-Emitter-Widerstände. Dieser „Messweg" ist in Abb. 2.16 gezeigt.

Für das Gleichtaktsignal wird das Kleinsignal-Ersatzschaltbild in Abb. 2.12 verwendet. Hier wird wieder r_{CE} vernachlässigt ($r_{\text{CE}} >> R_{\text{C}}, R_0$). Die Berechnung des Kleinsignal-Eingangswiderstandes für Gleichtaktsignale erfolgt analog zur vorherigen Rechnung zu:

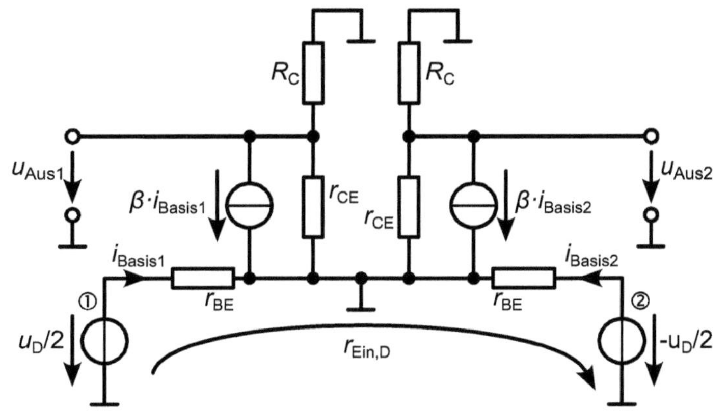

Abb. 2.16 Kleinsignal-Ersatzschaltbild des Differenzverstärkers für Ansteuerung mit einem Differenzsignal. Hier wurde R_0 entfernt, zudem wurde der differentielle Kleinsignal-Eingangswiderstand mit einem Pfeil angedeutet

$$r_{\text{Ein,G}} = \frac{u_{\text{G}}}{i_{\text{Basis}}} \approx \frac{i_{\text{Basis}} \cdot r_{\text{BE}} + (\beta \cdot i_{\text{Basi}} + i_{\text{Basis}}) \cdot 2 \cdot R_0}{i_{\text{Basis}}}. \tag{2.38}$$

Wie bereits zuvor werden auch hier wieder einige Näherungen verwendet. Zunächst gilt $\beta >> 1$, außerdem wird der Kleinsignal-Basisstrom gekürzt:

$$r_{\text{Ein,G}} \approx r_{\text{BE}} + 2 \cdot \beta \cdot R_0 \tag{2.39}$$

Anschließend wird ausgenutzt, dass $\beta \cdot R_0 >> r_{\text{BE}}$ ist:

$$r_{\text{Ein,G}} \approx 2 \cdot \beta \cdot R_0 \tag{2.40}$$

Ein wichtiges Ergebnis ist, dass sich die Kleinsignal-Eingangswiderstände unterscheiden, je nachdem ob ein Gleichtaktsignal oder ein Differenzsignal angelegt wird. Durch Vergleich von Gl. (2.37) und (2.40) kann direkt gefolgert werden, dass der Kleinsignal-Eingangswiderstand für Gleichtaktsignale deutlich hochohmiger als der Kleinsignal-Eingangswiderstand für Differenzsignale ist. Das kann prinzipiell auch auf Gleichgrößen übertragen werden. In der Regel ist es deshalb bei Operationsverstärkern ebenfalls so, dass der Eingangswiderstand für Gleichtaktsignale deutlich höher als der Eingangswiderstand für Differenzsignale ist, s. Abschn. 5.4. Auch wenn dieses Verhalten auf den ersten Blick überraschend erscheint, kann es über das KS-ESB gut begründet werden.

2.6 Modifizierungen des Differenzverstärkers

2.6.1 Aktive Last

In integrierten Schaltkreisen lassen sich häufig Transistoren einfacher als Widerstände herstellen. Deshalb wird oft ein gemeinsamer Lasttransistor anstelle des gemeinsamen Lastwiderstands verwendet. Schaut man sich dazu die Formel für die Gleichtaktverstärkung in Gl. (2.30) noch einmal an, sieht man, dass bei der Schaltung des Differenzverstärkers nach Abb. 2.7 der gemeinsame Lastwiderstand R_0 im Nenner steht:

$$V_{\mathrm{U,G}} \approx -\frac{R_{\mathrm{C}}}{2 \cdot R_0} \qquad (Wdh.)$$

Je höher also R_0 wird, desto geringer wird die Gleichtaktverstärkung und desto idealer wird der Differenzverstärker. Wenn der gemeinsame Lastwiderstand durch eine Stromsenke ersetzt wird, nimmt die Gleichtaktverstärkung weiter ab, da die Stromquelle im Kleinsignalfall einen unendlich hohen Innenwiderstand hat (Ersetzung durch Leerlauf, s. Regeln für das KS-ESB beispielsweise in [1]).

Vergleicht man Differenzverstärker mit ohmscher Last mit einem Differenzverstärker mit Stromquellentransistor, nimmt die Gleichtaktverstärkung sehr stark ab. Die Differenzverstärkung $V_{\mathrm{U,D}}$ ist nach Gl. (2.21) unabhängig von R_0 und ändert sich bei einem Austausch des Widerstands durch einen Transistor nicht. Dementsprechend wird durch die reduzierte Gleichtaktverstärkung die Gleichtaktunterdrückung sehr stark angehoben. Typische Werte für die Gleichtaktunterdrückung reichen von 1000 bis 100.000 [2]. Näherungsweise kann davon ausgegangen werden, dass die Gleichtaktverstärkung im Falle der aktiven Last, also des Transistors als Stromsenke praktisch zu 0 wird.

Die Schaltung des Differenzverstärkers mit Stromsenke ist in Abb. 2.17 gezeigt. Diese Schaltung ist auf dem Steckbrett aufgebaut worden, s. Foto in Abb. 2.18. Die Messung der Differenzverstärkung ist am Anfang dieses Kapitels in Abb. 2.3 gezeigt. Die Messung ergibt eine Ausgangsamplitude von 0,665 V. Mit der Eingangsamplitude von 10,27 mV ergibt sich die Differenzspannungsverstärkung betragsmäßig zu

$$V_{\mathrm{U,D}} = \frac{\widehat{U}_{\mathrm{aus1}}}{\widehat{U}_{\mathrm{ein}}} = \frac{0{,}665\ \mathrm{V}}{10{,}27\ \mathrm{mV}} = 64{,}75.$$

Die beiden Spannungswerte entsprechen dem halben Wert der in Abb. 2.3 gezeigten Spitze-Spitze Spannung (U_{PP}). Für die Messung der Gleichtaktverstärkung werden die beiden Basisanschlüsse der Transistoren T_1 und T_2 des Differenzverstärkers verbunden. Hier bleibt der Signalgenerator angeschlossen. Damit ein Ausgangssignal gemessen werden kann, muss die Eingangsspannung stark erhöht werden. In diesem Fall wurde die Amplitude auf den Maximalwert eingestellt. Der Messwert in Abb. 2.19 ergibt für das Eingangssignal eine Spitze-Spitze-Spannung von 4,9 V, entsprechend einer Amplitude

Abb. 2.17 Differenzverstärker mit Transistor als Stromsenke (aktive Last)

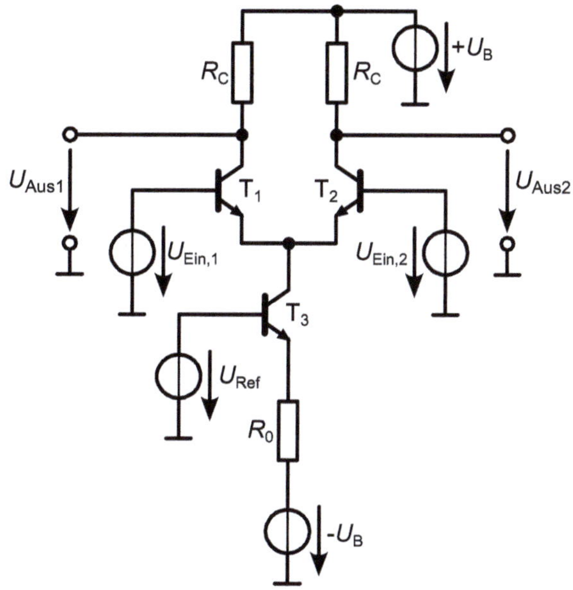

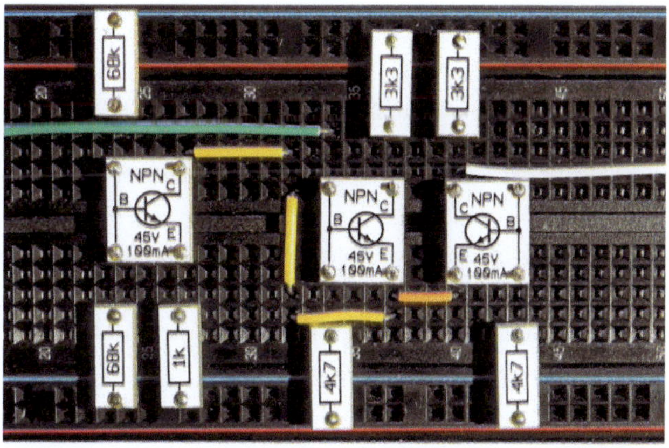

Abb. 2.18 Foto der auf dem Steckbrett aufgebauten Schaltung aus Abb. 2.17. Rechts befindet sich der eigentliche Differenzverstärker mit den beiden Transistoren analog zu Abb. 2.2. Im linken Bereich befindet sich der Transistor als Stromsenke. Die obere, rot markierte Reihe entspricht der positiven Versorgungsspannung von etwa + 12 V. Die untere, blau markierte Querreihe ist an die negative Versorgungsspannung von etwa −12 V angeschlossen. Desweiteren ist die untere, rot markierte Querreihe an Masse angeschlossen. Über die beiden linken Widerstände mit der Beschriftung „68k" wird die Referenzspannung U_{Ref} eingestellt. Die beiden Widerstände bilden einen Spannungsteiler zwischen 0 V (Masse) und der negativen Versorgungsspannung. Über die grüne Leitung links oben wird das Eingangssignal eingespeist. Die Messung der Ausgangsspannung erfolgt über die weiße Leitung recht oben

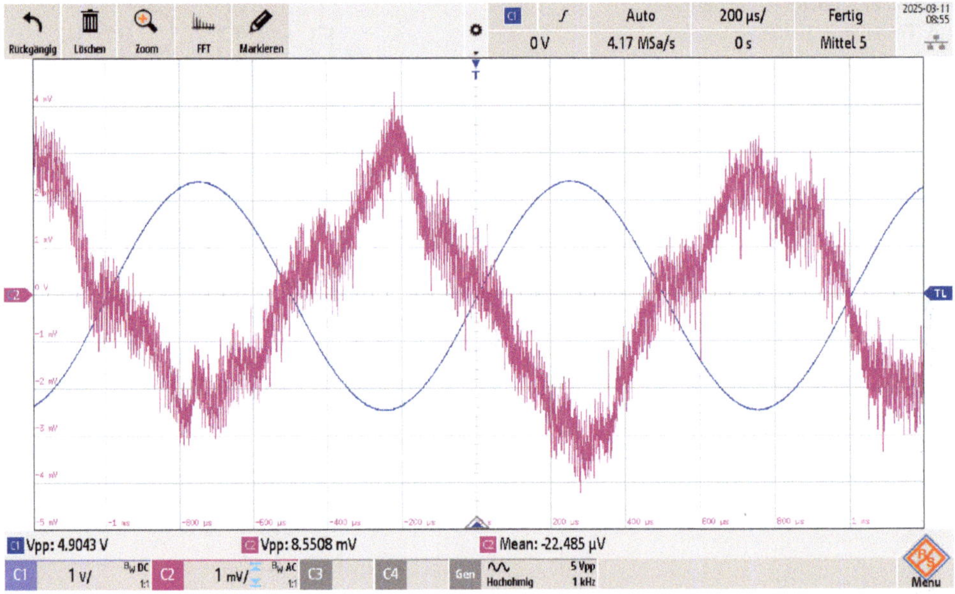

Abb. 2.19 Messung der Gleichtaktverstärkung für die in Abb. 2.18 gezeigten Schaltung. Für diese Messung wurde die Eingangsamplitude stark erhöht. Das Eingangssignal wird an Kanal 1 gemessen (blaue Linie). Das Ausgangssignal für den Fall, dass beide Basisanschlüsse verbunden sind, wird am Kanal 2 gemessen (pinkfarbige Linie). Deutlich ist erkennbar, dass das Ausgangssignal stark verrauscht ist. Die Skalierung ist 1 V/□ für das Eingangssignal an Kanal 1 und 1 mV/□ für Kanal 2 (Ausgang)

von 2,45 V. Die gemessene Ausgangsamplitude von 4,25 mV wird aufgrund des verrauschten Signals zu hoch angezeigt. Der Mittelwert der Ausgangsspannung beträgt im Maximum etwa 3 mV. Mit diesem Wert ergibt sich die Gleichtaktverstärkung $V_{\mathrm{U,G}}$ zu.

$$V_{\mathrm{U,G}} = \frac{\widehat{U}_{\mathrm{aus1}}}{\widehat{U}_{\mathrm{ein}}} = \frac{3\,\mathrm{mV}}{2{,}45\,\mathrm{V}} = 0{,}001224.$$

Die Gleichtaktunterdrückung *CMRR* ergibt sich aus den beiden Verstärkungswerten zu

$$CMRR = \frac{V_{\mathrm{U,D}}}{V_{\mathrm{U,G}}} = \frac{64{,}75}{0{,}001224} = 52.900.$$

Auch wenn dieser Wert relativ hoch ist, wirkt sich hier aus, dass die Transistoren T_1 und T_2 unterschiedlich sind, da Einzeltransistoren ohne Abgleich verwendet wurden. In integrierten Schaltungen können diese Transistoren nahezu identisch hergestellt werden (sog. matched transistor pair). In diesem Fall sinkt die Gleichtaktverstärkung weiter.

2.6.2 Stromgegenkopplung für Differenzverstärker

Um die Linearität des Differenzverstärkers zu verbessern, wird wie bei der Emitterschaltung häufig eine Stromgegenkopplung eingeführt, s. [1, 2]. Damit ändert sich die Schaltung des Differenzverstärkers auf die in Abb. 2.20 dargestellte Schaltung. Durch die Stromgegenkopplung wird die Verstärkung der Transistorschaltung reduziert. Die Übertragungskennlinie des Differenzverstärkers wird flacher und läuft über einem größeren Eingangsspannungsbereich linear. Dieses Verhalten ist als Simulationsergebnis in Abb. 2.21 dargestellt. Für die Spice-Simulation wurden die Bauteilwerte entsprechend Abb. 2.2 verwendet: $U_B = \pm 12$ V, $R_C = 2$ kΩ. Von der Basis zur Masse wurden wie auch für Abb. 2.2 Basiswiderstände mit einem Wert von 4 kΩ ergänzt. Die Emitterwiderstände betragen 0,01 Ω (0 Ω ist in der Simulation nicht zulässig), 150 Ω, 500 Ω und 1 kΩ. Noch eine Ergänzung: Wie bereits vorher ist auch hier die negative Spannungsquelle nicht erforderlich. In dieser Schaltung wurde die Spannungsquelle trotzdem beibehalten, um eine einheitliche Darstellung zu erreichen.

Für den Differenzverstärker mit Emitterwiderständen gilt näherungsweise:

$$V_{U,D} \approx -\frac{R_C}{2 \cdot R_E}. \tag{2.41}$$

Weiter gilt bei Stromgegenkopplung:

$$r_{Ein,D} \approx 2 \cdot \beta \cdot R_E \tag{2.42}$$

und

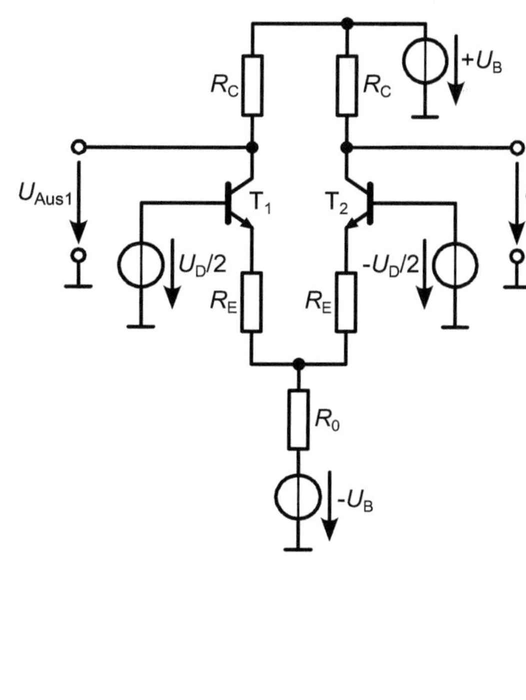

Abb. 2.20 Differenzverstärker mit Stromgegenkopplungswiderständen R_E

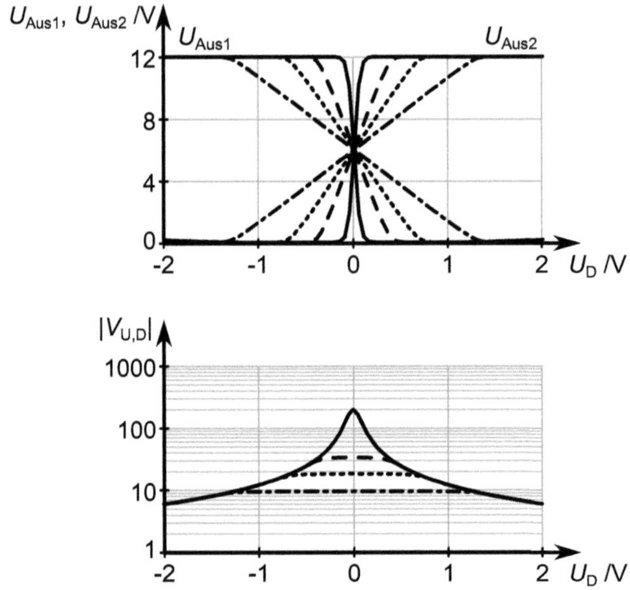

Abb. 2.21 Simulation eines Differenzverstärkers mit Stromgegenkopplung (oben) und Simulation der Differenzverstärkung $V_{U,D}$ in Abhängigkeit des Emitterwiderstands (unten). Die weiteren Daten des Differenzverstärkers entsprechen der Simulation in Abb. 2.5. Hier wurden Emitterwiderstände von 0,01 Ω (durchgezogene Linie), 50 Ω (gestrichelt), 100 Ω (gepunktet) und 200 Ω (strichpunktierte Linie) für die Simulation verwendet. Im unteren Teilbild ist der Betrag der Differenzverstärkung in logarithmischer Skalierung dargestellt. Deutlich ist sichtbar, dass die Spannungsverstärkung mit wachsendem Emitterwiderstand geringer wird, gleichzeitig aber über einen größeren Eingangsspannungsbereich konstant bleibt

$$V_{U,G} = -\frac{R_C}{2 \cdot R_0 + R_E}. \tag{2.43}$$

Diese Gleichungen können aus dem Kleinsignal-Ersatzschaltbild schnell bestimmt werden. Dazu ist zunächst in Abb. 2.22 das KS-ESB für Differenz- und für Gleichtaktbetrieb mit den ergänzten Emitterwiderständen dargestellt. Für die Differenzverstärkung gilt bei Vernachlässigung des Kleinsignalwiderstands r_{CE} ($r_{CE} = \infty\ \Omega$):

$$\begin{aligned} V_{U,D} &= \frac{u_{Aus1}}{u_D} = \frac{R_C \cdot \beta \cdot i_{Basis}}{2[r_{BE} \cdot i_{Basis} + R_E \cdot (\beta + 1) \cdot i_{Basis}]} \\ &= -\frac{R_C \cdot \beta}{2[r_{BE} + R_E \cdot (\beta + 1)]} \approx -\frac{R_C \cdot \beta}{2[r_{BE} + R_E \cdot \beta]} \approx -\frac{R_C}{2 \cdot R_E} \end{aligned}$$

Für die Näherung in der vorletzten Umformung wurde ausgenutzt, dass die Stromverstärkung β deutlich größer als 1 ist. Im letzten Schritt wurde verwendet, dass der

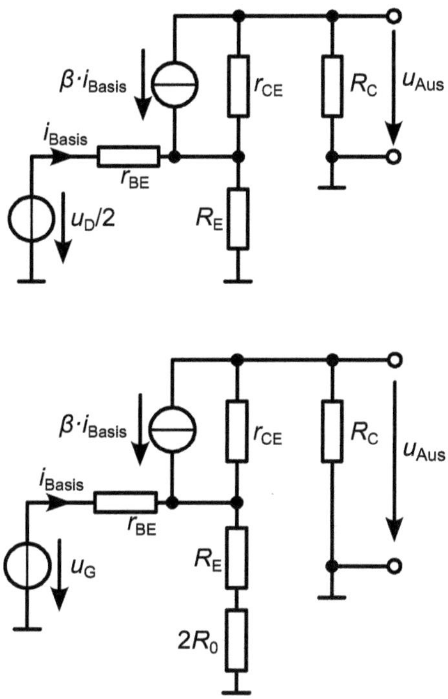

Abb. 2.22 Kleinsignal-Ersatzschaltbild des Differenzverstärkers für ein Differenzsignal (oben) und KS-ESB des Differenzverstärkers für ein Gleichtaktsignal (unten)

Kleinsignal-Widerstand r_{BE} deutlich kleiner als das Produkt aus dem Emitterwiderstand mit der Stromverstärkung ist. Diese Gleichung entspricht einer Emitterschaltung mit Stromgegenkopplung. Der Faktor ½ resultiert aus der Tatsache, dass an einem Eingang die halbe Differenzspannung anliegt.

Für den Eingangswiderstand gilt analog zur vorigen Berechnung:

$$r_{\mathrm{Ein,D}} = \frac{u_{\mathrm{D}}}{i_{\mathrm{Ein}}} = \frac{2[r_{\mathrm{BE}} \cdot i_{\mathrm{Basis}} + R_{\mathrm{E}} \cdot (\beta + 1) \cdot i_{\mathrm{Basis}}]}{i_{\mathrm{Basis}}} \approx 2[r_{\mathrm{BE}} + R_{\mathrm{E}} \cdot (\beta + 1)]$$
$$\approx 2\beta \cdot R_{\mathrm{E}}$$

Auch hier wurden die gleichen Näherungen angewendet.

Die Berechnung der Gleichtaktverstärkung mit Stromgegenkopplung erfolgt deutlich schneller. Wie aus Abb. 2.22 im unteren Teilbild erkennbar ist, sind der Ersatzwiderstand $2 \cdot R_0$ und der Gegenkopplungswiderstand R_{E} in Reihe geschaltet. Demzufolge wird die Gleichung für die Gleichtaktverstärkung so geändert, dass „$2R_0$“ durch „$2R_0 + R_{\mathrm{E}}$“ geändert wird.

Der Differenzverstärker mit Stromgegenkopplung wurde auf dem Steckbrett aufgebaut, s. Abb. 2.23. Die Messung der Differenz und Gleichtaktverstärkung sind in den beiden Abb. 2.24 und 2.25 gezeigt. Für die Messung wurde der Differenzverstärker mit Kollektorwiderständen von 2,2 kΩ, Emitterwiderständen von 220 Ω und einem gemeinsamen

Abb. 2.23 Foto der auf dem Steckbrett aufgebauten Schaltung aus Abb. 2.22. Die obere, rot markierte Reihe entspricht der positiven Versorgungsspannung von etwa +12 V. Die untere, blau markierte Querreihe ist an die negative Versorgungsspannung von etwa −12 V angeschlossen. Desweiteren ist die untere, rot markierte Querreihe an Masse angeschlossen. Oberhalb von den Transistoren sind die beiden Kollektorwiderstände. Darunter befinden sich die quer angeordneten Emitterwiderstände (220 Ω). Der gemeinsame Lastwiderstand ist in der Mitte. Links und Rechts davon sind die beiden Basiswiderstände angeordnet. Über die grüne Leitung links oben wird das Eingangssignal eingespeist. Die Messung erfolgt über die weiße Leitung recht oben

Lastwiderstand von 1,5 kΩ betrieben. Als Transistoren wurde zweimal der Typ BC847C verwendet. Allerdings wurden die Transistoren nicht ausgemessen, so dass die Schaltung unsymmetrisch sein kann. Aus der Messung der Differenzverstärkung ergibt sich der Zahlenwert zu

$$V_{\mathrm{U,D}} = \frac{\widehat{U}_{\mathrm{Aus}}}{\widehat{U}_{\mathrm{Ein}}} = \frac{109{,}8\ \mathrm{mV}}{25{,}2\ \mathrm{mV}} = 4{,}36.$$

Aus der Näherungsformel in Gl. (2.41) ergibt sich für die Spannungsverstärkung ein Wert von 5. Hier gibt es offensichtlich eine kleine Abweichung. Die Messung der Gleichtaktverstärkung $V_{\mathrm{U,G}}$ ergibt:

$$V_{\mathrm{U,G}} = \frac{\widehat{U}_{\mathrm{Aus1}}}{\widehat{U}_{\mathrm{Ein}}} = \frac{19{,}32\ \mathrm{mV}}{25{,}04\ \mathrm{mV}} = 0{,}77.$$

Ein Vergleich der Gleichtaktverstärkung mit der Messung in Abb. 2.15 zeigt, dass die Änderung des Verstärkungswerts praktisch vernachlässigt werden kann. Das wird auch an Gl. (2.43) deutlich: Der Emitterwiderstand von 220 Ω ist im Vergleich zum doppelten

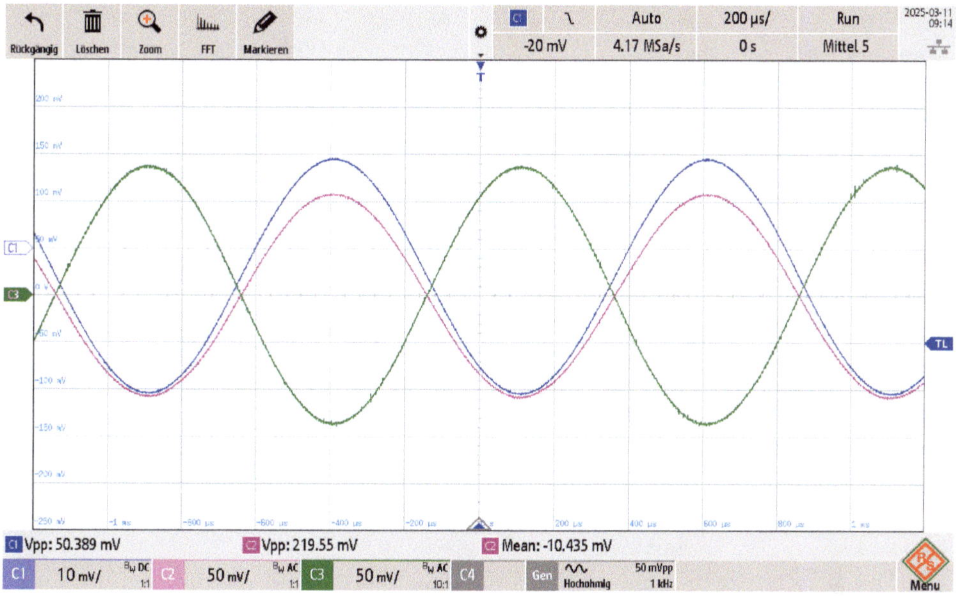

Abb. 2.24 Messung der Differenzverstärkung für die in Abb. 2.23 gezeigten Schaltung. Das Eingangssignal wird an Kanal 1 gemessen (blaue Linie). Die beiden Ausgangssignale wurden am Kanal 2 (pinkfabene Linie) und an Kanal 3 (grüne Linie) gemessen. Die Skalierung ist 10 mV/□ für Kanal 1 (Eingang) und 50 mV/□ für Kanal 2 bzw. 3 (Ausgang)

Lastwiderstand relativ niedrig. Die Gleichtaktverstärkung ergibt sich hier zu 0,68, zeigt also auch eine kleine Abweichung. Die Gleichtaktunterdrückung *CMRR* ergibt sich aus den beiden Verstärkungswerten zu

$$CMRR = \frac{V_{\mathrm{U,D}}}{V_{\mathrm{U,G}}} = \frac{4{,}36}{0{,}77} = 5{,}66.$$

Dieser Wert ist für die Gleichtaktunterdrückung relativ schlecht. Das bedeutet, dass im Falle einer Stromgegenkopplung praktisch automatisch ein Transistor als Stromsenke verwendet werden muss.

2.6.3 Erweiterung des Differenzverstärkers zu einem Mischer

In Gl. (2.13) und (2.14) wurde dargestellt, dass das Ausgangssignal am Kollektorwiderstand u. a. den Strom I_0 als Faktor und die tanh-Funktion mit der Abhängigkeit der Differenzspannung U_D als weiteren Faktor enthält. Wenn man nun den Strom I_0 passend beeinflusst, besteht die Möglichkeit, das Produkt aus der Eingangsspannung U_D und dem

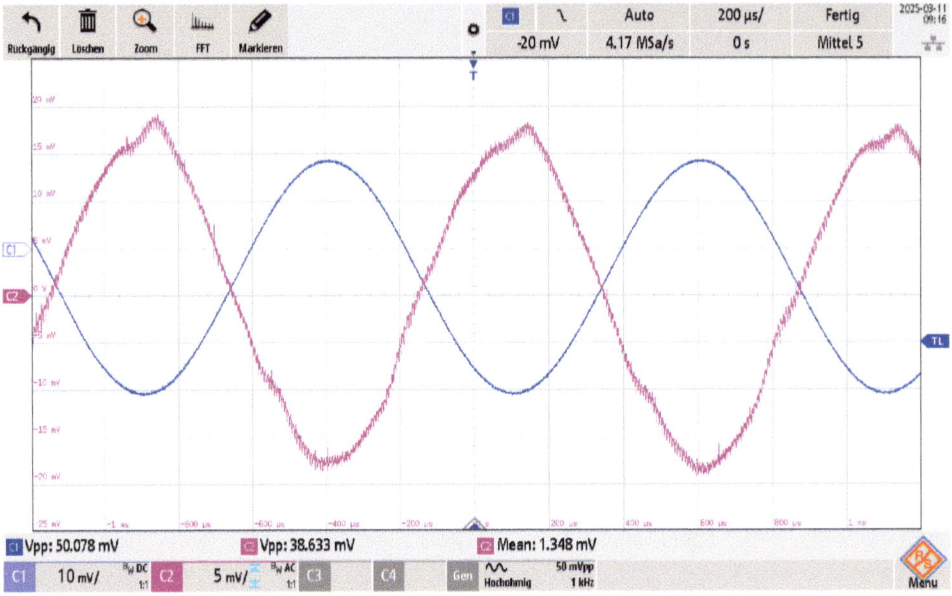

Abb. 2.25 Messung der Gleichtaktverstärkung für die in Abb. 2.23 gezeigten Schaltung. Das Eingangssignal wird an Kanal 1 gemessen (blaue Linie). Das Ausgangssignal für den Fall, dass beide Basisanschlüsse verbunden sind, wird am Kanal 2 gemessen (pinkfarbige Linie). Die Skalierung ist 10 mV/☐ für Kanal 1 (Eingang) und 5 mV/☐ für Kanal 2 (Ausgang)

Strom I_0 zu bilden [3]. In diesem Fall ist der Strom I_0 kein reiner Gleichstrom mehr. In der Regel wird hier ein Wechselstrom mit einem Gleichspannungsanteil verwendet.

Multiplikationen spielen in der Signalverarbeitung eine große Rolle. Eine sehr wichtige Anwendung ist die Frequenzumsetzung. Hier werden die Sinus-Additionstheoreme ausgenutzt. Werden zwei Sinussignale mit einander multipliziert, entstehen Signale mit der Summen- und der Differenzfrequenz:

$$\sin(f_1 t) \cdot \sin(f_2 t) = \frac{1}{2}\big[\cos(f_1 t - f_2 t) - \cos(f_1 t + f_2 t)\big].$$

Die Umwandlung der Sinusfunktion in eine Cosinus- bzw. eine negative Cosinusfunktion ist in der Regel völlig unkritisch, da es sich hier lediglich um eine Phasendrehung handelt.

Das Prinzip der Frequenzänderung durch die Multiplikation zweier Signale ist die Grundlage der Radio- und der Funktechnik. Hier wird das modulierte Signal bei einer festen Frequenz erzeugt und erst danach per Mischer auf die aktuelle Sendefrequenz umgesetzt. Beim Empfang von Funksignale geht es genau andersherum: Die Empfangsfrequenz ist in einem bestimmten Bereich variabel und wird mit einem Mischer auf eine feste Frequenz umgesetzt. Bei der festen Frequenz erfolgt dann die weitere Signalverarbeitung mit Filtern und Demodulation.

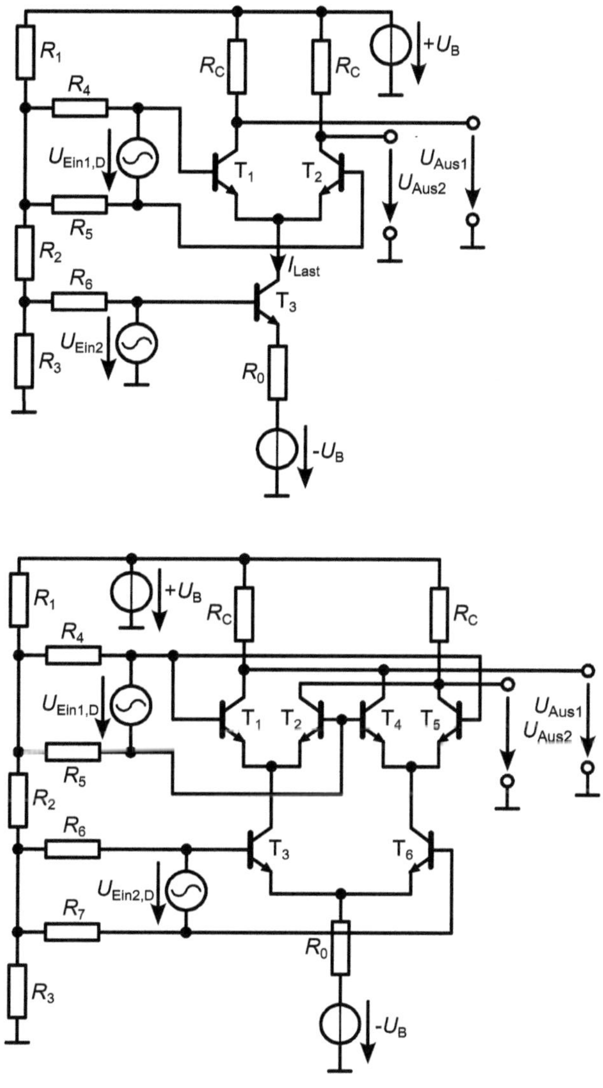

Abb. 2.26 Erweiterung des Differenzverstärkers mit einer gesteuerten Stromsenke zur Multiplikation der Eingangsspannungen $U_{Ein1,D}$ und U_{Ein2} bzw. $U_{Ein2,D}$. Das obere Teilbild zeigt die prinzipielle Schaltung auf der Basis eines Differenzverstärkers, das untere Teilbild die üblicherweise verwendete Schaltung mit zwei Differenzverstärkern. Die untere Schaltung wird auch als Mischer bzw. Gilbertzelle bezeichnet

Der Aufbau einer Schaltung für eine mathematisch genaue Multiplikation ist aufwendig. Hier soll deshalb nur das prinzipielle Vorgehen gezeigt werden. Grundlage ist der Differenzverstärker mit Stromsenke nach Abb. 2.17. Hier wird der Transistor T_3 allerdings nicht mit einer Gleichspannung sondern mit einem Wechselsignal mit Gleichanteil angesteuert. Am Ausgang entsteht eine Spannung, die das Produkt $U_D \cdot I_0$ enthält. Die Schaltung ist in Abb. 2.26 oben dargestellt. Bei Sendern oder Empfängern wird in der Regel das Signal eines Referenzoszillators für U_{Ein2} verwendet. Das andere Signal wird als Differenzsignal $U_{Ein1,D}$ an die beiden Transistoren T_1 und T_2 gegeben. Für einen definierten Arbeitspunkt wurde ein Spannungsteiler für die Basisvorspannungen ergänzt.

Das Eingangssignal U_{Ein2} wird in den gemeinsamen Laststrom I_{Last} des Differenzverstärkers umgewandelt. Das obere Transistorpaar bewirkt eine Multiplikation des gemeinsamen Laststromes mit dem Eingangssignal $U_{\text{Ein1,D}}$. Ein großes Problem dieser Schaltung ist die Festlegung eines geeigneten Arbeitspunktes für einen guten Multiplikationseffekt und die Tatsache, dass die Eingangsspannung U_{Ein2} auf Masse bezogen ist und nur einen begrenzten nutzbaren Spannungsbereich hat. Das ist bei der Differenzeingangsspannung $U_{\text{Ein1,D}}$ aufgrund der symmetrischen Ausführung deutlich unproblematischer. Deshalb wird die in Abb. 2.26 oben dargestellte Schaltung in der Regel doppelt ausgeführt, s. unteres Teilbild in Abb. 2.26. Das untere Eingangssignal $U_{\text{Ein2,D}}$ wird dann ebenfalls als Differenz-Eingangsspannung beschaltet. Damit entsteht ein Vier-Quadranten-Multiplizierer, der für beide Eingangssignale sowohl positive als auch negative Spannungen verarbeiten kann. Diese Schaltung entspricht einem kompletten Mischer. Die Bezeichnung Mischer steht hier für das „mischen" eines Signals von einer Frequenz auf eine andere Frequenz. Als weitere Bezeichnung hat sich für diese Schaltung die Bezeichnung Gilbert-Zelle etabliert, s. beispielsweise [4, 5].

Die untere Schaltung in Abb. 2.26 funktioniert gut, wie aus der Simulation in Abb. 2.27 deutlich wird. Im oberen Teilbild sind das Eingangs- und das Ausgangssignal im Zeitbereich dargestellt. Das untere Teilbild entsteht durch eine Umrechnung in den Frequenzbereich per FFT (FFT: fast fourier transform). Für eine bessere Darstellung wurde der Frequenzbereich auf einen kleinen Bereich begrenzt. Diese Schaltung zeichnet sich dadurch aus, dass im Ausgangssignal praktisch nur die Mischprodukte aus den beiden Eingangssignalen enthalten sind. Die Frequenzen der Mischprodukte entstehen aus der Addition der Frequenzen des Eingangssignals. Prinzipiell wird diese Funktionalität auch mit einem Logarithmierer, Addierer und Delogarithmierer erreicht, hat jedoch einige Nachteile. Eine Schaltung für die Berechnung der Logarithmus- bzw. der Exponentialfunktion ist in Abschn. 4.5 gezeigt.

Als weiteres Anwendungsbeispiel wird hier die Möglichkeit einer Echtzeit-Leistungsmessung gezeigt: Wird die Versorgungsspannung mit einer Spannung multipliziert, die dem Versorgungsstrom entspricht, erhält man direkt Informationen über den zeitlichen Verlauf der elektrischen Leistung. Eine zusätzliche Verbindung mit einem Integrator liefert einem dann den Energiebedarf. Als Beispiel zur Leistungsmessung ist die Schaltung in Abb. 2.28 zusammen mit einem Messobjekt dargestellt. Das Messobjekt ist die Reihenschaltung aus einem ohmschen Widerstand R_1 und einer Spule L_1. Diese Schaltung wird an einer Wechselspannungsquelle U_{AC} betrieben. Die Teilschaltung ist in Abb. 2.28 im oberen Bereich enthalten. Für die Entkopplung, also das hochohmige Abgreifen der Spannungen, werden die vier Operationsverstärker oben rechts verwendet. Diese vier Operationsverstärker werden als nichtinvertierende Verstärker mit dem Verstärkungsfaktor 1 betrieben, s. Abschn. 4.3. Hier dienen diese vier Verstärker zusammen mit dem Spannungsteiler R_6-R_7-R_8 auch zur Einstellung eines geeigneten Gleichspannungsarbeitspunktes. Die vier Ausgangsspannungen der Operationsverstärker entsprechen einer Differenzspannung für die Spannung U_{AC} am Messobjekt und dem Spannungsabfall

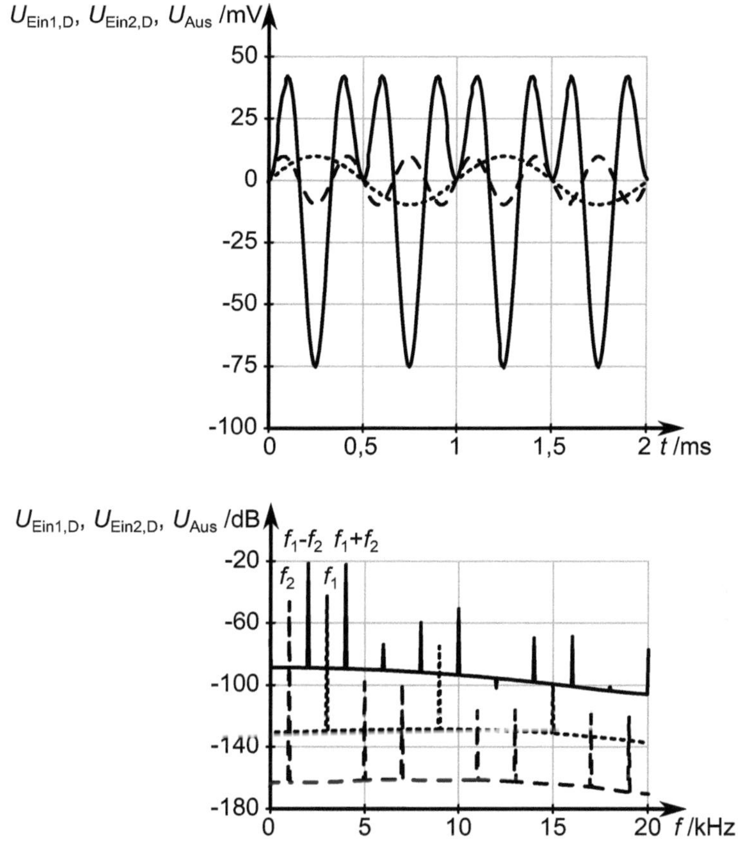

Abb. 2.27 Simulation des Differenzverstärkers mit einer gesteuerten Stromsenke zur Multiplikation der Eingangsspannungen $U_{\mathrm{Ein1,D}}$ und $U_{\mathrm{Ein2,D}}$. Für beide Teilbilder gilt: Das Ausgangssignal wird durch die durchgezogene Linie dargestellt, Eingangssignal $U_{\mathrm{Ein1,D}}$ ist gepunktet und Eingangssignal $U_{\mathrm{Ein2,D}}$ gestrichelt gezeichnet. Im oberen Teilbild sind die beiden Eingangssignale und das Ausgangssignal im Zeitbereich dargestellt. Im unteren Teilbild wurde der Zeitbereich in den Frequenzbereich umgerechnet. Hier wurde auf der y-Achse die für FFT-Umrechnungen übliche Einheit dB verwendet. Für eine bessere Nachvollziehbarkeit wurden die Frequenzen f_1 und f_2 der beiden Eingangssignale und auch die beiden Mischsignale mit der höchsten Amplitude bezeichnet

an R_1, der natürlich proportional zum Strom durch das Messobjekt ist. Diese Differenzspannungen sind dann die Eingangssignale für den Mischer im unteren Bereich von Abb. 2.28.

Mit der Schaltung wird die Momentanleistung der Reihenschaltung aus R_1 und L_1 gemessen. Über die Widerstände R_2 und R_3 wird die Spannung über R_1 und L_1 gemessen. Da der Strom durch R_1 proportional zum Stromfluss durch R_1 und L_1 ist, wird über R_4 und R_5 die stromproportionale Spannung abgegriffen.

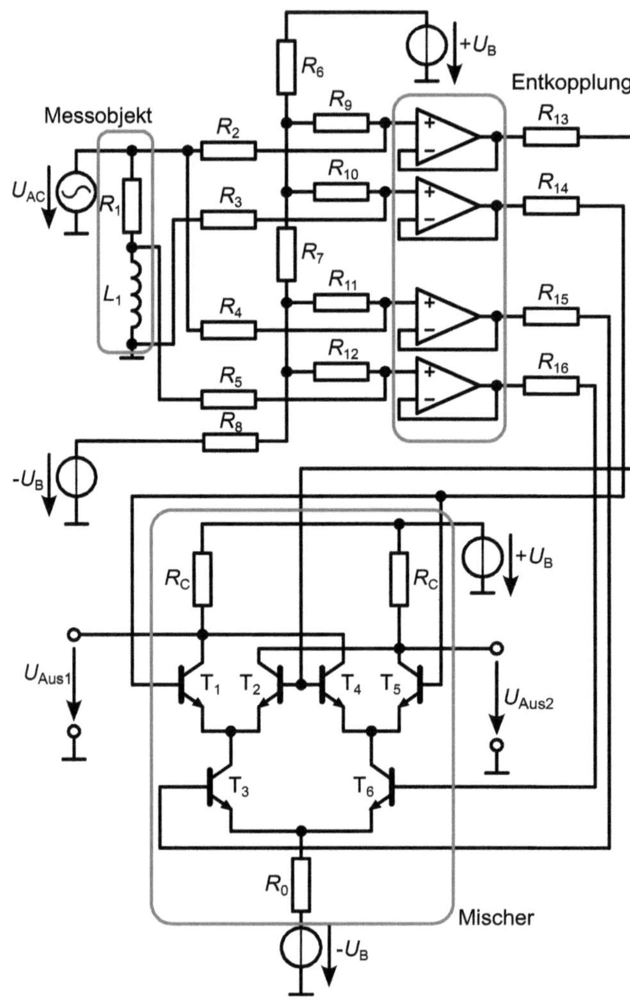

Abb. 2.28 Schaltung zur Simulation eines Mischers zur Messung der Momentanleistung der Reihenschaltung aus R_1 und L_1. Die drei Schaltungsbereiche Messobjekt, Entkopplung und Mischer sind durch graue Rahmen markiert

Entsprechend den Aussagen der Wechselstromrechnung in Kap. 1 wird erwartet, dass die Momentanleistung zeitlich schwankt und auch zeitweise negativ wird. Dieses Verhalten kann im Spannungsverlauf der Spicesimulation in Abb. 2.29 nachvollzogen werden.

Das Simulationsergebnis in Abb. 2.29 zeigt den Vergleich zwischen der Momentanleistung $p(t)$ und der Ausgangsspannung U_{Aus} des Multiplizierers. Deutlich ist zu erkennen, dass die Verläufe proportional zueinander sind und praktisch aufeinander liegen. Für die

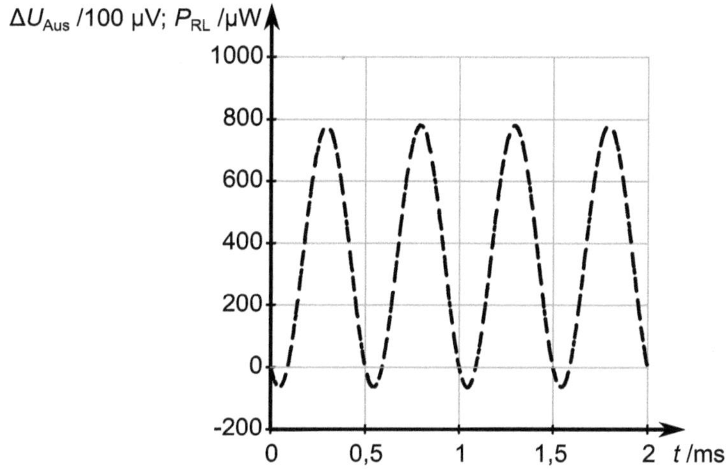

Abb. 2.29 Simulation eines Mischers zur Messung der momentanen Leistung an der Reihenschaltung aus Widerstand und Spule entsprechend dem Schaltplan in Abb. 2.28. Die Ausgangsspannung des Mischers ist gestrichelt dargestellt, die Momentanleistung mit einer gepunkteten Linie. Die Ausgangsspannung wurde durch einen Faktor 100 geteilt. Mit dieser Änderung liegen die Ausgangsspannung und die Momentanleistung praktisch aufeinander, s. Text

Simulation wurden die folgenden Werte entsprechend Abb. 2.28 verwendet: R_1: 10 Ω, L_1: 1 mH, R_2–R_5: 1 kΩ, R_6–R_8: 2 kΩ, R_9–R_{12}: 1 kΩ, R_{13}–R_{16}: 10 kΩ, R_C: 500 Ω, R_0: 1060 Ω. Über R_C und R_0 kann die Verstärkung eingestellt werden. Mit den hier verwendeten Werten ergibt sich für die Differenz der Ausgangsspannung $\Delta U_{\text{Aus}} = U_{\text{Aus1}} - U_{\text{Aus2}}$ ein Spannungswert der sehr genau um einen Faktor 100 höher als der Zahlenwert der Momentanleistung der Reihenschaltung aus R_1 und L_1 ist.

Zum Abschluss dieses Abschnitts soll ergänzt werden, dass die Messung der momentanen Leistung natürlich auch mit einem Mikrocontroller über zwei Analog–Digital-Wandler erfolgen kann. Diese Realisierung hat allerdings zwei große Nachteile: Zum einen arbeiten die Analog–Digital-Wandler mit diskreten Wertebereichen, man wird also am Ausgang immer eine Art Treppenfunktion erhalten. Der zweite Punkt ist viel wichtiger: Der Mikrocontroller mit den beiden Analog–Digital-Wandlern benötigt bei ähnlichen Technologien erheblich mehr Transistoren als der analoge Mischer mit sechs Bipolar- oder MOSFET-Transistoren und den vier Operationsverstärkern. Damit benötigt die digitale Lösung in der Regel einen höheren Stromverbrauch als ein optimierter analoger Mischer.

2.7 Verständnisfragen zu Kapitel 2

2.7.1 Einleitung Differenzverstärkers

Frage 2.1: Zeigen Sie, dass anstelle von U_{Ein1} und U_{Ein2} auch die Spannungen U_{G} und U_{D} verwendet werden können. Berechnen Sie dazu aus dem Gleichspannungssignal U_{G} und aus dem Differenzsignal U_{D} die Eingangsspannung U_{Ein1} und U_{Ein2}.

2.7.2 Eigenschaften des Differenzverstärkers

Frage 2.2: Erläutern Sie anhand der Abb. 2.1 wie es möglich ist, dass eine Änderung der Spannung U_{Ein1} die Spannung U_{Aus2} verändert.

Frage 2.3: Was ist der Hauptzweck eines Differenzverstärkers?

Frage 2.4: Wenn Sie zwei Differenzverstärker mit einem *CMRR* von 5 bzw. 10 haben: Welcher Differenzverstärker ist besser?

Frage 2.5: Warum können Differenzverstärker praktisch nur als integrierte Schaltung hergestellt werden?

Frage 2.6: Warum ist in Abb. 2.1 die Spanungsquelle $-U_{\mathrm{B}}$ eigentlich unnötig und kann durch eine beliebige Spannungsquelle oder einen Masseanschluss ersetzt werden?

2.7.3 Kleinsignalverstärkung des Differenzverstärkers

Ansteuerung mit Differenzsignal

Frage 2.7: Zeigen Sie anhand von Abb. 2.8, dass der Widerstand R_0 entfallen kann. Warum stellen die beiden resultierenden KS-ESBs den gleichen Sachverhalt dar bzw. was ist der Unterschied zwischen der linken und der rechten Teilschaltung?

Ansteuerung mit Gleichtaktsignal

Frage 2.8: Wieso verschwindet der Strom i_{x} in Abb. 2.11?

Kleinsignal-Eingangswiderstand

Frage 2.9: Wie kann anschaulich der Kleinsignal-Eingangswiderstand $r_{\mathrm{Ein,D}}$ gemessen werden?

2.7.4 Modifizierungen des Differenzverstärkers

Aktive Last

Frage 2.10: Welches elektrotechnische Bauelement wird durch den Transistor T_3 in Abb. 2.17 nachgebildet?

Frage 2.11: Welche spezielle Eigenschaft hat der Differenzverstärker mit Stromsenke?

Stromgegenkopplung im Differenzverstärker

Frage 2.12: Welchen Zweck haben die Emitterwiderstände in Abb. 2.20?

Erweiterung des Differenzverstärkers zu einem Mischer

Frage 2.13: Welchen Zweck hat die „Verdoppelung" des Mischers in Abb. 2.26 unten?

2.8 Aufgaben zu Kapitel 2

Aufgabe 2.1

Für die nachfolgende Schaltung wird eine symmetrische Spannungsversorgung ($U_B = \pm 12$ V) verwendet. Für die Kollektor-Arbeitspunkte gilt: $I_{C,0} = 3$ mA, $U_{C,0} = 6$ V. Die Basiswiderstände haben einen Wert von $R_{Basis} = 8$ kΩ. Verwenden Sie einen Wert von 0,6 V für die Basis-Emitterspannung. Für den Kleinsignal-Basis-Emitterwiderstand gilt $r_{BE} = \frac{U_T}{I_{Basis}}$ mit einer Temperaturspannung von 26 mV.

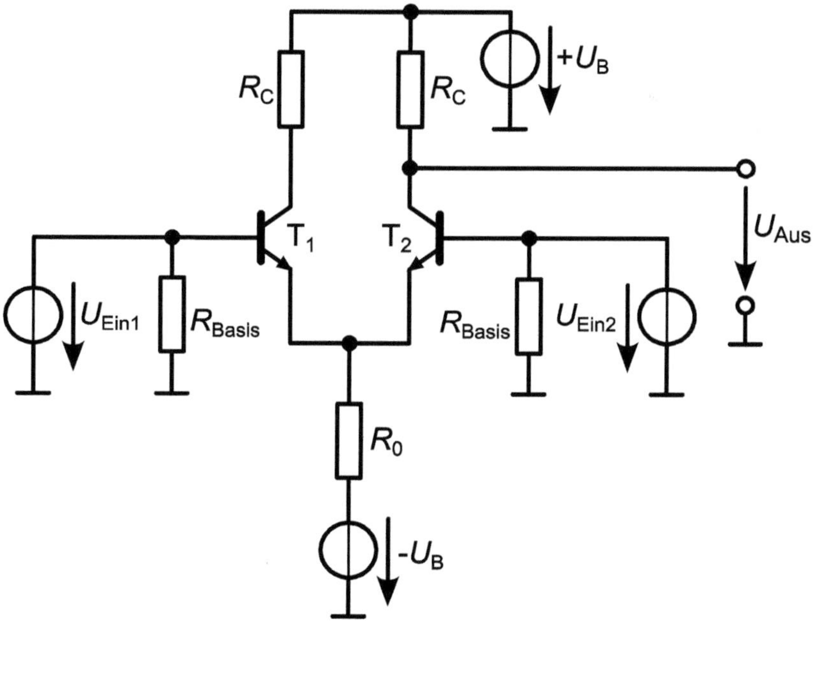

Hinweis: Die Basisströme werden nur bei Teilaufgabe c), d) und f) berücksichtigt! Für diesen Fall wird jeweils eine Stromverstärkung von $B = 160$ verwendet.

a) Berechnen Sie die Kollektorwiderstände.
b) Bestimmen Sie den Widerstand R_0!
c) Welcher Basisstrom fließt in T_1 bzw. T_2?
d) Bestimmen Sie die genaue Basisspannung für den Fall c).
e) Berechnen Sie die Spannungsverstärkung für Differenzsignale.
f) Bestimmen Sie die Gleichtaktverstärkung und die Gleichtaktunterdrückung!
g) Berechnen Sie den Kleinsignaleingangswiderstand der kompletten Schaltung für ein Gleichtaktsignal an beiden Eingängen unter Berücksichtigung der Basiswiderstände und der Kleinsignal-Basis-Emitterwiderstände!

Aufgabe 2.2

Der abgebildete Differenzverstärker wird mit einer symmetrischen Spannung von ±15 V versorgt. Der Kollektorarbeitspunkt ist $U_{C,0} = 6$ V. Durch den Widerstand R_0 soll ein Strom von 6 mA fließen. Die Stromverstärkung der Transistoren beträgt 150, die Basis-Emitterspannung 0,6 V. Für die Teilaufgabe b) wird der Basisstrom vernachlässigt. Die Spannung U_2 hat einen Wert von 6 V.

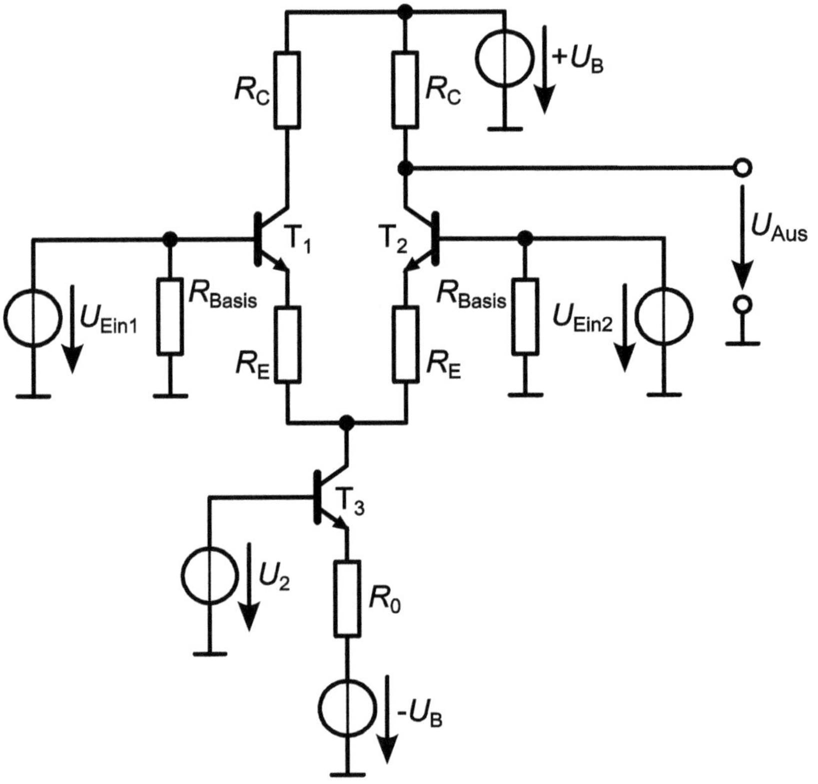

a) Bestimmen Sie den Widerstand R_0.
b) Berechnen Sie die beiden Kollektorwiderstände R_C!
c) Bestimmen Sie die Basiswiderstände unter der Vorgabe, dass die Basisspannung – 10 mV beträgt.
d) Die Differenzverstärkung soll $|V_{U,D}|=8$ betragen. Bestimmen Sie die Widerstände R_E entsprechend.
e) Wie hoch sind die Gleichtaktverstärkung und die Gleichtaktunterdrückung näherungsweise?
f) Erklären Sie mit wenigen Stichworten, wie sich eine Änderung am Eingang U_{Ein1} auf den Ausgang U_{Aus} auswirken kann. Welche Funktion hat dabei der Transistor T_3?
g) Zeichnen Sie das Kleinsignal-Ersatzschaltbild der Schaltung.
h) Bestimmen Sie aus dem Kleinsignal-Ersatzschaltbild den differentiellen Kleinsignal-Eingangswiderstand der dargestellten Schaltung, d. h. berechnen Sie den Widerstand zwischen dem linken und rechten Eingang. Beachten Sie dazu die Basiswiderstände R_{Basis}! (Hinweis: Teilen Sie die Schaltung in die Basiswiderstände R_{Basis} und den eigentlichen Differenzverstärker.)

Aufgabe 2.3

Der abgebildete Differenzverstärker wird mit einer symmetrischen Spannung von ±15 V versorgt. Die Widerstände R_{Basis} sind an eine Vorspannung von jeweils – 3 V angeschlossen. Der Kollektorarbeitspunkt ist $U_{C,0} = 5$ V. Durch den Widerstand R_0 soll ein Strom von 12 mA fließen. Für die beiden Transistoren T_1 und T_2 gilt: Der Basisstrom wird vernachlässigt, die Basis-Emitterspannung ist 0,6 V.

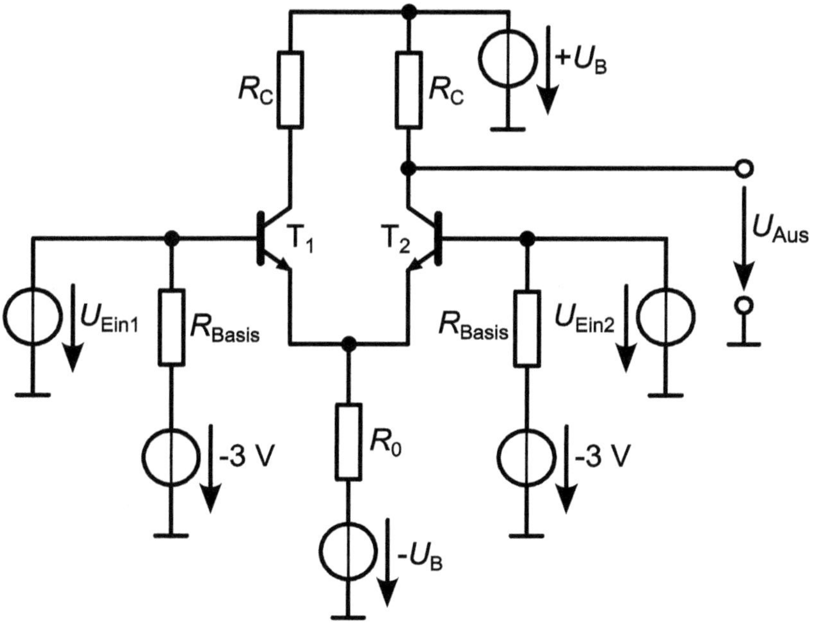

a) Bestimmen Sie den Widerstand R_0.
b) Berechnen Sie die beiden Kollektorwiderstände R_C!
c) Wirkt die Spannung U_{Ein1} invertierend oder nichtinvertierend auf den Ausgang U_{Aus}?
d) Die Verstärkung soll auf $|V_{U,D}|=10$ geändert werden. Ändern Sie das Schaltbild geeignet ab und bestimmen Sie die Werte der erforderlichen Bauteile.
e) Welcher Kollektorarbeitspunkt $U_{C,0}$ ergibt sich für den Fall der Stromgegenkopplung?

   Durch einen Fehler werden die Widerstände R_{Basis} nicht an -3 V sondern an Masse (0 V) gelegt.
f) Welcher Kollektorarbeitspunkt ergibt sich in diesem Fall? Die Emitterwiderstände bleiben in der Schaltung!
g) Ändern sich durch den Fehler die Differenz- und/oder die Gleichtaktunterdrückung? Begründen Sie Ihre Aussage!

Literatur zu Kapitel 2

1. M. Alles, „Einführung in die elektronische Schaltungstechnik Dioden, Transistoren und Grundschaltungen", Springer-Vieweg Verlag, Berlin, 2024, 978-3-662-69277-6
2. U. Tietze, Ch. Schenk, „Halbleiter-Schaltungstechnik", Springer-Verlag, Berlin, 2002, 3-540-42849-6
3. H.M. Rein, R. Ranfft, „Integrierte Bipolarschaltungen" in der Reihe „Halbleiter-Elektronik", Band 13, Springer-Verlag Berlin, 1980, 3-540-09607-8
4. K. Kimura, „Some Circuit Design Techniques Using Two Cross-Coupled, Emitter-Coupled Pairs", IEEE Trans. on Circuits and Systems-I Fundamental Theory and Applications, Bd. 41, No. 5, Mai 1994, S. 411–423
5. B. Gilbert, „The MICROMIXER: A Higly Linear Variant oft he Gilbert Mixer Using a Bisymmetric Class-AB Input Stage", IEEE J. of Solid-State Circuits, Bd. 32, No. 9, Sept. 1997, S. 1412–1423

Weiterführende Literatur

7. J. Siegl, „Schaltungstechnik Analog und gemischt analog/digital", Springer Verlag Heidelberg 2010, 978-3-642-13304-8
8. R. Deghani, „Design of CMOS Operational Amplifiers", Artech House Boston London 2013, 978-1-60807-153-1

Schaltungstechnik für Operationsverstärker 3

3.1 Lernziele Kap. 3 Schaltungstechnik für Operationsverstärkern

In diesem Kapitel wird auf die speziellen Belange der Schaltungstechnik im Hinblick auf Operationsverstärker eingegangen. Für dieses Kapitel ist das vorstehende Kap. 2 eine wichtige Grundlage. Dazu kommen die Ausgangsstufen, die in [1] kurz beschrieben werden. Dabei stehen ein großer Ein- und Ausgangsspannungsbereich im Vordergrund. Dazu kommt die Beschreibung des frequenzabhängigen Verhaltens eines Operationsverstärkers. Schließlich werden einige spezielle Themen der Schaltungstechnik angesprochen.

3.2 Einleitung

Ein Operationsverstärker besteht in der Regel mindestens aus drei wesentlichen Schaltungsteilen [4]. Die Eingangsstufe wird durch einen Differenzverstärker gebildet. Daran schließt sich eine Verstärkungsstufe an, die häufig durch einen Kondensator eine Bandbreiteneinschränkung hat. Schließlich folgt eine Ausgangsstufe. Häufig wird die Spannungsaufbereitung als viertes Grundelement bezeichnet, s. Abschn. 3.3. Der Differenzverstärker wird ausführlich in Kap. 2 dieses Buches beschrieben. In Abschn. 3.3 erfolgt eine Beschreibung der Eingangsstufe unter Berücksichtigung des nutzbaren Eingangsspannungsbereiches. Dabei steht im Vordergrund, dass die klassische, symmetrische Spannungsversorgung nach und nach durch eine unsymmetrische Spannungsversorgung

Ergänzende Information Die elektronische Version dieses Kapitels enthält Zusatzmaterial, auf das über folgenden Link zugegriffen werden kann https://doi.org/10.1007/978-3-662-72536-8_3.

M. Alles, *Operationsverstärker*, https://doi.org/10.1007/978-3-662-72536-8_3

ersetzt wird. Die Verstärkungsstufe wird kurz in Abschn. 3.3 anhand der kompletten Prinzipschaltung eines Operationsverstärkers beschrieben.

Der klassische Operationsverstärker arbeitet mit einer symmetrischen Spannungsversorgung, also einer positiven Versorgungsspannung und einer negativen Versorgungsspannung. Beide Spannungen haben betragsmäßig den gleichen Spannungswert. Diese Konfiguration wird für Test- und Messschaltungen weiterhin verwendet. Der große Vorteil der symmetrischen Spannungsversorgung ist, dass die Spannung von 0 V, also Massepegel, genau in der Mitte des Versorgungsspannungsbereiches ist und ohne Probleme vom Ein- und Ausgangsspannungsbereich abgedeckt wird.

Bezogen auf die Eingangsspannung kann es jedoch Probleme kommen: NPN-Bipolartransistoren sind praktisch nur für positive Eingangsspannungen geeignet, PNP-Transistoren nur für negative Spannungen. Dieser Punkt wird in Abschn. 3.3 beschrieben. Insbesondere für rail-to-rail Operationsverstärker ist es jedoch wichtig, dass die Eingangsspannung möglichst über den kompletten Versorgungsspannungsbereich nutzbar ist. Im nachfolgenden Abschn. 3.4 wird noch einmal auf die Eingangsstufe eingegangen. Dabei ist der Schwerpunkt der Eingangsstrom, der für den Differenzverstärker erforderlich ist.

In vielen Bereichen ist die symmetrische Spannungsversorgung zu aufwendig. Außerdem ist auch bei Operationsverstärkern der Trend zu geringeren Versorgungsspannungen gegeben. Das führt letztendlich zu rail-to-rail Operationsverstärkern, bei denen neben der Eingangsspannung auch die Ausgangsspannung den kompletten Spannungsbereich ausnutzt. Dazu werden in Abschn. 3.5 typische Ausgangsstufen von Operationsverstärkern vorgestellt. Die Vor- und Nachteile werden beschrieben. In Abschn. 3.6 wird kurz dargestellt, wie auch klassische Operationsverstärker mit einer unsymmetrischen Spannungsversorgung betrieben werden können.

Dieses Kapitel wird mit dem Thema Makromodell für Operationsverstärker in Abschn. 3.7 abgeschlossen. Diese Makromodelle sollen die wesentlichen Parameter eines Operationsverstärkers in Simulationen gut beschreiben, gleichzeitig aber die Komplexität der Simulationsschaltung reduzieren.

3.3 Schaltungsblöcke eines Operationsverstärkers

Ein Operationsverstärker besteht in der Regel aus vier Schaltungsteilen [4]. Der Schaltungsblock, der die Spannungsversorgung realisiert, ist von „außen“ praktisch unsichtbar. Trotzdem ist dieser Schaltungsteil sehr wichtig: Hier werden die Referenzspannungen und -ströme für die drei anderen Schaltungsteile generiert. Dabei wird in der Regel sehr viel Aufwand in eine Referenzspannung bzw. einen Referenzstrom investiert, der über einen großen Temperaturbereich von mindestens −25 °C bis 70 °C konstant ist. Außerdem darf eine Änderung der Versorgungsspannung im zulässigen Bereich praktisch keine Auswirkung auf das Referenzsignal haben. Zum Einsatz kommen hier gerne sog. Bandgap-Schaltungen, s. beispielsweise [1]. Diese Spannungsversorgung bewirkt eine gute Funktion der drei weiteren Schaltungsteile eines Operationsverstärkers. Hier handelt es sich um den Differenzverstärker als Eingangsstufe, den Verstärkungsblock und die Ausgangsstufe.

Der Differenzverstärker wird in Kap. 2 besprochen. Im Abschn. 3.6 werden ergänzend einige Punkte zum Thema nutzbarer Eingangsspannungsbereich insbesondere für Single-Supply OPs und auch für rail-to-rail OPs behandelt. Im einfachsten Fall wird nur ein Ausgangssignal des Differenzverstärkers an den Verstärkungsblock geleitet. Bei manchen Operationsverstärkern werden auch beide Ausgangssignale als symmetrisches Eingangssignal an den Verstärkungsblock weiter gegeben. Hier findet eine hohe Verstärkung des Signals statt. Bei vielen Operationsverstärkern wird hier auch eine Frequenzgangkorrektur durchgeführt, die für einen stabilen Betrieb sorgt. Man spricht in diesem Fall von sog. kompensierten Operationsverstärkern. Details dazu werden in Kap. 6 behandelt. An den Verstärkungsblock schließt sich die Ausgangsstufe an. Hier findet in der Regel nur eine Stromverstärkung statt, sodass der Operationsverstärker einen Ausgangsstrom von etwa 10 mA bis 20 mA liefern kann. Einige Schaltungen, die aus Ausgangsstufe prinzipiell verwendet werden können, sind in [1] beschrieben. Im Abschn. 3.5 werden kurz einige mögliche Ausgangsstufen insbesondere unter Single-Supply bzw. rail-to-rail Gesichtspunkten diskutiert.

Durch die geschickte Verschaltung der vier Schaltungsteile erhält man ein Bauteil mit ausgezeichneten Eigenschaften. Dieses Bauteil kann aufgrund der hohen Verstärkung hervorragend für vielfältige Schaltungen verwendet werden, die auf dem Prinzip der Rückkopplung basieren. Dabei wirkt sich die hohe Symmetrie ebenfalls sehr positiv aus [4].

In Abb. 3.1 ist eine einfache Schaltung eines Operationsverstärkers dargestellt [3]. Hier wurden alle vier Schaltungsteile markiert. Insbesondere die beiden Stromquellen werden hier zur Spannungsversorgung gezählt.

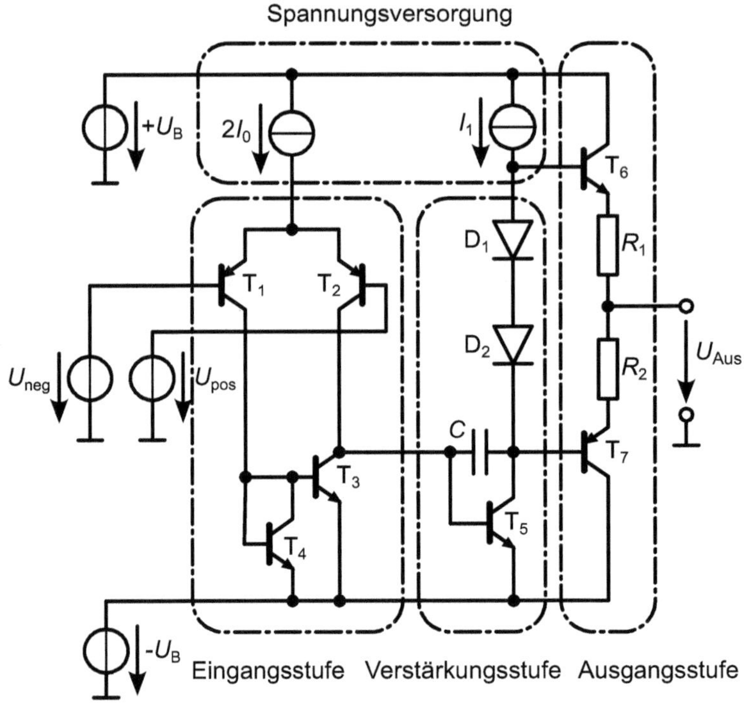

Abb. 3.1 Schaltung eines einfachen Operationsverstärkers, nach [3]. Hier wurden die unterschiedlichen Schaltungsblöcke markiert

3.4 Differenzverstärker als Eingangsstufe eines Operationsverstärkers

Der in Kap. 2 vorgestellte Differenzverstärker bildet die prinzipielle Eingangsstufe eines Operationsverstärkers. In diesem Abschnitt werden Abwandlungen der Eingangsstufe und die Auswirkungen auf verschiedene Parameter des Operationsverstärkers beschrieben. In Abb. 3.2 ist zunächst der Differenzverstärker aus Kap. 2 noch einmal dargestellt. Hier wird eine Stromquelle im gemeinsamen Pfad verwendet. Bei dieser Schaltung muss der Basisstrom der beiden Transistoren von „außen" eingespeist werden. Nach [8] sind die Vorteile dieser Schaltung die geringe Offsetspannung und Offsetspannungsdrift, praktisch gleiche Eingangs- bzw. Basisströme und geringes Spannungsrauschen. Nachteilig sind die relativ hohen Eingangsströme von 50 nA bis 10 μA und mittleres Stromrauschen [8].

Insbesondere die Basisströme lassen sich durchinterne Basiswiderstände oder Stromquellen deutlich reduzieren. Dabei wird der Basisgleichstrom für die Transistoren intern generiert. Eine einfache Variante mit Basiswiderständen ist in Abb. 3.3 dargestellt. Hier werden insbesondere die Basisströme, die von außen zugeführt werden, deutlich reduziert.

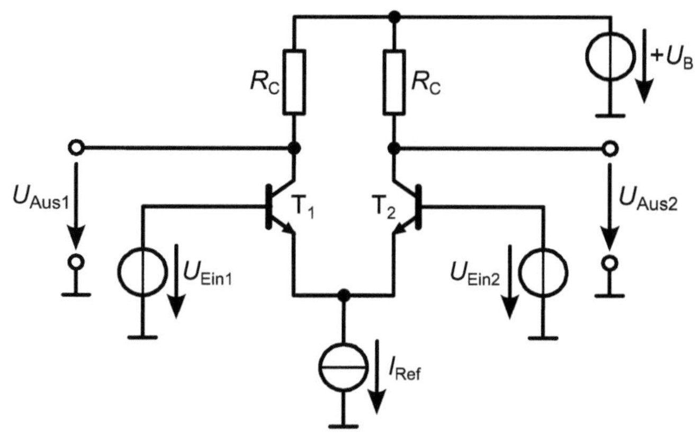

Abb. 3.2 Differenzverstärker mit NPN-Bipolartransistoren als Eingangsstufe eines Operationsverstärkers

Diese Schaltungsversion zeichnet sich dadurch aus, dass der Offsetstrom zwischen den beiden Eingängen häufig in der Größenordnung der eigentlichen Basisströme oder sogar darüber ist. Da im Datenblatt sowohl der mittlere Eingangsstrom als auch der Offsetstrom angegeben sind, kann so auf die Schaltungsvariante geschlossen werden.

Ein generelles Problem der Differenzverstärker ist die Verarbeitung unterschiedlich hoher Gleichtaktspannungen. Bipolartransistoren benötigen im Verstärkerbetrieb eine Spannung von etwa 0,6 V zwischen Basis und Emitter. Das bedeutet, dass der mögliche Gleichtaktspannungsbereich bei NPN-Bipolartransistoren bis nahe an die positive Versorgungsspannung oder sogar etwas darüber reicht, zur negativen Versorgungsspannung jedoch einen Abstand von etwa 0,6 V einhalten muss. Insbesondere für Operationsverstärker, die als Versorgungsspannung eine positiven Gleichspannung und Masse verwenden, schränkt dieses Verhalten den nutzbaren Spannungsbereich sehr stark ein. Diese Art der Spannungsversorgung wird auch als unsymmetrische Versorgungsspannung oder single-supply bezeichnet. Aus diesem Grunde werden für OPs mit unsymmetrischer Versorgungsspannung PNP-Transistoren eingesetzt. Hier kann die Gleichtaktspannung in der Regel sehr nahe an die untere Versorgungsspannung – also Masse – herangehen. Der Übergang auf PNP-Transistoren hat zur Folge, dass der Differenzverstärker praktisch gespiegelt wird: Aus der Stromsenke zur niedrigen Versorgungsspannung wird jetzt eine Stromquelle bzw. ein gemeinsamer Widerstand zur positiven Versorgungsspannung, s. Abb. 3.4. Grundsätzlich ist für den Differenzverstärker auch eine interne Zuführung der Basisströme möglich. In diesem Fall werden die Basiswiderstände zur negativen Betriebsspannung geschaltet, s. Abb. 3.5. Mit dem Übergang auf PNP-Eingangstransistoren ist es nun möglich, Eingangsspannungen mit Spannungswerten bis herunter zur negativen Versorgungsspannung zu verwenden. Dieses Verhalten ist für OP wünschenswert,

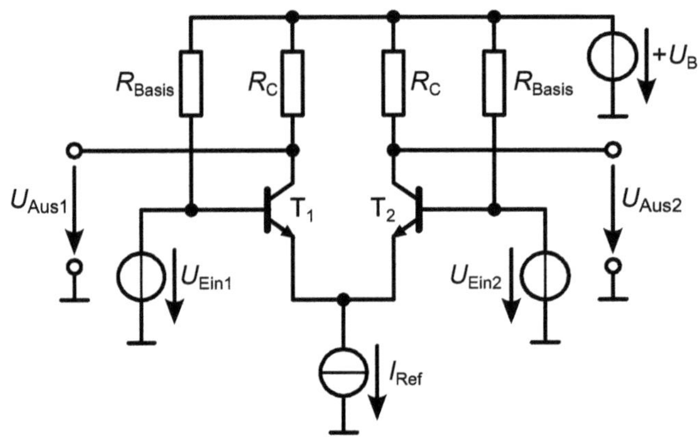

Abb. 3.3 Differenzverstärker mit NPN-Bipolartransistoren als Eingangsstufe eines Operationsverstärkers. Hier wird der Basisstrom für die beiden Transistoren intern generiert, s. Text

die unsymmetrisch, also mit einer positiven Spannung und Masse betrieben werden (Abb. 3.3).

Die Schaltungsvariante mit PNP-Transistoren ist für OPs mit unsymmetrischer Versorgungsspannung gut geeignet, wenn eine ausreichend hohe positive Versorgungsspannung verwendet wird. Wird die Versorgungsspannung jedoch reduziert, beispielsweise auf 5 V oder weniger, wird die nutzbare Gleichtakteingangsspannung relativ stark eingeschränkt. Dies schränkt insbesondere beim nichtinvertierenden Verstärker den nutzbaren Spannungsbereich stark ein. Dieser Verstärkungstyp nutzt an den beiden Eingängen einen großen Spannungsbereich, s. Abschn. 4.3. Im Gegensatz dazu arbeiten Operationsverstärkerschaltungen auf Basis des invertierenden Verstärkers mit einer Gleichtaktspannung von praktisch 0 V, s. Abschn. 4.3.

Möchte praktisch der komplette Versorgungsspannungsbereich als mögliche Eingangsspannung verwendet werden, müssen sog. rail-to-rail Eingangsstufen verwendet werden. Dabei werden zwei Differenzverstärker kombiniert verwendet: Ein Differenzverstärker nutzt PNP-Bipolartransistoren, der zweite Differenzverstärker nutzt NPN-Bipolartransistoren [2]. Auf diese Weise ist praktisch der komplette Betriebsspannungsbereich als Gleichtakteingangsspannung nutzbar. Die zugehörige Schaltung ist in Abb. 3.6 dargestellt. Aus Gründen der Übersichtlichkeit wurde hier sowohl auf die Stromquellen im gemeinsamen Pfad und auf die interne Zuführung der Basisströme verzichtet.

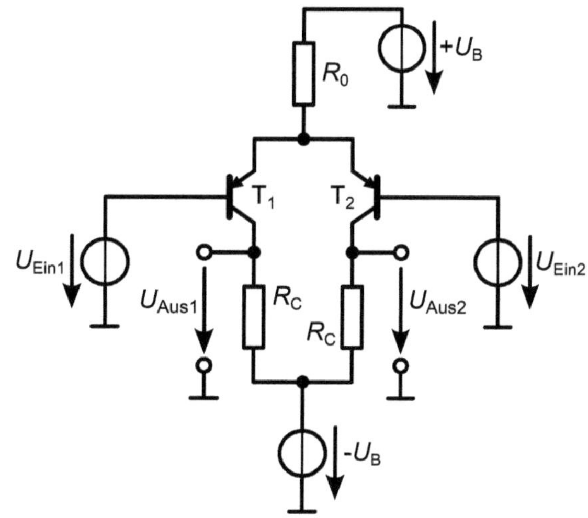

Abb. 3.4 Differenzverstärker mit PNP-Bipolartransistoren als Eingangsstufe eines Operationsverstärkers. Hier ist der Eingangsspannungsbereich bis zur negativen Betriebsspannung nutzbar, s. Text

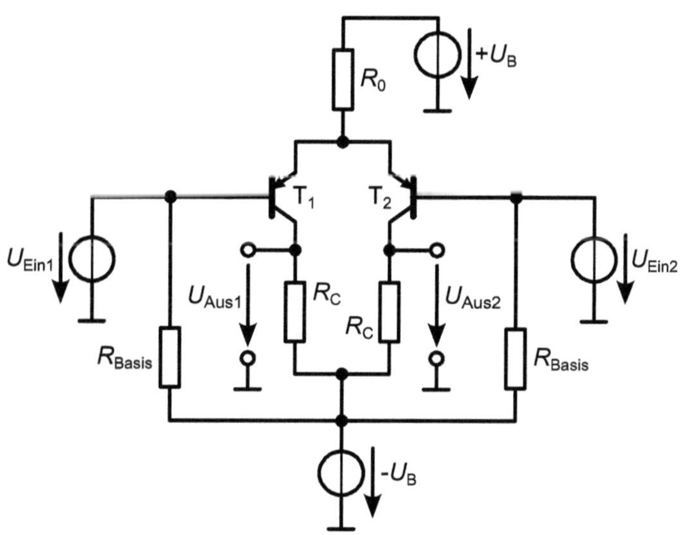

Abb. 3.5 Differenzverstärker mit PNP-Bipolartransistoren als Eingangsstufe eines Operationsverstärkers mit Basisstromkompensation

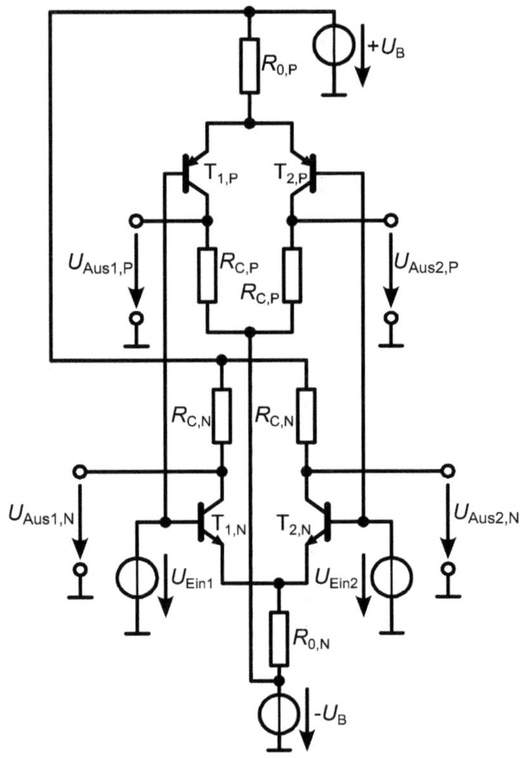

Abb. 3.6 Differenzverstärker mit NPN- und PNP-Bipolartransistoren als Eingangsstufe eines rail-to-rail Operationsverstärkers. Die Bauteile der NPN-Eingangsstufe sind durch einen Index „N“ im unteren Bereich erkennbar. Die Transistoren und Widerstände für die PNP-Eingangsstufe im oberen Bereich sind durch den Index „P“ markiert

3.5 Ausgangsstufe eines Operationsverstärkers

In Abb. 3.7 ist eine typische Ausgangsstufe mit Bipolartransistoren dargestellt. Hier handelt es sich um einen Klasse AB-Verstärker [1]. Diese Schaltung funktioniert bei Standard-Operationsverstärkern gut. Nachteilig ist jedoch, dass der Ausgangsspannungsbereich in der Regel einen Spannungsabstand von $U_{BE} + U_{CE,Sat}$, also ca. 0,8 V, zu den Versorgungsspannungsgrenzen hat. Für einen Operationsverstärker, der mit einer symmetrischen Spannung von $\pm$ 15 V betrieben wird, ist das in der Regel unkritisch. Wird jedoch ein Operationsverstärker für Single-Supply- oder Rail-to-Rail-Anwendungen benötigt, muss der Ausgangsspannungsbereich deutlich vergrößert werden. Für Single-Supply-Betrieb muss das Ausgangssignal praktisch bis an Masse heranreichen. Für den Fall von rail-to-rail Anwendungen gilt das sinngemäß auch für die positive Betriebsspannung. In der Regel werden Ausgangsstufen entsprechend Abb. 3.8 verwendet. Hier verbleibt nur eine geringe Spannungsdifferenz zwischen dem Ausgangssignal und den beiden Betriebsspannungen – man spricht von rail-to-rail Verhalten, auch wenn noch einige Millivolt bis zur Betriebsspannung „fehlen“.

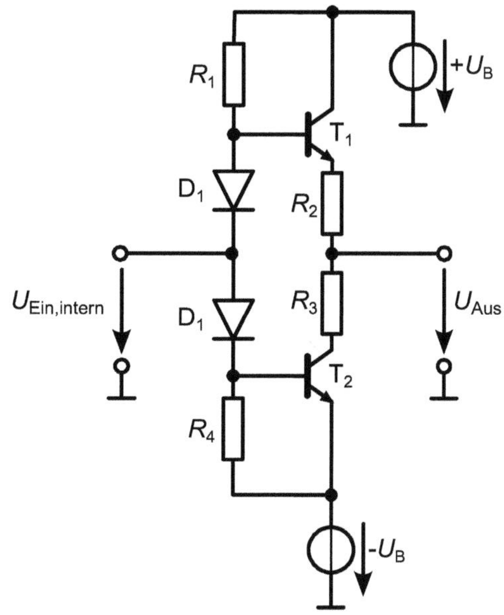

Abb. 3.7 Ausgangsstufe eines Operationsverstärkers als Klasse AB-Verstärker

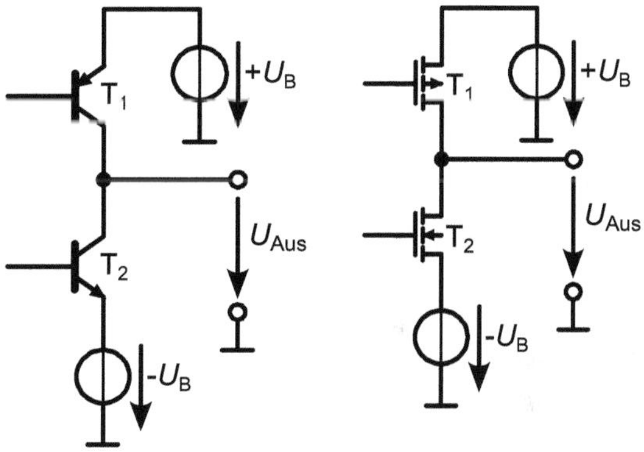

Abb. 3.8 Typische Ausgangsstufe eines rail-to-rail Operationsverstärkers. Die linke Version nutzt Bipolartransistoren, die rechte Version MOSFETs, nach [8]. In beiden Fällen müssen die Transistoren geeignet angesteuert werden

An dieser Stelle soll kurz ergänzt werden, dass Single-Supply- bzw. rail-to-rail-OPs bei unsymmetrischer Betriebsspannung verwendet werden müssen. Außerdem erlauben diese Operationsverstärker einige Schaltungen, die mit Standard-OPs nicht möglich sind. Ein Beispiel ist ein Gleichrichter für Messzwecke, der ohne Dioden auskommt, s. Abschn. 4. 8

3.6 Vergleich von Operationsverstärkern mit symmetrischer und unsymmetrischer Spannungsversorgung

Im Folgenden sind die Vor- und Nachteile von Operationsverstärkern für single-supply, also unsymmetrische Spannungsversorgung, noch einmal kurz zusammengestellt [2]:

Zu den Vorteilen der Single-.Supply OPs, also der Operationsverstärker mit Betrieb an einer positiven Versorgungsspannung und Masse, ist der geringe Leistungsbedarf. Dieser Punkt wird insbesondere bei der verstärkten Anwendung von KI bzw. neuronalen Netzen eine große Rolle spielen [9]. Mit dem Betrieb an einer niedrigen positiven Versorgungsspannung eröffnet sich die Möglichkeit zum Betrieb von Operationsverstärkern mit Batterie bzw. Akku in mobilen Geräten. Ein weiterer Vorteil ist, dass nur einer Versorgungsspannung erforderlich ist. Auch wenn dieser Punkt offensichtlich ist, spart diese Tatsache Aufwand bei der Spannungsversorgung.

Natürlich hat der Betrieb an einer einzelnen Versorgungsspannung auch Nachteile [2]. Zunächst sind der Ein- und insbesondere auch der Ausgangsspannungsbereich des Operationsverstärkers stark eingeschränkt. Der limitierte Eingangsspannungsbereich spielt bei nichtinvertierenden Verstärkern ebenfalls eine wichtige Rolle. Der reduzierte Spannungsbereich erhöht die relativen Fehler beispielsweise durch Offsetspannung und Rauschen, s. Kap. 5. Das führt auch zu einer geringeren Genauigkeit der unsymmetrischen OPs gegenüber OPs mit symmetrischer Spannungsversorgung. Für Operationsverstärker mit Betrieb an einer unsymmetrischen Spannung ist in der Regel ein höherer Schaltungsaufwand für den Operationsverstärker erforderlich: Für die Ein- und die Ausgangsstufen ist rail-to-rail Betrieb notwendig.

Auch wenn die Nachteile beträchtlich sind, wird für viele Anwendung auf single-supply OPs zurückgegriffen.

Operationsverstärker mit symmetrischer Versorgungsspannung im Bereich von $\pm$ 15 V werden aufgrund der o.g. Nachteile weiterhin eine wichtige Rolle in der Messtechnik und bei genauen analogen Anwendungen spielen.

3.7 Vergleich von Operationsverstärkern mit Bipolar- oder Feldeffekttransistoren

In Kap. 2 und den vorstehenden Abschn. 3.1 bis 3.5 wurden für die Erklärung der Schaltungstopologien Bipolartransistoren verwendet. Grundsätzlich sind jedoch auch Feldeffekttransistoren nutzbar. Die prinzipielle Schaltung eines Differenzverstärkers mit JFETs ist in Abb. 3.9 gezeigt.

Die Wahl der Transistortechnologie hat Vor- und Nachteile, die unterschiedliche Parameter des OPs betreffen. Hier werden nur die einzelnen Punkte kurz aufgeführt. Eine genauere Beschreibung der Parameter erfolgt in Kap. 5. Hier erfolgt eine Betrachtung der

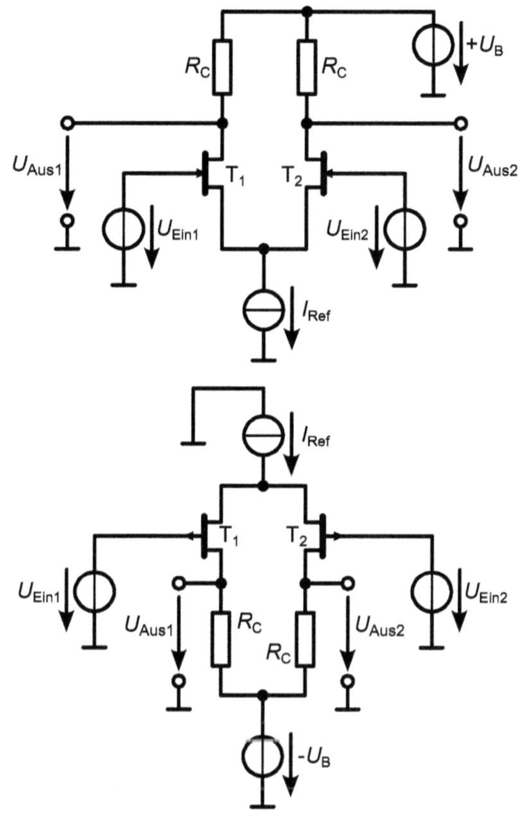

Abb. 3.9 Differenzverstärker mit n-Kanal JFET (oben) und p-Kanal JFET (unten). Der obere Schaltung mit n-Kanal JFET entspricht von der Funktion einem Differenzverstärker mit NPN-Transistoren, die untere Schaltung mit p-Kanal JFET der Schaltung mit PNP-Transistoren

Eingangsstufe mit Bipolar- oder Feldeffekttransistoren. Einige Punkte aus [10] sindkurz in den drei folgenden Absätzen zusammengestellt.

Eingangsstufen mit Bipolartransistoren sind in der Regel einfach aufgebaut. Sie haben geringe Offsetspannungen, sind durch die Verwendung einer integrierten Schaltung temperaturstabil und haben ähnliche Eingangsströme. Das Spannungsrauschen ist ebenfalls gering (bis herunter zu $1\text{nV}/\sqrt{\text{Hz}}$). Nachteilig ist, dass Bipolartransistoren einen Basisstrom benötigen, der zwar durch hohe Stromverstärkungen oder die Verwendung von Darlingtontransistoren reduziert werden kann, aber deutlich höher als bei Feldeffekttransistoren ist. Das Stromrauschen ist im mittleren Bereich. Zur Reduzierung der Basisströme werden manchmal OPs mit interner Basisstromzufuhr verwendet, s. Abschn. 3.4. Dadurch werden die Basisströme stark reduziert. Gleichzeitig steigt das Stromrauschen an. Außerdem können die Basisströme am invertierenden und nichtinvertierenden Eingang sehr unterschiedlich sein und sogar umgekehrte Stromrichtungen haben.

Für Operationsverstärker mit Feldeffekttransistoren werden gerne Junction-FETs (JFET) eingesetzt. Mit dieser Technologie kann man Differenzverstärker mit geringen Offsetspannungen realisieren. Dazu ist jedoch häufig ein Abgleich in der Fertigung erforderlich. Allerdings zeigt die Offsetspannung eine relativ starke Temperaturabhängigkeit. Da das Gate von Feldeffekttransistoren per Sperrschicht isoliert ist, sind die Eingangsströme sehr gering. Das Stromrauschen ist gering, das Spannungsrauschen kann niedrig sein, erfordert dann jedoch große Transistoren mit entsprechend hohen Eingangskapazitäten.

MOSFETs als Eingangsstufe sind in der Regel nicht so linear wie JFET oder Bipolartransistoren. MOSFETs in Differenzverstärkern haben in der Regel relativ schlechte Offsetspannungen und Offsetdrift. Das Spannungsrauschen ist häufig ebenfalls schlecht. Die Vorteile der CMOS-Technik, insbesondere geringer Leistungsbedarf, kommen bei Operationsverstärkern nicht so richtig zur Geltung. Das liegt daran, dass bei OPs die Transistoren nicht im Schaltbetrieb sondern im Linearbetrieb laufen. Zum Teil ist es sogar so, dass OPs mit Bipolartechnik bei gleichem Leistungsbedarf bessere Eigenschaften haben.

Zu den Beschreibungen aus [10] sollen zwei weitere Punkte ergänzt werden. Ein weiterer Nachteil, der bei Eingangsstufen mit Bipolartransistoren auftreten kann, ist das sog. „phase reversal". Dieser Effekt tritt bei hohen Gleichtaktspannungen (PNP-Transistoren) bzw. niedrigen Gleichtaktspannungen (NPN-Transistoren) auf, die außerhalb der Betriebsspannungsgrenzen liegen. Das betrifft also Verstärkerschaltungen auf Basis des nichtinvertierenden Verstärkers, s. Kap. 4.3. Dieses Verhalten wird in der Messung in Abb. 3.9 deutlich. Hier wurde zunächst mit einem invertierenden Verstärker ein sinusförmiges Signal mit einer hohen Spannungsamplitude erzeugt. Der nachgeschaltete nichtinvertierender Verstärker mit einer Spannungsverstärkung $V_\mathrm{U} = 1$ zeigt in den negativen Halbwellen die Phasenumkehr. Die Schaltung und ein Foto des Steckbrettaufbaus sind in Abb. 3.10 enthalten. Eine genaue Beschreibung der beiden verwendeten Operationsverstärkerschaltungen erfolgt in Abschn. 4.3.

Ein weiterer Punkt betrifft insbesondere Differenzverstärker mit Feldeffekttransistoren. Häufig ist es so, dass zwischen den beiden Eingängen des Differenzverstärkers zwei Schutzdioden antiparallel geschaltet werden. Diese Dioden sollen eine zu hohe Spannung zwischen den Gates bei Feldeffekttransistoren oder den Basisspannungen bei Bipolartransistoren verhindern. Diese Schutzschaltung ist in Abb. 3.12 schematisch dargestellt. Insbesondere bei Differenzeingangsstufen mit Feldeffekttransistoren kann der Leckstrom der Dioden in der Größenordnung des Eingangsstromes oder sogar darüber sein. Es muss auch darauf geachtet werden, dass diese Dioden das Rauschverhalten der OPs nicht verschlechtern.

3.8 Makromodell eines Operationsverstärkers

Für die Simulation von Operationsverstärkern werden sehr gerne sog. Makromodelle verwendet. Diese Makromodelle sollten vor ca. 50 Jahren den Rechenbedarf von Simulationsprogrammen auf der Basis von Spice deutlich reduzieren [5]. Auch wenn die Reduzierung des Rechenbedarfs nicht mehr im Vordergrund steht, werden Makromodelle

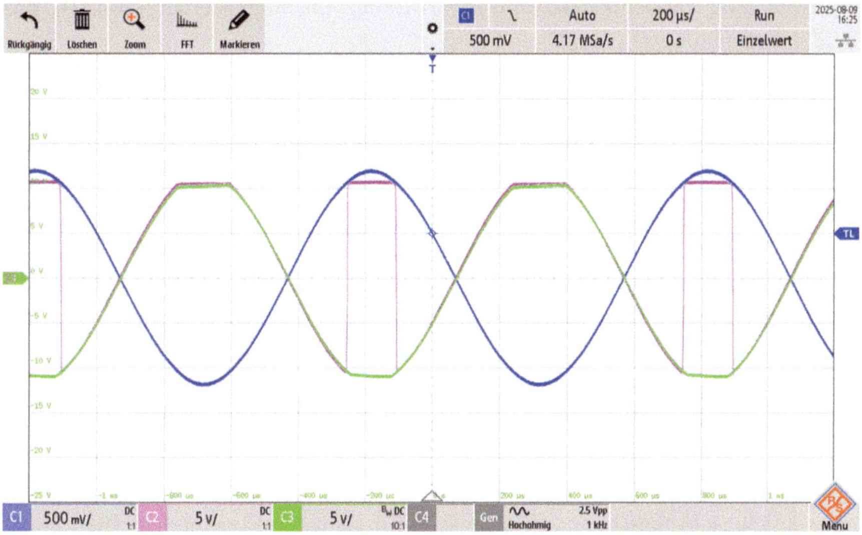

Abb. 3.10 Messung eines invertierenden Verstärkers mit $V_{\mathrm{U}} = -10$, gefolgt von einem nichtinvertierenden Verstärker mit einer Spannungsverstärkung mit $V_{\mathrm{U}} = +1$, s. auch Schaltung in Abb. 3.11. Dargestellt sind das Eingangssignal an Kanal 1 (blau), das Ausgangssignal U_{Zwischen} des invertierenden Verstärkers an Kanal 3 (grün) und die Spannung am Ausgang des nichtinvertierenden Verstärkers an Kanal 2 (pink)

weiter verwendet. Ein Grund dürfte sein, dass bei einem Makromodell keine Daten der real verwendeten Bauteile veröffentlicht werden und so nur begrenzt Rückschlüsse auf die Herstelltechnologie erfolgen können.

Letztendlich werden Makromodelle verwendet und ein grundlegendes Verständnis der im Simulationsmodell abgebildeten Funktionen ist in der Regel hilfreich.

Ein Makromodell für einen Operationsverstärker ersetzt damit die reale Schaltung durch ein vereinfachtes Modell. Die zugrunde liegende Schaltung des realen Operationsverstärkers besteht dabei aus bis zu 40 Transistoren und zahlreichen Widerständen und Kondensatoren. Diese Schaltung wird im Makromodell häufig auf eine Schaltung reduziert, die häufig nur noch zwei Transistoren in der Eingangsstufe, einige gesteuerte Stromquellen, etwa ein Dutzend Widerstände, einige wenige Kondensatoren, etwa sechs Dioden und einige wenige weitere Bauteile enthält, s. beispielsweise [5, 6]. Diese Schaltung lässt sich mit den typischen Spice-Simulationsprogrammen gut berechnen.

Die folgende Beschreibung der drei Schaltungsblöcke der Makromodelle orientiert sich an den grundlegenden Veröffentlichungen, s. beispielsweise [5, 8]. Die Makromodelle verwenden in der Regel einen Differenzverstärker als Eingangsstufe. Hier werden Bipolar- oder Feldeffekttransistoren verwendet. Dazu kommt ggf. eine Schutzbeschaltung mit Dioden und Stromquellen für die Beschreibung von Eingangsströmen. Häufig ist es auch so, dass Eingangswiderstände direkt oder als Emitter- bzw. Sourcewiderstände im

Differenzverstärker verwendet werden. Im Differenzverstärker werden die Differenz- und die Gleichtaktspannung abgegriffen.

In einer Verstärkungsstufe werden die Differenz- und die Gleichtaktspannung auf zwei gesteuerte Stromquellen gegeben. Hier ist häufig auch ein Kondensator enthalten, der die Reduzierung der Verstärkung mit steigender Frequenz beschreibt. Dazu kommt in der Verstärkungsstufe eine dritte gesteuerte Stromquelle, die dann die beiden Ströme aus der Differenz- und Gleichtaktverstärkung summiert. Von da aus geht es weiter zur Ausgangsstufe.

Die Ausgangsstufe übernimmt den Strom aus dem Verstärkungsblock. Hier ist in der Regel ein Ausgangswiderstand enthalten. Für die Begrenzung des Spannungshubs sind häufig feste Spannungsquellen und Dioden zwischen Ausgang und positive bzw. negative Betriebsspannung geschaltet. Durch weitere Dioden und eine weitere Stromquelle kann in der Ausgangsstufe auch ein Kurzschlussschutz nachgebildet werden.

In Abb. 3.13 ist ein grundlegendes Makromodell eines bipolaren Operationsverstärkers nach [5] dargestellt. Die Eingangsstufe enthält den Differenzverstärker, hier mit Bipolartransistoren. Mit dem Schaltungsteil C_E, R_E wird auch das Slewrateverhalten abgebildet. Mit dem Widerstand R_P wird der Stromverbrauch des OPs angepasst. Der Ausgang des Differenzverstärkers wird durch die beiden Spannungen U_D und U_G gebildet. U_D ist dabei die Differenzspannung und U_G die Gleichtaktspannung, also der Mittelwert der beiden Eingangsspannungen. Diese beiden Spannungen werden in der Verstärkungsstufe in gesteuerte Stromquellen umgewandelt. Als Multiplikatoren werden die Differenz- bzw. Leerlaufverstärkung G_D und die Gleichtaktverstärkung G_G verwendet. Diese beiden Stromquellen werden an dem Lastwiderstand R_2 addiert. Der Kondensator C_2 wird für interne Rückkopplung verwendet. Dieser Kondensator wird für die Frequenzkompensation und auch für die Änderung des Ausgangswiderstands verwendet. Schließlich wird in der Ausgangsstufe die Spannungsbegrenzung am Ausgang durch die Dioden $\mathrm{D_C}$, $\mathrm{D_E}$ und die Spannungsquellen U_C, U_E nachgebildet. Der Schaltungsteil mit $\mathrm{D_1}$, $\mathrm{D_2}$, R_C und der gesteuerten Stromquelle $G_\mathrm{C}{\cdot}U_\mathrm{Aus}$ bildet einen maximalen Ausgangsstrom nach.

In der Regel werden sehr viele Parameter des Operationsverstärkers durch ein gutes und angepasstes Makromodell nachgebildet. Man sollte aber immer beachten, dass ein Makromodell ein vereinfachtes Modell des realen Operationsverstärkers ist. Die Simulation des Operationsverstärkers wird also in bestimmten Bereichen von dem realen Verhalten des OPs abweichen. Das wird beispielsweise beim Frequenzverhalten des Makromodells deutlich: In der Regel werden im Makromodell zwei Grenzfrequenzen für Tiefpässe modelliert. Das bedeutet, dass sich die Phase bis auf maximal $-180°$ ändern kann. Die Messung realer OPs zeigt jedoch regelmäßig Phasenänderungen, die deutlich weiter laufen.

Damit die Unterschiede zwischen der Simulation mit dem Makromodell und der realen Messung ein wenig besser beurteilt werden können, sind in den folgenden Abbildungen einige Messungen und Simulationen zusammengestellt. Für die Messung und Simulation wurde der Operationsverstärker TL082 und das zugehörige Makromodell verwendet. Die

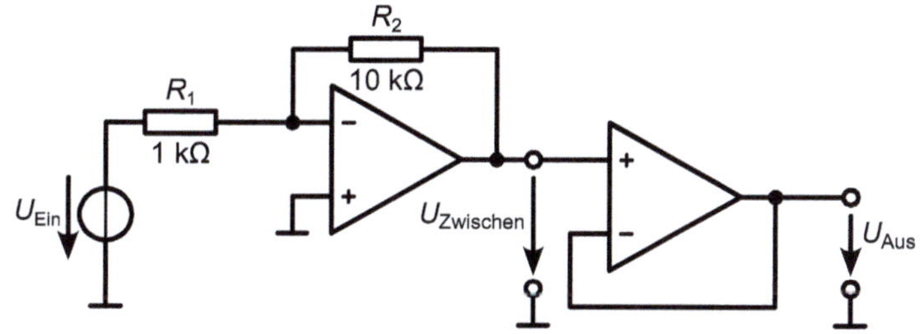

Abb. 3.11 Schaltung zur Messung in Abb. 3.9. Oben ist der Schaltplan dargestellt, darunter ein Foto des Aufbaus auf dem Steckbrett. Der linke Operationsverstärker ist als invertierender Verstärker mit $V_U = -10$ beschaltet. Das Eingangssignal wird über die weiße Leitung oben links an den 1 kΩ-Widerstand geführt. Die Rückkopplung vom Ausgang zum invertierenden Eingang erfolgt über den 10 kΩ-Widerstand und die halb verdeckte weiße Leitung unten links. Die Ausgangsspannung des invertierenden Verstärkers ($U_{Zwischen}$ im unteren Schaltbild) wird über die kurze blaue Leitung an den rechten OP gegeben. Dieser OP ist als nichtinvertierender Verstärker beschaltet. Die Verbindung vom Ausgang zum invertierenden Eingang erfolgt über die orange Leitung unten rechts. Die Versorgungsspannung ist symmetrisch mit etwa ± 12 V über die obere rot markierte Querreihe (+12 V) bzw. die untere blau markierte Querreihe (−12 V)

Daten der Messung und Simulation sind jeweils in einem Diagramm zusammen gezeigt. Dargestellt sind das Frequenzverhalten, die Pulsantwort und das Überschwingen für nichtinvertierende Verstärker mit Verstärkungswerten V_U von + 1 bis + 10. Sehr deutlich wird die wirklich genaue Übereinstimmung zwischen Messung und Simulation. Unterschiede treten jedoch insbesondere bei hohen Frequenzen oder bei geringen Spannungsverstärkungswerten auf. Fotos von entsprechenden Schaltungen auf dem Steckbrett sind in Kap. 4 gezeigt. Hier wurde ein etwas anderer Aufbau verwendet, die Funktionsweise ist aber identisch zu den Schaltungen in Abschn. 4.3.

Zunächst wird das Frequenzverhalten betrachtet. In Abb. 3.14 ist der Betrag für eine Spannungsverstärkung $V_U = +\,1$ und $+\,2$ eines nichtinvertierenden Verstärkers gezeigt. Dargestellt sind die gemessene Kurve und die Simulation auf Basis des Makromodells. Gut ist zu erkennen, dass die Simulation und Messung bis zu einer Frequenz von 1 MHz praktisch aufeinanderliegen. Für eine Spannungsverstärkung $V_U = +\,1$ zeigt die Messung eine deutliche Überhöhung bei etwa 2 MHz, die in der Simulation nicht vorhanden ist. Bei einer Verstärkung von $V_U = +\,2$ liegen Messung und Simulation relativ eng beieinander. In Abb. 3.15 ist der zugehörige Phasengang für die beiden Verstärkungswerte $V_U = +\,1$ und $+\,2$ sowohl für die Messung als auch für die Simulation gezeigt. Hier ist deutlich zu sehen, dass die Phase der Simulation nur bis $-180°$ läuft. In der Messung ist jedoch deutlich erkennbar, dass die Phase bis auf ca. $-400°$ dreht. Hier muss jedoch angemerkt werden, dass der Betrag der Verstärkungskurve über etwa 5 MHz sehr gering ist. Dadurch ist die Ausgangsamplitude sehr gering, die Phasenmessung ist deshalb bei hohen Frequenzen tendenziell ungenau.

In den beiden Abb. 3.16 und 3.17 ist die Betrags- und Phasenmessung für den nichtinvertierenden Verstärker mit $V_U = 3{,}2$ und $V_U = 10$ gezeigt. Der Betrag der Verstärkung zeigt über den kompletten Frequenzbereich von 100 Hz bis 25 MHz eine gute Übereinstimmung. Der Phasengang zeigt wieder das Verhalten, dass die Phase in der Simulation nur bis $-180°$ läuft, in der Phase jedoch wieder deutlich weiter dreht.

In Abb. 3.18 ist ein Vergleich zwischen Messung und Simulation des Makromodells als Pulsantwort gezeigt. Für diese Messung wurde ein nichtinvertierender Verstärker mit einer Spannungsverstärkung $V_U = +\,1$ verwendet. Das Eingangssignal ist ein Rechteckpuls mit einer Amplitude von 1 V und einer Frequenz von 1 MHz. Die Messung zeigt ein deutliches Überschwingen insbesondere in den positiven Spannungsbereich. Das passt recht gut zum Überschwingen im Frequenzgang Die Verzögerung ist bei der Messung etwas höher

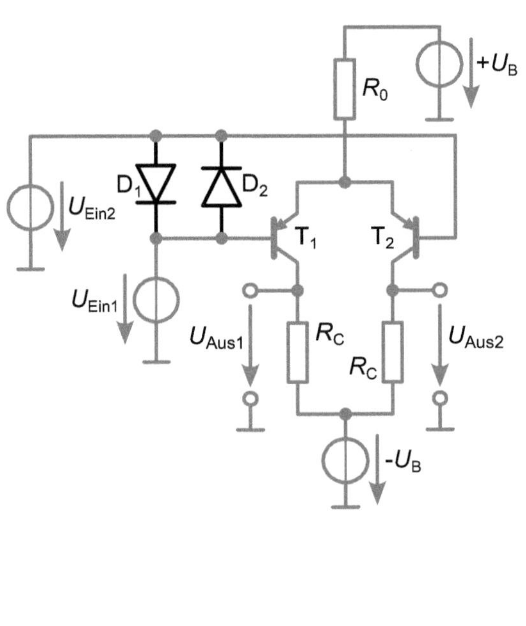

Abb. 3.12 Schutzschaltung mit zwei Dioden für die beiden Eingangstransistoren. Der Schaltungsteil, der bereits in Abb. 3.4 enthalten war, ist hier grau dargestellt

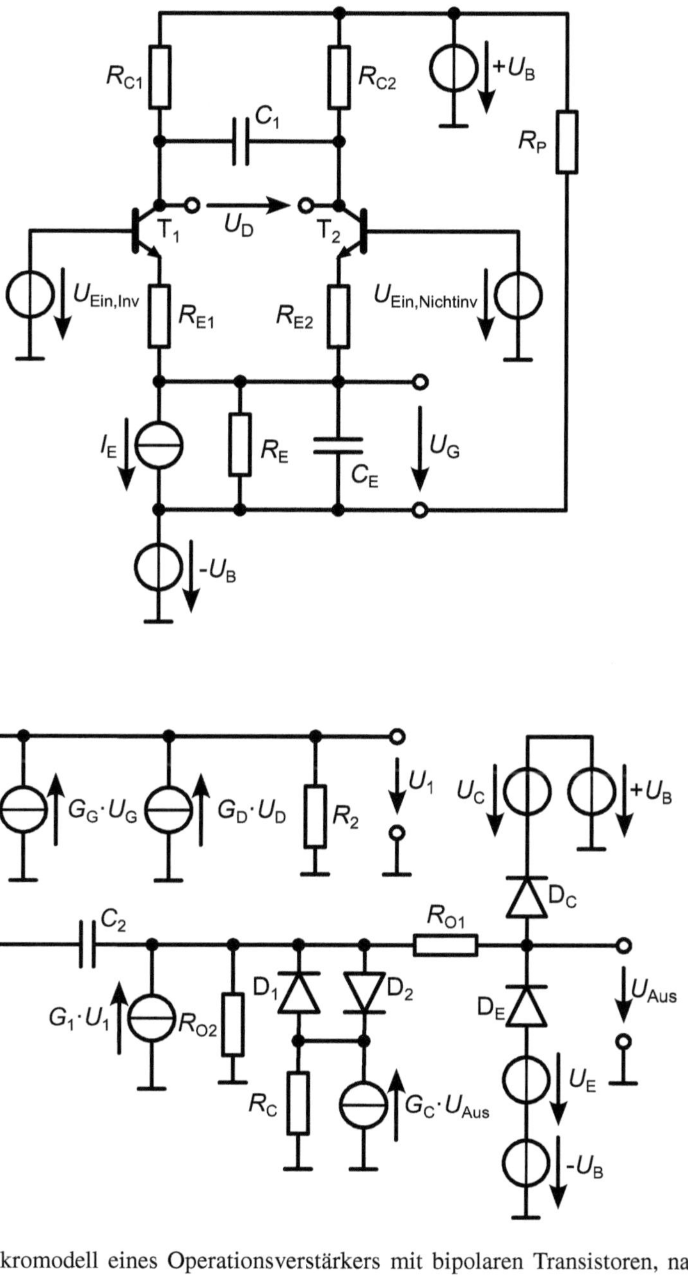

Abb. 3.13 Makromodell eines Operationsverstärkers mit bipolaren Transistoren, nach [6]. Oberer Schatungsteil: Differenzverstärker als Eingangsstufe, unterer Schaltungsteil: Verstärkungs- und Ausgangsstufe, s. Text

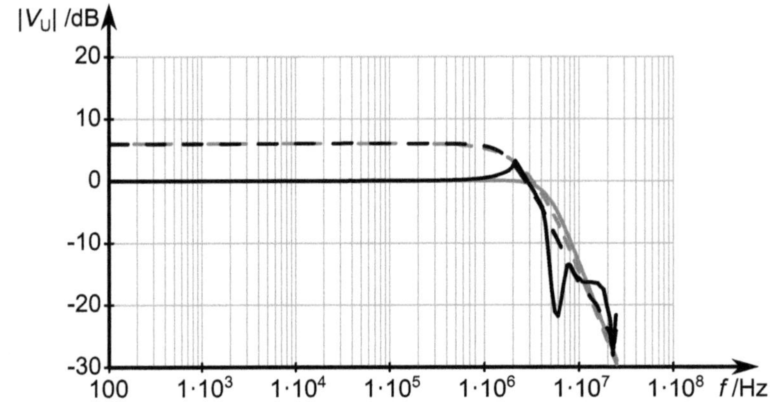

Abb. 3.14 Messung des Betrags eines nichtinvertierenen Verstärkers mit TL082 (schwarze Kurve) und Vergleich mit der Simulation des Makromodells (grau). Die durchgezogene Linie entspricht einer Verstärkung $V_U = +\,1$, die gestrichelte einer Verstärkung mit $V_U = +\,2$

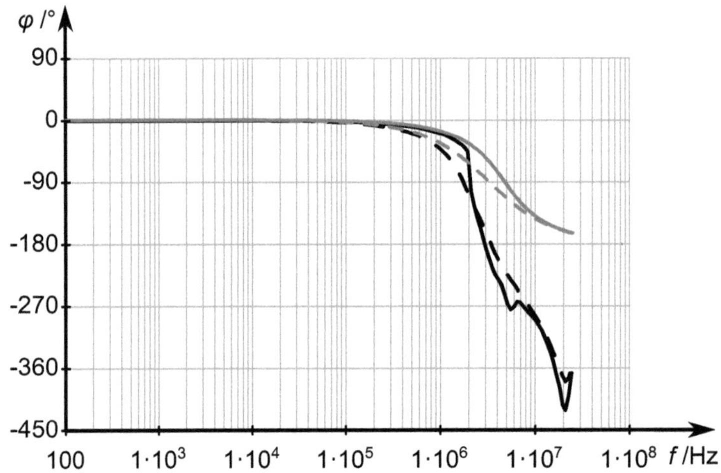

Abb. 3.15 Messung des Phasengangs eines nichtinvertierenen Verstärkers mit TL082 (schwarze Kurve) und Vergleich mit der Simulation des Makromodells (grau). Die durchgezogene Linie entspricht einer Verstärkung $V_U = +\,1$, die gestrichelte einer Verstärkung mit $V_U = +\,2$

als bei der Simulation. Die Anstiegsgeschwindigkeit (Slewrate) ist bei der Messung und der Simulation sehr ähnlich. Abb. 3.19 zeigt die Pulsantwort für einen invertierenden Verstärker mit $V_U = +\,2$. Hier stimmen Messung und Simulation recht gut überein, auch wenn die Messung einen etwas höheren Spannungswert im positiven Spannungsbereich zeigt. In Abb. 3.20 sind zwei weitere Vergleiche zwischen der Simulation mit Makromodell und der Messung für Verstärkungswerte von + 3,2 und + 11 gezeigt. Abschließend gibt es in Abb. 3.21 eine Simulation bzw. Messung des Einschwingverhaltens bei einem längeren Puls. Hier gibt es deutliche Unterschiede: Die Messung zeigt im Vergleich zur Simulation mit dem Makromodell ein deutlich stärkeres Überschwingen.

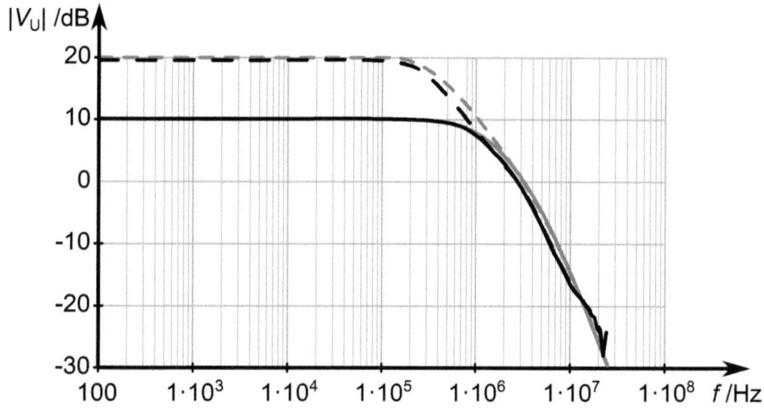

Abb. 3.16 Messung des Betrags eines nichtinvertierenen Verstärkers mit TL082 (schwarze Kurve) und Vergleich mit der Simulation des Makromodells (grau). Die durchgezogene Linie entspricht einer Verstärkung $V_U = +\,3{,}2$, die gestrichelte einer Verstärkung mit $V_U = +\,10$

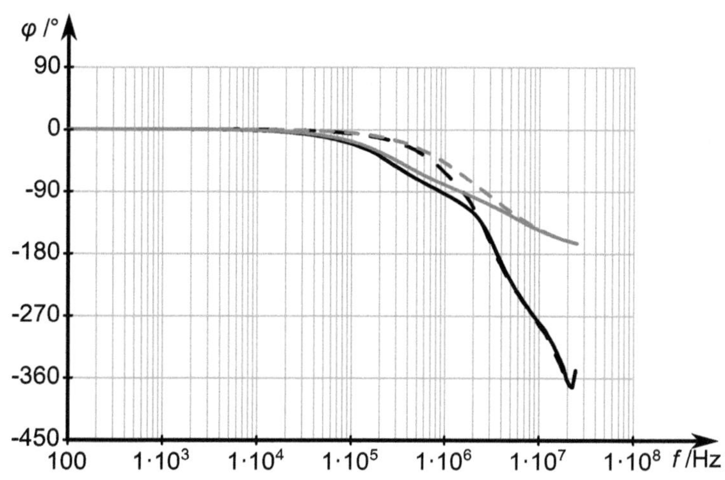

Abb. 3.17 Messung des Phasengangs eines nichtinvertierenen Verstärkers mit TL082 (schwarze Kurve) und Vergleich mit der Simulation des Makromodells (grau). Die durchgezogene Linie entspricht einer Verstärkung $V_U = +\,3{,}2$, die gestrichelte einer Verstärkung mit $V_U = +\,10$

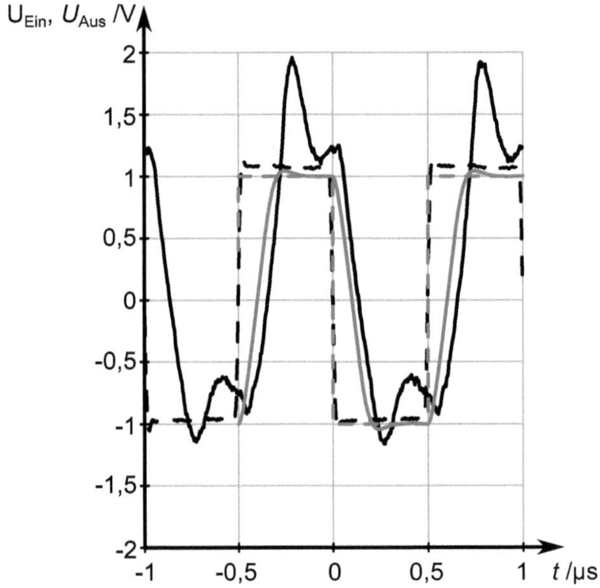

Abb. 3.18 Messung der Pulsantwort eines nichtinvertierenen Verstärkers mit TL082 (schwarze Kurve) und Vergleich mit der Simulation des Makromodells (grau) für eine Spannungsverstärkung von $V_U = +1$. Die durchgezogene Linie entspricht der Ausgangsspannung, die gestrichelte Linie dem eingespeisten Puls. Die Pulslänge ist 1 µs. Die Simulation beginnt erst bei −0,5 µs

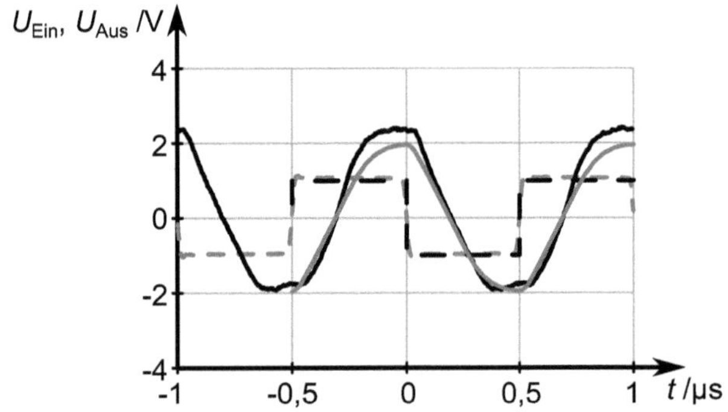

Abb. 3.19 Messung der Pulsantwort eines nichtinvertierenen Verstärkers mit TL082 (schwarze Kurve) und Vergleich mit der Simulation des Makromodells (grau) für eine Spannungsverstärkung von $V_U = +2$. Die durchgezogene Linie entspricht der Ausgangsspannung, die gestrichelte Linie dem eingespeisten Puls. Die Pulslänge ist 1 µs. Die Simulation beginnt erst bei −0,5 µs

3.9 Verständnisfragen zu Kap. 3

Frage 3.1: Warum werden gerne PNP-Transistoren für single-supply OPs verwendet?

Frage 3.2: Welche Vor- und welche Nachteile hat eine doppelte Eingangsstufe mit NPN- bzw. PNP-Transistoren im Differenzverstärker?

Abb. 3.20 Messung der Pulsantwort eines nichtinvertierenen Verstärkers mit TL082 (schwarze Kurve) und Vergleich mit der Simulation des Makromodells (grau) für eine Spannungsverstärkung von $V_U = +3{,}2$ (oben) bzw. $V_U = +11$ (unten). Die durchgezogene Linie entspricht der Ausgangsspannung, die gestrichelte Linie dem eingespeisten Puls. Die Pulslänge ist 1 µs

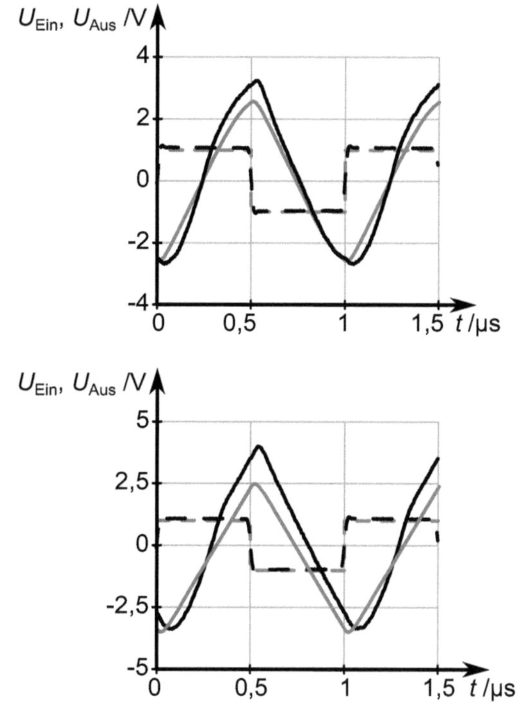

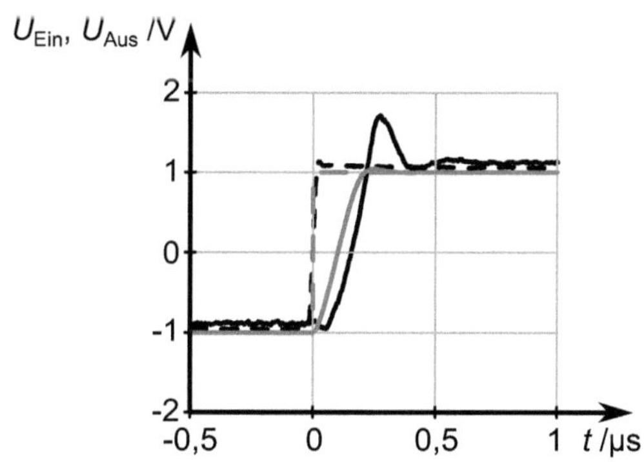

Abb. 3.21 Messung der Pulsantwort eines nichtinvertierenen Verstärkers mit TL082 (schwarze Kurve) und Vergleich mit der Simulation des Makromodells (grau) für eine Spannungsverstärkung von $V_U = +1$. Die durchgezogene Linie entspricht der Ausgangsspannung, die gestrichelte Linie dem eingespeisten Puls. Die Pulslänge ist 100 µs

Frage 3.3: Woran kann man stromkompensierte Operationsverstärker an den Datenblattangaben erkennen?

Frage 3.4: Wie wirkt sich die verwendete Technologie für die Transistoren auf die Operationsverstärker-Parametern aus?

Frage 3.5: Welche Vor- und Nachteile haben die OP-Makromodelle?

3.10 Aufgaben zu Kap. 3

Aufgabe 3.1

Gegeben ist die untenstehende Eingangsbeschaltung eines Operationsverstärkers. An die Anschlusspunkte U_{Intern1} und U_{Intern2} wird eine Verstärkung- und eine Ausgangsstufe angeschlossen. Beachten Sie, dass die Leitung U_{Intern2} noch nicht mit der Schaltung verbunden ist. Die Betriebsspannung des Operationsverstärkers beträgt $U_{\mathrm{B}} = \pm 12$ V. Weiter gilt für die Transistoren $\mathrm{T}_{1,\mathrm{N}}$ bis $\mathrm{T}_{4,\mathrm{P}}$: $U_{\mathrm{BE}} = 0{,}6$ V. Bearbeiten Sie die folgenden Teilaufgaben.

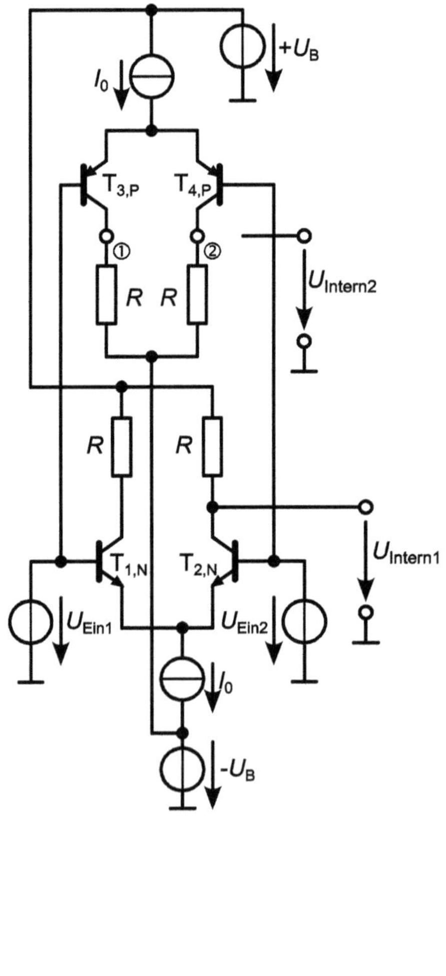

a) Für welchen OP-Typ ist diese Eingangsbeschaltung notwendig?
b) Wirkt das Eingangssignal U_{Ein1} invertierend oder nichtinvertierenden auf den Anschluss U_{Intern1}?
c) Damit sich der PNP-Differenzverstärker ebenso wie der NPN-Differenzverstärker invertierend bzw. nichtinvertierend verhalten soll: An welchen Punkt wird U_{Intern2} angeschlossen?
d) Schätzen Sie den Eingangsspannungsbereich für den NPN-Differenzverstärker und für den PNP-Differenzverstärker ab. Gehen Sie dabei davon aus, dass die Stromquelle jeweils einen Spannungsabfall von 2 V benötigt.
e) Welches „Problem" bringt der „doppelte" Differenzverstärker in Bezug auf den Eingangsstrom bei unterschiedlichen Spannungen mit sich?

Aufgabe 3.2

Gegeben ist das Makromodell der Eingangsstufe, also des Differenzverstärkers, eines Operationsverstärkers. Die Schaltung ist hier noch einmal abgebildet. Zur Vereinfachung wurden die Kondensatoren und ein Widerstand entfernt.

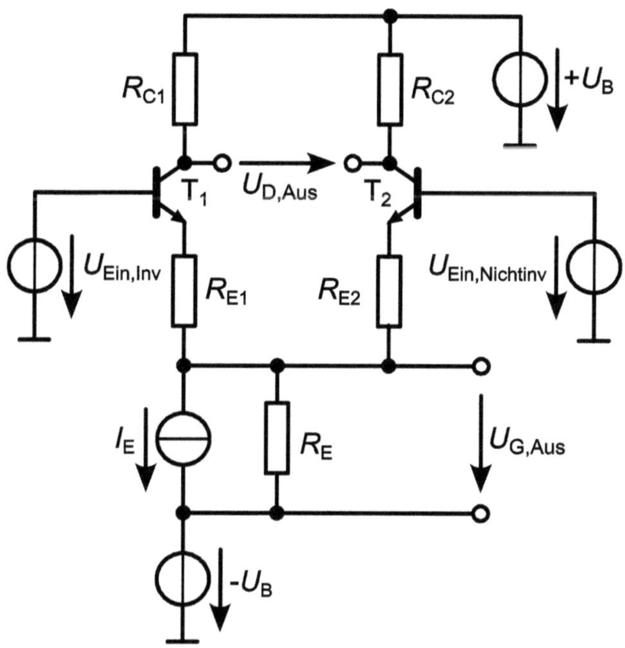

Für die Schaltung gilt: $\pm U_B = \pm 12$ V, $R_{C1} = R_{C2} = 20$ kΩ, $R_{E1} = R_{E2} = 500$ Ω, $R_E = 75$ kΩ, $I_E = 75$ μA. Die Transistoren haben eine Basis-Emitterspannung $U_{BE} = 0{,}6$ V. Für Teilaufgabe a) und b) gilt, dass die Differenzspannung 0 V ist. Für Teilaufgabe c) gilt: Die Gleichtaktspannung ist 0 V.

a) Berechnen Sie die Gleichtaktspannung $U_{G,Aus}$ für eine mittlere Eingangsspannung $U_{G,Ein}$ von 0 V, 0,5 V, 1 V, 2 V und 5 V.
b) Berechnen Sie mit den Ergebnissen aus a) die Kollektorspannungen in Abhängigkeit der Gleichtaktspannung $U_{G,Ein}$ für die in a) genannten Spannungswerte.
c) Bestimmen Sie die Differenzspannung $U_{D,Aus}$ für eine Spannungsdifferenz $U_{D,Ein}$ von 0 V, 1 mV, 10 mV und 100 mV am Eingang. Verwenden Sie die Näherungsformel aus Kap. 2.

Literatur zu Kapitel 3

1. M. Alles, „Einführung in die elektronische Schaltungstechnik Dioden, Transistoren und Grundschaltungen", Springer-Vieweg Verlag, Berlin, 2024, 978-3-662-69277-6
2. „Op Amp Basics", Analog Devices, www.analog.com/media/en/training-seminars/design-handbooks/op-amp-applications/section1.pdf, abgerufen am 3.8.2025
3. „The Monolithic Operational Amplifier: A Tutorial Study", Application Note AN-A, National Semiconductor, web.ece.ucsb.edu/Faculty/rodwell/Classes/ece2c/resources/an-a.pdf, abgerufen am 3.8.2025
4. „The four basic building blocks of an Op-Amp", Application Note AN1694, Renesas, www.renesas.com/en/document/apn/an1694-four-basic-building-blocks-op-amp, abgerufen am 4.11.2024
5. G.R. Boyle, B.M. Cohn, D.O. Pederson, J.E. Solomon, „Macromodeling of Integrated Circuit Operational Amplifiers", IEEE J. of Solid-State Circuits, Vol. SC-9, No. 6, Dec. 1974, pp. 353–364
6. „LM324.lib", Spice-Modell des Operationsverstärkers LM324, ltwiki.org/files/LM324.MOD, abgerufen am 3.8.2025
7. G. Krajewska, F.E. Holmes, „Macromodeling of FET/Bipolar Operational Amplifiers", IEEE J. of Solid-State Circuits, Vol. SC-14, No. 6, Dec. 1979, pp. 1083–1087
8. Analog Devices, „Op Amp Inputs, Outputs, Single-Supply, and Rail-to-Rail Issues", www.analog.com/media/en/training-Seminars/tutorials/MT-035.pdf, abgerufen am 2.4.2025
9. B. Moyer, „Developers turn to analog for neural nets", Semiconductor Engineering, semiengineering.com/developers-turn-to-analog-for-neural-nets/, abgerufen am 10.7.2015
10. Analog Devices, „Linear Device Seminar", www.analog.com/en/resources/technical-books/linear-design-seminar-1995.html, abgerufen am 3.8.2025

Weiterführende Literatur

11. „Operational Amplifiers How to Bias Op-Amps Correctly“, Application Note, Renesas, www.renesas.com/en/document/apn/r13an0003-how-to-bias-op-amps-correctly, abgerufen am 4.11.2024
12. Microchip, „Operational Amplifier Topologies and DC Specifications“, Application Note AN722, ww1.microchip.com/downloads/aemDocuments/documents/APID/ApplicationNotes/00722a.pdf, abgerufen am 16.11.2024
13. Microchip, „Microchip's Op Amp SPICE Macro Models“, Application Note AN1297, ww1.microchip.com/downloads/aemDocuments/documents/OTH/ApplicationNotes/01297a.pdf, abgerufen am 16.11.2024
14. Texas Instruments, „Application of Rail-to-Rail Operational Amplifiers“, Application Report, SLOA039A, Dec. 1999, www.ti.com/lit/pdf/sloa039, abgerufen 21.8.2025
15. Texas Instruments, „Trade-Offs between CMOS, JFET and Bipolar Input Stage Technology“, Application Report, SBOA355, www.ti.com/lit/pdf/sboa355, abgerufen am 21.8.2025
16. Texas Instruments, „Why are there so many Op Amps“, EE330 Lecture 34, TI Guest Lecture, class.ece.iastate.edu/ee330/lectures/EE%20330%20Lect%2034%20Spring%202018.pdf, abgerufen am 21.8.2025

Schaltungen mit Operationsverstärkern 4

4.1 Lernziele Kap. 4 Schaltungen mit Operationsverstärkern

In diesem Kapitel lernen Sie die idealisierten Eigenschaften von Operationsverstärkern kennen. Auf dieser Basis werden etliche grundlegende OP-Schaltungen gezeigt. Bei einigen Schaltungen werden spezielle OP-Eigenschaften beschrieben, die von der Idealisierung abweichen. Trotzdem ist es möglich, mit den idealen Eigenschaften praktisch alle hier vorgestellten OP-Schaltungen mit hoher Genauigkeit zu beschreiben. Sie sind in der Lage, einfache Operationsverstärkerschaltungen zu verstehen, zu berechnen und funktional zu beschreiben. Das Verhalten der virtuellen Masse haben Sie verstanden und können es auf die entsprechenden Operationsverstärkerschaltungen anwenden. Sie können aus dem Schaltplan die Funktion der jeweiligen Schaltung ableiten. Die Reihenschaltung von mehreren Operationsverstärkerschaltungen können Sie unter Idealbedingungen nachvollziehen. Sie können lineare Schaltungen mit Rückkopplung von nichtlinearen Schaltungen ohne Rückkopplung bzw. mit Mitkopplung unterscheiden. Für einfachere Operationsverstärkerschaltungen können Sie die Ausgangssignale bei einer endlichen Verstärkung aus den grundlegenden Gleichungen berechnen.

Ergänzende Information Die elektronische Version dieses Kapitels enthält Zusatzmaterial, auf das über folgenden Link zugegriffen werden kann https://doi.org/10.1007/978-3-662-72536-8_4.

M. Alles, *Operationsverstärker*, https://doi.org/10.1007/978-3-662-72536-8_4

4.2 Einführung und typische Kenngrößen des Operationsverstärkers

Der Operationsverstärker (abgekürzt OP) ist eine analoge Schaltung, die vielfach in der Elektronik genutzt wird. Früher wurden mit OPs analoge Computer realisiert. Diese Anwendung ist deutlich zurückgegangen. Allerdings spielt der OP immer noch eine Schlüsselrolle bei der Verarbeitung analoger Signale, beispielsweise von Sensoren. Mit der verstärkten Anwendung von künstlicher Intelligenz kann es sehr gut sein, dass Operationsverstärker wieder eine deutlich größere Rolle spielen [1]. Dabei wirkt sich sehr positiv aus, dass Berechnungen, die per Operationsverstärker durchgeführt werden, mit einem geringeren Energieaufwand durchgeführt werden und in Echtzeit erfolgen. Die üblichen Nachteile der analogen Signalverarbeitung, insbesondere Rauschen, spielen hier nur eine untergeordnete Rolle [2].

Des Weiteren spielen Operationsverstärker eine große Rolle bei der Verarbeitung bzw. Filterung analoger Signale: Eine „geschickte" Vorverarbeitung erleichtert die weitere Signalverarbeitung auf der digitalen Ebene erheblich. Ein einfaches Beispiel stellen Funkempfänger dar: Eine effiziente Vorfilterung und Verstärkung der Empfangssignale erlaubt die Verwendung von relativ einfachen Analog-Digitalwandlern. So kann beispielsweise bei einem DAB-Empfänger ein Störsignal in einem Abstand von etwa 2 MHz zur Empfangsfrequenz um gut 50 dB gedämpft werden, während das gewünschte Empfangssignal gleichzeitig um 40 dB verstärkt wird. Wenn so etwas mit einem Analog-Digitalwandler und einem Prozessor durchgeführt werden soll, ist ein ADC mit einem Dynamikumfang von mehr als 100 dB und sehr hoher Bandbreite erforderlich. In der Regel geht diese hohe Auflösung auch mit einem höheren Betriebsstrom einher. Zusammen mit dem Prozessor folgt ein Energiebedarf, der deutlich über dem der analogen Schaltung liegt.

Das Schaltzeichen eines Operationsverstärkers ist in Abb. 4.1 dargestellt. Das Symbol rechts entspricht der Norm, links befindet sich das häufiger genutzte dreieckige Operationsverstärker-Schaltzeichen. Dieses Dreieck wird in diesem Buch verwendet. In der Regel wird der Operationsverstärker ohne die Anschlüsse für die Versorgungsspannung gezeichnet. Natürlich muss der Operationsverstärker trotzdem an die Versorgungsspannungen angeschlossen werden. Mit der Verdrahtung der Versorgungsspannung wird das Schaltbild jedoch häufig recht unübersichtlich. Aus Gründen der Übersichtlichkeit werden bei OPs gerne die beiden Eingänge getauscht, wenn das Schaltbild dadurch vereinfacht wird.

Der Operationsverstärker hat zwei Eingänge, von denen einer invertierend und der andere nichtinvertierend auf den Ausgang wirkt. Die Differenzspannung wird sehr hoch verstärkt (näherungsweise unendlich hoch) und bildet damit die auf Masse bezogene Ausgangsspannung. In diesem Fall spricht man auch von Differenzbetrieb, s. Abb. 4.2:

$$U_{\mathrm{Aus}} = V_0 \cdot \left(U_{\mathrm{Pos}} - U_{\mathrm{Neg}}\right) = V_0 \cdot U_{\mathrm{D}} \tag{4.1}$$

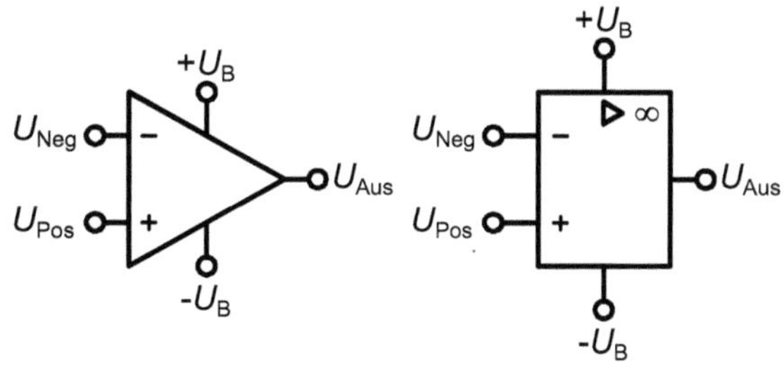

Abb. 4.1 Schaltzeichen des Operationsverstärkers (links: Schaltbild der „alten" Version, international stark verbreitet, rechts: Schaltbild entsprechend der Norm)

In der vorstehenden Gleichung sind U_{Pos} und U_{Neg} die Spannungen am nichtinvertierenden bzw. invertierenden Eingang. U_{D} ist die Differenzspannung und U_{Aus} die Ausgangsspannung. V_0 bezeichnet die Leerlaufverstärkung.

In dieser Version arbeitet der OP mit einer Eingangsspannung (U_{D}) und einer Ausgangsspannung (U_{Aus}). Es gibt auch OP-Typen, bei der Ein- und/oder Ausgangsspannungen durch Ströme ersetzt werden. Im Unterschied zum hier verwendeten OP erhält man CV-, VC- oder CC-OPs (V: voltage = Spannung, C: current = Strom). Die Buchstaben beschreiben die Ein- und Ausgangssignale. Außerdem soll kurz erwähnt werden, dass es auch OPs mit symmetrischen Ausgangssignalen gibt.

Für eine vereinfachte, häufig jedoch trotzdem relativ genaue Beschreibung von OP-Schaltungen werden die folgenden idealisierten Kenngrößen eines Operationsverstärkers verwendet:

- Differenzverstärkung:
  $V_0 = \frac{U_{\mathrm{Aus}}}{U_{\mathrm{D}}} = \frac{U_{\mathrm{Aus}}}{U_{\mathrm{Pos}} - U_{\mathrm{Neg}}} = \infty$
- Gleichtaktverstärkung:
  $V_{\mathrm{U,G}} = \frac{U_{\mathrm{Aus}}}{U_{\mathrm{G}}} = 0$ (CM: common mode)
- Eingangswiderstand am invertierenden bzw. nichtinvertierenden Eingang:
  $R_{\mathrm{Ein}} = \infty\Omega$.
  (Es fließt kein Eingangsstrom in den Operationsverstärker, da der OP ein spannungsgesteuerter Verstärker ist.)

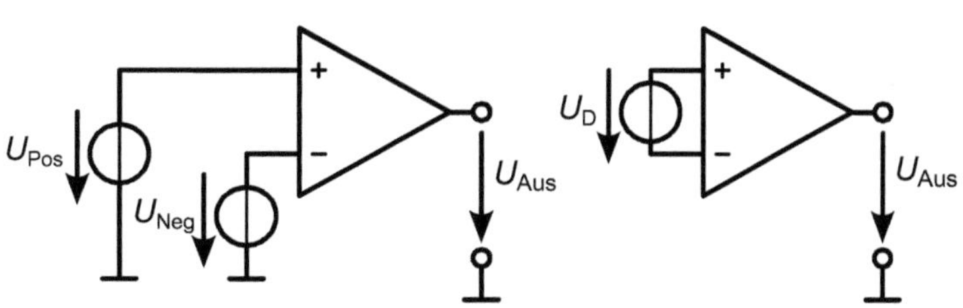

Abb. 4.2 Links: Ansteuerung des OPs mit zwei Spannungen, rechts: Differenzbetrieb beim Operationsverstärker. Gegenüber Abb. 4.1 wurden die Eingänge vertauscht

- Ausgangswiderstand, d. h. der Innenwiderstand des OPs:
  $R_{\text{Aus}} = 0\Omega.$
  (Der Ausgang ist beliebig belastbar und kann im Idealfall jeden beliebigen Strom liefern.)
- Der Operationsverstärker ist zunächst für Gleich- und Wechselspannungssignale beliebiger Frequenz nutzbar.

Aus diesen Eigenschaften folgt, dass Differenzsignale sehr hoch verstärkt werden, Gleichsignale jedoch im Idealfall nicht verstärkt, also unterdrückt bzw. gedämpft werden.

Ein Grundprinzip der meisten Operationsverstärkerschaltungen ist, dass die Ausgangsspannung über einen Rückkopplungspfad an den invertierenden Eingang zurück geführt wird. Die hohe Verstärkung führt dazu, dass die Differenzspannung zwischen dem invertierenden und dem nichtinvertierenden Eingang auf nahezu 0 V ausgeregelt wird. Die Differenzspannung zwischen dem invertierenden und dem nichtinvertierenen Eingang wird dabei umso geringer, je höher die Leerlaufverstärkung V_0 des Operationsverstärkers ist. Der Operationsverstärker „vergleicht" also das eigene Ausgangssignal mit dem erforderlich Eingangssignal und regelt dadurch das Ausgangssignal nach. Für die Gegenkopplung werden sehr oft passive Bauteile mit engen Toleranzen und guten Temperatureigenschaften verwendet. Diese „guten" Eigenschaften werden durch das Prinzip der Rückkopplung auf Operationsverstärkerschaltungen übertragen.

Wird die Ausgangsspannung des Operationsverstärkers auf den nichtinvertierenden Eingang zurückgeführt, handelt es sich in der Regel um Schaltungen, die in Sättigung betrieben werden, beispielsweise ein Komparator oder Schmitt-Trigger. Diese Schaltungen zeigen typischerweise ein nichtlineares Verhalten. In den folgenden Unterkapiteln werden zahlreiche Operationsverstärkerschaltungen vorgestellt. Die Auflistung ist so gewählt, dass aus den wichtigsten Bereichen jeweils einige Schaltungen gezeigt werden. Bei der Vielzahl der Operationsverstärkerschaltung ist es jedoch nicht möglich, alle Bereiche auch nur annähernd komplett abzudecken. Zahlreiche Schaltungen sind in diversen Applikationsschriften und Lehrbüchern beschrieben, s. beispielsweise [4, 5, 12–14].

4.3 Grundschaltungen des Operationsverstärkers: Verstärker

Die in diesem Abschnitt gezeigte Schaltung des invertierenden Verstärkers bildet die Grundlage für viele Operationsverstärkerschaltungen. Mit dieser Schaltung wird das Prinzip der virtuellen Masse vorgestellt und erläutert.

4.3.1 Invertierender Verstärker

Anhand der Schaltung des invertierenden Verstärker in Abb. 4.3 wird die grundsätzliche Funktion des OPs als rückgekoppelter Verstärker erläutert. Obwohl der Operationsverstärker als invertierender Verstärker betrieben wird, soll die Analyse der Schaltung mit Betrieb des OPs als Differenzverstärker durchgeführt werden. Der Unterschied ist, dass die Betrachtung des OPs als Differenzverstärker ein wenig allgemeiner ist. Für die Ausgangsspannung gilt Gl. (4.1):

$$U_{\text{Aus}} = V_0 \cdot U_{\text{D}}$$

mit $U_{\text{D}} = U_{\text{Pos}} - U_{\text{Neg}}$. Da die Eingangsspannung U_{Pos} am nichtinvertierenden Eingang auf Massepotential liegt, folgt natürlich $U_{\text{D}} = -U_{\text{Neg}}$.

Das Minuszeichen weist bereits hier auf die Funktionalität des invertierenden Verstärkers hin. Für den Operationsverstärker gilt die Idealisierung, dass die Differenzverstärkung V_0 unendlich groß ist. Wie ist das mit den obigen Formeln zu vereinbaren?

Es gibt zwei Möglichkeiten, um diese Frage zu beantworten:

Möglichkeit 1: $U_{\text{Aus}} = -V_0 \cdot U_{\text{Neg}} = -\infty \cdot U_{\text{Neg}} = -\infty\,\text{V}$ (Die Ausgangsspannung wird negativ und unendlich hoch!).

Möglichkeit 2: $U_{\text{Neg}} = -\frac{U_{\text{Aus}}}{V_0} = -\frac{U_{\text{Aus}}}{\infty} = 0\,\text{V}$ (Die Eingangsspannung am invertierenden Eingang wird 0 V!).

Sowohl im idealisierten als auch im realen Fall mit endlicher Verstärkung ist die zweite Möglichkeit die einzig sinnvolle Lösung, die sich im praktischen Betrieb einstellt. Das bedeutet für den Betrieb des Operationsverstärkers mit Rückkopplung auf den invertierenden Eingang, dass die Spannungsdifferenz U_{D} zwischen invertierendem und nichtinvertierendem Eingang im Idealfall 0 V beträgt. Da der nichtinvertierende Anschluss an Massepotential (0 V) liegt, wird die Eingangsspannung U_{Neg} ebenfalls 0 V! Man spricht hier von einer virtuellen Masse!

Virtuelle Masse bedeutet, dass der OP über die Ausgangsspannung die Spannung am invertierenden Eingang auf 0 V einstellt. Trotzdem ist dieser Schaltungspunkt von der „echten“ Masse getrennt und kann nur sehr geringe Ströme aufnehmen.

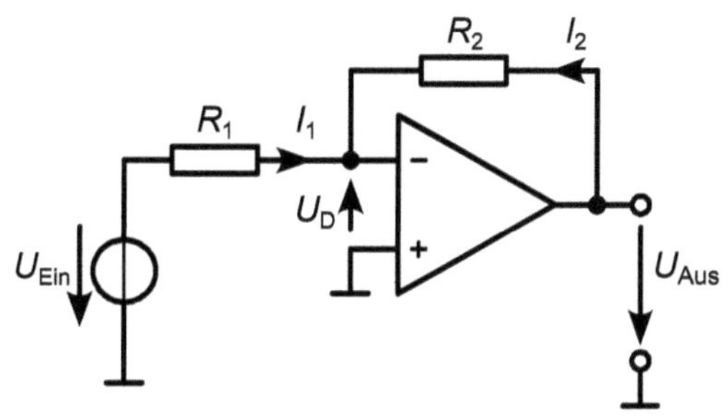

Abb. 4.3 Invertierender Verstärker. Hier sind zusätzlich die Ströme I_1 und I_2 und die Differenzspannung U_{D} eingezeichnet

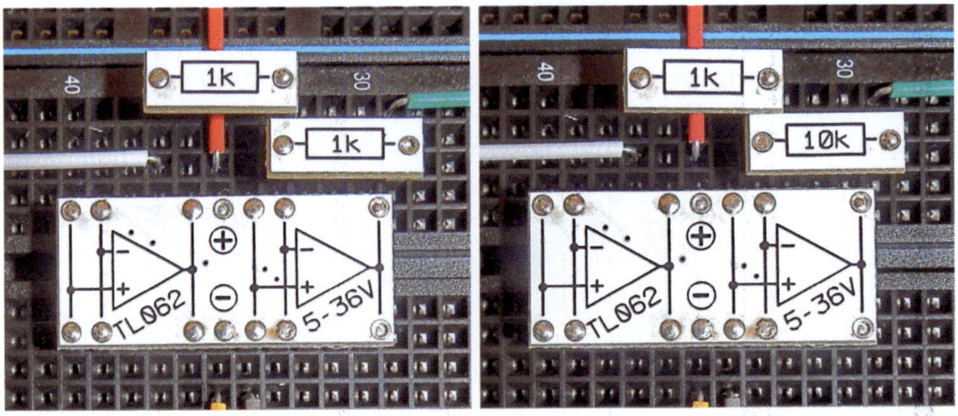

Abb. 4.4 Zwei Versionen des invertierenden Verstärkers auf dem Steckbrett. Das Eingangssignal wird über den weißen Draht links an den oberen Eingangswiderstand eingespeist. Über den grünen Draht wird das Ausgangssignal gemessen. Der Rückkoppelwiderstand rechts ist über eine kleine Drahtbrücke (im Foto nicht sichtbar) mit dem Ausgang verbunden. Die linke Schaltung hat eine Spannungsverstärkung von -1, die rechte Schaltung hat eine Verstärkung von -10

Virtuelle Masse bedeutet für eine OP-Schaltung, dass bei einer Rückkopplung vom Ausgang auf den invertierenden Eingang und einer Verbindung vom nichtinvertierenden Eingang zur Masse sich am invertierenden Eingang Massepotential einstellt. Dieser Anschlusspunkt hat jedoch keine Verbindung zur „echten" Masse!

Die virtuelle Masse gibt es neben dem invertierenden Verstärker auch bei anderen OP-Grundschaltungen. Für spezielle Schaltungen, wie z. B. den nichtinvertierenden Verstärker im folgenden Abschnitt gilt die allgemeine Form:

Beim Operationsverstärker ist die Spannungsdifferenz zwischen invertierendem und nichtinvertierendem Eingang 0 V! In beide Eingänge fließt kein Strom (idealisierte Bedingung, kann als Näherung für die meisten Anwendungen verwendet werden)! Das gilt für eine Rückkopplung vom Ausgang auf den invertierenden Eingang. In Abschn. 5.11 wird auf die virtuelle Masse noch einmal näher eingegangen.

Mit Anwendung der virtuellen Masse ergibt sich die Ausgangsspannung U_{Aus} bzw. die Spannungsverstärkung V_{U} der Schaltung zu

$$U_{\mathrm{Aus}} = -\frac{R_2}{R_1} \cdot U_{\mathrm{Ein}}, \tag{4.2}$$

$$V_{\mathrm{U}} = -\frac{R_2}{R_1}. \tag{4.3}$$

Zwei Schaltungen des invertierenden Verstärkers auf dem Steckbrett und die zugehörige Messungen sind in den beiden Abb. 4.4 und 4.5 dargestellt. Sehr schön ist im oberen Teilbild von Abb. 4.5 zu erkennen, dass das Eingangssignal invertiert wird. Im unteren

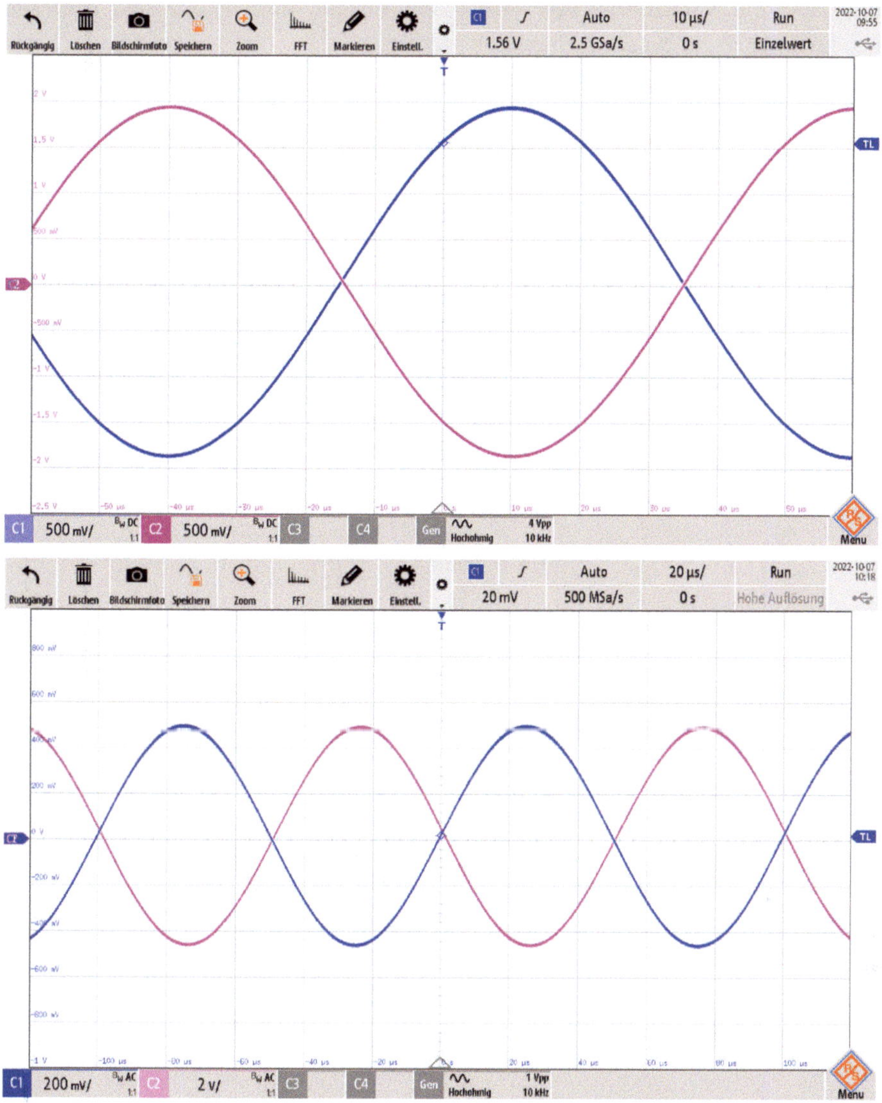

Abb. 4.5 Oben: Messung zur Schaltung in Abb. 4.4 links. Eingespeist wurde ein Sinussignal mit einer Amplitude von 1 V und einer Frequenz von 10 kHz (blau). Das Ausgangssignal an Kanal 2 wurde entsprechend Abb. 4.4 links mit $V_U = -1$ verstärkt (pinkfarbene Linie). Unten: Entsprechende Messung für die Schaltung in Abb. 4.4 rechts mit einer Spannungsverstärkung von $V_U = -10$. Die Verstärkung ist u. a. an der anderen Skalierung von Kanal 2 (pinkfarbene Linie) gegenüber Kanal 1 (blaue Linie) sichtbar. Im oberen Teilbild ist die Skalierung für beide Kanäle auf 500 mV/□ und die Zeit auf 10 µs/□ eingestellt. Die Skalierung im unteren Teilbild beträgt 200 mV/□ für das Eingangssignal (blau), 2 V/□ für das Ausgangssignal (pinkfarbene Linie)

Teilbild kann die Verstärkung von -10 direkt aus der Invertierung und dem anderen Spannungsmaßstab für Kanal 2 abgelesen werden.

4.3.2 Nichtinvertierender Verstärker

Die Schaltung des nichtinvertierenden Verstärkers ist in Abb. 4.6 dargestellt. Die Berechnung der Ausgangsspannung bzw. der Verstärkung erfolgt hier auf Grundlage der erweiterten Regel für die virtuelle Masse: Die Differenzspannung zwischen invertierendem und nichtinvertierendem Eingangs ist 0 V. Diese Bedingung gilt bei Vorliegen einer Rückkopplung vom Ausgang auf den invertierenden Eingang und wenn die Ausgangsspannung des Operationsverstärkers im zulässigen Bereich ist. Mit der Bedingung $U_{\mathrm{D}} = 0\,\mathrm{V}$ folgt, dass am invertierenden Eingang ebenfalls die Eingangsspannung anliegt. Diese Spannung ergibt sich mit der Spannungsteilerregel aus der Ausgangsspannung. Es gilt:

$$U_{\mathrm{Ein}} = U_{\mathrm{Aus}} \cdot \frac{R_1}{R_1 + R_2}.$$

Daraus folgt für die Ausgangsspannung U_{Aus} bzw. die Verstärkung V_{U} des nichtinvertierenden Verstärkers:

$$U_{\mathrm{Aus}} = U_{\mathrm{Ein}} \cdot \left(1 + \frac{R_2}{R_1}\right), \tag{4.4}$$

$$V_{\mathrm{U}} = 1 + \frac{R_2}{R_1}. \tag{4.5}$$

Eine Schaltung des nichtinvertierenden Verstärkers auf dem Steckbrett und die zugehörige Messung sind in den beiden Abb. 4.7 und 4.8 dargestellt. Aus Abb. 4.8 wird deutlich, dass das Eingangssignal hier mit einem Faktor 1 verstärkt wird. Diese Schaltung ist vor allem zur Entkopplung, also zum hochohmigen Abgriff des Eingangssignals nutzbar. Oder anders formuliert: Die nichtinvertierende Verstärkerschaltung benötigt in der Regel einen

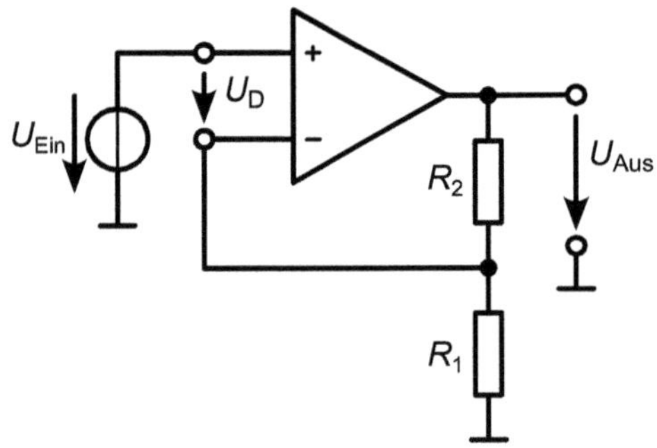

Abb. 4.6 Schaltbild eines nichtinvertierenden Verstärkers

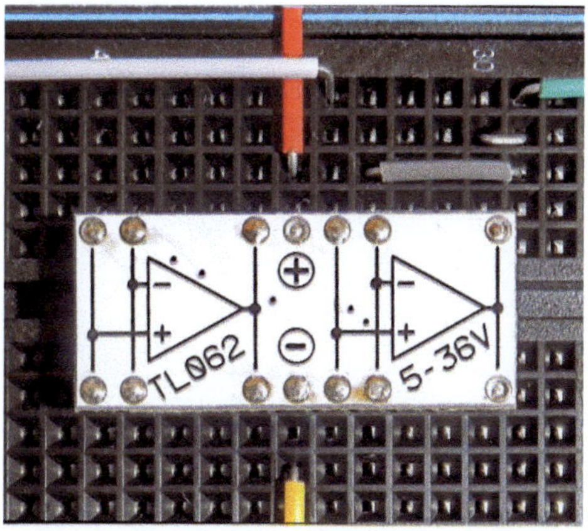

Abb. 4.7 Foto des nichtinvertierenden Verstärkers auf dem Steckbrett. Das Eingangssignal wird über die weiße Leitung links direkt an den nichtinvertierenden Eingang des Operationsverstärkers geführt. Über die grüne Leitung wird das Ausgangssignal gemessen. Die Rückkopplung vom Ausgang auf den invertierenden Eingang besteht aus der kleinen silberfarbenen Drahtbrücke und aus der grauen Drahtbrücke. Für Gl. (4.4) bzw. (4.5) gilt: $R_1 = 0\,\Omega$, $R_2 = \infty\,\Omega$

sehr niedrigen Eingangsstrom, kann am Ausgang jedoch einen Strom von etwa 20 mA liefern. Im unteren Teilbild in Abb. 4.8 ist der Übergangsbereich vergrößert dargestellt. Hier ist deutlich sichtbar, dass das Ausgangssignal des Operationsverstärkers dem Eingangssignal verzögert folgt. Dieses Verhalten wird als Slewrate bezeichnet, s. Abschn. 5.6.

Die vorstehende Gl. (4.5) hat in weiteren Kapiteln eine sehr große Bedeutung. Die Spannungsverstärkung eines nichtinvertierenden Verstärkers spielt eine große Rolle bei der Beschreibung der Offsetspannung in Abschn. 5.2, des Rauschens (Abschn. 5.12) und bei Stabilitätsbetrachtungen in Kap. 6. Die Spannungsverstärkung wird in diesen Kapiteln als $V_{\mathrm{U,Rauschen}}$ bezeichnet.

4.3.3 Umschaltung nichtinvertierender und invertierender Verstärker

Die Schaltung eines umschaltbaren nichtinvertierenden bzw. invertierenden Verstärkers ist in Abb. 4.9 dargestellt.

Durch den Schalter S kann zwischen den beiden Betriebsarten gewechselt werden. Wenn der Schalter S geschlossen ist, ist die Spannung am nichtinvertierenden Eingang 0 V (Masse), damit entspricht die Schaltung dem invertierenden Verstärker. Der Verstärkungsfaktor beträgt $V_{\mathrm{U}} = R/R = -1$, d. h. am Ausgang liegt die negative Eingangsspannung an: $U_{\mathrm{Aus}} = -U_{\mathrm{Ein}}$.

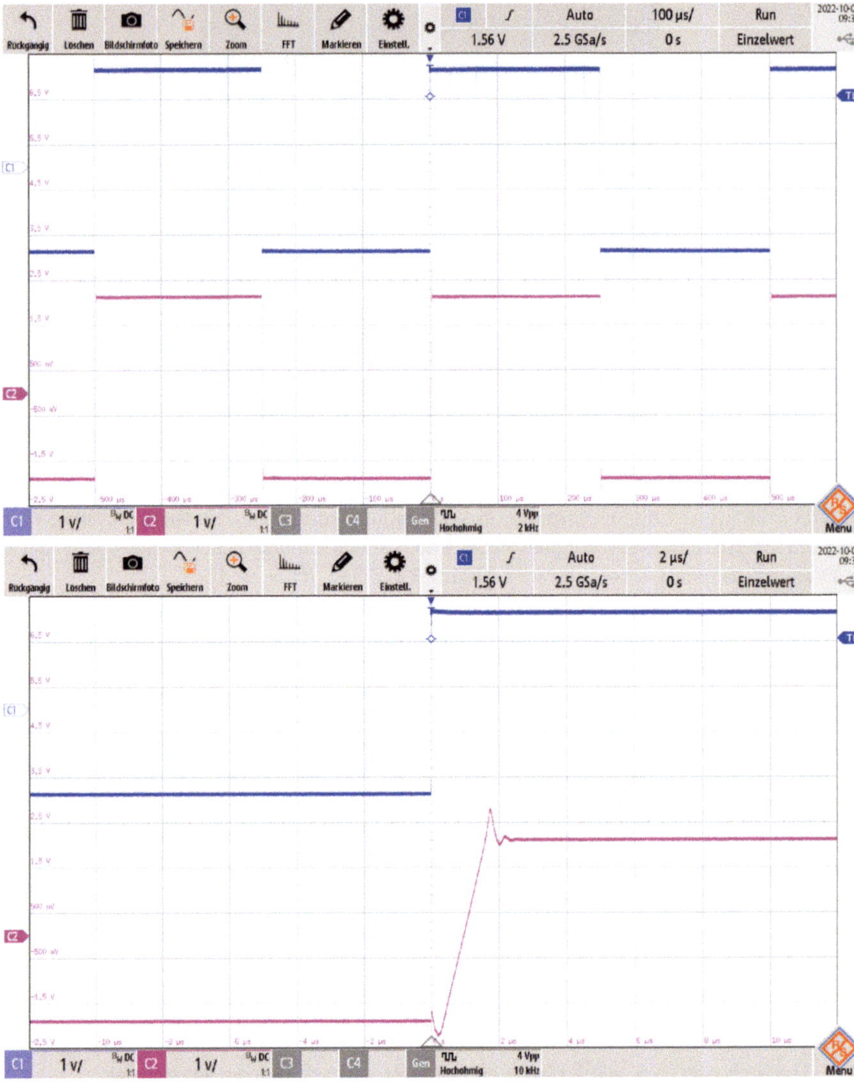

Abb. 4.8 Oben: Messung zur Schaltung in Abb. 4.6 mit $V_U = +1$ ($R_1 = \infty\ \Omega$, $R_2 = 0\ \Omega$). Eingespeist wurde ein rechteckförmiges Signal mit einer Amplitude von 2 V und einer Frequenz von 2 kHz (blau). Das Ausgangssignal (pinkfarbene Linie) wird entsprechend Abb. 4.7 mit $V_U = 1$ verstärkt. Im unteren Teilbild ist eine Vergrößerung des Übergangsbereichs dargestellt, s. Text. Für beide Teilbilder ist die Spannungsskalierung 1 V/□. Die Zeitauflösung beträgt für das obere Bild 100 µs/□, im unteren Teilbild 2 µs/□

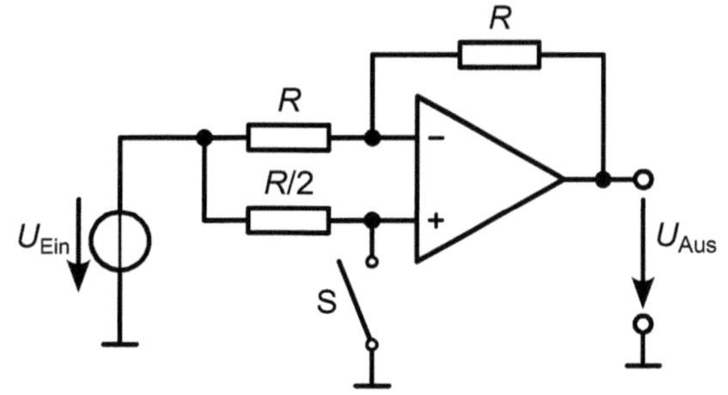

Abb. 4.9 Umschaltbarer Verstärker: invertierend, nichtinvertierend

Wird der Schalter S geöffnet, liegt am nichtinvertierenden Eingang ebenfalls die Eingangsspannung U_{Ein} an. Die Ausgangsspannung wird vom Operationsverstärker so lange nachgeregelt, bis die Differenzspannung U_{D} 0 V wird. Das ist der Fall, wenn die Ausgangsspannung U_{Aus} genauso groß ist, wie die Eingangsspannung U_{Ein}, die dann auch am invertierenden Eingang anliegt. Eine andere Beschreibung ist: Damit die Spannung am invertierenden Eingang so groß wie die Eingangsspannung ist, muss der Spannungsabfall am linken Widerstand 0 V sein. Das erfordert einen Eingangsstrom von 0 A, der an den Rückkoppelwiderstand „weiter gereicht" wird. Grund ist, dass der Eingangsstrom in den OP 0 A ist. Der Rückkopplungswiderstand (rechter Widerstand R) hat demzufolge auch einen Spannungsabfall von 0 V. Damit gilt: $U_{\text{Aus}} = U_{\text{Neg}} = U_{\text{Ein}}$.

Anwendung findet diese Schaltung beispielsweise bei Digital-Analog-Wandlern. In dieser Anwendung wird das Vorzeichenbit ausgewertet und der Schalter S entsprechend angesteuert.

Die Wahl der Widerstandswerte erfolgt wie angegeben, damit im zweiten Fall (nichtinvertierender Verstärker, Schalter S offen), die Ruheströme (Leckströme) in den OP am invertierenden und nichtinvertierenden Eingang symmetrisch sind. Mit offenem Schalter S ist der nichtinvertierende Eingang über den Widerstand $R/2$ mit der Eingangsspannung verbunden. In diesem Fall ist der invertierende Eingang über den linken Widerstand R mit der Eingangsspannung U_{Ein} verbunden. Gleichzeitig ist der invertierende Eingang auch über den rechten Widerstand R mit der Ausgangsspannung U_{Aus} verbunden. Da für diesen Fall (mit offenem Schalter S!) die Aus- und die Eingangsspannung identisch sind, sind die beiden oberen Widerstände R elektrisch parallel geschaltet. Die Parallelschaltung zweier gleicher Widerstände R ergibt den halben Widerstandswert $R/2$. Beide Eingänge des Operationsverstärkers sind über einen Widerstand $R/2$ mit der Eingangsspannung U_{Ein} verbunden. Damit haben die geringen Eingangsströme für beide Eingänge einen praktisch identischen Effekt und kompensieren sich gegenseitig. Das macht allerdings nur Sinn bei OPs mit unkonmpensierten Basisströmen. Weitere Details zu Eingangsströmen bei OPs finden sich in Abschn. 5.3. Der Aufbau der Schaltung auf dem Steckbrett ist in Abb. 4.10 und 4.11 gezeigt. Der Unterschied der beiden Schaltungen ist nur die Stellung des Schalters S. Die zugehörige Messung ist in Abb. 4.12 dargestellt.

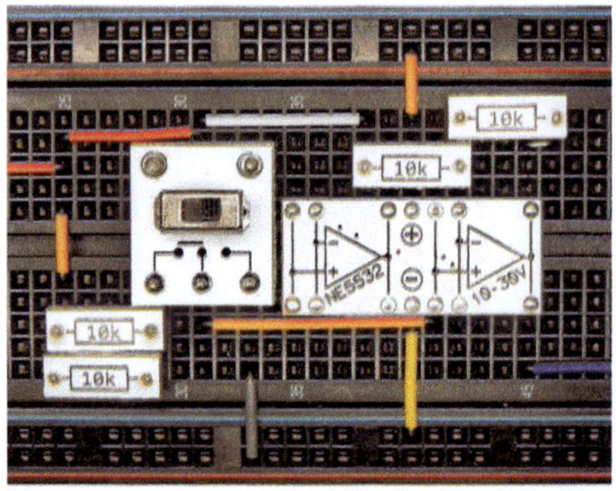

Abb. 4.10 Foto der Schaltung aus Abb. 4.9, aufgebaut auf dem Steckbrett. Der Schalter links verbindet hier den nichtinvertierenden Eingang mit Masse (graue Leitung unten): Der Verstärker arbeitet als invertierender Verstärker. Über die rote und die orangene Leitungen links wird das Eingangssignal eingespeist. Das Ausgangssignal wird über die blaue rechte Leitung gemessen

Abb. 4.11 Foto der Schaltung aus Abb. 4.9. Gegenüber der Schaltung in Abb. 4.10 wurde nur der Schalter S geöffnet. Der Verstärker arbeitet damit als nichtinvertierender Verstärker

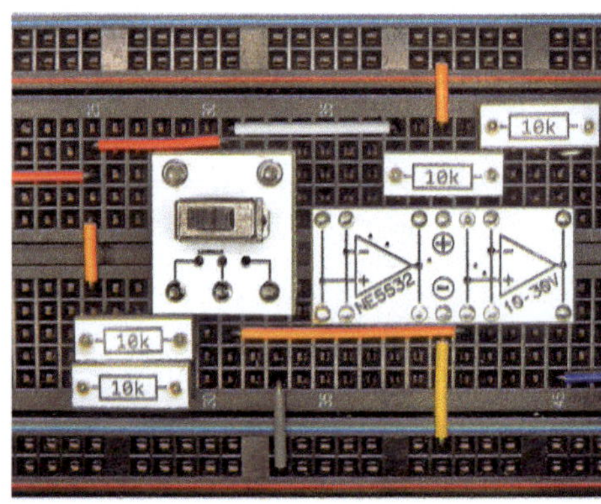

4.3.4 Reihenschaltung von Verstärkungsschaltungen

Die Reihenschaltung von zwei Operationsverstärkern ist in Abb. 4.13 beispielhaft dargestellt. Der erste Operationsverstärker kann die erforderliche Ausgangsspannung im Idealfall immer liefern. Dadurch „bricht" die Spannung am Ausgang des ersten Operationsverstärkers bei Belastung mit der zweiten Schaltung, d. h. mit dem Widerstand von 3 kΩ zur virtuellen Masse, nicht ein. In diesen Fällen kann die Gesamtübertragungsfunktion durch Multiplikation der einzelnen Übertragungs- bzw. Verstärkungsfunktionen gebildet werden. Damit gilt für eine Reihenschaltung aus OP-Grundschaltungen:

$$V_{\mathrm{U,Ges}} = V_{\mathrm{U,1}} \cdot V_{\mathrm{U,2}} \cdot V_{\mathrm{U,3}} \cdot \dots \, . \tag{4.6}$$

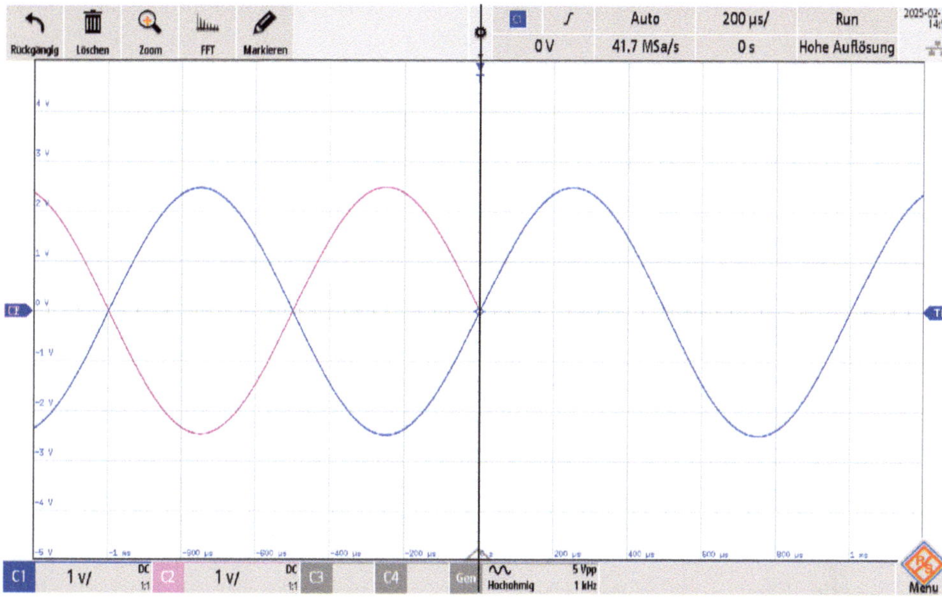

Abb. 4.12 Messung zur Schaltung in Abb. 4.10 (Schalter geschlossen) im linken Bereich und zur Schaltung in Abb. 4.11 (Schalter offen) im rechten Bereich. Die Eingangskurve an Kanal 1 ist blau dargestellt, die Ausgangskurve an Kanal 2 pinkfarben. Im rechten Bereich liegen die Messkurven aufeinander. Die Skalierung beträgt 1 V/□ für beide Kanäle

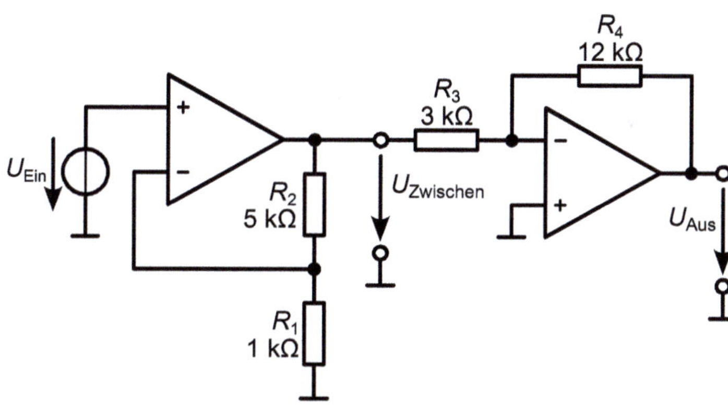

Abb. 4.13 Beispiel zur Reihenschaltung von zwei Operationsverstärker-Schaltungen

Das bedeutet, dass sich bei der Hintereinanderschaltung mehrerer Operationsverstärkerschaltungen die gesamte Spannungsverstärkung aus dem Produkt der einzelnen Verstärkungswerte berechnet werden kann.

Einige weitere Punkte zum Eingangswiderstand einer OP-Schaltung sind in Abschn. 5. 4 dargestellt.

4.4 Grundschaltungen des Operationsverstärkers: Stromquellen

Für spezielle Anwendungen wird manchmal eine Stromquelle benötigt. In Abb. 4.14 ist eine einfache Version, die allerdings nur für Verbraucher ohne Masseanschluss geeignet ist, dargestellt. Die Schaltung entspricht dem nichtinvertierenden Verstärker. Der Operationsverstärker sorgt dafür, dass die Spannung am invertierenden Eingang der Spannung am nichtinvertierenden Eingang, also der Eingangsspannung U_{Ein}, entspricht. Dazu wird die Ausgangsspannung des Operationsverstärkers passend eingestellt. Da der Widerstand R_0 einen festen Wert hat, wird über den Spannungsabfall an R_0 letztendlich der Strom I_{Last} gesteuert. Für $U_{\mathrm{D}} = 0$ V gilt: $U_{\mathrm{Neg}} = I_{\mathrm{Last}} \cdot R_0 = U_{\mathrm{Ein}}$.

Die mathematische Analyse der Schaltung erfolgt über die Grundgleichung des Operationsverstärkers:

$$U_{\mathrm{Aus}} = V_0 \cdot \left(U_{\mathrm{Pos}} - U_{\mathrm{Neg}}\right) \qquad \text{(Wdh.)}$$

Die Spannung U_{Pos} am nichtinvertierenden Eingang ist die Eingangsspannung U_{Ein} der Schaltung, U_{Neg} entsteht aus der Ausgangsspannung U_{Aus} mit dem Spannungsteiler aus R_{Last} und R_0. Damit ergibt sich die Ausgangsspannung zu

$$U_{\mathrm{Aus}} = V_0 \cdot U_{\mathrm{Ein}} - V_0 \cdot U_{\mathrm{Aus}} \cdot \frac{R_0}{R_0 + R_{\mathrm{Last}}}$$

Umgestellt nach U_{Aus} folgt:

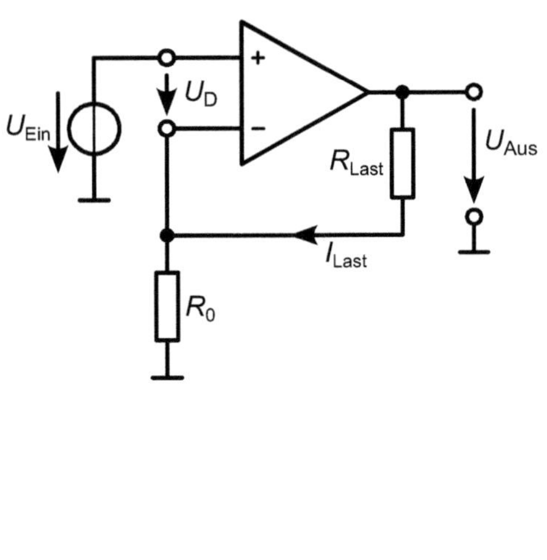

Abb. 4.14 Schaltung einer gesteuerten Stromquelle

$$U_{\text{Aus}} \cdot (R_0 + R_{\text{Last}} + V_0 \cdot R_0) = V_0 \cdot U_{\text{Ein}} \cdot (R_0 + R_{\text{Last}}). \tag{4.7}$$

Für die beiden Widerstände gilt mit dem ohmschen Gesetz:

$$U_{\text{Aus}} = I_{\text{Last}} \cdot (R_{\text{Last}} + R_0). \tag{4.8}$$

Diese Formel wird in Gl. (4.7) eingesetzt und die Widerstandssumme gekürzt. Umgestellt nach dem Strom folgt die Formel für die Stromquelle:

$$\begin{aligned} I_{\text{Last}} \cdot (R_{\text{Last}} + R_0) \cdot (R_0 + R_{\text{Last}} + V_0 \cdot R_0) &= V_0 \cdot U_{\text{Ein}} \cdot (R_0 + R_{\text{Last}}) \\ \Longleftrightarrow \quad I_{\text{Last}} &= \frac{V_0 \cdot U_{\text{Ein}}}{R_0 \cdot (1 + V_0) + R_{\text{Last}}}. \end{aligned} \tag{4.9}$$

Häufig wird diese Gleichung mit der Näherung, dass die Leerlaufverstärkung deutlich größer als 1 ist ($V_0 >> 1$), also V_0 etwa $V_0 + 1$ entspricht, vereinfacht. Die zweite Näherung ist: $V_0 \cdot R_0 >> R_{\text{Last}}$, also kann R_{Last} vernachlässigt werden:

$$I_{\text{Last}} = \frac{U_{\text{Ein}}}{R_0} \tag{4.10}$$

Der Innenwiderstand R_Q der Stromquelle bestimmt sich aus der Leerlaufspannung U_{Last} und dem Kurzschlussstrom I_K zu

$$R_Q = \frac{U_{\text{Last}}}{I_K}. \tag{4.11}$$

Die Leerlaufspannung ist:

$$U_{\text{Last}} = \lim_{R_{\text{Last}} \to \infty} I_{\text{Last}} \cdot R_{\text{Last}}$$

Hier wird der Strom aus Gl. (4.9) eingesetzt und der Grenzwert berechnet:

$$U_{\text{Last}} = \lim_{R_{\text{Last}} \to \infty} \frac{V_0 \cdot U_{\text{Ein}}}{R_0 \cdot (1 + V_0) + R_{\text{Last}}} \cdot R_{\text{Last}} = V_0 \cdot U_{\text{Ein}}.$$

Der Kurzschlussstrom ist direkt durch Gl. (4.10) gegeben. Einsetzen in Gl. (4.11) ergibt als Formel für den Innenwiderstand der Stromquelle:

$$R_Q = V_0 \cdot R_0 \tag{4.12}$$

Ein Vorteil dieser Schaltung ist der sehr hohe Innenwiderstand $V_0 \cdot R_0$. Ein weiterer Vorteil ist, dass die Schaltung sowohl mit positiven als auch mit negativen Spannungen und Strömen arbeitet. Nachteilig ist jedoch, dass nur massefreie Lasten verwendet werden können.

Sobald jedoch höhere Ströme als etwa 20 mA erforderlich sind, kann der Strom mit einem Transistor verstärkt werden. Eine mögliche Schaltung ist in Abb. 4.15 gezeigt.

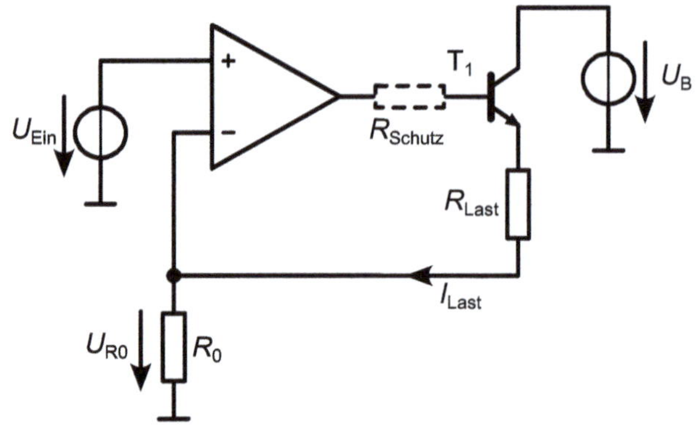

Abb. 4.15 Prinzipielle Schaltung für eine gesteuerte Stromquelle mit hohem Strom. Der gestrichelte Widerstand ist ein Schutzwiderstand, s. Text

Abb. 4.16 Foto der Schaltung aus Abb. 4.15 auf dem Steckbrett. Der Transistor ist im rechten Bereich sichtbar. Über die orange Leitung oben rechts ist der Kollektor an die positive Betriebsspannung angeschlossen. Der 10 Ω-Widerstand unten wird zur Messung des Spannungsabfalls verwendet. Damit wird der Strom durch den rechten 100 Ω-Widerstand geregelt. Das Eingangssignal wird über die grüne, obere Leitung eingespeist. Die folgende Leitungen werden zur Messung von Spannungen verwendet und sind für die Schaltung nicht erforderlich: Weiße Leitung links (Messung Spannung invertierender Eingang), rote Leitung rechts oben (Messung Basisspannung), orange Leitung rechts (Messung Emitterspannung)

Hier wurde ein NPN-Transistor zur Stromverstärkung verwendet. Der Operationsverstärker vergleicht weiter den Spannungsabfall an R_0 und steuert über die Ausgangsspannung den Transistor T_1 mit einer passenden Basisspannung an. Durch den Spannungsvergleich am Eingang des Operationsverstärkers wird so auch die Basis-Emitterspannung des Transistors T_1 ausgeregelt. Für die beiden Eingangsspannungen des Operationsverstärkers gilt daher (Abb. 4.16):

$$U_{\text{Ein}} = U_{\text{R0}} \iff U_{\text{Ein}} = I_{\text{Last}} \cdot R_{\text{Last}}$$

Umgestellt nach dem Laststrom gilt wieder Gl. (4.10):

$$I_{\text{Last}} = U_{\text{Ein}}/R_{\text{Last}}.$$

Noch ein Hinweis zur Schaltungsrealisierung: Häufig wird ein Widerstand zwischen dem Ausgang des Operationsverstärkers und der Basis des Transistors ergänzt. Dieser Widerstand schützt den Ausgang des OPs vor zu hohen Strömen.

Durch die Verwendung des NPN-Bipolartransistors sind nur noch positive Ströme möglich. Im Schaltbild fließt der Strom dann in der Pfeilrichtung durch den Lastwiderstand R_{Last} (s. Abb. 4.17).

Aus dieser Schaltung kann relativ einfach eine Schaltung entwickelt werden, bei der der Lastwiderstand an Masse angeschlossen werden kann. Diese Schaltung bildet eine gesteuerte Stromquelle mit Massebezug. Dazu erfolgt die Spannungsmessung am Referenzwiderstand nicht mehr gegenüber Massepotential sondern an einen Shunt-Widerstand direkt am Emitter des Bipolartransistors. Der Spannungsabfall U_{R0} wird dann mit einem

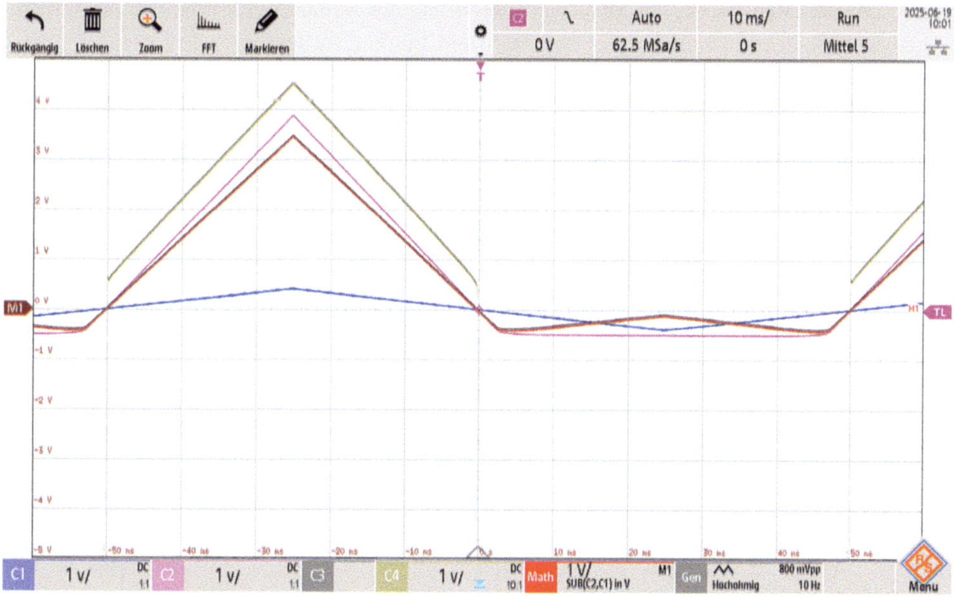

Abb. 4.17 Messung der Schaltung in Abb. 4.15 bzw. 4.16 (gesteuerte Stromquelle mit hohem Strom). Das Eingangssignal (Kanal 1, blaue Kurve) ist ein dreieckförmiges Signal. Die Emitterspannung (pinkfarbene Kurve, Kanal 2) steigt für positive Spannungswerte proportional zum Eingangssignal. Die Basisspannung (grüne Kurve an Kanal 4) ist für positive Spannungswerte höher, als die Spannung am Emitter. Über den Mathematikkanal wird die Spannung am Lastwiderstand von 100 Ω berechnet. Für die dargestellten Kanäle ist die Skalierung 1 V/□, s. Text

Differenzverstärker mit OP_2 in ein auf massebezogenes Signal umgewandelt. Diese Spannung kann jetzt wieder mit OP_1 mit der Eingangsspannung U_{Ein} verglichen werden. Auch hier stellt sich die Ausgangsspannung von OP_1 über die Rückkopplung passend ein, so dass der Spannungsabfall an R_0 der Eingangsspannung U_{Ein} entspricht. Da der Widerstand R_0 einen festen Wert hat, wird letztendlich der Strom gesteuert und Gl. (4.9) bzw. Gl. (4.10) gelten weiter. Der zugehörige Schaltplan ist in Abb. 4.18 gezeigt, ein Foto des Aufbaus auf dem Steckbrett in Abb. 4.19. Voraussetzung für eine gute Funktion ist, dass die Widerstände R_1 bis R_4 des Differenzverstärkers den gleichen Wert haben und deutlich hochohmiger als Widerstand R_0 sind. Hier wurden als Widerstandswerte 10 kΩ für R_1 bis R_4 und 100 Ω für R_0 und den Lastwiderstand gewählt. Der Differenzverstärker wird in Abschn. 4.5 vorgestellt. Das Messergebnis zur Schaltung in Abb. 4.19 ist in Abb. 4.20 gezeigt. Als Eingangssignal wird eine Dreieckspannung mit einem Offset verwendet. Hier ist es so, dass der Last- und der Referenzwiderstand gleich gewählt wurden. Das bedeutet, dass der Spannungsabfall an jedem dieser Widerstände der Eingangsspannung entspricht. Gut ist zu erkennen, dass bei positiven Eingangsspannungen die Basisspannung des Bipolartransistors etwa 0,6 V höher als die doppelte Eingangsspannung ist. Sobald die Eingangsspannung negativ wird, fällt die Basisspannung auf einen hohen negativen Wert.

Daneben gibt es noch zahlreiche weitere OP-Schaltungen, die eine Stromquelle nachbilden. Die meisten Hersteller von OPs bieten weitere Schaltungen in ihren Application Notes an, s. auch die Literaturquellen unter dem Punkt „Weiterführende Literatur“.

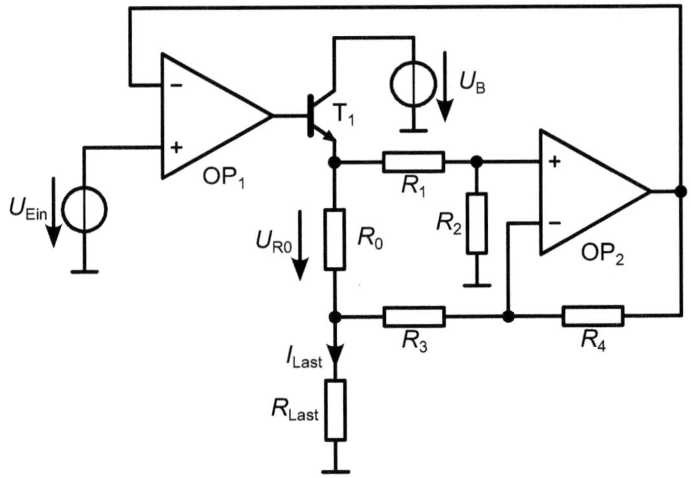

Abb. 4.18 Gesteuerte Stromquelle mit hohem Strom und Massebezug

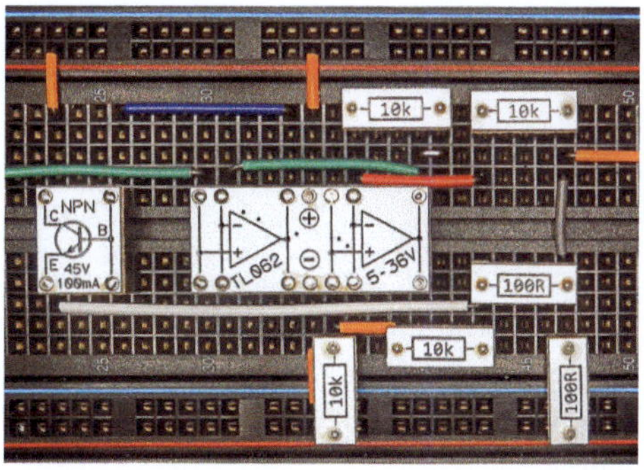

Abb. 4.19 Foto der auf dem Steckbrett aufgebauten Schaltung der gesteuerten Stromquelle aus Abb. 4.18

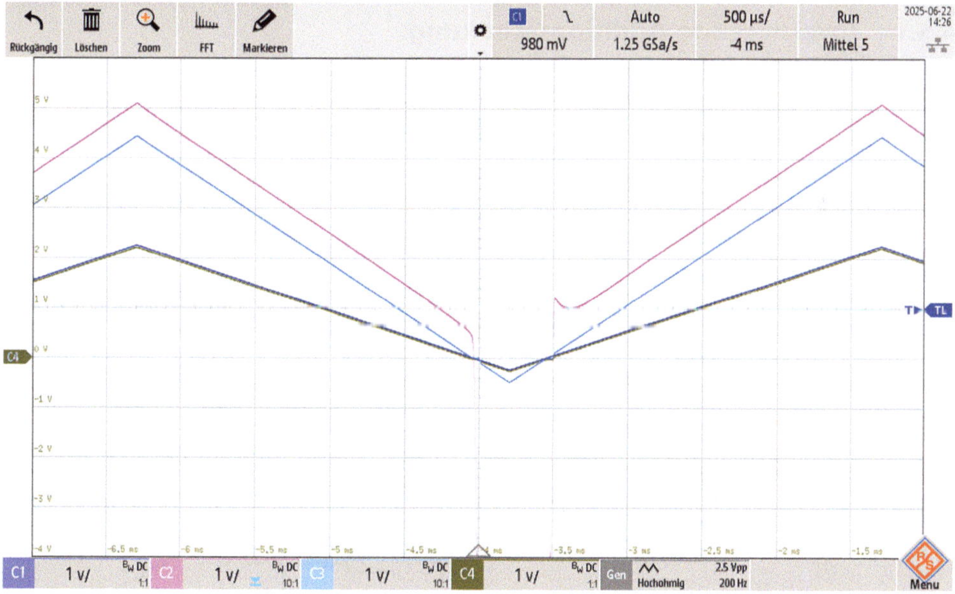

Abb. 4.20 Messung der gesteuerten Stromquelle mit hohem Strom und Massebezug aus Abb. 4.18 bzw. Abb. 4.19. Kanal 1 (dunkelblau) ist das dreieckförmige Eingangssignal. Die pinkfarbene Kurve (Kanal 2) ist die Basisspannung des NPN-Transistors, die hellblaue Kurve (Kanal 3) die Emitterspannung. Die Spannung am Lastwiderstand (grüne Kurve, Kanal 4) läuft parallel zur Eingangsspannung. Die Skalierung der vier Kanäle ist 1 V/□

4.5 Grundschaltungen des Operationsverstärkers: Mathematische Funktionen

In diesem Abschnitt werden einige Funktionen zusammengestellt, mit denen mathematische Operationen realisiert werden. Dazu zählen insbesondere die Addition und Subtraktion von Spannungen, aber auch die Berechnung von Ableitungen und Integralen. Die Multiplikation und Division erfordert ein wenig mehr Schaltungsaufwand, ist aber auch möglich. Insbesondere die Multiplikation und Division bieten hervorragendes Anwendungspotential für neuronale Netze, wie kurz in der Einleitung angesprochen wurde.

4.5.1 Invertierende Additionsschaltung

Die Schaltung eines invertierenden Additionsverstärkers ist in Abb. 4.21 gezeigt. Diese Schaltung funktioniert so, dass im gemeinsamen Anschluss am invertierenden Eingang die unterschiedlichen Eingangsströme I_{11}, I_{12} und I_{13} zu einem gemeinsamen Strom $-I_2$ addiert werden. Der negative Strom I_2 entsteht hier durch die Wahl der Stromrichtung in Abb. 4.21. Mit Anwendung der virtuellen Masse wird die Übertragungsfunktion der Schaltung bestimmt. Für die einzelnen Ströme gilt:

$$I_2 = \frac{U_{\text{Aus}}}{R_2} \text{ und } I_{11} = \frac{U_{\text{Ein1}}}{R_{11}}, I_{12} = \frac{U_{\text{Ein2}}}{R_{12}}, I_{13} = \frac{U_{\text{Ein3}}}{R_{13}}.$$

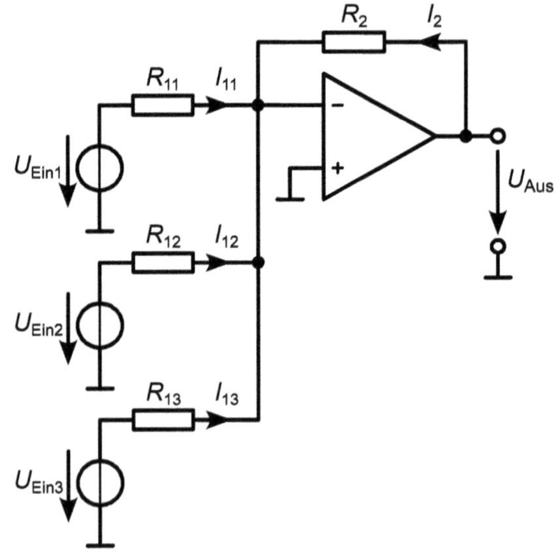

Abb. 4.21 Schaltbild des invertierenden Additionsverstärkers

Abb. 4.22 Invertierender Summationsverstärker mit vier Eingängen: Weiße Leitung unten (mit 1 kΩ Eingangswiderstand), weiße Leitung oben (mit 2,2 kΩ Eingangswiderstand), grün unten links (4,7 kΩ) und grüne Leitung links (10 kΩ). Die Rückkopplung wird durch den 1 kΩ-Widerstand oben rechts gebildet. Die Eingänge sind an einen Zähler mit vier Bits angeschlossen

Mit der Knotengleichung gilt für die Ströme:

$$\begin{aligned} I_2 &= -I_{11} - I_{12} - I_{13}. \\ \Longleftrightarrow\quad \frac{U_{\text{Aus}}}{R_2} &= -\frac{U_{\text{Ein1}}}{R_{11}} - \frac{U_{\text{Ein2}}}{R_{12}} - \frac{U_{\text{Ein3}}}{R_{13}} \\ \Longleftrightarrow\quad U_{\text{Aus}} &= -\frac{R_2}{R_{11}} \cdot U_{\text{Ein1}} - \frac{R_2}{R_{12}} \cdot U_{\text{Ein2}} - \frac{R_2}{R_{13}} \cdot U_{\text{Ein3}} \end{aligned} \tag{4.13}$$

Am Ausgang tritt die Summe der negativen Eingangsspannungen auf. Dabei kann jede Eingangsspannung mit jeweils unterschiedlichen Verstärkungsfaktoren gewichtet werden.

Eine Variante dieser Schaltung nutzt einen digitalen Rückwärtszähler und geeignete Gewichtungswiderstände. Die Schaltung mit einem Vier-Bitzähler und Widerständen aus der E12-Reihe ist in Abb. 4.22 dargestellt. Die zugehörige Messung ist in Abb. 4.23 gezeigt. Sehr schön ist zu erkennen, dass die Ausgangsspannung bei etwa −3,2 V beginnt und dann bis 0 V hochgezählt wird. Da die Widerstände nicht die exakt doppelten Werte haben, ist der Spannungsunterschied bei der einen oder anderen Stufe nicht immer identisch. Mit ein wenig „Feintuning" bekommt man so mit einer sehr einfachen Schaltung einen Vier-Bit-Digital-Analog-Wandler.

4.5.2 Differenzverstärker als Operationsverstärkerschaltung

In Abb. 4.24 ist die Schaltung eines Differenzverstärkers dargestellt. Diese Bezeichnung hat den Nachteil, dass der Begriff „Differenzverstärker" auch mit den Schaltungen aus

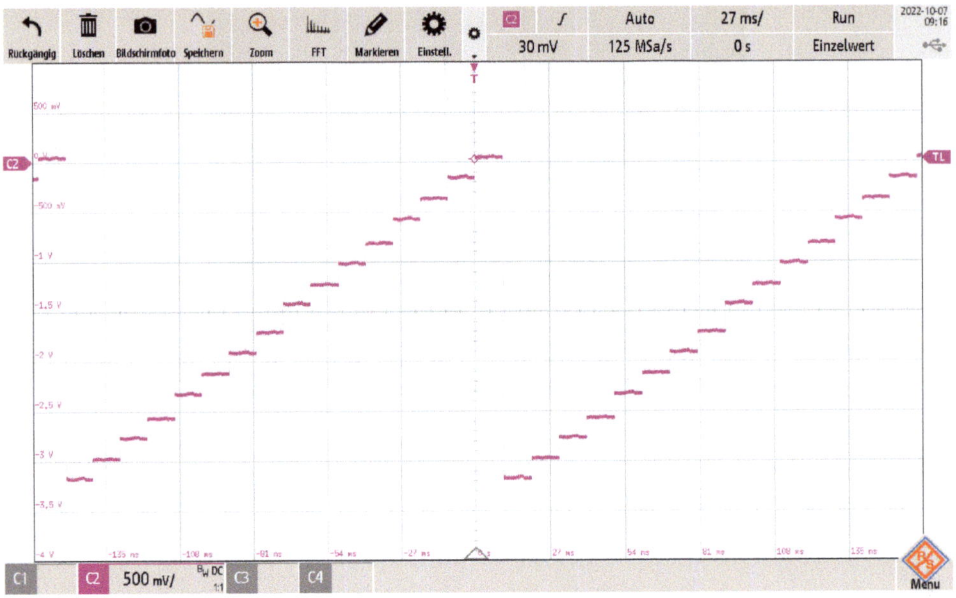

Abb. 4.23 Messung des invertierenden Summationsverstärkers aus Abb. 4.22

Kap. 2 in Zusammenhang gebracht wird. Im Falle der Mehrdeutigkeit wird in diesem Buch entweder auf die OP-Schaltung oder auf die Eingangsstufe eines OPs verwiesen. Die Eingangsstufe eines OPs meint dabei die Schaltung aus Kap. 2.

Der Differenzverstärker bildet am Ausgang eine Spannung, die proportional zur Differenz der Spannung an den beiden Schaltungseingängen ist. Da in den Operationsverstärker in guter Näherung kein Strom hineinfließt, gelten die folgenden Beziehungen:

$$I_1 = I_2 \tag{4.14}$$

Abb. 4.24 Schaltbild des Differenzverstärkers

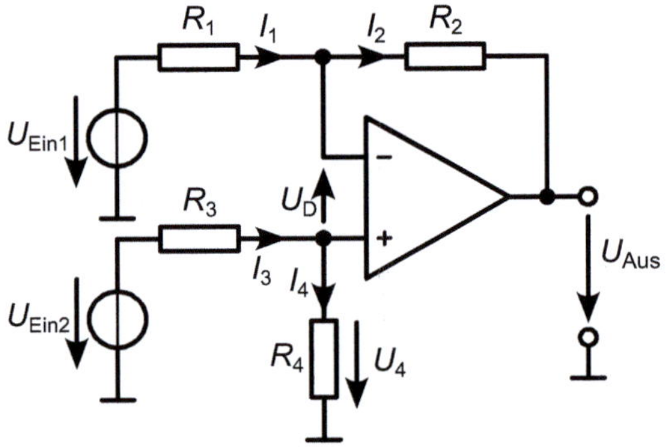

und

$$I_3 = I_4. \tag{4.15}$$

Die Eingangsdifferenzspannung U_D wird wieder zu null, damit liegt an den beiden OP-Eingängen jeweils die Spannung U_4 an (erweiterte virtuelle Masse, s. Abschn. 5.11).

Für die Widerstände wird jeweils das ohmsche Gesetz angewendet und nach den Strömen umgeformt:

$$U_{\text{Ein1}} - U_4 = R_1 \cdot I_1 \iff \frac{U_{\text{Ein1}} - U_4}{R_1} = I_1 \tag{4.16}$$

$$U_{\text{Aus}} - U_4 = -R_2 \cdot I_2 \iff \frac{U_{\text{Aus}} - U_4}{R_2} = -I_2 \tag{4.17}$$

$$U_{\text{Ein2}} - U_4 = R_3 \cdot I_1 \iff \frac{U_{\text{Ein2}} - U_4}{R_3} = I_3 \tag{4.18}$$

$$U_4 = R_4 \cdot I_4 \iff \frac{U_4}{R_4} = I_4 \tag{4.19}$$

Gl. (4.16) und (4.17) werden in die entsprechende Stromgleichung (4.14) eingesetzt und die resultierende Gleichung nach U_{Aus} aufgelöst:

$$\frac{U_{\text{Ein1}} - U_4}{R_1} = -\frac{U_{\text{Aus}} - U_4}{R_2} \iff \frac{R_2}{R_1} \cdot (U_{\text{Ein1}} - U_4) = -U_{\text{Aus}} + U_4$$

$$\iff U_{\text{Aus}} = U_4 + \frac{R_2}{R_1} \cdot U_4 - \frac{R_2}{R_1} \cdot U_{\text{Ein1}}. \tag{4.20}$$

Gl. (4.18) und (4.19) für I_3 und I_4 werden in Gl. (4.15) eingesetzt und nach U_4 umgestellt:

$$\frac{U_{\text{Ein2}} - U_4}{R_3} = \frac{U_4}{R_4} \iff R_4 \cdot U_{\text{Ein2}} - R_4 \cdot U_4 = R_3 \cdot U_4$$

$$\iff U_4 = \frac{R_4}{R_3 + R_4} \cdot U_{\text{Ein2}}. \tag{4.21}$$

Diese Gleichung wird in Gl. (4.20) eingesetzt. Für die Ausgangsspannung folgt:

$$U_{\text{Aus}} = \frac{R_4}{R_3 + R_4} \cdot U_{\text{Ein2}} + \frac{R_2}{R_1} \cdot \frac{R_4}{R_3 + R_4} \cdot U_{\text{Ein2}} - \frac{R_2}{R_1} \cdot U_{\text{Ein1}}$$

$$\iff U_{\text{Aus}} = \left(\frac{R_1 + R_2}{R_1}\right) \cdot \left(\frac{R_4}{R_3 + R_4}\right) \cdot U_{\text{Ein2}} - \frac{R_2}{R_1} \cdot U_{\text{Ein1}} \tag{4.22}$$

Als Ergebnis bleibt festzuhalten, dass bei dieser Schaltung die Differenz aus U_{Ein2} und U_{Ein1} gebildet wird, wenn die vier Widerstände den gleichen Wert haben. Beide

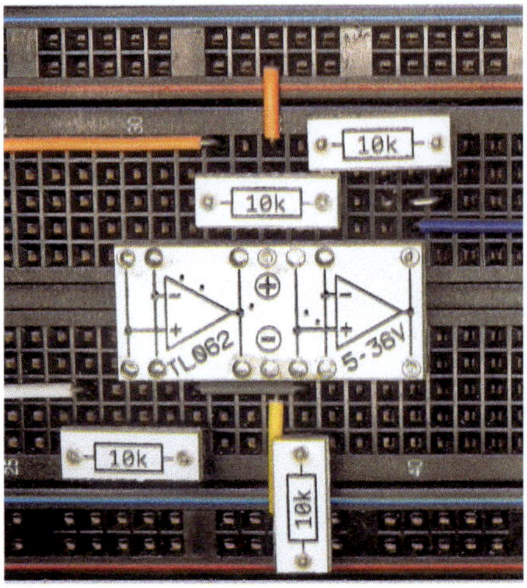

Abb. 4.25 Foto des Differenzverstärkers auf dem Steckbrett. Die Schaltung wird mit einer dreieckförmigen und einer rechteckförmigen Spannung betrieben. Das Dreiecksignal wird über die weiße Leitung unten links eingespeist, das Rechtecksignal über die obere linke orangefarbige Leitung. Die Ausgangsspannung wird über die rechte, blaue Leitung gemessen

Spannungen können mit einem geeigneten Verstärkungsfaktor multipliziert werden. Zuerst werden die Widerstände R_2 und R_1 festgelegt, danach könne R_3 und R_4 geeignet gewählt werden.

Die Schaltung des Differenzverstärkers wurde mit vier gleichen Widerständen mit jeweils 10 kΩ aufgebaut. Ein Foto der Schaltung ist in Abb. 4.25 dargestellt, die zugehörige Messung in Abb. 4.26. Für die beiden Eingangssignale wurden eine Rechteck- und eine Dreieckspannung verwendet. Das Rechtecksignal wechselt zwischen 0 V und etwa 2,5 V. Dementsprechend wird das dreieckförmige Eingangssignal unverändert an den Ausgang gegeben, wenn die Rechteckspannung auf 0 V ist. Hat das rechteckförmige Signal eine Spannung von 2,5 V, wird das Dreiecksignal am Ausgang um diese Spannung ins Negative verschoben.

Ein kleiner Nachteil des Differenzverstärkers ist, dass die Eingangswiderstände nicht beliebig hoch gewählt werden können und damit immer ein kleiner Eingangsstrom fließt. Falls das ein Problem darstellt, können zwei nichtinvertierende Verstärker vor die Eingänge des Differenzverstärkers geschaltet werden. Damit erhält man einen Instrumentenverstärker, s. folgenden Abschnitt.

4.5.3 Instrumentenverstärker

Ein Instrumentenverstärker entspricht im Wesentlichen einem Differenzverstärker. Es gelten jedoch die folgenden Abweichungen. Die Eingänge des Instrumentenverstärkers sind sehr hochohmig, da die Eingänge des Instrumentenverstärkers direkt die nichtinvertierenden Eingänge des OPs sind. Außerdem werden an Instrumentenverstärker sehr hohe Anforderungen im Hinblick auf Symmetrie und Linearität gestellt. Eine einfache Version

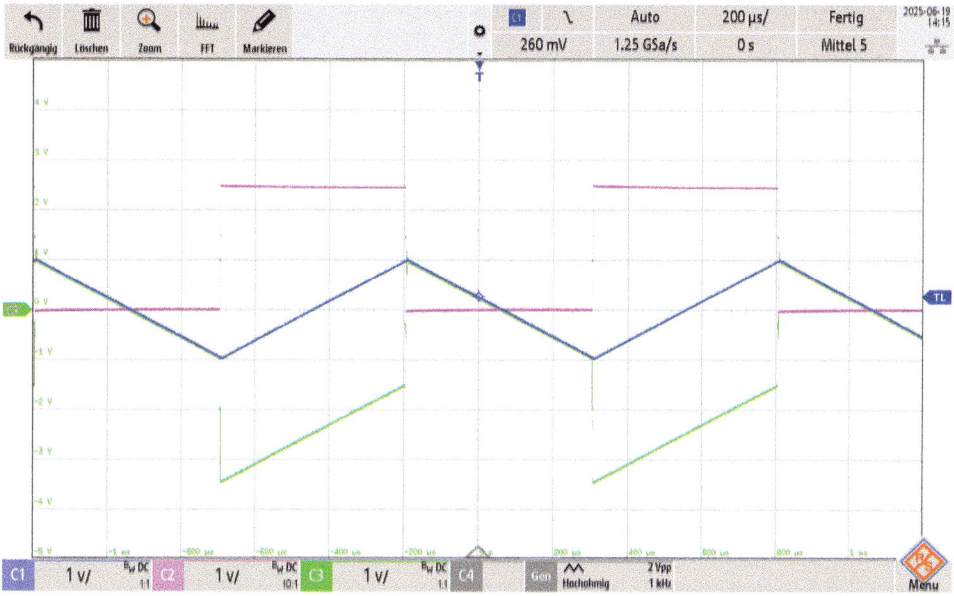

Abb. 4.26 Oszilloskopbildschirm der Messung der Differenzverstärkerschaltung aus Abb. 4.25. Der Differenzverstärker wird mit einem dreieckförmigen Eingangssignal (blau, Kanal 1) und einem rechteckförmigen Eingangssignal (pink, Kanal 2) betrieben. Der Ausgang ist die Subtraktion Dreiecksignal minus Rechtecksignal. Das Ausgangssignal wird durch die grüne Kurve (Kanal 3) dargestellt. Die Skalierung beträgt für alle drei Kurven 1 V/□

des Instrumentenverstärkers ist in Abb. 4.27 gezeigt. Hier werden zwei nichtinvertierende Verstärker als Eingangsstufe verwendet. Die Ausgangssignale werden an einen Differenzverstärker gegeben.

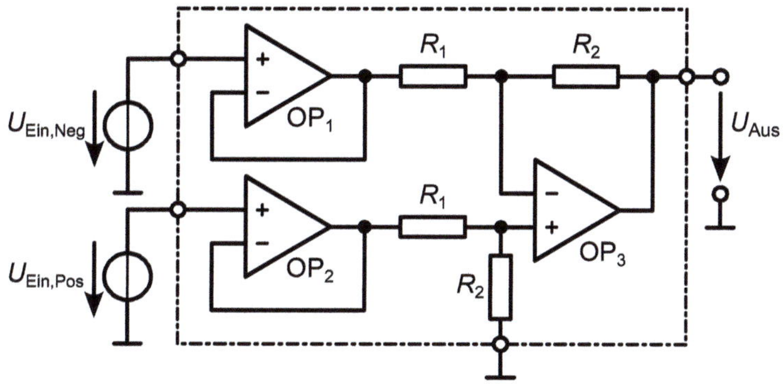

Abb. 4.27 Blockschaltbild eines einfachen Instrumentenverstärkers mit zwei Eingangsstufen und einem Differenzverstärker im Ausgang

Beispielhaft wird eine weitere Schaltungstopologie vorgestellt [8]. In Abb. 4.28 ist die Grundform dieses Instrumentenverstärkers gezeigt. Dieser Verstärker besteht aus zwei symmetrischen Eingängen mit einem gemeinsamen Verstärkungswiderstand R_G, der außerhalb des ICs angebracht wird. Über diesen Widerstand wird die Verstärkung eingestellt, s. Gl. (4.25). Die beiden Eingangsverstärker entsprechen damit näherungsweise zwei nichtinvertierenden Verstärkern. Über den Widerstand R_G kann die Verstärkung in gewissen Grenzen eingestellt werden. Den beiden OPs ist intern ein Differenzverstärker mit einem Referenzspannungseingang $U_{Ein,Ref}$ nachgeschaltet. Über diesen Eingang kann der Gleichanteil der Ausgangsspannung eingestellt werden. Zur Vereinfachung wird hier die Referenzspannung auf 0 V gesetzt. Diese Architektur wird gerne bei integrierten Instrumentenverstärkern verwendet.

Für die Berechnung dieser Schaltung wird zunächst der Operationsverstärker oben links betrachtet. Für eine einfachere Bestimmung der Ausgangsspannung wird vorausgesetzt, dass die beiden linken OPs im Regelbereich arbeiten, dass also die Differenzspannung der beiden Eingangsanschlüsse jeweils 0 V ist. Damit können die beiden Eingangsspannungen direkt auf die invertierenden Eingänge übertragen werden, s. Abb. 4.29. Außerdem wurden die Ausgänge der beiden linken Operationsverstärker mit $U_{①}$ bzw. $U_{②}$ bezeichnet. Für den Strom I durch den Widerstand R_G gilt:

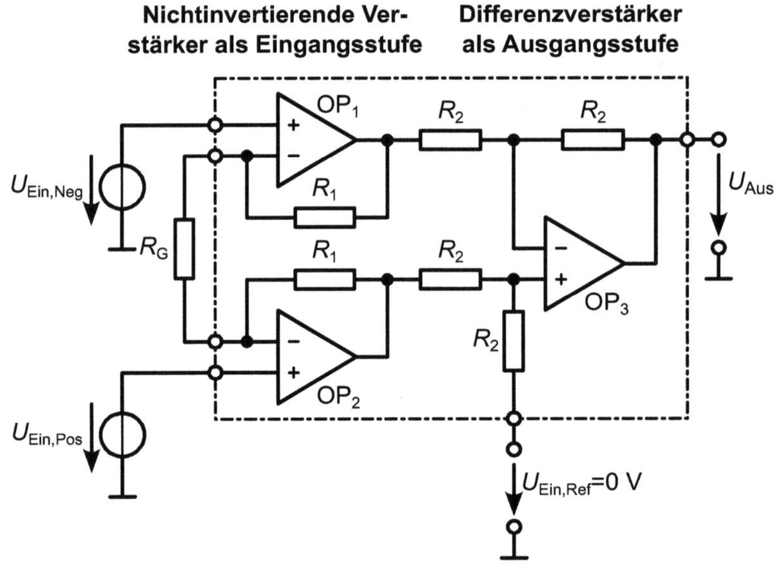

Abb. 4.28 Blockschaltbild eines Instrumentenverstärkers mit einer Eingangsstufe und einem Differenzverstärker im Ausgang, nach [8]. Hier wurden die folgenden Vereinfachungen durchgeführt: Die Referenzspannung $U_{Ein,Ref}$ beträgt 0 V, außerdem wurden die Widerstände für den rechten Differenzverstärker gleich gewählt

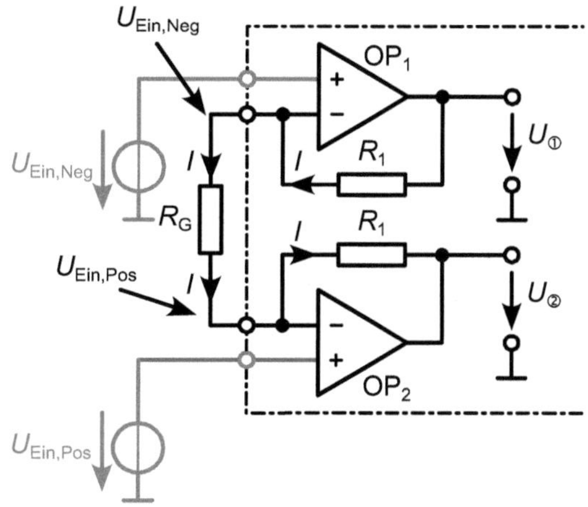

Abb. 4.29 Eingangsstufe des Instrumentenverstärkers aus Abb. 4.28 vorbereitet für die Berechnung, s. Text

$$I = \frac{U_{\text{Ein,Neg}} - U_{\text{Ein,Pos}}}{R_G}$$

Für die Ausgangsspannung des oberen OPs kann die Ausgangsspannung $U_{①}$ aus der Eingangsspannung zzgl. dem Spannungsabfall an R_1 bestimmt werden:

$$\begin{aligned} U_{①} &= U_{\text{Ein,Neg}} + I \cdot R_1 = U_{\text{Ein,Neg}} + \frac{U_{\text{Ein,Neg}} - U_{\text{Ein,Pos}}}{R_G} \cdot R_1 \\ &= U_{\text{Ein,Neg}} \cdot \left(1 + \frac{R_1}{R_G}\right) - U_{\text{Ein,Pos}} \frac{R_1}{R_G}. \end{aligned} \tag{4.23}$$

Entsprechend gilt mit dem Schaltbild in Abb. 4.29 für die Ausgangsspannung $U_{②}$ des unteren OPs:

$$\begin{aligned} U_{②} &= U_{\text{Ein,Pos}} - I \cdot R_1 = U_{\text{Ein,Pos}} - \frac{U_{\text{Ein,Neg}} - U_{\text{Ein,Pos}}}{R_G} \cdot R_1 \\ &= U_{\text{Ein,Pos}} \cdot \left(1 + \frac{R_1}{R_G}\right) - U_{\text{Ein,Neg}} \frac{R_1}{R_G}. \end{aligned} \tag{4.24}$$

Die beiden Gl. (4.23) und (4.24) werden in Gl. (4.22) für den Differenzverstärker eingesetzt. Hier werden die vier Widerstände mit gleichen Werten gewählt. Damit folgt für die Ausgangsspannung U_{Aus}:

$$\begin{aligned} U_{\text{Aus}} &= U_{②} - U_{①} \\ &= U_{\text{Ein,Pos}} \cdot \left(1 + \frac{R_1}{R_G}\right) - U_{\text{Ein,Neg}} \frac{R_1}{R_G} - U_{\text{Ein,Neg}} \cdot \left(1 + \frac{R_1}{R_G}\right) + U_{\text{Ein,Pos}} \frac{R_1}{R_G} \\ &= \left(U_{\text{Ein,Pos}} - U_{\text{Ein,Neg}}\right) \cdot \left(1 + 2 \cdot \frac{R_1}{R_G}\right) \end{aligned} \tag{4.25}$$

4.5.4 Nichtinvertierende Additionsschaltung, Mittelwertbildung

Eine nichtinvertierende Additionsschaltung kann auf Grundlage des nichtinvertierenden Verstärkers aufgebaut werden. Als Änderung gibt es am Eingang nun zwei oder mehr Eingangssignale, s. Abb. 4.30. Dadurch wird der Mittelwert aus den beiden Eingangsspannungen gebildet. Über das Verhältnis der Widerstände R_{11} und R_{12} ist eine unterschiedliche Gewichtung der Eingänge möglich. Hier haben beide Widerstände den gleichen Wert. Schließlich wird über die Rückkopplung festgelegt, ob die Schaltung den Mittelwert bildet (Spannungsverstärkung $V_{\mathrm{U}} = 1$) oder als Additionsschaltung arbeitet. Im letzten Fall muss die Spannungsverstärkung V_{U} der Anzahl der Eingänge entsprechen, für zwei Eingänge muss gelten: $V_{\mathrm{U}} = 2$.

Zur Analyse der Schaltung wird wieder davon ausgegangen, dass die Spannung am invertierenden und nichtinvertierenden Eingang identisch ist. Die Spannung U_{Pos} am nichtinvertierenden Eingang ist (unbelasteter Spannungsteiler):

$$U_{\mathrm{Pos}} = U_{\mathrm{Ein2}} + (U_{\mathrm{Ein1}} - U_{\mathrm{Ein2}}) \cdot \frac{R_{12}}{R_{11} + R_{12}}$$

$$\Longleftrightarrow \quad U_{\mathrm{Pos}} = U_{\mathrm{Ein1}} \cdot \frac{R_{12}}{R_{11} + R_{12}} + U_{\mathrm{Ein2}} \cdot \frac{R_{11}}{R_{11} + R_{12}}. \tag{4.26}$$

Für die Rückkopplung vom Ausgang zum nichtinvertierenden Eingang gilt für die Spannung U_{Neg}:

$$U_{\mathrm{Neg}} = U_{\mathrm{Aus}} \cdot \frac{R_3}{R_2 + R_3} \tag{4.27}$$

Im Normalfall sind die Spannungen an den beiden Eingängen gleich, es gilt also $U_{\mathrm{Pos}} = U_{\mathrm{Neg}}$.

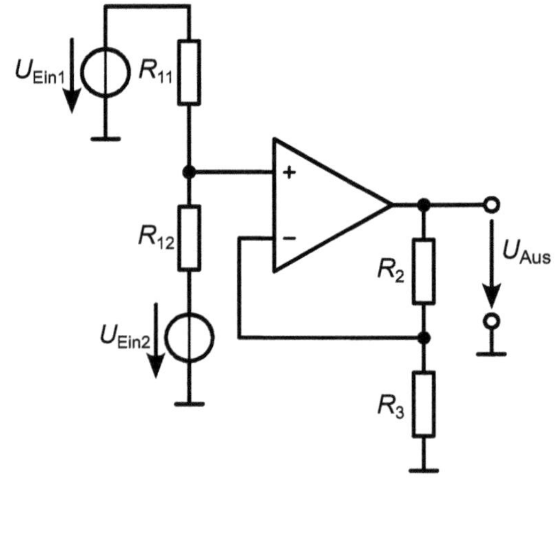

Abb. 4.30 Nichtinvertierende Additionsschaltung

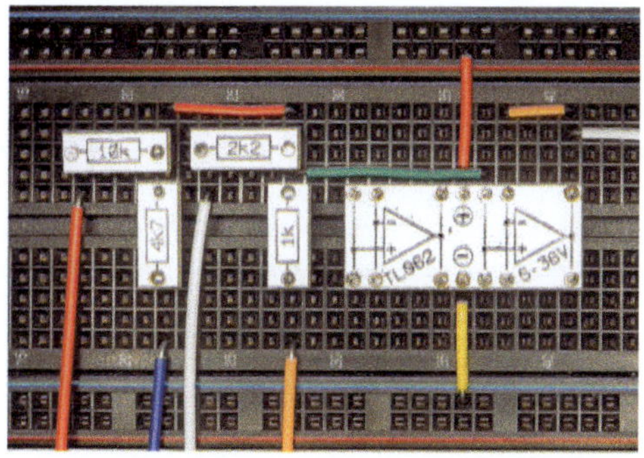

Abb. 4.31 Nichtinvertierende Additionsschaltung mit vier Eingängen: Orange Leitung unten (mit 1 kΩ Eingangswiderstand), weiße Leitung von unten (mit 2,2 kΩ Eingangswiderstand), blaue Leitung unten (4,7 kΩ) und rote Leitung links unten (10 kΩ). Hier gibt es eine direkte Rückkopplung vom Ausgang auf den invertierenden Eingang mit der orangefarbigen Leitung oben rechts. Die Eingänge sind an einen Zähler mit vier Bits angeschlossen

Damit folgt mit den beiden Gl. (4.26), (4.27) nach Umstellen:

$$U_{\text{Aus}} = \left(1 + \frac{R_2}{R_3}\right) \cdot \left(U_{\text{Ein1}} \cdot \frac{R_{12}}{R_{11} + R_{12}} + U_{\text{Ein2}} \cdot \frac{R_{11}}{R_{11} + R_{12}}\right) \tag{4.28}$$

Wenn die Widerstandswerte in der Form $R_{11} = R_{12} = R_2 = R_3$ gewählt werden, gilt:

$$U_{\text{Aus}} = (1 + 1) \cdot \left(U_{\text{Ein1}} \cdot \frac{1}{2} + U_{\text{Ein2}} \cdot \frac{1}{2}\right) = U_{\text{Ein1}} + U_{\text{Ein2}}$$

Auch hier kann wieder ein einfacher Digital-Analog-Wandler mit digitalem Eingang aufgebaut werden. Genutzt wird ein Vier-Bit-Digitalzähler, der hier vorwärts zählt. Angeschlossen ist dann die nichtinvertierende Additionsschaltung mit unterschiedlichen Gewichtungswiderständen aus der E12-Reihe: 1 kΩ, 2,2 kΩ, 4,7 kΩ und 10 kΩ. Ein Foto der Schaltung ist in Abb. 4.31 gezeigt, die zugehörige Messung in Abb. 4.32. Die Schaltung entspricht dem Schaltplan in Abb. 4.30 mit der Änderung, dass es vier Eingangsspannungen und vier unterschiedliche Eingangswiderstände gibt.

4.5.5 Invertierender Integrator

Der Zusammenhang zwischen Spannung und Strom an einem Kondensator ermöglicht den einfachen Aufbau elektronischer Schaltungen, die die Ableitung oder das Integral eines zeitlich veränderlichen Spannungssignals bilden können. Hier wird zunächst eine Integrationsschaltung vorgestellt.

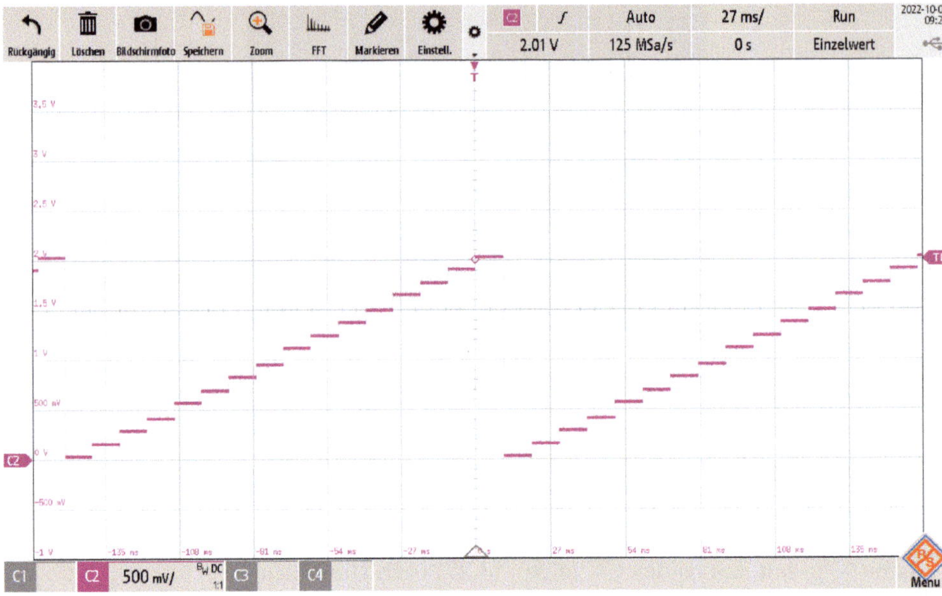

Abb. 4.32 Messung der nichtinvertierenden Additionsschaltung aus Abb. 4.31

Die Schaltung aus Abb. 4.33 nutzt einen Kondensator in der Rückkopplung als Ladungsspeicher bzw. Wechselstromwiderstand.

Für die Bestimmung der beiden Ströme I_R und I_C wird zunächst ausgenutzt, dass aufgrund der virtuellen Masse die Spannung am invertierenden Eingang identisch zur Spannung am nichtinvertierenden Eingang, also 0 V, ist. Für diese Schaltung gilt also:

$$I_R = \frac{U_{Ein}}{R},$$
$$I_C = C \cdot \frac{dU_{Aus}}{dt} \text{ und}$$
$$I_R = -I_C.$$

Abb. 4.33 Schaltung eines invertierenden Integrators

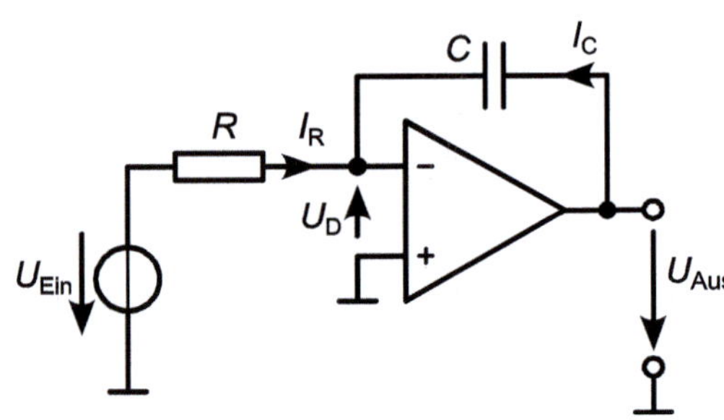

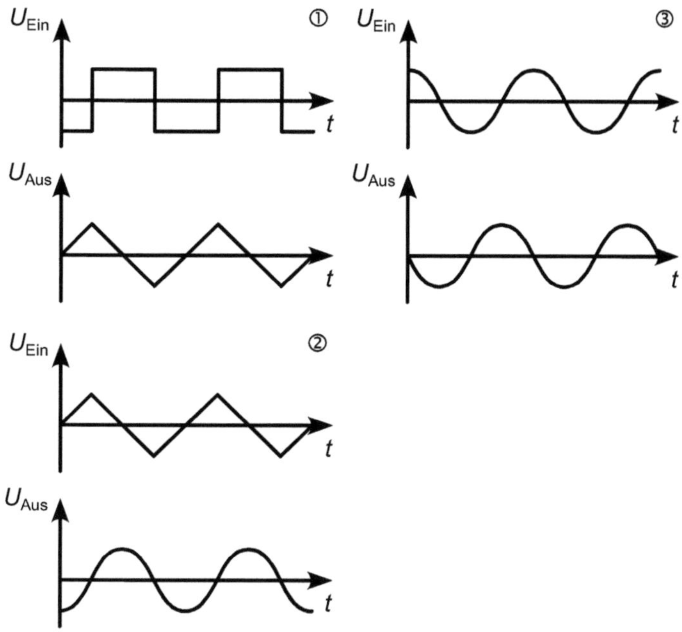

Abb. 4.34 Schematische Darstellung der Spannungsverläufe für den invertierenden Integrierer für unterschiedliche Eingangssignale: Rechtecksignal ①, Dreiecksignal ② und Sinussignal ③

Für die letzte Gleichung wird ausgenutzt, dass in den Operationsverstärker in guter Näherung kein Strom hineinfließt.

Einsetzen der beiden oberen Gleichungen in die untere Stromgleichung führt auf:

$$\frac{U_{\text{Ein}}}{R} = -C \cdot \frac{\mathrm{d}U_{\text{Aus}}}{\mathrm{d}t}$$

Mit Integration und Umstellung nach U_{Aus} folgt:

$$U_{\text{Aus}} = -\frac{1}{RC} \int U_{\text{Ein}} \mathrm{d}t + U_{\text{konst}}. \tag{4.29}$$

Die Konstante U_{konst} ist die Integrationskonstante, die von der Vorladung des Kondensators zum Zeitpunkt $t = 0$ s abhängt.

In Abb. 4.34 sind qualitativ einige idealisierte Beispiele zu Kurvenverläufen mit dem invertierenden Integrierer dargestellt. Aus einem Rechtecksignal entsteht ein negatives Dreiecksignal, ein Dreiecksignal wird zu einem negativen Parabelsignal, das nahezu wie eine Sinus- bzw. Cosinusfunktion aussieht. Aus einem cosinusförmigen Signal entsteht beim invertierenden Integrierer ein negiertes sinusförmiges Signal. Das Integral der Sinusfunktion ergibt analog die Cosinusfunktion. Hier ergibt sich aus dem Integral zunächst die negative Cosinusfunktion. Die Invertierung ändert das Vorzeichen, so dass schließlich aus der Sinusfunktion die Cosinusfunktion entsteht.

Anzumerken ist, dass bei realen Operationsverstärkern Asymmetrien in den Eingängen in der Regel dazu führen, dass der Kondensator sich auf die positive oder negative Versorgungsspannung auflädt. Für eine nutzbare Schaltung ist in der Regel ein Parallelwiderstand zum Kondensator erforderlich. Soll das Eingangssignal gleichspannungsfrei sein, empfiehlt sich ein Koppelkondensator, der in Reihe zum Widerstand R geschaltet wird.

Einige Messungen an einer aufgebauten Schaltung sind in den Abb. 4.35, 4.36, 4.37, 4.38 und 4.39 dargestellt. Zunächst ist in Abb. 4.35 die Schaltung des invertierenden Integrators auf dem Steckbrett dargestellt. Das zugehörige Ausgangssignal für ein sinusförmiges Eingangssignal ist in Abb. 4.36 gezeigt. Deutlich ist sichtbar, dass der Ausgang praktisch die ganze Zeit nahe an der oberen Versorgungsspannung von +12 V ist. Trotzdem ist eine leichte Sinusform noch sichtbar.

Damit die Übersteuerung nicht stattfindet, wird parallel zum Kondensator ein Widerstand von 100 kΩ angeordnet. Auf dem Steckbrett ist dieser Widerstand unter dem OP angeordnet, s. Abb. 4.37. Die zugehörige Messung mit den gleichen Einstellungen entsprechend Abb. 4.36 ist im linken Teilbild von Abb. 4.38 gezeigt. Hier ist ein sinusförmiges Ausgangssignal deutlich sichtbar. Die Ausgangsamplitude beträgt etwa 170 mV. Die Phasenverschiebung zwischen Ein- und Ausgang beträgt etwa −90°. Die Offsetspannung wurde durch den parallel geschalteten Widerstand ebenfalls stark reduziert und liegt noch bei etwa 170 mV. Für das rechte Teilbild in Abb. 4.38 wurde die Frequenz reduziert. Gut ist erkennbar, dass die Ausgangsamplitude entsprechend ansteigt. Eine Zusammenstellung der frequenzabhängigen Amplitude für den invertierenden Integrator mit einem

Abb. 4.35 Grundlegende Schaltung des invertierenden Integrators auf dem Steckbrett mit dem OP TL062. Der Eingang wird über die grüne linke Leitung an den OP geführt. Das Ausgangssignal wird über die rechte weiße Leitung gemessen. Über die graue untere Leitung ist der nichtinvertierende Eingang an Masse angeschlossen. Der Rückkopplungskondensator ist oberhalb des OPs angeordnet

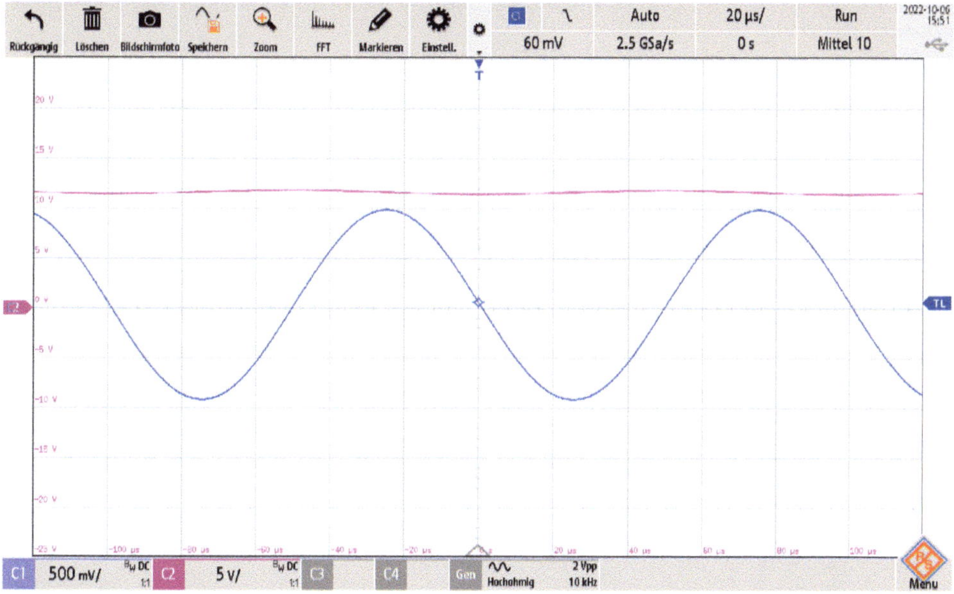

Abb. 4.36 Messung zur Schaltung in Abb. 4.35. Das Eingangssignal ist blau dargestellt, das Ausgangssignal ist in pink. Das Eingangssignal hat eine Amplitude von 1 V und eine Frequenz von 10 kHz. Die Skalierung ist 500 mV/☐ für Kanal 1 (Eingang) und 5 V/☐ (Ausgang)

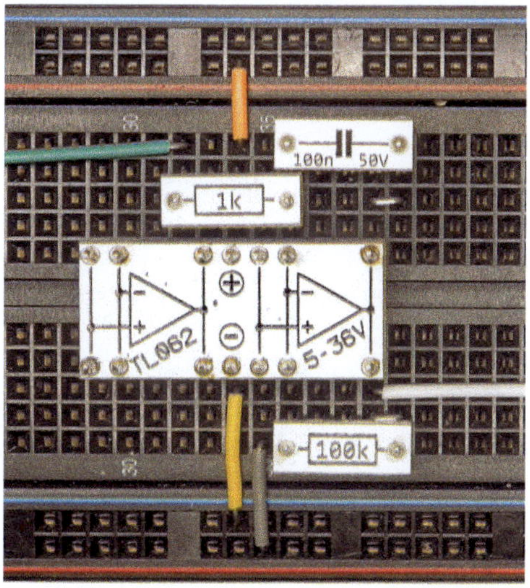

Abb. 4.37 Schaltung des invertierenden Integrators auf dem Steckbrett mit einem Entladewiderstand von 100 kΩ. Dazu wurde neben dem 100 kΩ-Widerstand unten rechts eine Drahtbrücke ergänzt. Der Rest der Schaltung entspricht der Schaltung aus Abb. 4.36

sinusförmigen Eingangssignal ist in Tab. 4.1 dargestellt. Deutlich ist das Tiefpassverhalten sichtbar.

In Tab. 4.1 sind die gemessenen Amplituden des Ausgangssignals in Abhängigkeit der Frequenz zusammengestellt. Für diese Messungen wurde die Schaltung aus Abb. 4.37 verwendet. Als Eingangssignal wurde ein sinusförmiges Signal mit einer Amplitude von 1 V verwendet. Deutlich ist erkennbar, dass die Amplitude des Ausgangssignals mit wachsender Frequenz immer kleiner wird. Es handelt sich also um das Verhalten eines Tiefpassfilters.

Mit der Schaltung aus Abb. 4.37 wurden weitere Messungen mit einem dreieck- und einem rechteckförmigen Eingangssignal durchgeführt. Die zugehörigen Oszilloskopdarstellungen sind in Abb. 4.39 dargestellt. Für das dreieckförmige Eingangssignal erhält

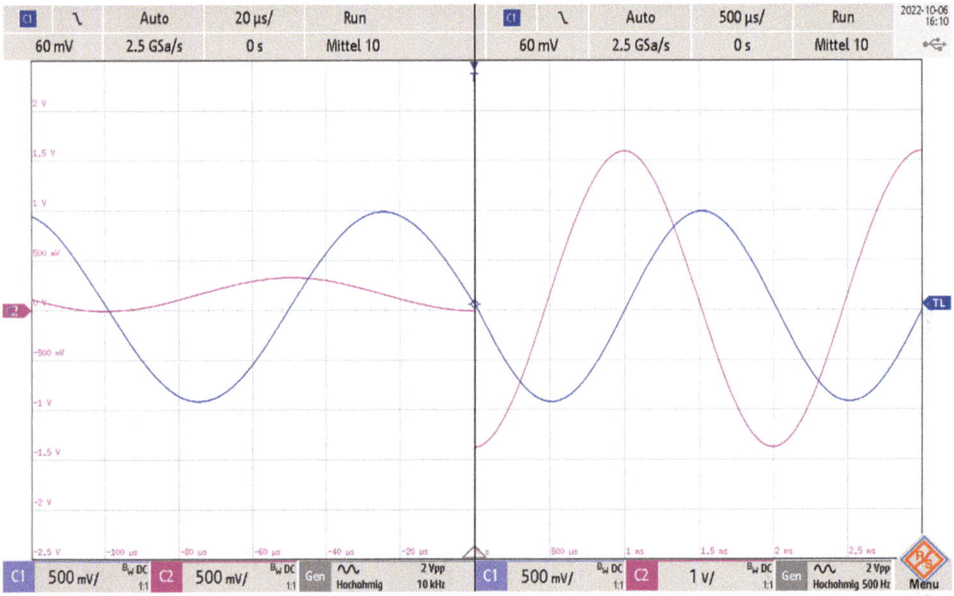

Abb. 4.38 Messung zur Schaltung in Abb. 4.37. Das Eingangssignal ist blau dargestellt, das Ausgangssignal ist in pink. Im linken Teilbild hat das Eingangssignal hat eine Amplitude von 1 V und eine Frequenz von 10 kHz. Im rechten Teilbild wurde die Frequenz auf 500 Hz reduziert. Die Skalierung des linken Teilbildes ist 500 mV/□ für beide Kanäle und 20 µs/□ für die Zeiteinstellung. Im rechten Teilbild ist die Skalierung 500 mV/□ für Kanal 1 (blau) und 1 V/□ für Kanal 2 (pink). Die Zeiteinstellung wurde auf 500 µs/□ geändert

Tab. 4.1 Ausgangsamplitude für einen invertierenden Integrator mit einem sinusförmigen Eingangssignal mit einer Amplitude von 1 V

Frequenz	200 Hz	500 Hz	1 kHz	2 kHz	5 kHz	10 kHz
Amplitude des Ausgangssignals	6,4 V	3,0 V	1,55 V	0,8 V	330 mV	170 mV

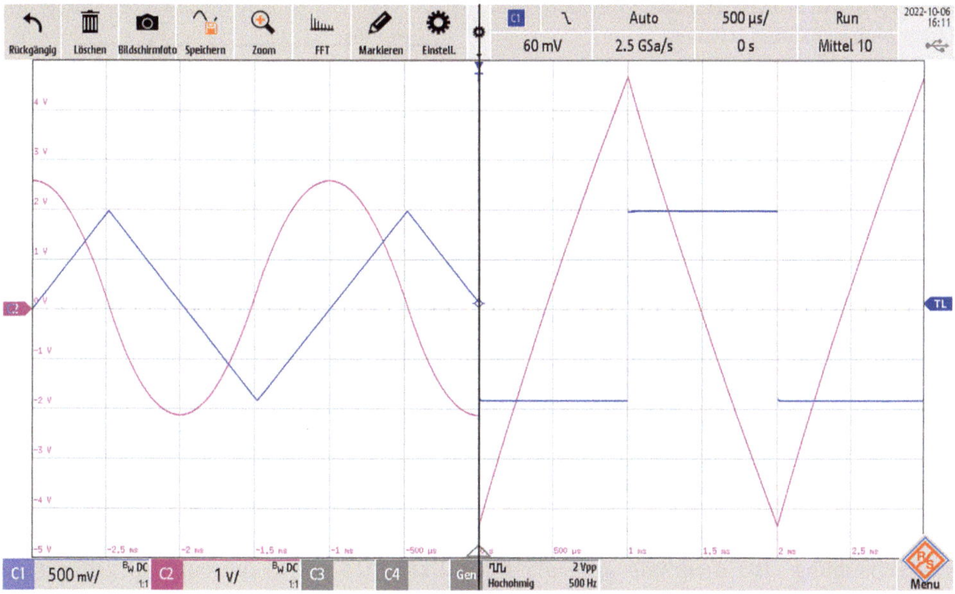

Abb. 4.39 Messung zur Schaltung in Abb. 4.37. Das Eingangssignal ist blau dargestellt, das Ausgangssignal ist pinkfarben. Gegenüber der Messung in Abb. 4.38 wurde für das linke Teilbild ein dreieckförmiges Signal verwendet. Das Eingangssignal für das rechte Teilbild ist rechteckförmig. Die Skalierung für beide Messungen ist 500 mV/□ für Kanal 1 (blau) und 1 V/□ für Kanal 2 (pink)

man Parabeläste als Ausgangssignal, s. Abb. 4.39 links. Das rechteckförmige Signal führt zu einem dreieckförmigen Ausgangssignal, s. Abb. 4.49 rechts.

4.5.6 Nichtinvertierender Integrierer

Die Schaltung eines nichtinvertierende Integrationsschaltung ist in Abb. 4.40 dargestellt. Wie einige andere Operationsverstärkerschaltungen, ist diese Schaltung auch schon älter, aber zum Großteil in Vergessenheit geraten.

In der Regel werden für die Widerstände R_1 und R_2 und die Kondensatoren C_1 und C_2 jeweils die gleichen Werte gewählt. Für diesen Spezialfall kann die Ausgangsspannung einfach bestimmt werden. Zur Vereinfachung werden die in Abb. 4.40 eingezeichneten Spannungsbezeichner U_{Pos} und U_{Neg} für die Eingangsspannungen des OPs verwendet. Für den Eingangspfad gilt:

$$\frac{U_{\text{Ein}} - U_{\text{pos}}}{R_2} = I_{\text{Ein}} = C_2 \cdot \frac{\mathrm{d}}{\mathrm{d}t} U_{\text{Pos}}. \tag{4.30}$$

Für die Rückkopplung vom Ausgang zum invertierenden Eingang gilt:

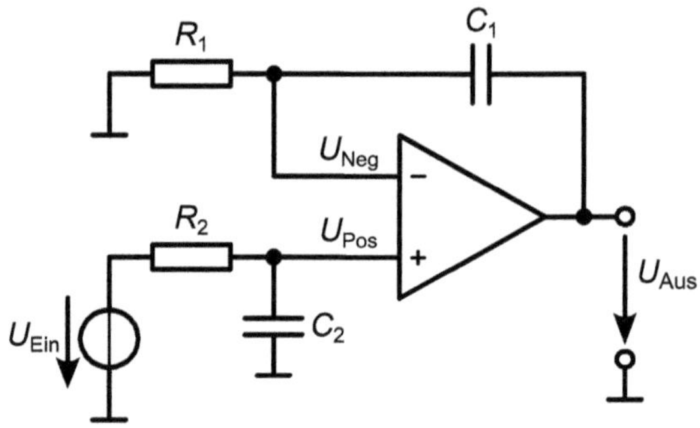

Abb. 4.40 Nichtinvertierende Integrationsschaltung, nach [15]

$$\begin{aligned}\frac{U_{\mathrm{Neg}}}{R_1} &= I_{\mathrm{R1}} = C_1 \cdot \frac{\mathrm{d}}{\mathrm{d}t}\left(U_{\mathrm{Aus}} - U_{\mathrm{Neg}}\right) \\ &= C_1 \cdot \frac{\mathrm{d}}{\mathrm{d}t} U_{\mathrm{Aus}} - C_1 \cdot \frac{\mathrm{d}}{\mathrm{d}t} U_{\mathrm{Neg}}. \end{aligned} \tag{4.31}$$

Hier wird davon ausgegangen, dass der OP im normalen Regelbereich ist, die Ausgangsspannung also innerhalb des zulässigen Bereiches ist. In diesem Fall gilt mit der erweiterten virtuellen Masse, dass die Differenzspannung zwischen den beiden Eingängen 0 V ist, also $U_{\mathrm{Pos}} = U_{\mathrm{Neg}}$. Außerdem wird ab hier vorausgesetzt, dass die Widerstände und Kondensatoren gleich sind: $C_2 = C_1$ und $R_2 = R_1$. Für Gl. (4.30) und (4.31) folgt:

$$\frac{U_{\mathrm{Ein}}}{R_1} - \frac{U_{\mathrm{pos}}}{R_1} = C_1 \cdot \frac{\mathrm{d}}{\mathrm{d}t} U_{\mathrm{Pos}}. \tag{4.32}$$

und

$$\frac{U_{\mathrm{Pos}}}{R_1} = C_1 \cdot \frac{\mathrm{d}}{\mathrm{d}t} U_{\mathrm{Aus}} - C_1 \cdot \frac{\mathrm{d}}{\mathrm{d}t} U_{\mathrm{Pos}}. \tag{4.33}$$

In den letzten Term von Gl. (4.33) wird Gl. (4.32) eingesetzt und nach U_{Aus} umgeformt:

$$\frac{U_{\mathrm{Pos}}}{R_1} = C_1 \cdot \frac{\mathrm{d}}{\mathrm{d}t} U_{\mathrm{Aus}} - \left(\frac{U_{\mathrm{Ein}}}{R_1} - \frac{U_{\mathrm{pos}}}{R_1}\right) \tag{4.34}$$

$$\Longleftrightarrow \frac{U_{\mathrm{Pos}}}{R_1} = C_1 \cdot \frac{\mathrm{d}}{\mathrm{d}t} U_{\mathrm{Aus}} - \frac{U_{\mathrm{Ein}}}{R_1} + \frac{U_{\mathrm{pos}}}{R_1}$$

$$\Longleftrightarrow 0 = C_1 \cdot \frac{\mathrm{d}}{\mathrm{d}t} U_{\mathrm{Aus}} - \frac{U_{\mathrm{Ein}}}{R_1}$$

$$\Longleftrightarrow \frac{U_{\mathrm{Ein}}}{R_1 \cdot C_1} = \frac{\mathrm{d}}{\mathrm{d}t} U_{\mathrm{Aus}}$$

$$\Longleftrightarrow U_{\mathrm{Aus}} = \frac{1}{C_1 R_1} \int U_{\mathrm{Ein}} \mathrm{d}t + U_{\mathrm{konst}}. \tag{4.35}$$

Diese Gleichung entspricht Gl. 4.29 jedoch mit positivem Vorzeichen. Ein Foto der aufgebauten Schaltung ist in Abb. 4.41 gezeigt. Eine Kontrolle der Übertragungsfunktion ergibt sich aus der Messung des Rechtecksignals in Abb. 4.42 oben links. Über eine Zeitdauer von 500 µs wird eine Eingangsspannung von 0,5 V integriert. Damit ergibt sich eine Änderung der Ausgangsspannung von

$$U_{\text{Aus}} = \frac{1}{CR}\int_{0}^{\Delta t} U_{\text{Ein}} \mathrm{d}t = \frac{1}{CR} U_{\text{Ein}} \Delta t.$$

Einsetzten der Werte $C = 10$ nF, $R = 10$ kΩ, $U_{\text{Ein}} = 0{,}5$ V, $\Delta t = 500$ µs ergibt eine Änderung der Ausgangsspannung um 2,5 V. Diese Änderung ist in der in Abb. 4.42 oben links gezeigten Messung sichtbar. Die ansteigende Flanke des Dreiecksignals am Ausgang beginnt bei einem Spannungswert von etwa $-1{,}2$ V. Der maximale Spannungswert am Ende der ansteigenden Flanke ist bei etwa $+1{,}3$ V. Die Differenz der beiden Spannungswerte entspricht der vorher berechneten Spannung von 2,5 V.

Grundsätzlich „leidet" diese Schaltung auch unter dem gleichen Problem wie der invertierende Integrator: Durch Offsetspannungen und auch unsymmetrische Eingangssignale lädt sich der Kondensator auf eine Spannung nahe einer der beiden Versorgungsspannungsgrenzen auf. Aus diesem Grund wurde das Ausgangssignal mit der Einstellung „AC-Kopplung" gemessen. Damit wird der hohe Gleichspannungswert entfernt, der das Ausgangsignal ansonsten stark überlagert. In den Messungen in Abb. 4.42 oben wird zunächst das Verhalten nichtsinusförmiger Signal gezeigt. Aus einem rechteckförmigen Signal wird durch die Integration ein dreieckförmiges Signal, s. Teilbild oben links. Mit einem dreieckförmigen Signal wird eine Ausgangsspannung erzeugt, die aus Parabelästen

Abb. 4.41 Foto der nichtinvertierenden Integrationsschaltung auf dem Steckbrett. Der Eingang erfolgt über die grüne Leitung links oben. Das Ausgangssignal wird an der weißen Leitung rechts gemessen. Die Versorgungspannung für den OP wird über die orangene Leitung oben (+U_B) bzw. die mittlere gelbe Leitung unten ($-U_B$) zugeführt

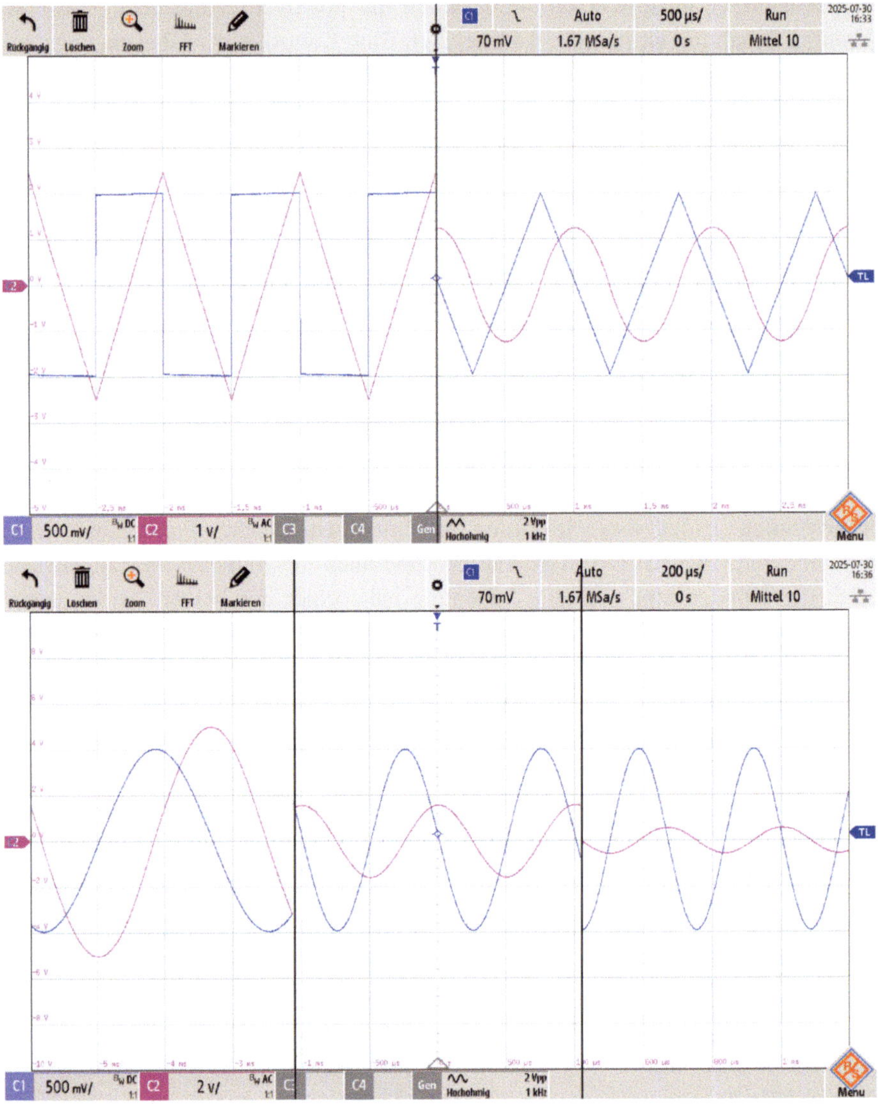

Abb. 4.42 Messung des nichtinvertierenden Integrators auf dem Steckbrett. Als Eingangssignal wird für das obere linke Teilbild ein Rechtecksignal mit einer Amplitude von 0,5 V und einer Frequenz von 1 kHz verwendet. Für das obere rechte Teilbild wurde die Kurvenform auf ein dreieckförmiges Signal geändert. Dargestellt ist das Eingangssignal (blau) und das Ausgangssignal (violett). Oberes Teilbild: Die Signalfrequenz beträgt 1 kHz. Die Skalierung ist 500 mV/□ (blaue Kurve, Eingangssignal) bzw. 1 V/□ (violette Kurve, Ausgang). Unteres Teilbild: Die Signalform ist jetzt sinusförmig mit einer Amplitude von 1 V. Die Frequenz beträgt 300 Hz (links), 1 kHz (Mitte) bzw. 3 kHz (rechts). Die Skalierung ist 500 mV/□ (blaue Kurve, Eingang) bzw. 2 V/□ (violette Kurve)

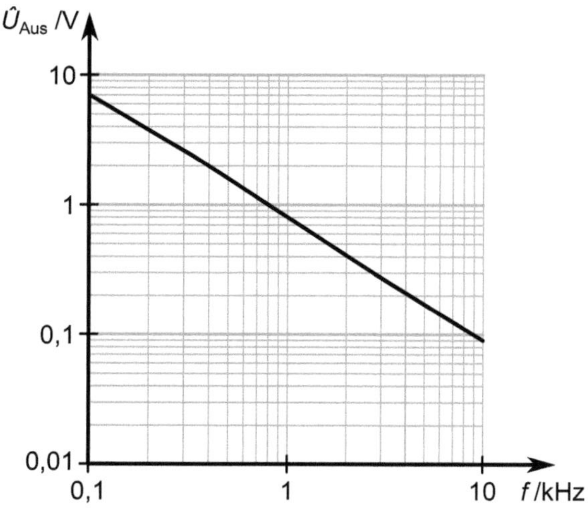

Abb. 4.43 Messung des Frequenzverhaltens der nichtinvertierenden Integrationsschaltung aus Abb. 4.40 bzw. 4.41. Als Eingangssignal wird ein sinusförmiges Signal mit einer Amplitude von 0,5 V verwendet. Die Frequenz wurde von 100 Hz bis 10 kHz variiert

besteht. Dieses Signal ähnelt recht stark einem sinusförmigen Signal, s. Abb. 4.42 oben rechts.

Für die folgende Darstellung wurden einige Messungen mit sinusförmigen Signalen durchgeführt. Drei Messungen sind in Abb. 4.42 unten enthalten. Gut ist zu erkennen, dass aus einer Sinusfunktion durch die Integration eine negative Cosinusfunktion entsteht. Außerdem ist gut erkennbar, dass die Amplitude der Ausgangsspannung mit wachsender Frequenz sinkt. Für die in Abb. 4.42 unten dargestellten Messungen mit sinusförmigen Signalen gilt: Bei einer Frequenz von 300 Hz ergibt sich eine Amplitude des Ausgangssignals von etwa 5 V. Die Amplitude bei 3 kHz sollte auf ein Zehntel gesunken sein und etwa 0,5 V betragen. Im Großen und Ganzen passen die Messungen jedoch recht gut zur Theorie.

Als Messwert wurde die frequenzabhängige Amplitude für eine Eingangsamplitude von 0,5 V dargestellt. Sehr schön ist zu erkennen, dass mit wachsender Frequenz die Amplitude im hier betrachteten Frequenzbereich linear abnimmt, s. Abb. 4.43. Der Integrator entspricht einer Tiefpassfunktion.

4.5.7 Invertierender Differenzierer

Durch Vertauschen des Kondensators mit dem Widerstand kann aus dem invertierenden Integrierer der invertierende Differenzierer gebildet werden, s. Abb. 4.44.

Unter Beachtung der virtuellen Masse am invertierenden Eingang ergeben sich die folgenden Beziehungen für die Ströme:

$$I_C = C \cdot \frac{dU_{Ein}}{dt},$$

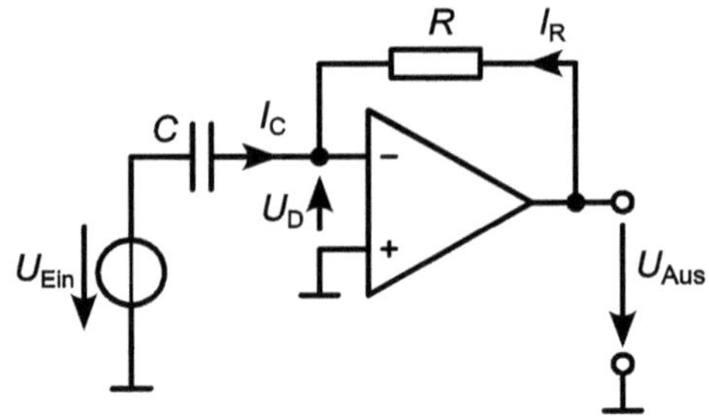

Abb. 4.44 Schaltung eines invertierenden Differenzierers

$$I_R = \frac{U_{Aus}}{R} \text{ und}$$

$$I_R = -I_C.$$

Für die Stromgleichung wurde wieder ausgenutzt, dass der Eingangsstrom des Operationsverstärkers im Idealfall verschwindet. Einsetzen der beiden oberen Gleichungen in die untere Formel und Umstellen nach U_{Aus} ergibt:

$$U_{Aus} = -R \cdot C \cdot \frac{dU_{Ein}}{dt}. \tag{4.36}$$

Die Ausgangsspannung entspricht also der Ableitung der Eingangsspannung. Qualitative Beispiele sind in Abb. 4.45 dargestellt. Als Ausgangssignal für ein Dreiecksignal liefert der invertierende Differenzierer ein negatives Rechtecksignal. Aus dem Sinussignal entsteht die negative Cosinusfunktion. Das unterste Beispiel zeigt ein Rechtecksignal am Eingang. Als Ausgangssignal werden hier Nadelimpulse generiert.

Der Differenzierer neigt häufig zu Oszillationen. Abhilfe schafft ein Reihenwiderstand im Eingang. Der Widerstandswert sollte relativ niedrig sein.

Auch hier wurden wieder Messungen auf dem Steckbrett gemacht. Das Foto der aufgebauten Schaltung ist in Abb. 4.46 dargestellt. Für die Einkopplung wurde ein Kondensator mit einer Kapazität von 100 nF verwendet. Das Eingangssignal wird über die weiße Leitung zugeführt. Die Rückkopplung wird durch einen 1 kΩ-Widerstand gebildet. Das Ausgangssignal wird mit der grünen Leitung gemessen. Zwei Messkurven für sinusförmige Signale mit unterschiedlichen Frequenzen sind in den Abb. 4.47 und 4.48 gezeigt. Erkennbar ist der Phasenunterschied von −90° zwischen Eingangs- und Ausgangssignal. Weiter ist sichtbar, dass das Ausgangssignal eine additive Oszillation aufweist. Diese Oszillation scheint auf den ersten Blick bei einer höheren Eingangsfrequenz reduziert zu sein. Es ist jedoch so, dass die Verstärkung des eingespeisten Signals bei der höheren Frequenz deutlich höher ist und daher für Abb. 4.48 eine andere Skalierung gewählt wurde.

Generell neigt die Differenziererschaltung zu Oszillationen und/oder Rauschen. Damit unterscheidet sich diese Schaltung deutlich von dem invertierenden Integrator, der in der Regel durch die Mittelwertbildung Rauschen bzw. Oszillationen unterdrückt. In Tab. 4.2

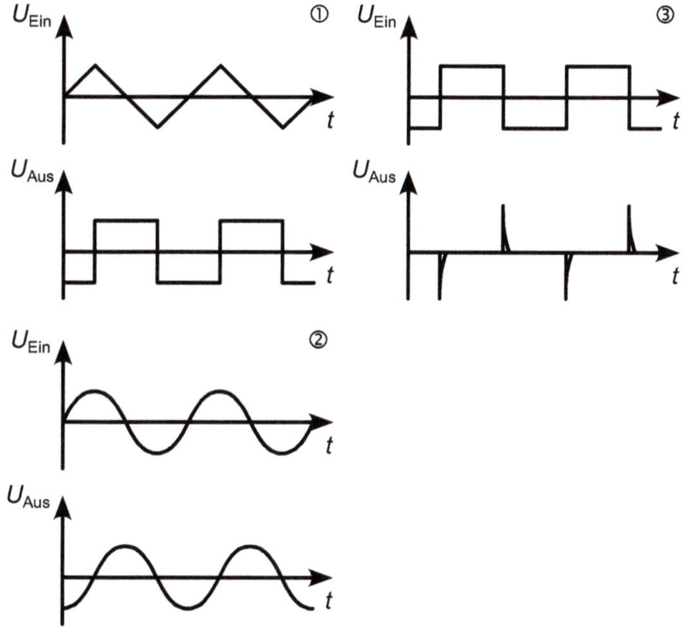

Abb. 4.45 Schematische Darstellung der Ausgangssignale für die Schaltung des invertierenden Differenzierers. Als Eingangssignal wurde ein Dreiecksignal ①, ein Sinussignal ② und ein Rechtecksignal ③ verwendet

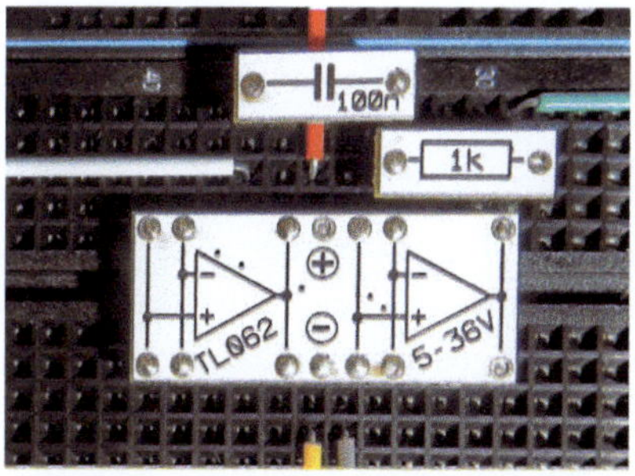

Abb. 4.46 Foto einer aufgebauten Differenzierer-Schaltung mit einem Operationsverstärker. Der oben angeordnete Kondensator ist der Einkoppelkondensator. Die Rückkopplung wird durch den 1 kΩ-Widerstand oben rechts gebildet. Das Eingangssignal wird über die weiße Leitung links eingespeist. Gemessen wird das Ausgangssignal mit der grünen Leitung oben rechts

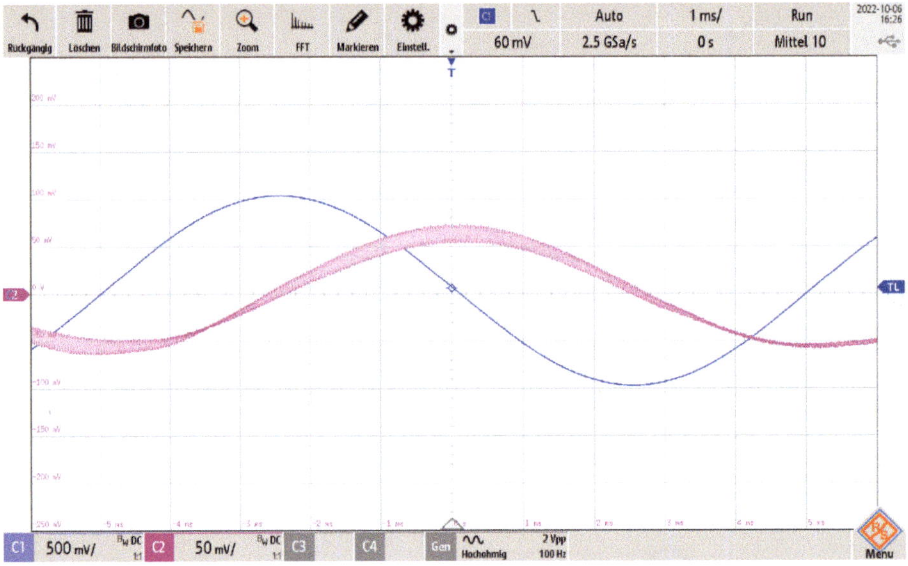

Abb. 4.47 Oszilloskopbildschirm für die Messung des in Abb. 4.44 bzw. 4.46 dargestellten invertierenden Differenzierers. Als Eingangssignal (blau) wurde ein Sinussignal mit einer Amplitude von 1 V und einer Frequenz von 100 Hz verwendet. Deutlich ist eine Oszillation des pinkfarbenen Ausgangssignals sichtbar. Die Skalierung ist 500 mV/□ für Kanal 1 (blau) und 50 mV/□ für das Ausgangssignal an Kanal 2 (pink)

ist die Amplitude des Ausgangssignals für ein sinusförmiges Eingangssignal und wechselnde Frequenzen dargestellt. Deutlich ist sichtbar, dass die Differenziererschaltung ein Hochpassverhalten hat.

In weiteren Abbildungen wurde als Eingangssignal ein dreieckförmiges Signal bzw. ein rechteckförmiges Signal (Abb. 4.49) verwendet. Aus dem dreieckförmigen Signal wird ein nahezu rechteckförmiges Signal mit leichtem Überschwingen. Die Rechteckflanken sind durch Slewrate-Verhalten „abgeschrägt". Das Slewrate-Verhalten wird in Abschn. 5. 6 ausführlich dargestellt Bei der Einspeisung mit dem rechteckförmigen Signal ist eine sehr deutliche Rückwirkung auf das Eingangssignal sichtbar.

Grundsätzlich sollte ähnlich zum nichtinvertierenden Integrierer auch ein nichtinvertierender Differenzierer aufgebaut werden können. Dazu müssen die Widerstände und Kondensatoren jeweils getauscht werden. Der Messaufbau zeigt jedoch sehr starke Instabilitäten, die deutlich stärker als beim invertierenden Integrator sind. Der nichtinvertierende Differenzierer wird daher nicht empfohlen und hier nicht weiter besprochen.

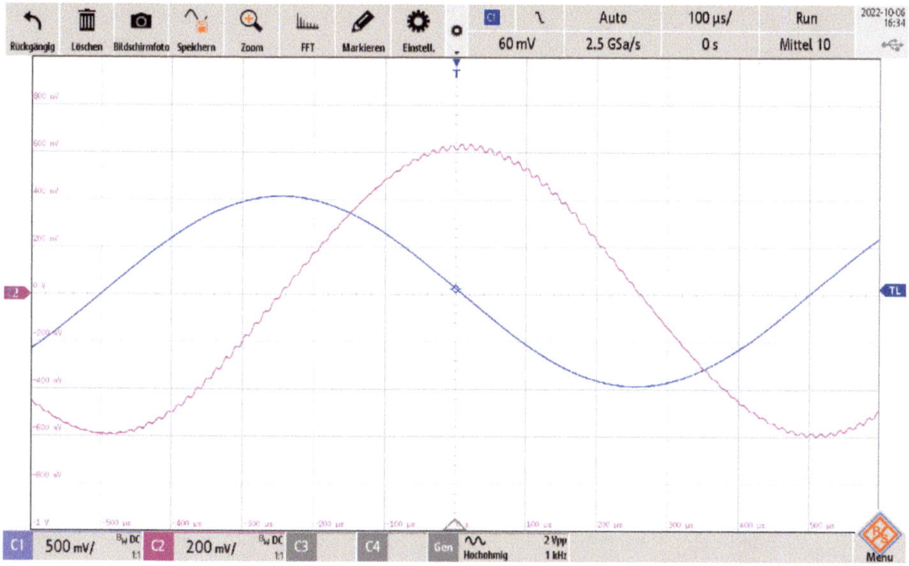

Abb. 4.48 Oszilloskopbildschirm für die Messung des in Abb. 4.46 dargestellten invertierenden Differenzierers. Gegenüber Abb. 4.47 wurde nur die Frequenz des Eingangssignals (blau) auf 1 kHz geändert. Das Ausgangssignal ist pinkfarben dargestellt. Auch hier ist eine Oszillation auf dem Ausgangssignal sichtbar. Die Skalierung ist 500 mV/□ für Kanal 1 (blau) bzw. 200 mV/□ für Kanal 2 (pink)

4.5.8 Multiplikation und Division

Für mathematische Berechnungen ist manchmal die Multiplikation von Spannungssignalen erforderlich. Hier gibt es grundsätzlich zwei Möglichkeiten. Eine Möglichkeit nutzt die Erweiterung des Differenzverstärkers zu einem Mischer, s. Abschn. 2.6. Die „Mischervariante“ wird insbesondere in der Sende- und Empfangstechnik bei Signalen mit höherer Frequenz genutzt. Für mathematische Berechnungen wird häufig auf die Addition von Logarithmen mit anschließender Potenzbildung zurückgegriffen. Eine mögliche Schaltung ist in Abb. 4.50 oben gezeigt. Hier ist eine Diode mit einer Exponentialkennlinie in der Rückkopplung. Damit bildet die OP-Schaltung ein Ausgangssignal, dass den natürlichen Logarithmus der Eingangsspannung enthält. Dazu kommen im allgemeinen Fall ein Vorfaktor und ein additiver Summand.

An der Diode gilt für den Zusammenhang zwischen der Diodenspannung U_D und dem Diodenstrom I_D die Diodenkennlinie, s. beispielsweise [6]:

$$I_\text{D} = I_\text{SS} \cdot \left(\mathrm{e}^{\frac{U_\text{D}}{n \cdot U_\text{T}}} - 1 \right) \tag{4.37}$$

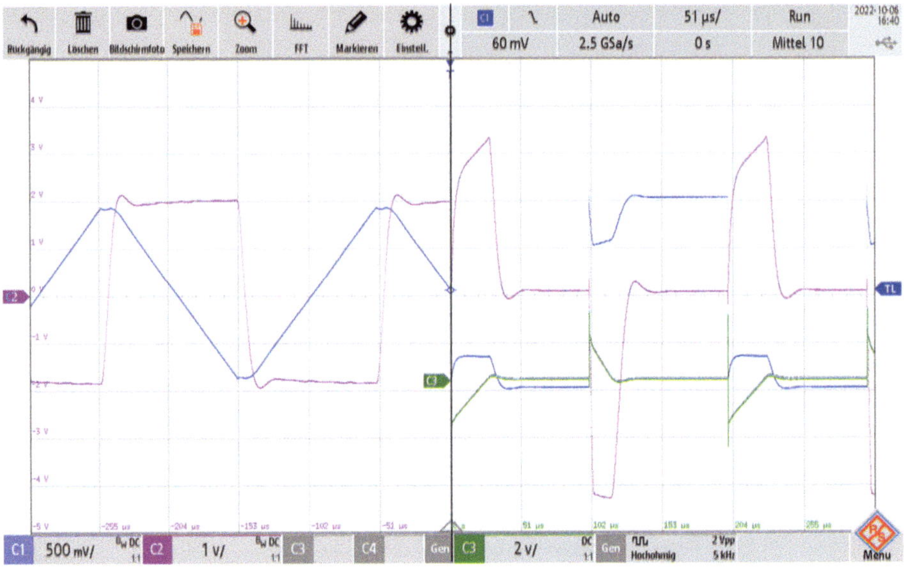

Abb. 4.49 Oszilloskopbildschirm für die Messung des in Abb. 4.46 dargestellten invertierenden Differenzierers. Als Eingangssignal (blau) wurde für das linke Teilbild ein dreieckförmiges Signal und für das rechte Teilbild ein rechteckförmiges Signal verwendet. Die Amplitude des Eingangssignals ist 1 V die Frequenz 5 kHz. Im linken Teilbild hat Kanal 1 (blau) eine Skalierung von 500 mV/□, Kanal 2 (pink) 1 V/□. Im rechten Teilbild wurde zusätzlich die Spannung am invertierenden Eingang dargestellt. Hier ist die Skalierung 2 V/□ für Kanal 2 (pink) und Kanal 3 (grün)

Tab. 4.2 Ausgangsamplitude für einen invertierenden Differenzierer mit einem sinusförmigen Eingangssignal mit einer Amplitude von 1 V

Frequenz	200 Hz	500 Hz	1 kHz	2 kHz	5 kHz	10 kHz
Amplitude des Ausgangssignals	125 mV	300 mV	600 mV	1,2 V	3 V	5,9 V

In dieser Formel ist der Emissionskoeffizient n, die Temperaturspannung U_T und der Sättigungssperrstrom I_SS enthalten. Die Diodenspannung entspricht der negativen Ausgangsspannung, während sich der Diodenstrom I_D über das ohmsche Gesetz aus der Eingangsspannung und dem Widerstand R_1 ergibt. Für die Berechnung der Ausgangsspannung werden deshalb in Gl. (4.37) die Ausgangsspannung und der Eingangsstrom eingesetzt. Anschließend wird die Gleichung nach der Ausgangsspannung umgestellt.

$$I_\mathrm{Ein} = I_\mathrm{SS} \cdot \left(\mathrm{e}^{\frac{-U_\mathrm{Aus}}{n \cdot U_\mathrm{T}}} - 1 \right) \iff -U_\mathrm{Aus} = n \cdot U_\mathrm{T} \cdot \ln\left(\frac{I_\mathrm{Aus}}{I_\mathrm{SS}} + 1 \right)$$

Aus der Eingangsspannung wird der Eingangsstrom berechnet

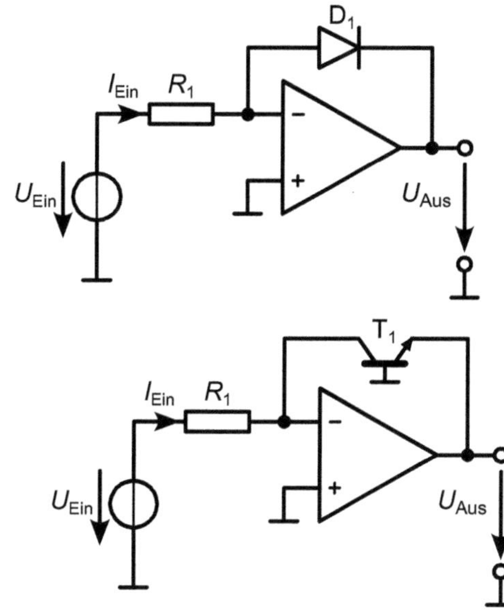

Abb. 4.50 Im oberen Teilbild ist die Berechnung der Logarithmusfunktion an einer Diode dargestellt. Im unteren Teilbild wird für die gleiche Funktionalität ein NPN-Bipolartransistor verwendet

$$I_{\mathrm{Ein}} = \frac{U_{\mathrm{Ein}}}{R_1}$$

und in die vorstehende Gleichung eingesetzt:

$$U_{\mathrm{Aus}} = -n \cdot U_{\mathrm{T}} \cdot \ln\left(\frac{U_{\mathrm{Ein}}}{R_1 \cdot I_{\mathrm{SS}}} + 1\right). \tag{4.38}$$

Über die Diode kann also der Logarithmus einer Eingangsspannung gebildet werden. Für eine genauere Logarithmusbildung wird in der Regel auf Bipolartransistoren zurückgegriffen, s. Abb. 4.50 unten. Hier kann die Logarithmusfunktion über mehrere Dekaden der Eingangsspannung recht genau sein, s. [3], außerdem ist der Emissionsfaktor $n = 1$. Die Schaltung mit dem Transistor wurde auf dem Steckbrett aufgebaut, s. Abb. 4.51. Die zugehörige Messung ist in Abb. 4.52 dargestellt. Eine Auswertung der Messung zeigt, dass sich die Ausgangsspannung recht genau gemäß der Gleichung

$$U_{\mathrm{Aus}} = -26\ \mathrm{mV} \cdot \ln\left(\frac{U_{\mathrm{Ein}}}{250\ \mathrm{pV}} + 1\right)$$

berechnen lässt. Ein Vergleich mit Gl. (4.38) ergibt für den Emissionsfaktor einen Wert von nahe 1, da die Temperaturspannung bei Raumtemperatur recht genau bei 26 mV liegt. Der Sättigungssperrstrom ergibt sich mit dem Widerstandswert $R_1 = 1\ \mathrm{M\Omega}$ zu 250 μA.

Eine kombinierte Multiplikations-Divisionsschaltung kann mit drei Transistoren und vier Operationsverstärkern gebildet werden, s. [7]. Diese Schaltung berechnet das Produkt aus zwei Spannungen und dividiert das Ergebnis durch die dritte Spannung. Diese

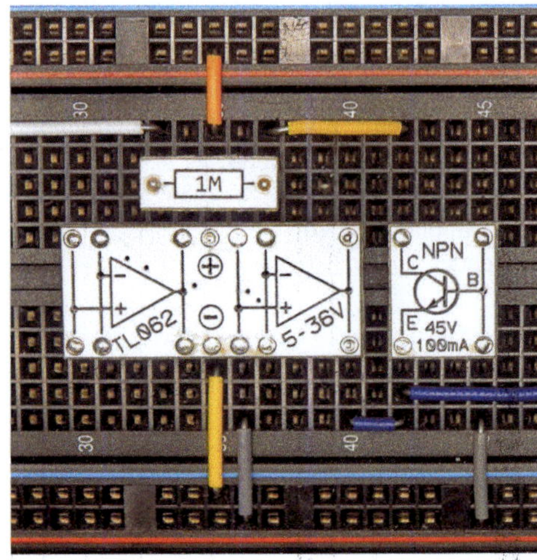

Abb. 4.51 Foto der auf dem Steckbrett aufgebauten Schaltung in Abb. 4.50 unten. Mit dieser Schaltung kann der natürliche Logarithmus der Eingangsspannung berechnet werden

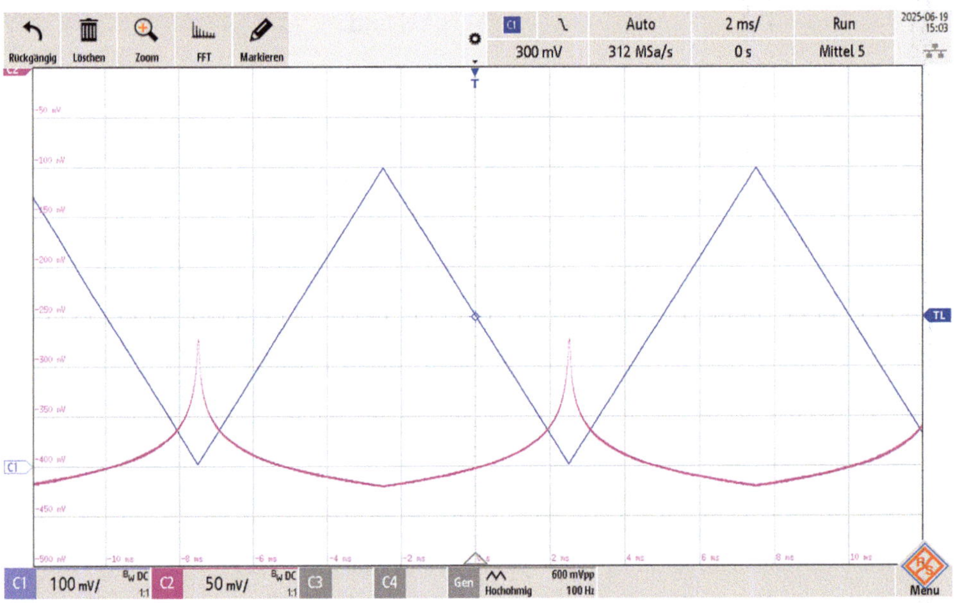

Abb. 4.52 Messung der Schaltung in Abb. 4.50 unten bzw. 4.51. Das Eingangssignal (Kanal 1, blaue Kurve) ist ein dreieckförmiges Signal. Am Ausgang (Kanal 2, pinkfarbene Kurve) ist der Logarithmus der Eingangsspannung erkennbar. Die Skalierung ist 100 mV/□ für Kanal 1 und 50 mV/□ für Kanal 2

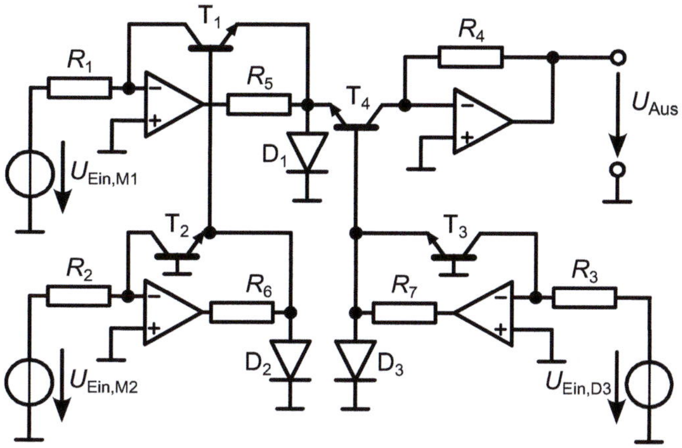

Abb. 4.53 Schaltung einer Multiplikation- und Divisionsschaltung, nach [7]

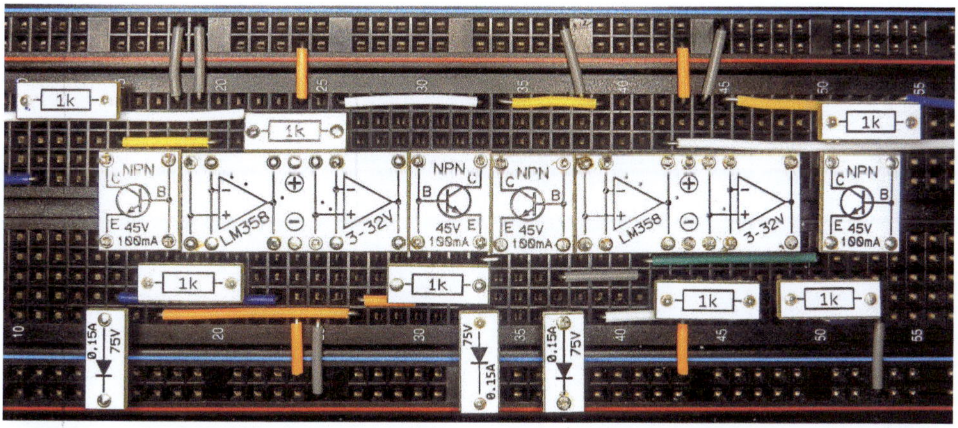

Abb. 4.54 Foto der auf dem Steckbrett aufgebauten Multiplikationsschaltung aus Abb. 4.53. Das Eingangssignal $U_{\text{Ein,M1}}$ wird über die weiße Leitung oben links eingespeist, das Eingangssignal $U_{\text{Ein,M2}}$ über die blaue Leitung am linken Bildrand. Die Spannung für den Eingang $U_{\text{Ein,D3}}$ wird über die kurze blaue Leitung oben rechts angelegt. Die Ausgangsspannung wird am Ausgang des zweiten Operationsverstärkers von rechts über die weiße Leitung rechts gemessen

Schaltung nutzt die Addition von zwei Logarithmen und die Subtraktion eines weiteren Logarithmus. Das Ergebnis wird an einem weiteren Transistor im Eingangspfad eines OPs potenziert und liefert das gewünschte Ergebnis. Die beiden Eingangsspannung $U_{\text{Ein,M1}}$ und $U_{\text{Ein,M2}}$ werden multipliziert. Das Ergebnis wird durch die Eingangsspannung $U_{\text{Ein,D3}}$ geteilt:

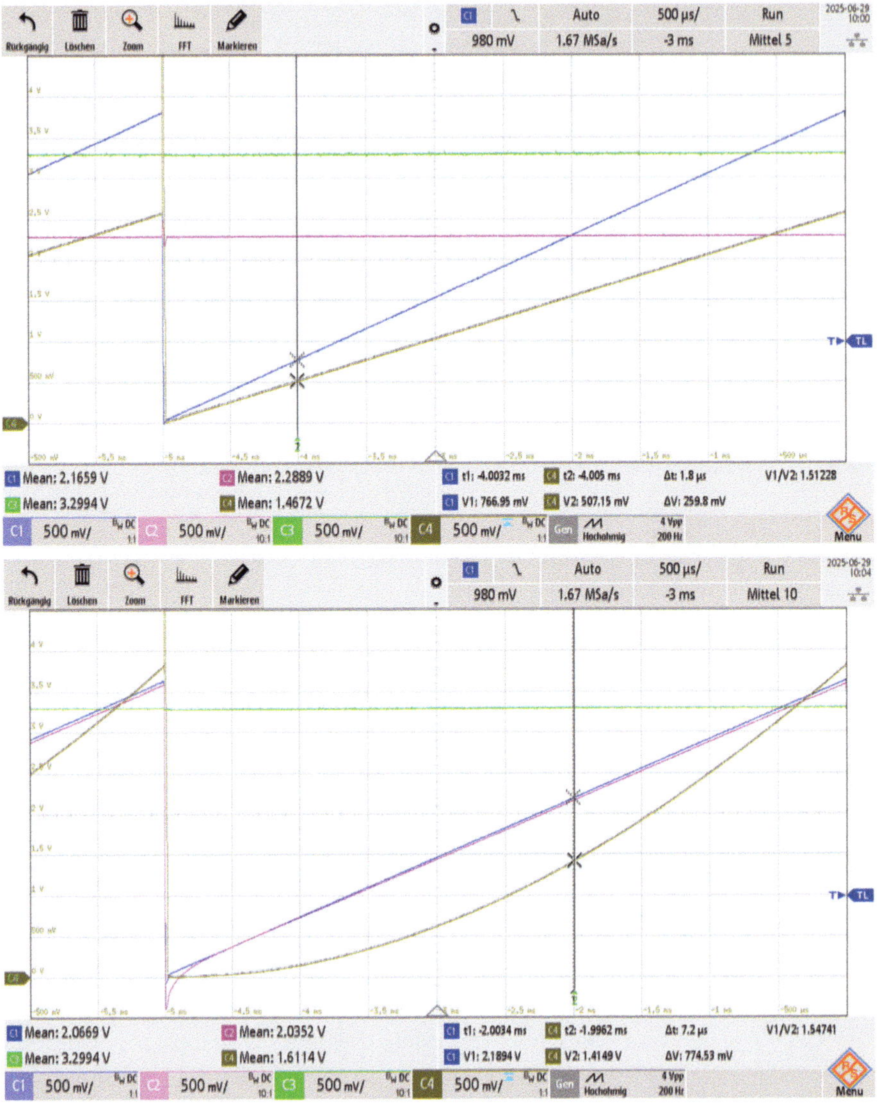

Abb. 4.55 Messung der Schaltung zur Multiplikation bzw. Division aus Abb. 4.54. Das obere Teilbild zeigt die Multiplikation der variablen Spannung an Kanal 1 (blau) mit der festen Spannung von etwa 2,29 V an Kanal 2 (pink) dividiert durch die feste Spannung von ca. 3,3 V an Kanal 3 (grün). Das Ergebnis ist als Spannung an Kanal 4 (olivgrün) sichtbar. Per Cursorfunktion ist ein Messpunkt für Kanal 1 (0,77 V) und Kanal 4 (0,5 V) markiert. Im unteren Teilbild wurde für Kanal 1 (blau) und Kanal 2 (pink) eine variable Spannung verwendet. Die Eingangsspannung an Kanal 3 (grün) ist konstant. Die Ausgangsspannung an Kanal 4 (olivgrün) hat damit einen parabelförmigen Verlauf. Die Skalierung beträgt in beiden Teilbildern für alle Kanäle 500 mV/□

$$U_{Aus} = \frac{U_{Ein,M1} \cdot U_{Ein,M2}}{U_{Ein,D3}}. \tag{4.39}$$

Die zugehörige Schaltung nach [7] ist in Abb. 4.53 dargestellt, ein Foto der aufgebauten Schaltung auf dem Steckbrett in Abb. 4.54. In der aufgebauten Schaltung entsprechen die beiden linken Operationsverstärker den beiden linken OPs im Schaltbild. Zwei Messungen dieser Schaltung sind in Abb. 4.55 dargestellt. Für die obere Messung wurden insgesamt drei Eingangssignale verwendet. Für Kanal 1 wird ein Sägezahnsignal als ansteigende Rampe verwendet. Kanal 2 und Kanal 3 werden an festen Spannungen von 2,29 V und 3,3 V gelegt. In der Messung ist ein Zeitpunkt per Cursorfunktion markiert. Kanal 1 hat zu diesem Zeitpunkt einen Spannungswert von 0,77 V. Die Ausgangsspannung sollte einen Spannungswert von 0,77 V · 2,29 V: 3,3 V = 0,53 V haben. An Kanal 4 wird per Cursorfunktion ein Wert von 0,51 V abgelesen. Es tritt also eine kleine Abweichung auf.

Die untere Messung verwendet zwei Eingangssignale: Die Sägezahnspannung von Kanal 1 wird auch als Eingangssignal für Kanal 2 verwendet. Kanal 3 bleibt weiter an eine konstante Spannung angeschlossen. Die Ausgangsspannung folgt dementsprechend einer quadratischen Funktion. Der parabelförmige Verlauf ist als Ausgangsspannung an Kanal 4 gut sichtbar. An der Position des Cursors gilt für die Ausgangsspannung: 2,19 V · 2,19 V: 3,3 V = 1,45 V. Der Messwert an Kanal 4 an der Cursorposition ist 1,4 V. Auch hier tritt eine kleine Abweichung auf.

Üblicherweise sind Multiplikationsschaltungen zur Erzielung einer hohen Genauigkeit als integrierte Schaltung hergestellt. Dabei wird ausgenutzt, dass bei integrierten Schaltungen die Transistoren praktisch gleiche Temperatur haben. Diese Transistoren werden auch mit sehr identischen Daten hergestellt (matched transistor) Außerdem werden die ICs in der Regel während der Fertigung abgeglichen, s. [3].

4.6 Grundschaltungen des Operationsverstärkers: Komparatoren

Operationsverstärker können zum Vergleich zweier Spannungswerte genutzt werden. Diese Schaltungen liefern am Ausgang ein quasi-digitales Signal. Hier kann in der Regel ein Wert nahe der positiven bzw. nahe der negativen Versorgungsspannung gemessen werden. Der Operationsverstärker wird also nicht mehr im linearen Regelbereich betrieben. Vielmehr wird die interne Verstärkungsstufe in Sättigung betrieben. Dieser Sättigungsbetrieb führt zu einem langsameren Umschalten der Ausgangsspannung. Soll ein schnelles Umschalten erzielt werden, sollte deshalb auf spezielle Komparatoren zurückgegriffen werden, s. [9].

4.6.1 Komparator (Vergleicher)

Die Schaltung eines Komparators ist in Abb. 4.56 dargestellt.

Diese Operationsverstärkerschaltung hat eine Eingangsspannung U_{Ein} und eine Referenzspannung U_{Ref}. Die Referenzspannung wird durch einen Spannungsteiler eingestellt, der zwischen positive und negative Versorgungsspannung geschaltet ist. In einigen Fällen wird anstelle der negativen Versorgungsspannung Massepotenzial verwendet.

Bei dieser Schaltung gibt es keine Rückkopplung vom Ausgang des Operationsverstärkers auf den Eingang. Von daher ist das Prinzip der virtuellen Masse bei dieser Schaltung nicht anwendbar. Es ist vielmehr so, dass die Ausgangsspannung des Operationsverstärkers nicht begrenzt wird und üblicherweise in Richtung positive oder negative Versorgungsspannung läuft.

Die Schaltung funktioniert in der folgenden Weise: Am negativen Eingang liegt die Referenzspannung an, die über den Spannungsteiler R_1 und R_2 eingestellt wird. Für die Referenzspannung U_{Ref} gilt:

$$
\begin{aligned}
& U_{\mathrm{Ref}} = -U_{\mathrm{B}} + [U_{\mathrm{B}} - (-U_{\mathrm{B}})] \cdot \frac{R_2}{R_1 + R_2} \\
\Longleftrightarrow\ & U_{\mathrm{Ref}} = -U_{\mathrm{B}} \cdot \frac{R_1 + R_2}{R_1 + R_2} + 2 \cdot U_{\mathrm{B}} \cdot \frac{R_2}{R_1 + R_2}. \\
\Longleftrightarrow\ & U_{\mathrm{Ref}} = U_{\mathrm{B}} \cdot \frac{R_2 - R_1}{R_1 + R_2}.
\end{aligned} \tag{4.40}
$$

Für den Sonderfall, dass der Spannungsteiler zwischen Versorgungsspannung und Masse geschaltet wird, vereinfacht sich die Gleichung auf:

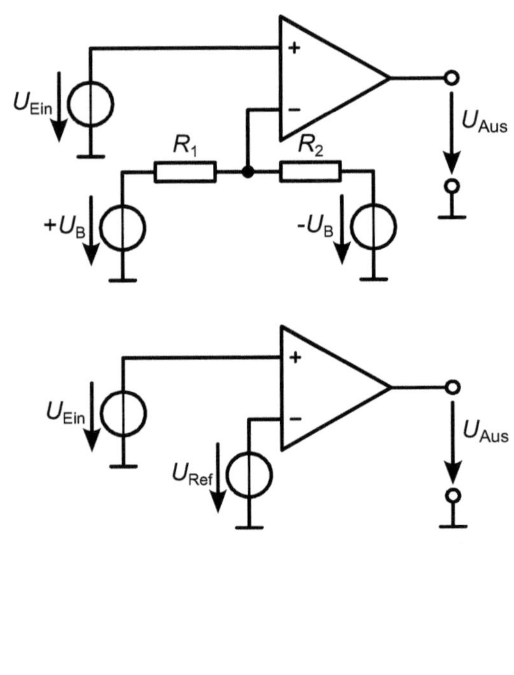

Abb. 4.56 Schaltung eines Komparators mit Widerstandsspannungsteiler (oben) und vereinfachtes Schaltbild (unten)

$$U_{\mathrm{Ref}} = U_{\mathrm{B}} \cdot \frac{R_2}{R_1 + R_2}. \tag{4.41}$$

Für die Ausgangsspannung des Operationsverstärkers gilt:

$$U_{\mathrm{Aus}} = V_0 \cdot \left(U_{\mathrm{Pos}} - U_{\mathrm{Neg}}\right).$$

Die Ausgangsspannung ergibt sich aus der Differenz der Spannung am nichtinvertierenden Eingang und der Spannung am invertierenden Eingang, die mit der Differenzverstärkung multipliziert wird.

Die Spannung am nichtinvertierenden Eingang ist bei dieser Schaltung die Eingangsspannung U_{Ein}. Am nichtinvertierenden Eingang liegt die Referenzspannung U_{Ref} des Spannungsteilers an. Damit ergibt sich für die Ausgangsspannung:

$$U_{\mathrm{Aus}} = V_0 \cdot (U_{\mathrm{Ein}} - U_{\mathrm{Ref}}).$$

Drei mögliche Fälle werden unterschieden:

$$\begin{aligned} U_{\mathrm{Ein}} &< U_{\mathrm{Ref}} : U_{\mathrm{Aus}}\,\text{läuft gegen} - U_{\mathrm{B}}\ \text{(rail-to-rail-OP)} \\ U_{\mathrm{Ein}} &= U_{\mathrm{Ref}} : U_{\mathrm{Aus}} = 0\,\mathrm{V} \\ U_{\mathrm{Ein}} &> U_{\mathrm{Ref}} : U_{\mathrm{Aus}}\,\text{läuft gegen} + U_{\mathrm{B}}\ \text{(rail-to-rail-OP)}. \end{aligned} \tag{4.42}$$

Die Beschreibung eines rail-to-rail Operationsverstärkers erfolgt in Kap. 3 und in Abschn. 5.5. Der zweite Fall, nach dem die Ausgangsspannung 0 V wird, kommt in der Praxis normalerweise nicht vor, da Spannungsdifferenzen im Nanovoltbereich bereits das „Kippen“ des Ausgangs bewirken. Das Schaltverhalten des Komparators ist in Abb. 4.57 abgebildet. Der Übergangsbereich ist sehr schmal! Das Foto eines Komparators auf dem Steckbrett ist in Abb. 4.58 gezeigt, die zugehörige Messung in Abb. 4.59.

Bei Bedarf können der invertierende und der nichtinvertierende Eingang verstauscht werden. In diesem Fall schaltet der Komparator genau umgekehrt. Beispielsweise wird die Ausgangsspannung für $U_{\mathrm{Ein}}<U_{\mathrm{Ref}}$ in diesem Fall positiv.

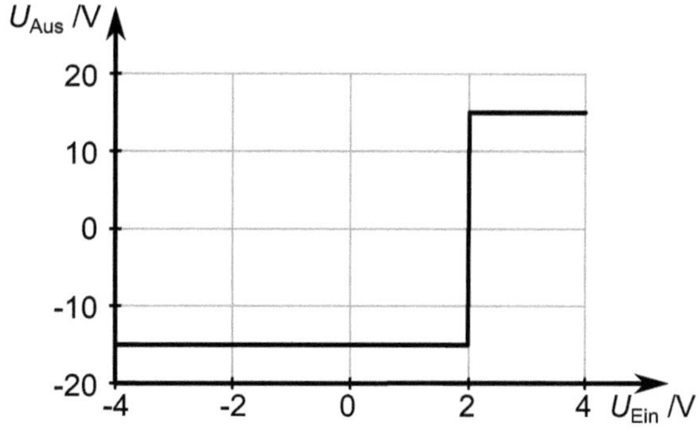

Abb. 4.57 Vereinfachte Kennlinie des Komparators für eine Referenzspannung von 2 V. Hier wird vorausgesetzt, dass die mögliche Ausgangsspannung zwischen −15 V und +15 V liegt

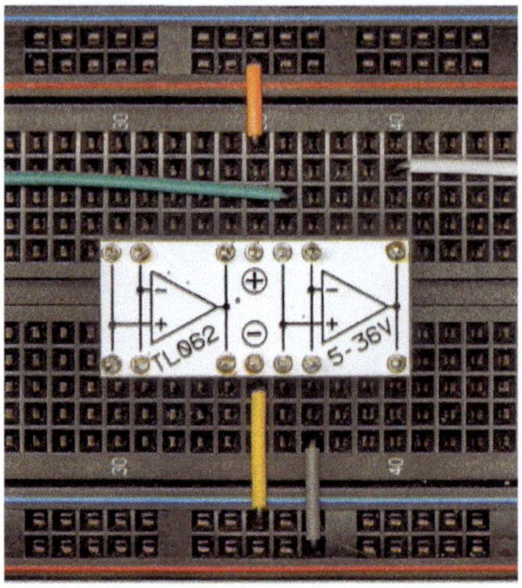

Abb. 4.58 Foto der Schaltung eines Komparators auf dem Steckbrett. Der invertierende Eingang wird über die graue Leitung unten mit Masse verbunden. Das Eingangssignal wird über die grüne Leitung links oben zugeführt. Das Ausgangssignal wird über die weiße Leitung rechts oben gemessen

Der Komparator wandelt ein analoges Eingangssignal in zwei Spannungswerte am Ausgang um. Damit stellt der Komparator einen primitiven Analog-Digital-Wandler dar. Bei der Verwendung eines rail-to-rail-Operationsverstärkers mit einer Spannungsversorgung von +5 V und Masse (also mit unsymmetrischer Betriebsspannung) ist so eine direkte Erzeugung von TTL-Pegeln möglich. Nachteilig ist der Übergangsbereich, zwischen den beiden Ausgangsspannungen, da es hier zu ungewolltem Schalten kommen kann. Eine Hysterese in der Übertragungskurve würde hier ein besseres Schaltverhalten aufweisen, s. den Schmitt-Trigger im folgenden Abschn. 4.7.2.

Im Foto in Abb. 4.60 sind zwei Komparatorschaltungen auf dem Steckbrett zu sehen. Die linke Schaltung verwendet einen Operationsverstärker, die rechte Schaltung ein Komparator-IC. Die zugehörige Messung ist in Abb. 4.61 dargestellt. Hier wird insbesondere das Umschaltverhalten gezeigt.

4.6.2 Fensterkomparator

Eine Erweiterung des „einfachen" Komparators stellt der Fensterkomparator dar. Hier wird angezeigt, ob ein Spannungswert innerhalb eines bestimmten Spannungsbereiches bzw. Spannungsfensters liegt. Ist das der Fall, ist die Ausgangsspannung positiv, andernfalls wird die Ausgangsspannung negativ. Eine schöne anschauliche Schaltung wurde [10] entnommen. Die Schaltung ist in Abb. 4.62 gezeigt. Hier werden zwei Komparatoren mit unterschiedlichen Referenzspannungen verwendet. Über eine Und-Schaltung mit Dioden [6] wird das Ausgangssignal generiert. Die beiden Schaltschwellen ergeben sich aus dem Spannungsteiler mit den Widerständen R_1, R_2 und R_3. Die Berechnung erfolgt analog zu den Berechnungen des grundlegenden Komparators. Hier wird für eine einfachere Darstellung anstelle von $+U_B$ $U_{B,Pos}$ und anstelle von $-U_B$ $U_{B,Neg}$ verwendet. Damit folgt für die Einschaltspannung $U_{Ref,Ein}$:

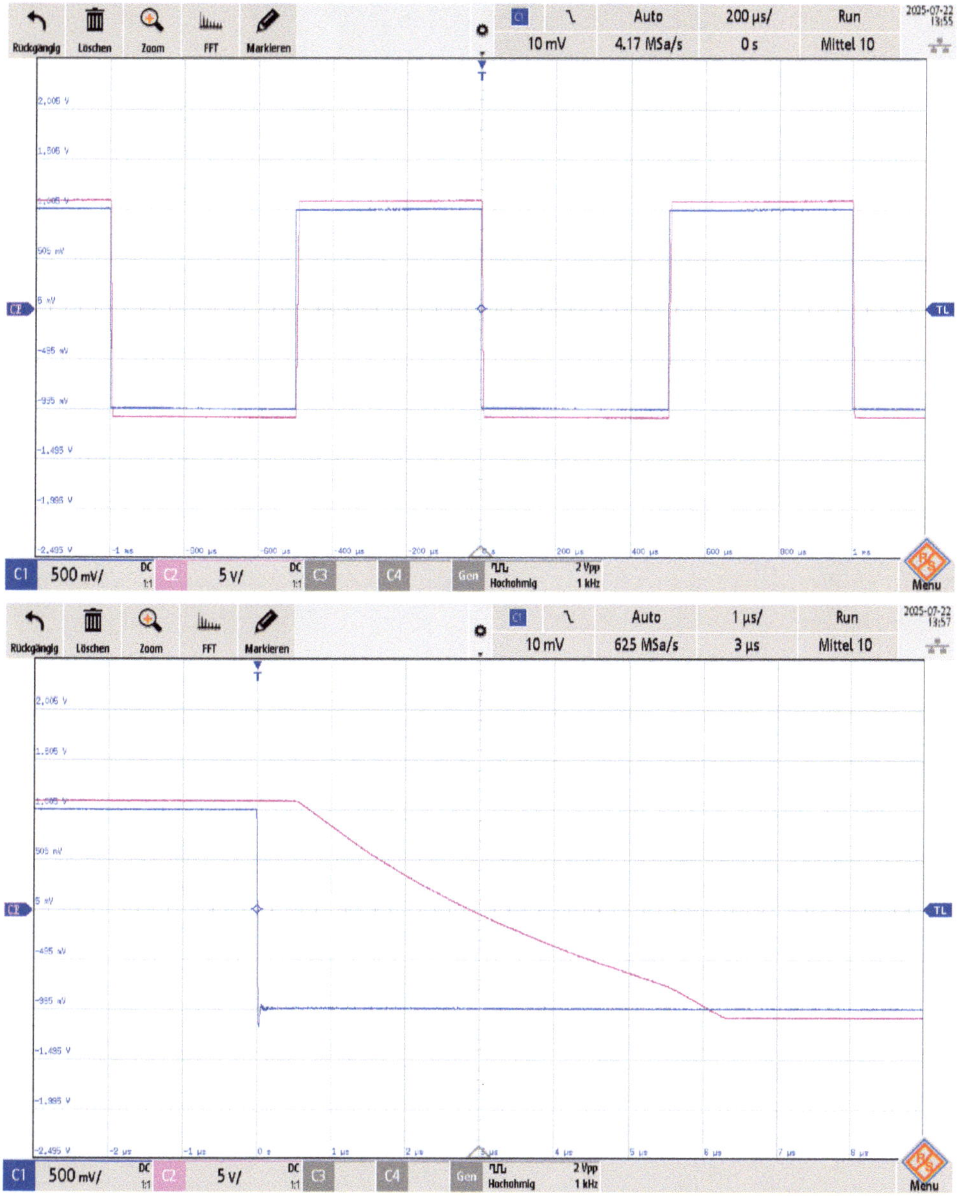

Abb. 4.59 Messung des Komparators aus Abb. 4.57 bzw. 4.58 im oberen Teilbild. Das Eingangssignal ist die blaue Kurve, der Ausgang die pinkfarbene Linie. Das untere Teilbild zeigt eine Vergrößerung der abfallenden Flanke. Die Skalierung ist 500 mV/□ für den Eingang an Kanal 1 und 5 V/□ für das Ausgangssignal an Kanal 2

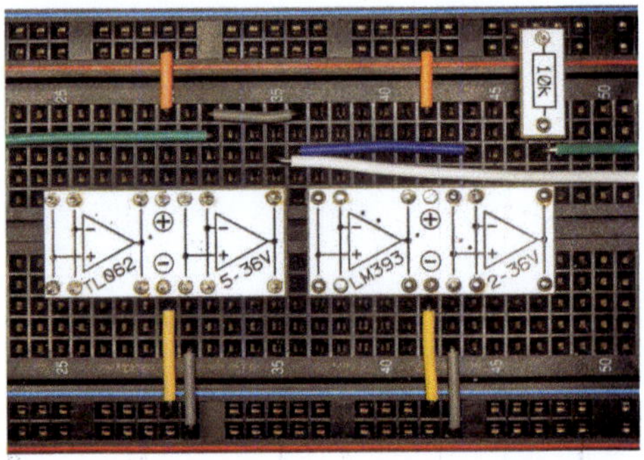

Abb. 4.60 Foto der Schaltung von zwei Komparatoren auf dem Steckbrett. Die linke Schaltung verwendet einen Operationsverstärker, die rechte Schaltung ein Komparator-IC. Das Eingangssignal wird über die grüne Leitung links oben an den invertierenden Eingang des linken OPs gegeben. Über die graue und die blaue Leitung im oberen Bereich wird das Eingangssignal an den rechten Komparator gegeben. Über die weiße und die grüne Leitung rechts oben werden die beiden Ausgangssignale gemessen. Hier werden beide Komparatoren invertiert betrieben

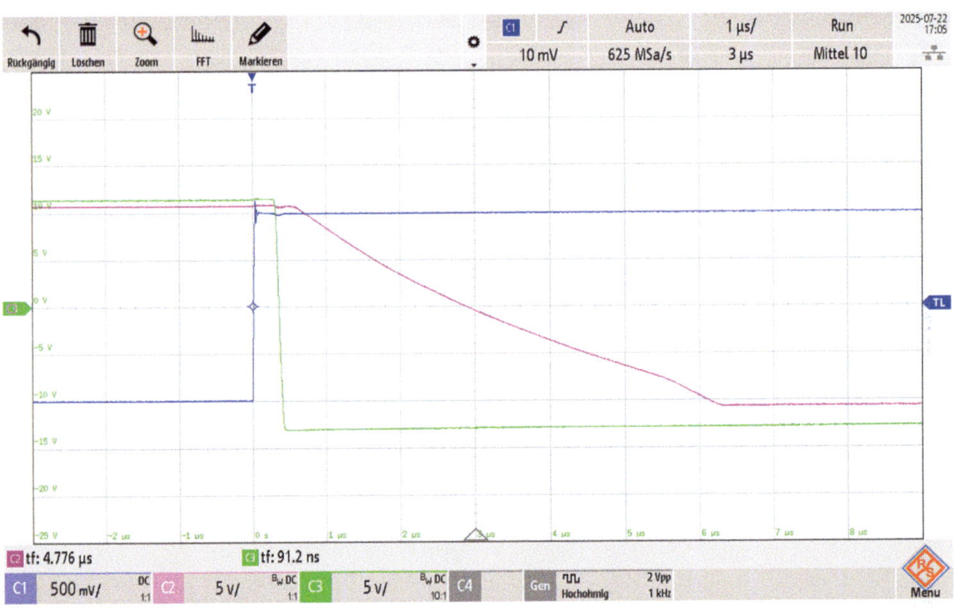

Abb. 4.61 Messung der beiden Komparatoren aus Abb. 4.60. Die blaue Kurve ist das Eingangssignal, die pinkfarbene Kurve das Ausgangssignal des als Komparator beschalteten OPs. Die grüne Kurve ist das Ausgangssignal des Komparators LM393. Die deutliche schnellere Schaltzeit ist gut sichtbar. Die Abfallzeit ist als Messung im Diagramm ergänzt. Die Skalierung ist 500 mV/□ für das Eingangssignal an Kanal 1 und 5 V/□ für die beiden Ausgangssignale

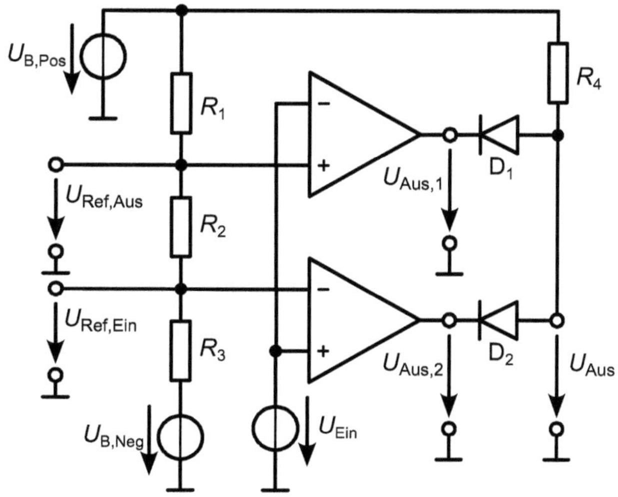

Abb. 4.62 Schaltung eines Fensterkomparators, nach [10]

$$U_{Ref,Ein} = U_{B,Neg} + \frac{R_3}{R_1 + R_2 + R_3} \cdot \left(U_{B,Pos} - U_{B,Neg}\right)$$
$$\Longleftrightarrow \quad U_{Ref,Ein} = \frac{(R_1 + R_2) \cdot U_{B,Neg} + R_3 \cdot U_{B,Pos}}{R_1 + R_2 + R_3} \tag{4.43}$$

Entsprechend gilt für die obere Ausschaltspannung $U_{Ref,Aus}$:

$$U_{Ref,Aus} = \frac{R_1 \cdot U_{B,Neg} + (R_2 + R_3) \cdot U_{B,Pos}}{R_1 + R_2 + R_3} \tag{4.44}$$

Die Ausgangsspannungen der beiden Komparatoren werden mit den beiden Dioden UND-verknüpft, s. [6]. So wird die Ausgangsspannung positiv, wenn beide OP-Ausgänge positiv sind. Das ist der Fall, wenn die Eingangsspannung U_{Ein} einen Spannungswert hat, der zwischen $U_{Ref,Ein}$ und $U_{Ref,Aus}$ liegt.

Ein Foto der auf dem Steckbrett aufgebauten Schaltung ist in Abb. 4.63 gezeigt, die zugehörige Messung in Abb. 4.64. Für diese Schaltung gelten die folgenden Bauteilwerte: $U_{B,Pos} = 11{,}5$ V, $U_{B.Neg} = -11{,}5$ V, $R_1 = R_3 = 47$ kΩ und $R_2 = 10$ kΩ. Daraus ergeben sich die Einschalt- bzw. Ausschaltspannung zu $-1{,}1$ V bzw. 1,1 V. Diese Werte stimmen gut mit der Messung in Abb. 4.64 (Cursorfunktion) überein.

4.6.3 Schmitt-Trigger

Der Komparator weist den Nachteil auf, dass bei praktisch identischer Eingangs- und Referenzspannung der Ausgang unkontrolliert hin und her schaltet. Dieser Nachteil kann durch eine Rückkopplung des Ausgangs auf den Eingang verhindert werden. Es entsteht die Schaltung eines Schmitt-Triggers, die in Abb. 4.65 abgebildet ist.

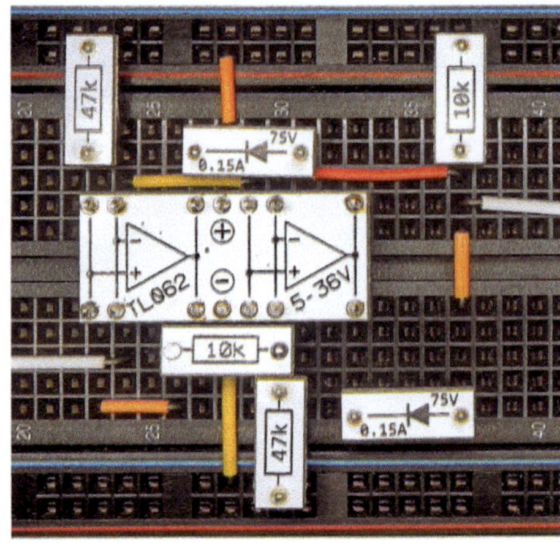

Abb. 4.63 Foto des entsprechen des Schaltplans in Abb. 4.62 aufgebauten Fensterkomparators. Die Widerstände 47 kΩ, 10 kΩ und 47 kΩ bilden den Spannungsteiler R_1 bis R_3. Der 10 kΩ-Widerstand ist mit dem invertierenden Eingang des rechten OPs und dem nichtinvertierenden Eingang des linken OPs verbunden. Der 10 kΩ-Widerstand rechts oben entspricht Widerstand R_4 in der Schaltung

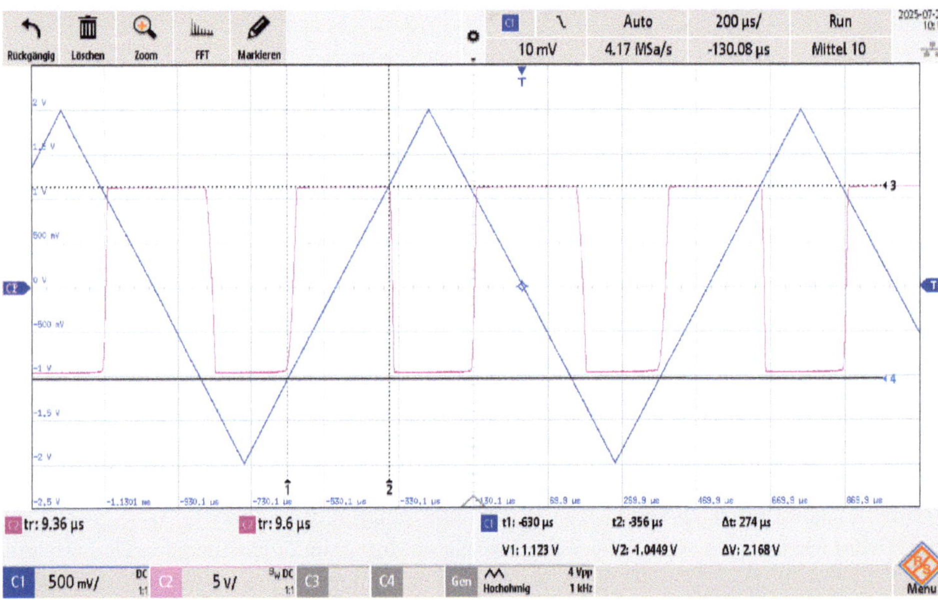

Abb. 4.64 Messung des in Abb. 4.63 gezeigten Fensterkomparators. Das dreieckförmige Eingangssignal ist die blaue Kurve. Das Ausgangssignal ist die pinkfarbene Linie. Die Umschaltspannungen von etwa −1,04 V bzw. 1,12 V sind durch die Cursor markiert. Die Skalierung ist 500 mV/□ für Kanal 1 (Eingang) und 5 V/□ für Kanal 2

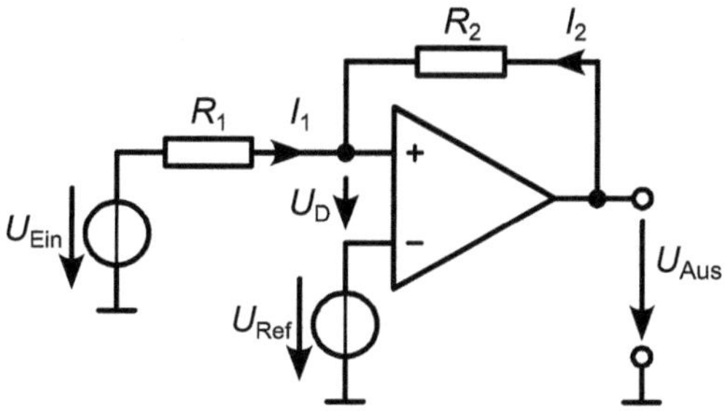

Abb. 4.65 Vereinfachte Schaltung eines Schmitt-Triggers

Für diese Schaltung gilt:

$$U_{Neg} = U_{Ref}$$
$$I_1 = -I_2 \quad \text{(kein Eingangsstrom in den OP)}$$
$$U_{Pos} = U_{Ein} - R_1 \cdot I_1 = U_{Aus} - R_2 \cdot I_2$$

Damit ergeben sich für die Funktionsweise des Schmitt-Triggers zunächst die folgenden Punkte:

- Für $U_{Ein} >> U_{Ref}$ geht die Ausgangsspannung auf $+U_B$, da die Differenzspannung $U_D = U_{Pos} - U_{Neg} > 0$ V ist.
- Für $U_{Ein} << U_{Ref}$ geht die Ausgangsspannung auf $-U_B$, da die Differenzspannung $U_D = U_{Pos} - U_{Neg} < 0$ V ist.
- Ist die Eingangsspannung $U_{Ein} = U_{Ref}$, bleibt die momentane Ausgangsspannung erhalten.

Die Kennlinie ist in Abb. 4.66 gezeigt. Hier ergeben sich für einige Eingangsspannungswerte zwei mögliche Ausgangsspannungen. Hier ist jetzt die Änderung der Eingangsspannung entscheidend. Hat die Eingangsspannung hohe positive Werte und ändert sich auf niedrigere Werte, bleibt die Ausgangsspannung zunächst bei +15 V. Erst wenn die Eingangsspannung für die dargestellte Kennlinie unter ca. 0,8 V fällt, sinkt die Ausgangsspannung auf −15 V. Bei diesem Wert bleibt die Ausgangsspannung bei einer weiteren Reduzierung der Eingangsspannung. Steigt die Eingangsspannung an, ändert sich die Ausgangsspannung erst ab einem Eingangsspannungswert von etwa 3,3 V. Das Schalten der Ausgangsspannung auf +15 V und das Schalten auf −15 V erfolgen bei unterschiedlichen Eingangsspannungswerten. Die Differenz dieser Werte wird als Hysterese bezeichnet.

Zur Bestimmung der Umschaltspannung eines Schmitt-Triggers muss untersucht werden, bei welcher Eingangs- und Ausgangsspannung die Differenzspannung U_D am Eingang des OPs 0 V erreicht: Im normalen Betrieb ist die Differenzspannung U_D am Operationsverstärker ungleich 0 V. Bei einer Änderung der Eingangsspannung wird die

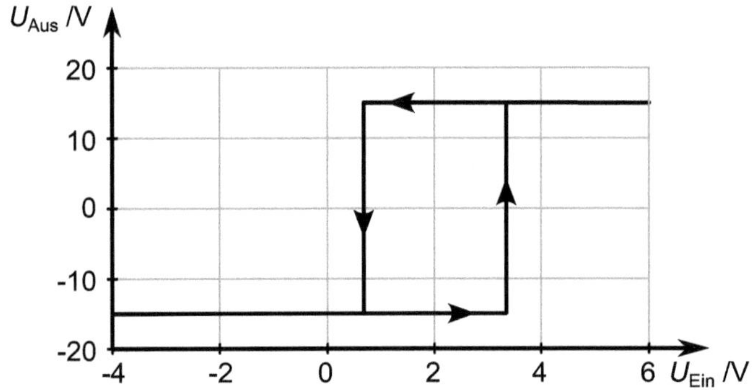

Abb. 4.66 Schematische Darstellung der Kennlinie des Schmitt-Triggers. Wie beim Komparator wurde als Referenzspannung 2 V gewählt. Die Ausgangsspannung kann Werte zwischen −15 V und −15 V annehmen. Die Pfeile deuten den Verlauf der Ausgangsspannung an, s. Text

Differenzspannung niedriger, bis schließlich 0 V erreicht werden. Eine weitere (minimale) Änderung der Eingangsspannung führt dazu, dass der Schmitt-Trigger umschaltet und sich die Ausgangsspannung ändert. Das bedeutet, dass im Umschaltmoment die Differenzspannung $U_D = 0$ V ist. Damit gilt:

$$U_D = 0\,\text{V} = U_{Pos} - U_{Neg} \iff U_{Pos} = U_{Neg}.$$

Einsetzen der oberen Gleichungen ergibt:

$$U_{Pos} = U_{Ein} - R_1 \cdot I_1 = U_{Neg} = U_{Ref}.$$

Aus $U_{Ein} - R_1 \cdot I_1 = U_{Aus} - R_2 \cdot I_2$ folgt mit $I_1 = -I_2$:

$$U_{Ein} - U_{Aus} = R_1 \cdot I_1 + R_2 \cdot I_1$$

$$\iff I_1 = \frac{U_{Ein} - U_{Aus}}{R_1 + R_2}$$

Eingesetzt in die obige Gleichung für die Referenzspannung:

$$U_{Ref} = U_{Ein} - R_1 \cdot I_1 = U_{Ein} - R_1 \cdot \frac{U_{Ein} - U_{Aus}}{R_1 + R_2}$$

ergibt sich die allgemeine Formel:

$$U_{Ref} = U_{Ein} \cdot \frac{R_2}{R_1 + R_2} + U_{Aus} \cdot \frac{R_1}{R_1 + R_2} \tag{4.45}$$

Im ersten Fall wird von einer negativen Ausgangsspannung $U_{\mathrm{Aus}} = -U_{\mathrm{B}}$ ausgegangen. Nur wenn die Eingangsspannung ausreichend hoch ansteigt, schaltet der Schmitt-Trigger um. Die Umschaltspannung lässt sich aus Gl. (4.45) berechnen, wenn U_{Ein} durch $U_{\mathrm{Ein,Ein}}$ ersetzt wird:

$$\begin{aligned} U_{\mathrm{Ref}} &= U_{\mathrm{Ein,Ein}} \cdot \frac{R_2}{R_1 + R_2} - U_{\mathrm{B}} \cdot \frac{R_1}{R_1 + R_2} \\ \Longleftrightarrow \quad U_{\mathrm{Ref}} + U_{\mathrm{B}} \cdot \frac{R_1}{R_1 + R_2} &= U_{\mathrm{Ein,Ein}} \cdot \frac{R_2}{R_1 + R_2} \\ \Longleftrightarrow \quad U_{\mathrm{Ein,Ein}} &= U_{\mathrm{Ref}} \cdot \frac{R_1 + R_2}{R_2} + U_{\mathrm{B}} \cdot \frac{R_1}{R_2} \end{aligned} \tag{4.46}$$

Zwei Sonderfälle vereinfachen die obere Gleichung. Einerseits kann als Referenzspannung $U_{\mathrm{Ref}} = 0$ V gewählt werden:

$$U_{\mathrm{Ein,Ein}} = U_{\mathrm{B}} \cdot \frac{R_1}{R_2} \tag{4.47}$$

Im anderen Fall kann anstelle der negativen Versorgungsspannung 0 V gewählt werden (unsymmetrischer Betrieb des Operationsverstärkers!). Dann gilt:

$$U_{\mathrm{Ein,Ein}} = U_{\mathrm{Ref}} \cdot \frac{R_1 + R_2}{R_2} \tag{4.48}$$

Hier ist wichtig, dass die Referenzspannung positiv ist, ansonsten kann der Schmitt-Trigger nicht wieder ausgeschaltet werden. Ist die Ausgangsspannung an der positiven Versorgungsspannung, muss die Eingangsspannung sinken, damit der Schmitt-Trigger ausschaltet. Die Berechnung erfolgt wieder mit Gl. (4.45), in die anstelle von U_{Ein} die Ausschaltspannung $U_{\mathrm{Ein,Aus}}$ eingesetzt wird:

$$U_{\mathrm{Ein,Aus}} = U_{\mathrm{Ref}} \cdot \frac{R_1 + R_2}{R_2} - U_{\mathrm{B}} \cdot \frac{R_1}{R_2} \tag{4.49}$$

Von den beiden Sonderfällen bleibt der unsymmetrische Betrieb mit der 0 V anstelle $-U_{\mathrm{B}}$ hier ohne Auswirkung. Wird die Referenzspannung auf 0 V gesetzt, ergibt sich:

$$U_{\mathrm{Ein,Aus}} = -U_{\mathrm{B}} \cdot \frac{R_1}{R_2} \tag{4.50}$$

Die Hysterese, d. h. die Spannungsdifferenz zwischen der Einschaltspannung und der Ausschaltspannung, ist:

$$\Delta U_{\mathrm{Ein}} = U_{\mathrm{Ein,Ein}} - U_{\mathrm{Ein,Aus}}$$

Einsetzen der Gl. (4.46) und (4.49) ergibt die Hysterese im allgemeinen Fall zu

$$\Delta U_{\text{Ein}} = 2 \cdot U_{\text{B}} \cdot \frac{R_1}{R_2}. \tag{4.51}$$

Für den Sonderfall $U_{\text{Ref}} = 0$ V ändert sich die Formel für die Hysterese nicht. Wird allerdings der Operationsverstärker unsymmetrisch betrieben, d. h. wird anstelle einer negativen Versorgungsspannung wieder 0 V verwendet, ändert sich die Hysterese auf:

$$\Delta U_{\text{Ein}} = U_{\text{B}} \cdot \frac{R_1}{R_2} \tag{4.52}$$

Ein Foto der auf dem Steckbrett aufgebauten Schaltung und die zugehörige Messung sind in Abb. 4.67 und 4.68 gezeigt.

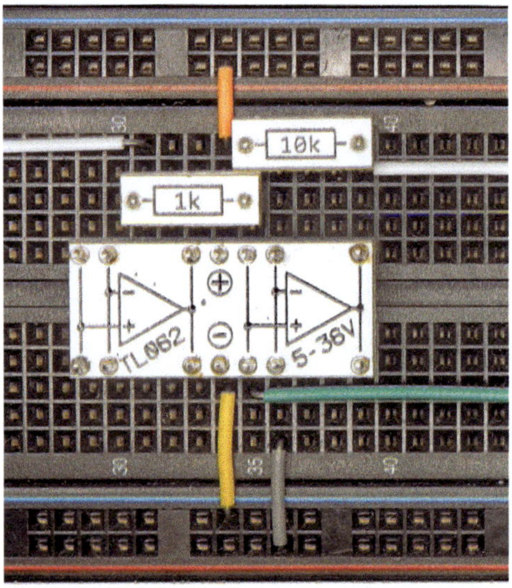

Abb. 4.67 Foto der aufgebauten Schaltung des Schmitt-Triggers auf dem Steckbrett. Der 1 kΩ-Widerstand ist die Einkopplung auf den nichtinvertierenden Eingang des rechten OPs, der 10 kΩ-Widerstand oben bildet die Rückkopplung vom Ausgang auf den nichtinvertierenden Eingang. Als Referenzspannung wird 0 V verwendet. Die kurze graue Leitung unten verbindet die rot markierte Masseleitung mit dem invertierenden Eingang. Über die grüne Leitung unten rechts wird zusätzlich die Spannung am nichtinvertierenden Eingang des OPs gemessen

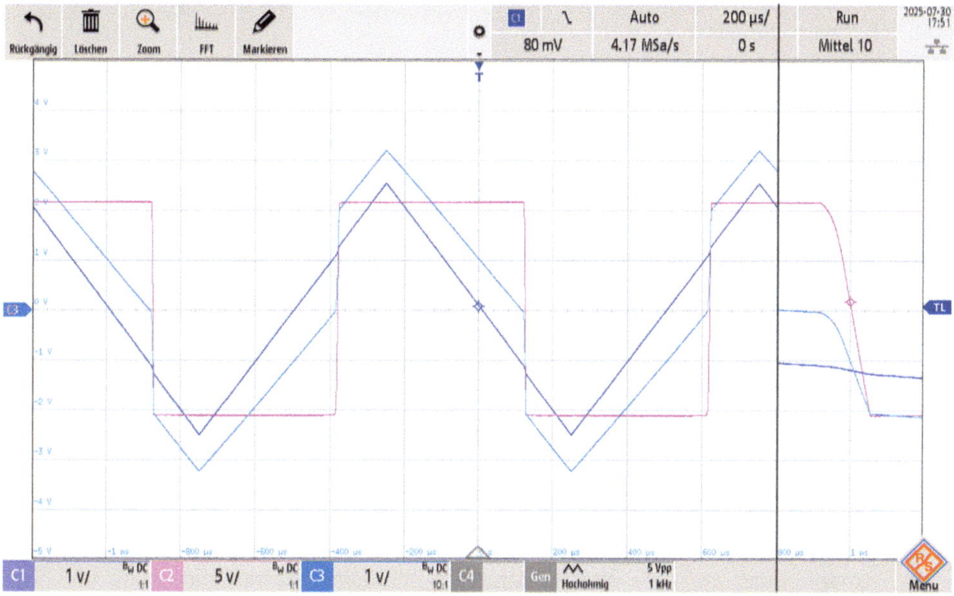

Abb. 4.68 Messung der Schaltung aus Abb. 4.67 Das Eingangssignal entspricht der dunkelblauen Kurve an Kanal 1, das Ausgangssignal der pinkfarbenen Linie an Kanal 2. Die hellblaue Kurve entspricht dem Spannungsverlauf am nichtinvertierenden Eingang. Im rechten Bereich ist eine Vergrößerung einer Umschaltflanke dargestellt. Gut ist erkennbar, dass bei Erreichen von 0 V am nichtinvertierenden Eingang der Umschaltvorgang beginnt. Im großen Bild ist erkennbar, dass die Änderung der Spannung am nichtinvertierenden Eingang hier auch Einfluss auf die Eingangsspannung hat. Hier sind Spannungsänderungen von etwa 0,1 V sichtbar. Die Skalierung ist 5 V/☐ für das Ausgangssignal und 1 V/☐ für das Eingangssignal (dunkelblau) bzw. die Spannung am nichtinvertierenden Eingang (hellblau)

4.7 Grundschaltungen des Operationsverstärkers: Logikschaltungen

Mit Operationsverstärkern lassen sich einfache Digitalschaltungen realisieren. Das ist insbesondere dann geschickt, wenn aus einem Mehrfach-Operationsverstärker ein OP nicht benötigt wird, gleichzeitig aber eine einfache logische Verknüpfung erforderlich ist. Hier werden einige Grundschaltungen beispielhaft gezeigt.

4.7.1 UND-Schaltung

Für die Realisierung einer UND-Verknüpfung gibt es zwei Möglichkeiten. Die erste Variante kombiniert die UND-Verknüpfung per Diode [6] mit einem nachfolgenden Komparator, s. Abb. 4.69. Die zweite Variante beruht ebenfalls auf einem Komparator und

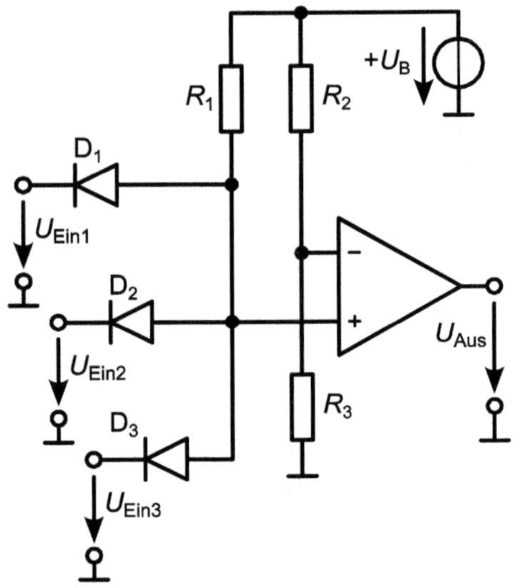

Abb. 4.69 Erste Version der Schaltung einer mehrfachen UND-Verknüpfung auf Diodenbasis. Der Komparator vergleicht die resultierende Spannung mit einer Referenzspannung

einer Spannungsaddition an einem Spannungsteiler. Diese Schaltung ist in Abb. 4.70 dargestellt. Die drei Eingangssignale werden am gemeinsamen Anschlusspunkt zu einer Gesamtspannung addiert. Diese Spannung wird dann mit der Referenzspannung verglichen. Der Wert der Referenzspannung wird durch den Spannungsteiler mit den beiden Widerständen R_5 und R_6 festgelegt. Diese Schaltung kann durch die Wahl der Widerstände so eingestellt werden, dass neben der idealen UND-Verknüpfung auch andere Varianten möglich sind, beispielsweise eine Art ODER-Schaltung, bei der mindestens zwei Eingänge auf hohem Spannungspegel sind. Dazu ist es lediglich erforderlich, die Referenzspannung auf einen anderen Wert einzustellen. Die erste Version wurde auf dem Steckbrett aufgebaut und gemessen, s. Abb. 4.71 und 4.72.

4.7.2 ODER-Schaltung

Eine ODER-Schaltung kann analog zur UND-Verknüpfung realisiert werden. Auch hier gibt es die Möglichkeit mit Dioden [6], s. Abb. 4.73. Im Gegensatz zur UND-Verknüpfung werden die Dioden umgepolt. An den verbundenen Kathoden der Dioden wird ein Pulldown-Widerstand verwendet, der bei gesperrten Dioden die Spannung auf 0 V hält. Sobald eine Diode eine positive Spannung hat, steigt die Anodenspannung auf einen höheren Spannungswert. Diese Spannung wird mit einem nachgeschalteten Komparator mit einer Referenzspannung verglichen.

Ebenso besteht als zweite Variante die Möglichkeit, an einem Spannungsteiler die Eingangsspannung zu addieren und dann per Komparator mit einem Referenzwert zu vergleichen. Diese Schaltung ist identisch zur UND-Schaltung in Abb. 4.70. Hier wird

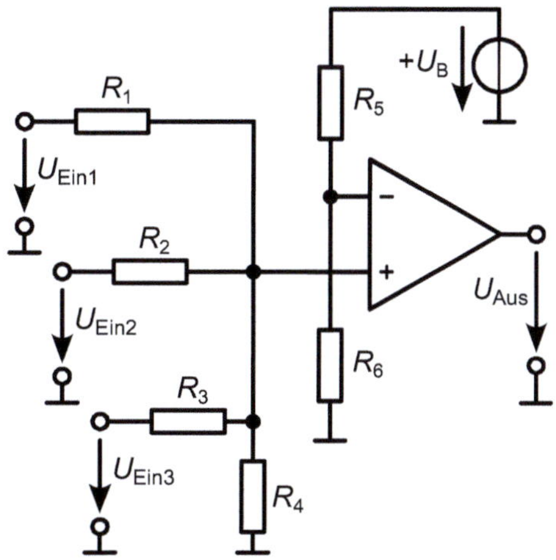

Abb. 4.70 Zweite Version der Schaltung einer mehrfachen UND-Verknüpfung. Am Spannungsteiler links werden die Spannungswerte addiert. Der Komparator vergleicht die resultierende Spannung mit einer Referenzspannung

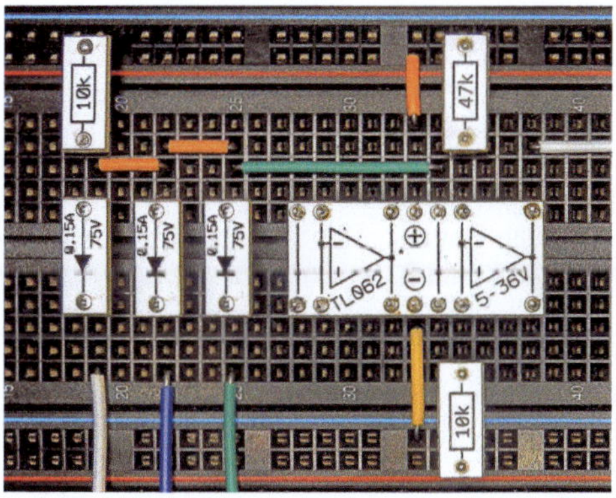

Abb. 4.71 Foto der aufgebauten UND-Verknüpfung auf dem Steckbrett. Hier wurde die erste Version der Schaltung entsprechend dem Schaltplan in Abb. 4.69 verwendet. Die drei Eingangssignale werden über die weiße, blaue und grüne Leitung unten links an die drei Dioden gelegt. Der 10 kΩ Widerstand links oben dient als pull-up Widerstand. Über die beiden rechten Widerstand wird die Referenzspannung festgelegt

jedoch die Referenzspannung mit dem Spannungsteiler aus R_5 und R_6 auf eine niedrigere Spannung eingestellt. Im Gegensatz zur Diodenschaltung besteht auch hier wieder die Möglichkeit, über die Referenzspannung oder die Gewichtung der Eingänge von der idealen ODER-Verknüpfung abzuweichen und spezielle Varianten zu generieren. Um die Eingänge unterschiedlich zu gewichten, werden die Widerstände R_1 bis R_3 in Abb. 4.70 unterschiedlich gewählt. Ansonsten entspricht die Funktionsweise dieser Schaltung der UND-Verknüpfung im vorigen Abschnitt.

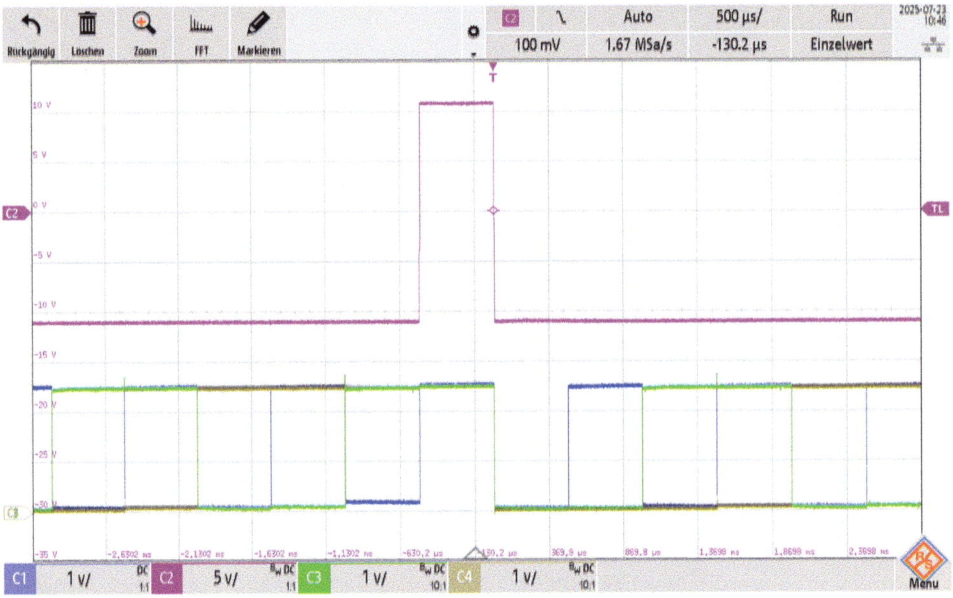

Abb. 4.72 Messung der ersten Version der Schaltung einer mehrfachen UND-Verknüpfung. Die drei Eingangssignale sind die blaue, grüne und graue Kurve der Kanäle 1, 3 und 4. Das Ausgangssignal ist die pinkfarbene Linie an Kanal 2. Die Skalierung ist 1 V/□ für die Eingangssignale und 5 V/□ für das Ausgangssignal an Kanal 2

Abb. 4.73 Erste Version der Schaltung einer mehrfachen ODER-Verknüpfung auf Diodenbasis. Der Komparator vergleicht die resultierende Spannung mit einer Referenzspannung

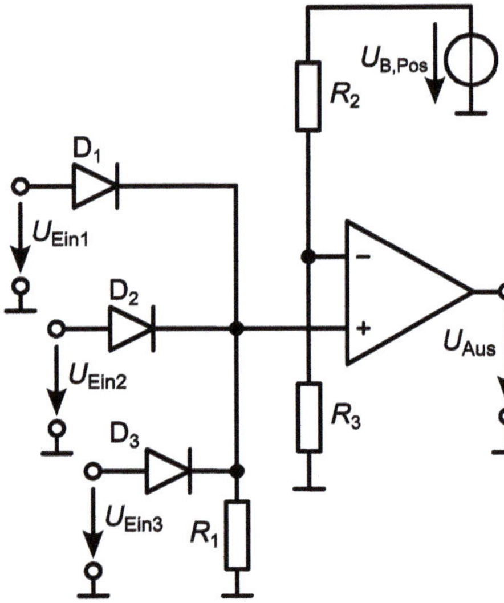

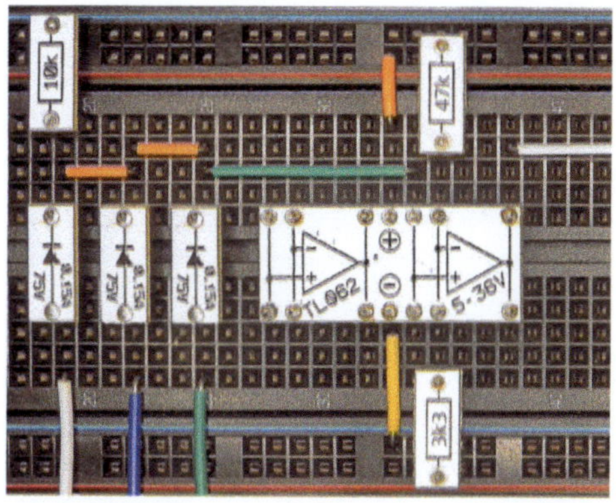

Abb. 4.74 Foto der ODER-Schaltung entsprechend der Schaltung in Abb. 4.73 aufgebaut auf dem Steckbrett. Über die drei Leitungen unten links (weiß, blau, grün) werden drei Eingangssignale an die Schaltung gelegt. Die drei Dioden im linken Bereich bilden die ODER-Verknüpfung, die mit dem rechten OP ausgewertet wird. Das Ausgangssignal wird über die weiße Leitung rechts oben gemessen

Die ODER-Schaltung mit Dioden entsprechend der Schaltung in Abb. 4.73 ist auf dem Steckbrett aufgebaut worden. Ein Foto des Aufbaus ist in Abb. 4.74 gezeigt, die zugehörige Messung in Abb. 4.75.

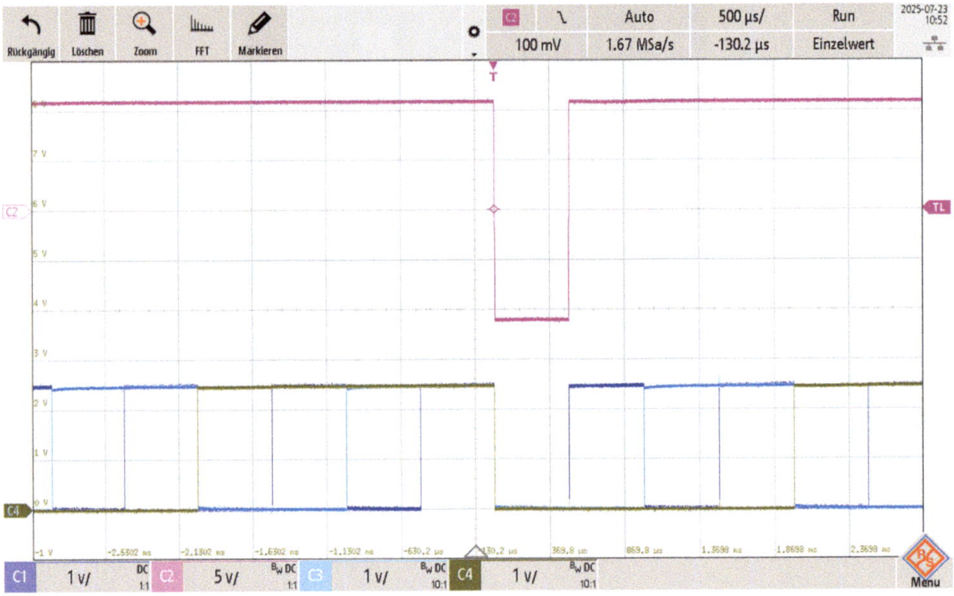

Abb. 4.75 Messung der ODER-Schaltung aus Abb. 4.74. Die drei Eingangssignale entsprechen Kanal 1 (dunkelblau), Kanal 3 (hellblau) und Kanal 4 (grün). Das Ausgangssignal ist die pinkfarbene Kurve von Kanal 2. Gut ist die Funktion der Schaltung erkennbar: Nur wenn alle Eingangssignale auf 0 V sind, wird die Ausgangsspannung negativ. Die Skalierung für die Eingangskanäle ist 1 V/□. Die Spannungsreferenz für diese Kanäle ist nahe am unteren Rand. Die Skalierung des Ausgangskanals (Kanal 2, pink) ist 5 V/□. Die Referenz für diesen Kanal wurde in den oberen Bereich verschoben

4.8 Grundschaltungen des Operationsverstärkers: Gleichrichter

4.8.1 Präzisionsgleichrichter mit Summationsverstärker

Für Messanwendungen sind Schaltungen erforderlich, die bereits kleine Wechselspannungen mit Amplituden im Millivoltbereich gleichrichten können. Diese Gleichrichtung kann mit Operationsverstärkern gut gelöst werden. Zwei Grundschaltungen sind als Präzisionsgleichrichter für Wechselspannungen mit geringen Amplituden geeignet. Die erste Version ist in Abb. 4.76 dargestellt.

Zur Funktionsweise dieser Schaltung wird zunächst nur die Schaltung um den Operationsverstärker OP_1 herum betrachtet.

Als Erstes wird untersucht, was passiert, wenn die Eingangsspannung U_{Ein} positiv ist. In diesem Fall wird U_{Aus1} negativ (OP als invertierender Verstärker). Damit sperrt die Diode D_1 und Diode D_2 leitet. Damit wird auch die Ausgangsspannung U_{Aus2} negativ. Die Verstärkung des Operationsverstärkers OP_1 bestimmt sich in diesem Fall (positive

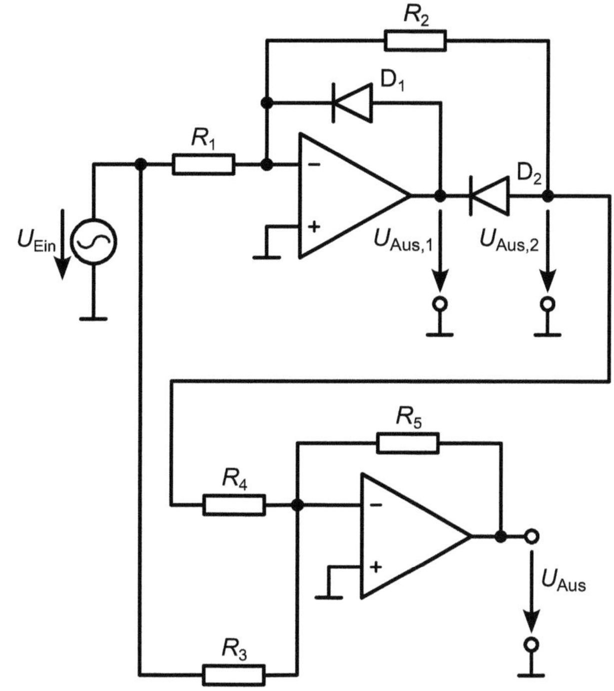

Abb. 4.76 Schaltung eines Präzisionsgleichrichters mit einem Einweggleichrichter und einer Summationsschaltung

Halbwelle) durch die beiden Widerstände, da ja die Diode D_1 sperrt und damit keinen Strom führt. Beide Widerstände sind gleich groß, sodass die Verstärkung $V_{U1} = -1$ ist.

Im zweiten Fall ist die Eingangsspannung U_{Ein} negativ. Dadurch wird U_{Aus1} positiv und die Diode D_1 leitet, während die Diode D_2 sperrt. Die Ausgangsspannung des Operationsverstärkers stellt sich damit über die Diode D_1 ein. Da die Diode D_2 sperrt, kann kein Strom über R_2 fließen. Mangels Stromfluss stellt sich am Ausgang U_{Aus2} die gleiche Spannung wie am anderen Ende von R_2 ein: Massepotenzial.

Als Gesamtfunktion der Schaltung um OP_1 bleibt festzuhalten, dass hier (nur!) die positive Halbwelle mit dem Faktor -1 verstärkt wird. Ansonsten ist die Ausgangsspannung 0 V.

Der zweite Operationsverstärker arbeitet als invertierender Summationsverstärker (Addierer). Die Ausgangsspannung von OP_1 wird um den Faktor -2 verstärkt (positive Halbwelle!), insgesamt also um den Faktor $(-2) \cdot (-1) = 2$. Gleichzeitig wird das ursprüngliche Signal (Wechselspannung!) mit dem Faktor -1 verstärkt und beide Signale addiert. Durch die Addition entsteht am Ausgang U_{Aus3} von OP_2 ein Signal, dass genau dem gleichgerichteten Signal entspricht: Die negative Halbwelle wird durchgelassen, die positive Halbwelle wird invertiert und zum verdoppelten Signal an U_{Aus2} addiert, sodass am Schluss die negative Halbwelle ebenfalls invertiert ist. Der schematische Kurvenverlauf am jeweiligen Ausgang der beiden Operationsverstärker ist in Abb. 4.77 enthalten.

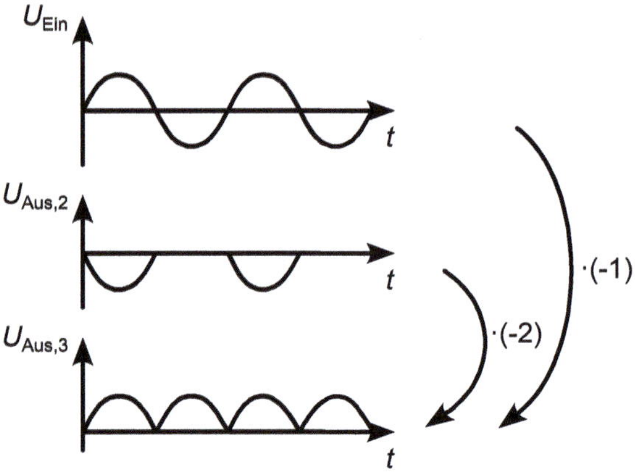

Abb. 4.77 Schematische Darstellung der Spannungen am Eingang U_{Ein} und an den beiden Ausgängen U_{Aus2} und U_{Aus3}

Abb. 4.78 Erste Version des Präzisionsgleichrichters auf dem Steckbrett. Das Eingangssignal wird am orangen Draht links unten angelegt. Der rechte Operationsverstärker liefert die invertierte positive Halbwelle nach der rechten Diode, der linke Operationsverstärker ist als invertierender Addierer geschaltet. Das Ausgangssignal wird am Ausgang des linken Operationsverstärkers gemessen. Die im Schaltbild eingezeichneten 5 kΩ werden hier durch eine Reihenschaltung aus 4,7 kΩ und 330 Ω realisiert

In Abb. 4.78 ist ein Foto der Gleichrichterschaltung auf dem Steckbrett dargestellt.

Die Messungen der Schaltung mit einem Oszilloskop sind in zwei weiteren Abbildungen dargestellt. In Abb. 4.79 ist das Ausgangssignal für ein sinusförmiges Eingangssignal mit einer Amplitude von 1 V, 50 mV und 20 mV dargestellt. Bei einer Amplitude von 50 mV wird eine Ungenauigkeit des Operationsverstärkers am Beginn der positiven Halbwelle sichtbar: Hier zeigt das Ausgangssignal eine zeitliche Verzögerung. Gleichzeitig ist zu erkennen, dass beim Übergang von positiven zur negativen Halbwelle die Ausgangsspannung nicht wieder auf 0 V sinkt. Im unteren Teilbild mit einer Eingangsamplitude von 20 mV ist überraschenderweise das Ausgangssignal am Anfang der positiven Halbwelle wieder besser. Der Übergang von der positiven zur negativen Halbwelle ist ähnlich wie mit

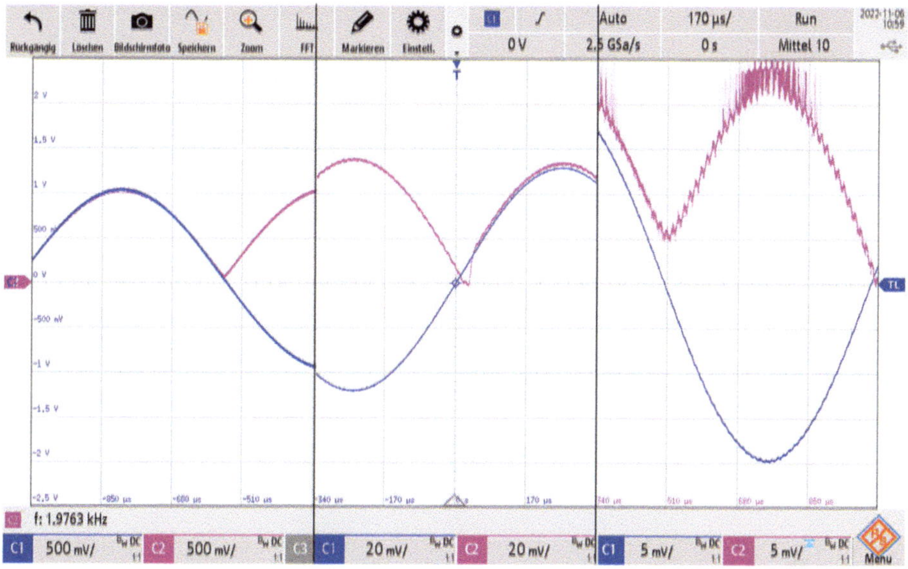

Abb. 4.79 Ausgangssignal des Präzisionsgleichrichters in der ersten Version für sinusförmige Signale mit einer Frequenz von 1 kHz. Das Foto der verwendeten Schaltung ist in Abb. 4.78 dargestellt. Das Eingangssignal ist jeweils die blaue Kurve. Das Ausgangssignal der Gleichrichterschaltung ist durch die pinkfarbene Linie dargestellt. Für das linke Teilbild wurde eine Amplitude von 1 V eingestellt. Die Amplitude für das mittlere Bild beträgt 50 mV und schließlich 20 mV für das rechte Teilbild. Für alle drei Teilbilder gilt eine Zeitauflösung von 170 µs/□. Die vertikale Skalierung ist 500 mV/□ (links), 20 mV/□ (Mitte) und 5 mV/□ (rechts)

der Amplitude von 50 mV und geht nicht auf 0 V zurück. Schließlich ist im unteren Teilbild deutlich erkennbar, dass das Ausgangssignal bei dieser geringen Eingangsamplitude stark verrauscht ist.

In Abb. 4.80 ist noch einmal das Ausgangssignal des Präzisionsgleichrichters dargestellt. Ergänzend zur vorigen Abbildung wurden hier das Ausgangssignal des Operationsverstärkers OP_1 und der Ausgang der ersten Teilschaltung mit aufgenommen. Durch Vergleich des dargestellten Spannungsverlaufs kann man zwischen der hellblauen und der grünen Linie den Spannungsabfall an den Dioden erkennen. Hier beträgt die Diodenspannung aufgrund des geringen Stromes etwa 0,5 V im Spannungsmaximum und etwas 0,4 V direkt bzw. vor und nach dem Nulldurchgang.

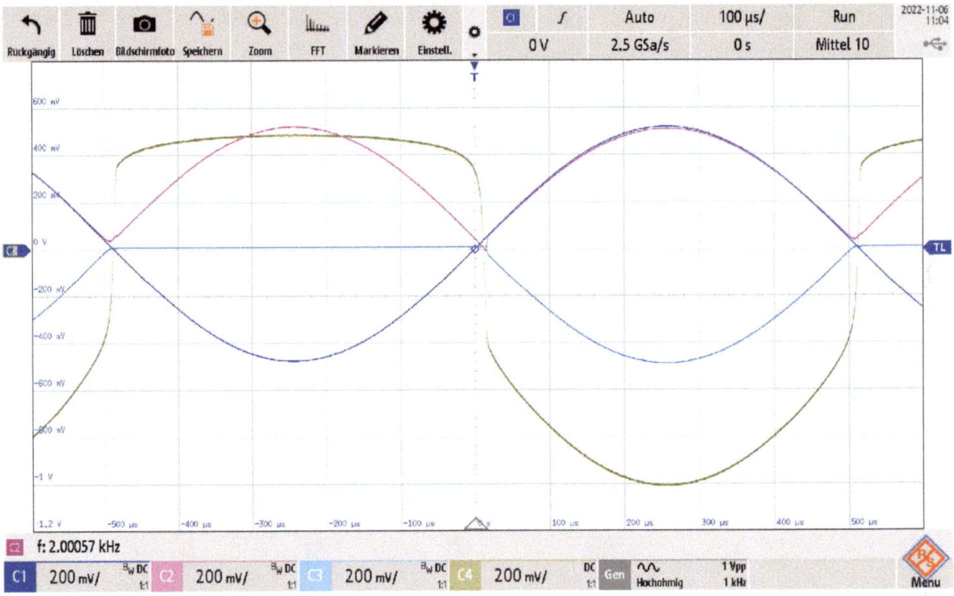

Abb. 4.80 Ausgangssignal des Präzisionsgleichrichters in der ersten Version für sinusförmige Signale mit einer Frequenz von 1 kHz. Die Amplitude des Eingangssignals beträgt 1 V. Dargestellt sind das Eingangssignal (blaue Kurve), das Ausgangssignal (pinkfarbene Linie), das Ausgangssignal der ersten Teilschaltung (hellblau) und schließlich das Ausgangssignal des ersten Operationsverstärkers (grün). Die Zeitauflösung beträgt 170 µs/□, die Spannungsauflösung 200 mV/□

4.8.2 Präzisionsgleichrichter auf Basis gleicher Ströme

Die zweite Variante des Präzisionsgleichrichters nutzt insbesondere den Stromfluss am Operationsverstärker aus. Die Grundschaltung verwendet nur einen Operationsverstärker und ist in Abb. 4.81 dargestellt. In dieser Schaltung ist ein Brückengleichrichter in der Rückkopplung des Operationsverstärkers enthalten. Für die Beschreibung der Funktionsweise wird auch hier die Funktion getrennt für die positive und negative Halbwelle beschrieben.

Zunächst wird das Verhalten der Schaltung für die positive Halbwelle beschrieben: Die Eingangsspannung U_{Ein} ist positiv. Es fließt ein Strom über den Widerstand R_1 zur virtuellen Masse am invertierenden Eingang des Operationsverstärkers. Da der Eingang des Operationsverstärkers sehr hochohmig ist, muss der Strom über die Diode D_1, den Widerstand R_2 und die Diode D_3 bis zum Ausgang des Operationsverstärkers fließen. Die Ausgangsspannung U_{Aus} wird in diesem Fall negativ und stellt sich entsprechend dem Strom ein. Der Strom durch R_2 ist dabei genauso groß, wie der Strom durch R_1! Dazu muss die Ausgangsspannung am OP so negativ werden, dass neben dem Spannungsabfall an R_2 auch die beiden Diodenspannungen an D_1 und D_3 ausgeglichen werden.

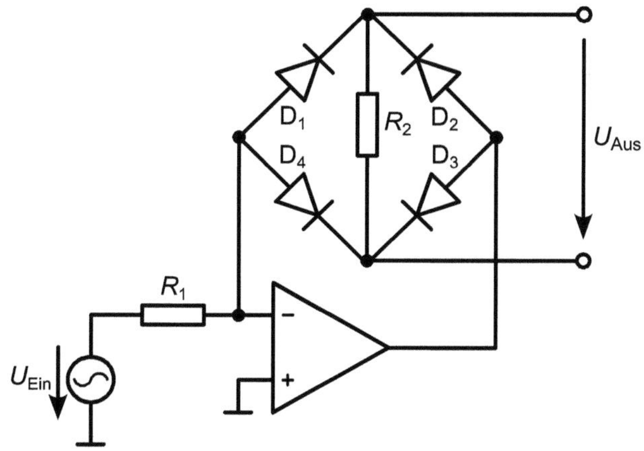

Abb. 4.81 Schaltung eines Präzisionsgleichrichters vom Typ 2 mit Brückengleichrichter in der Rückkopplung

In der negativen Halbwelle ist die Eingangsspannung U_{Ein} negativ. Der Strom fließt über R_1 aus der Schaltung heraus, da am invertierenden Eingang Massepotenzial anliegt. Der Strom muss vom Ausgang über die beiden Dioden D_2, D_4 und den Widerstand R_2 fließen. Die Ausgangsspannung wird in diesem Fall so hoch, dass der Strom, der über R_1 fließt, auch über den Widerstand R_2 fließt und zusätzlich die beiden Diodenspannungen ausgleicht.

In beiden Fällen stellt sich die Ausgangsspannung U_{Aus} so ein, dass der Strom über den Widerstand R_1 und R_2 betragsmäßig gleich hoch ist. Durch den Brückengleichrichter ist der Strom durch R_2 allerdings unabhängig von der Polarität.

Da der Eingangsstrom in die Schaltung über R_1 dem Rückkopplungsstrom über die Dioden und R_2 entsprechen muss, werden die Flussspannungen der Dioden kompensiert und am Widerstand R_2 steht eine gleichgerichtete Spannung zur Verfügung. Damit liegt das gewünschte Ausgangssignal nicht am Ausgang des OPs, sondern am Widerstand R_2 an.

Nachteilig ist allerdings, dass diese Spannung ein Differenzsignal ist und nicht eine auf Masse bezogene Spannung. Dieser Nachteil kann jedoch durch die OP-Schaltung eines Differenzverstärkers mit jeweils gleichen Widerstandswerten oder einem Instrumentenverstärker behoben werden. Damit entsteht die Schaltung, die in Abb. 4.82 dargestellt ist. Zu beachten ist hier, dass der Differenzverstärker ebenfalls Eingangsströme hat, die zu additiven Spannungsabfällen am Brückengleichrichter des ersten OPs führen können. Aus diesem Grund sollten die Widerstände der Additions-/Subtraktionsschaltung im Vergleich zur Gleichrichterschaltung deutlich hochohmiger gewählt werden. Für genaue Anwendungen kann auch ein Instrumentenverstärker verwendet werden, um das Signal von einem Differenzsignal in ein auf Masse bezogenes Signal umzuwandeln.

Der Gleichrichter in der zweiten Version wurde ebenfalls auf dem Steckbrett aufgebaut, s. Foto in Abb. 4.83.

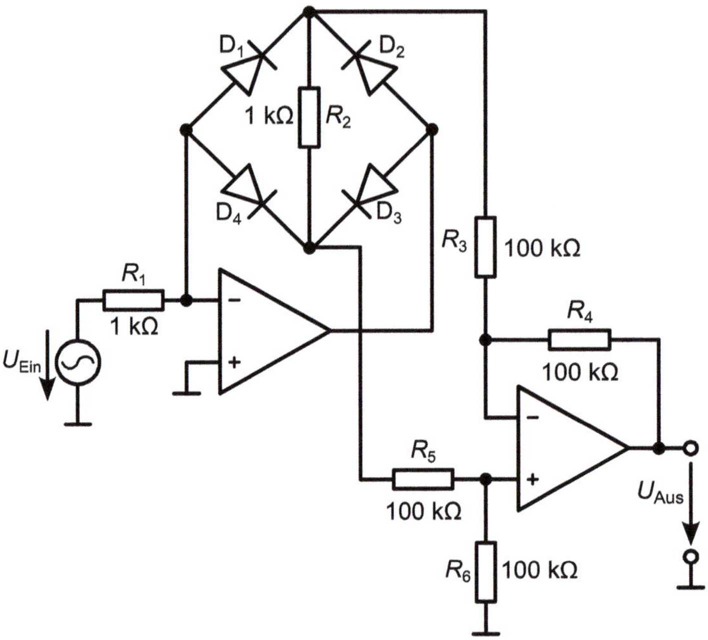

Abb. 4.82 Schaltung des Präzisionsgleichrichters mit massebezogenem Ausgangssignal

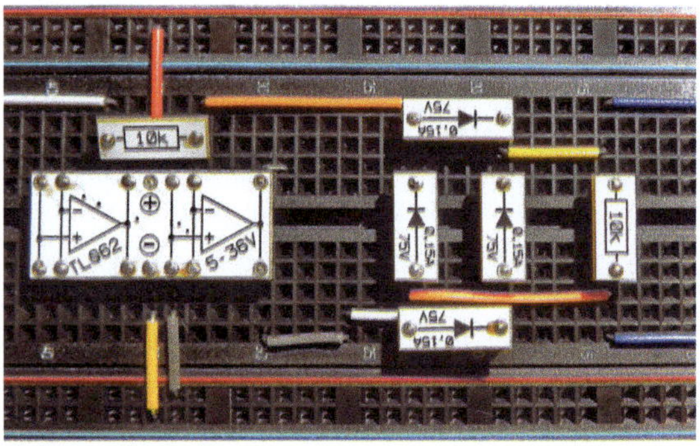

Abb. 4.83 Präzisionsgleichrichter in der zweiten Version entsprechend dem Schaltbild in Abb. 4.82. Das Eingangssignal wird über die weiße Leitung links oben eingespeist. Das Ausgangssignal wird als Differenzsignal zwischen den beiden blauen Leitungen auf der rechten Seite gemessen

Das Ausgangssignal liegt an den beiden blauen Leitungen auf der rechten Seite des Steckbretts an. Hier ergibt sich zunächst ein Differenzsignal. Dieses Differenzsignal kann, wie bereits beschrieben, mit einer Operationsverstärkerschaltung in ein auf Masse bezogenes Signal umgewandelt werden. Für die in den Abb. 4.84, 4.85 und 4.86 gezeigten Messungen wurde jedoch die Mathematikfunktion des Oszilloskops verwendet.

Die zugehörige Messung in Abb. 4.84 zeigt deutlich, dass der Gleichrichter das geforderte Ausgangssignal liefert. Zudem ist erkennbar, dass durch die Differenzbildung der Rauschanteil deutlich ansteigt. Auf den ersten Blick scheinen sich die Rauschanteile der

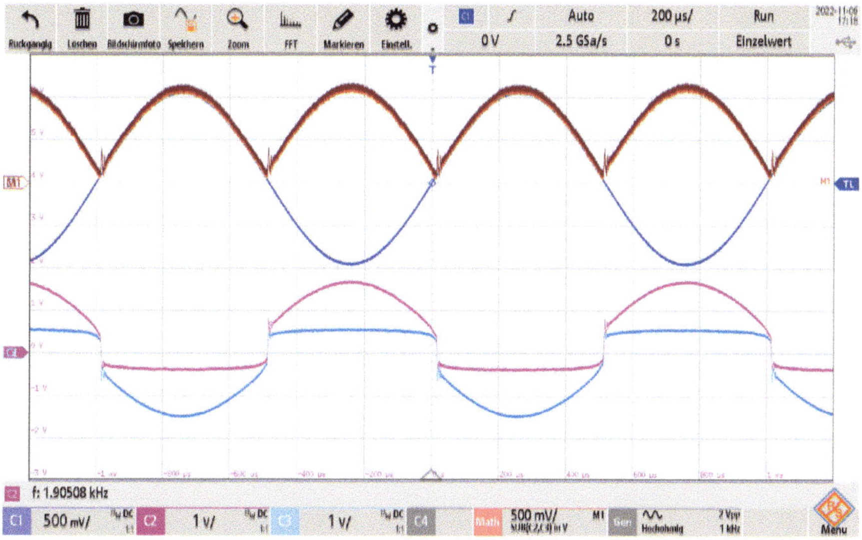

Abb. 4.84 Messung des Präzisionsgleichrichters in der zweiten Version nach Abb. 4.83. Das sinusförmige Eingangssignal hat eine Frequenz von 1 kHz und eine Amplitude von 1 V. Dargestellt sind das Eingangssignal (dunkelblaue Kurve), die beiden Ausgangssignale (Kanal 2, pink und Kanal 3, hellblau). Das eigentliche gleichgerichtete Signal ist die Differenz von Kanal 2 und Kanal 3. Diese Differenz ist der Mathematikkanal (braun). Das gleichgerichtete Signal ist deutlich sichtbar. Die Zeitauflösung beträgt 200 µs/□, die Spannungsauflösung 500 mV/□ für Kanal 1 und den Mathematikkanal sowie 1 V/□ für Kanal 2 und Kanal 3. Die Nullpunkte für Kanal 1 und den Mathematikkanal sind identisch, das gleiche gilt für die Nullpunkte von Kanal 2 und Kanal 3

beiden Kanäle 2 und 3 durch die Subtraktion addiert zu haben. Zu beachten ist hier aber, dass der Mathematikkanal mit einer doppelt so großen Skalierung dargestellt wurde.

Falls die Mathematikfunktionen verwendet werden, sollte beachtet werden, dass in der Regel nur Signale für die Berechnung verwendet werden, die auch auf dem Oszilloskopbildschirm sichtbar sind. Zur Verdeutlichung dient die Messung in Abb. 4.85. Die Messeinstellung entspricht den Einstellungen aus Abb. 4.84. Geändert wurde jedoch die Skalierung von Kanal 2 und Kanal 3. Auch diese beiden Kanäle wurden auf eine Spannungsskalierung von 500 mV/□ eingestellt. Hier liegt ein kleiner Teil des Signals an Kanal 3 knapp außerhalb des dargestellten Bereiches. In der Mathematikfunktion führt diese Bereichsüberschreitung zu starken Fehlern, wie deutlich erkennbar ist. Bei der Verwendung der Mathematikfunktionen kann dieser Fehler jederzeit auftreten und muss beachtet werden.

Abschließend ist in Abb. 4.86 das Ausgangssignal für den Präzisionsgleichrichter in der zweiten Version für eine Eingangsamplitude von 20 mV dargestellt. Ähnlich wie für den Gleichrichter in der ersten Version zeigen sich auch hier bei niedrigen Amplituden Abweichungen von dem ideal gleichgerichteten Signal. Das Ausgangssignal weist einen

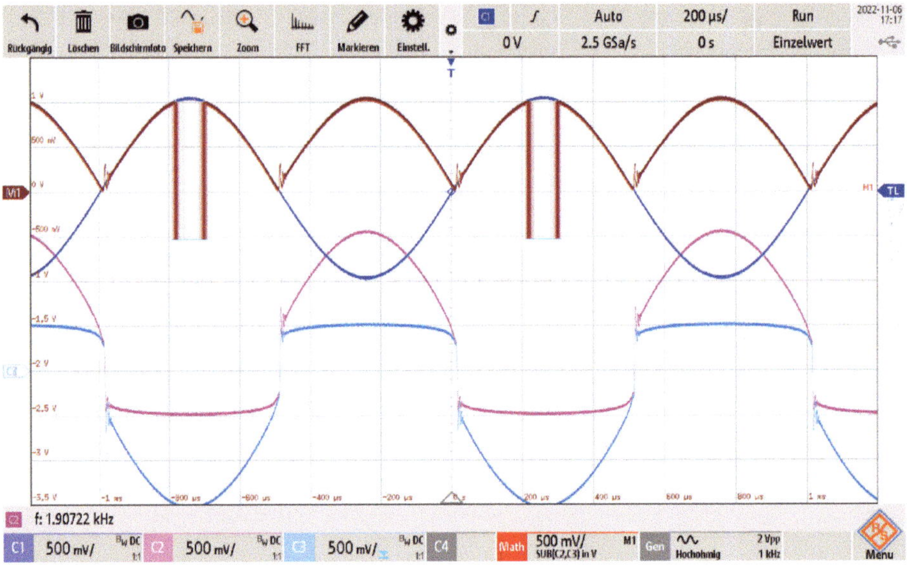

Abb. 4.85 Messung des Präzisionsgleichrichters in der zweiten Version. Die Darstellung entspricht der Messung in Abb. 4.84 mit dem Unterschied, dass die Skalierung für Kanal 2 und 3 geändert wurde. Die Messwerte von Kanal 3 sind zeitweise außerhalb des sichtbaren Bereiches. Hier kommt es zu Fehlern bei der Mathematikfunktion. Die Zeitauflösung beträgt 200 µs/□, die Spannungsauflösung 500 mV/□

Gleichspannungsverschiebung (Offset) auf. Außerdem ist auch wieder eine Fehlfunktion des Operationsverstärkers sichtbar.

4.8.3 Präzisionsgleichrichter mit rail-to-rail OP und unsymmetrischer Spannungsversorgung

Mit einem rail-to-rail Operationsverstärker kann ein Gleichrichter aufgebaut werden, der ohne Diode auskommt. Dabei wird ausgenutzt, dass bei einem Betrieb des OPs mit einer unsymmetrischen Versorgungsspannung (positive Spannung, Masse) die Ausgangsspannung nicht negativ werden kann. Eine mögliche Schaltung ist in Abb. 4.87 gezeigt. Die linke Schaltung invertiert die negative Halbwelle. Der zweite OP arbeitet als Summationsverstärker mit zwei Gewichtungen. Das Ausgangssignal ist die dreifache Summe von 1/3 des Eingangssignals und 2/3 des Ausgangssignals des linken OPs. Diese Berechnung ist in Abb. 4.87 ebenfalls dargestellt. Rail-to-Rail Operationsverstärker können am Ausgang nahezu die Betriebsspannung erreichen. Dabei gilt: je weniger Ausgangsstrom der OP liefern muss, desto besser wird die Betriebsspannung erreicht, s. Abschn. 5.5. Aus diesem Grund wurden für die aufgebaute Schaltung in Abb. 4.88 100 kΩ bzw. 10 kΩ-Widerstände

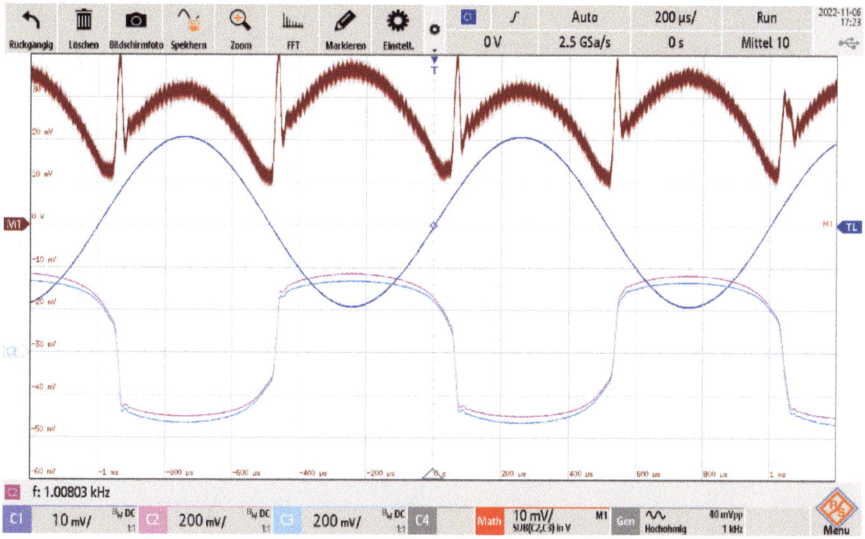

Abb. 4.86 Messung des Präzisionsgleichrichters in der zweiten Version. Gegenüber der Messung in Abb. 4.84 wurde die Amplitude des Eingangssignals auf 20 mV reduziert. Dargestellt sind das Eingangssignal (blaue Kurve), das Ausgangssignal der blauen oberen Leitung (pinkfarbene Linie) und das Ausgangssignal der blauen unteren Leitung (hellblau). Der Mathematikkanal ergibt sich aus der Differenz von Kanal 2 (pink) und Kanal 3 (hellblau). Das gleichgerichtete Signal ist deutlich sichtbar. Die Zeitauflösung beträgt 200 µs/□, die Spannungsauflösung 10 mV/□ für Kanal 1 und den Mathematikkanal, sowie 200 mV/□ für die Kanäle 2 und 3

benutzt. Die 10 kΩ-Widerstände werden dabei für die Multiplikation mit drei am rechten OP verwendet. Auf diese Weise wirken sich unterschiedliche Widerstandswerte nicht störend aus. Die doppelten Widerstandswerte werden durch eine Reihenschaltung von jeweils zwei gleichen Widerständen realisiert. Die zugehörige Messung für zwei verschiedene Amplituden ist in Abb. 4.89 dargestellt. Das linke Teilbild wurde mit einer Eingangsamplitude von 2 V aufgenommen, das rechte mit einer Amplitude von 100 mV. Neben der Ein- und Ausgangsspannung ist ebenfalls das Ausgangssignal des invertierenden Verstärkers dargestellt. Gut ist die Gleichrichtwirkung erkennbar. Insbesondere im rechten Teilbild mit geringer Amplitude sind die Abweichungen deutlich sichtbar.

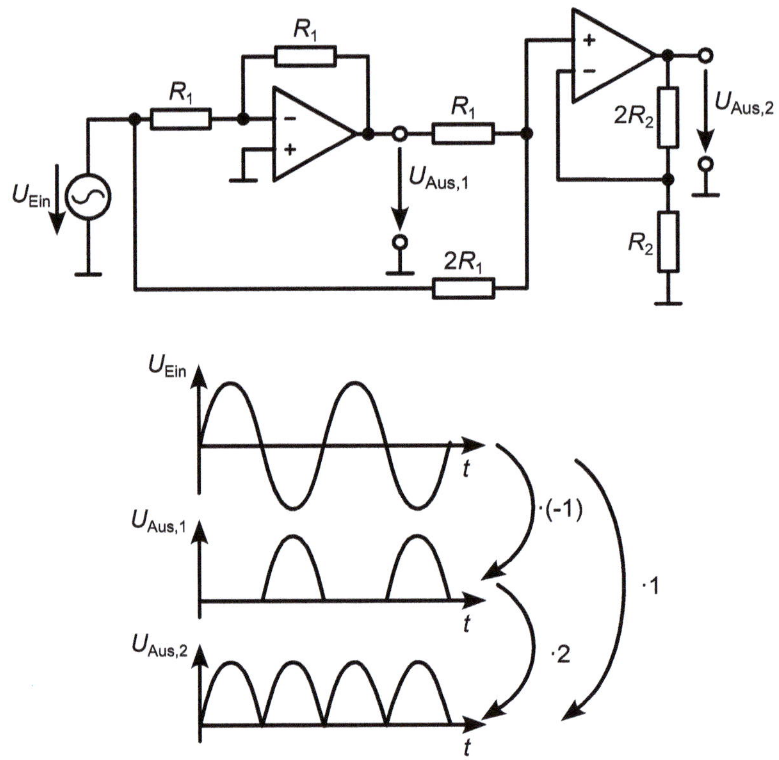

Abb. 4.87 Oberes Teilbild: Schaltung eines Präzisionsgleichrichters mit rail-to-rail OPs. Die Widerstände sind so gewählt, dass der linke OP die negative Halbwelle invertiert und der rechte OP die Summe aus einem Drittel der Eingangsspannung und zwei Dritteln der Ausgangsspannung $U_{\text{Aus},1}$ bildet. Unteres Teilbild: Schematische Darstellung der Funktionsweise und Berechnung

Abb. 4.88 Foto: Gleichrichter mit rail-to-rail OP entsprechend der Schaltung in Abb. 4.87 oben. Der linke OP macht die Invertierung des Eingangssignals, der rechte OP bildet die gewichtete Summe und multipliziert die Eingangsspannung mit drei. Doppelte Widerstandswerte (20 kΩ, 100 kΩ) werden durch die Reihenschaltung von zwei Einzelwiderständen gebildet

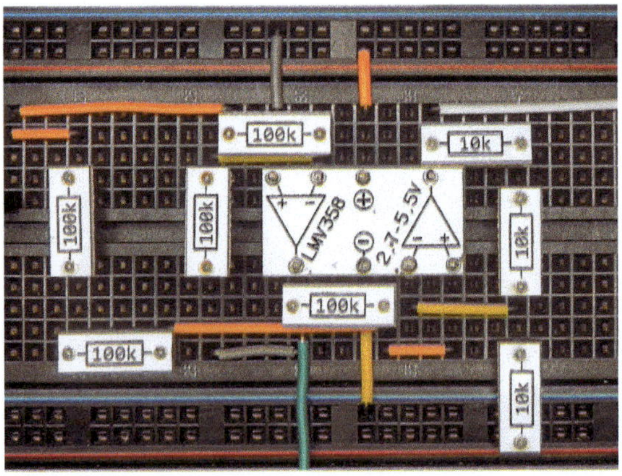

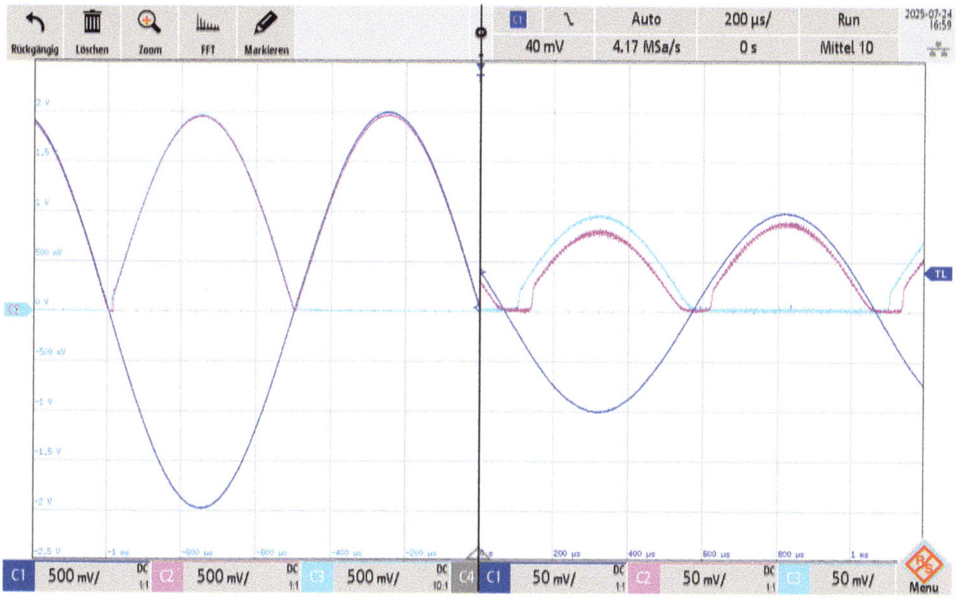

Abb. 4.89 Messung eines Gleichrichters mit rail-to-rail OPs entsprechend der Schaltung in Abb. 4.88. Das Eingangssignal an Kanal 1 (dunkelblau) ist ein sinusförmiges Signal mit einer Frequenz von 1 kHz. Die Amplitude ist 2 V (linkes Teilbild) bzw. 100 mV (rechtes Teilbild). Dargestellt ist die Ausgangsspannung am Kanal 2 (pink) und die Ausgangsspannung des invertierenden Verstärkers (Kanal 3, hellblau)

4.9 Grundschaltungen mit Operationsverstärker: Negativer Impedanzkonverter

Der negative Impedanzkonverter (NIC = negative impedance converter), dient dazu, das Vorzeichen einer Impedanz von negativ auf positiv bzw. umgekehrt zu ändern. Das bedeutet, dass diese Schaltung sich elektrisch gesehen beispielsweise wie ein negativer Widerstand verhält.

Anwendung findet der negative Impedanzkonverter vorzugsweise zur Entdämpfung von Schwingkreisen oder zur Realisierung von Stromquellen mit sehr niedrigen oder sogar teilweise negativen Innenwiderständen. Zudem lassen sich mit einem NIC „künstliche“ Spulen realisieren, in dem für einen Kondensator das komplexe Vorzeichen invertiert wird.

4.9.1 Negativer Impedanzkonverter Typ A

Die Schaltung des negativen Impedanzkonverters Typ A ist in Abb. 4.90 dargestellt.

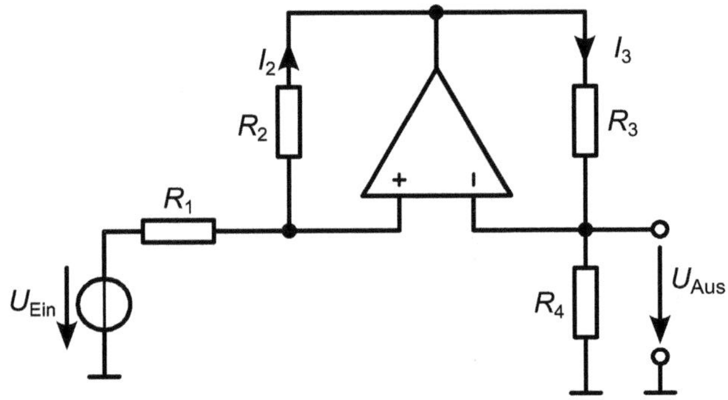

Abb. 4.90 Schaltung des negativer Impedanzkonverters Typ A

Als Besonderheit (neben der Funktionalität) gilt für den negativen Impedanzkonverter, dass der Schaltungsausgang nicht am Ausgang des Operationsverstärkers ist.

Mit einem NIC wird das Vorzeichen einer Impedanz invertiert. In guter Näherung gilt für die Beispielschaltung in Abb. 4.90, dass sich die Schaltung so verhält, als würde der Widerstand R_4 invertiert, hätte also einen Eingangswiderstand von $-R_4$.

Die mathematische Analyse der Schaltung ist ein klein wenig länger, aber nicht wirklich schwierig. Auch hier werden die Standard-OP-Gleichungen (erweiterte virtuelle Masse, keine Eingangsströme) angewendet, die z. T. auch bereits für das Schaltbild angewendet wurden (Ausgangsspannung wird hochohmig abgegriffen). Zunächst soll die Ausgangsspannung U_{Aus} bestimmt werden. Es wird vorausgesetzt, dass der OP im Regelbetrieb ist, dass also $U_{Pos} = U_{Neg} = U_{Aus}$ ist. Für den Zusammenhang zwischen Ein- und Ausgangsspannung gilt dann:

$$U_{Ein} = I_2 \cdot R_1 + U_{Aus} \tag{4.53}$$

Der Spannungsabfall an R_2 und R_3 muss gleich groß sein:

$$I_2 \cdot R_2 = -I_3 \cdot R_3 \iff I_2 = -I_3 \frac{R_3}{R_2} \Rightarrow U_{Ein} = -I_3 \frac{R_3}{R_2} \cdot R_1 + U_{Aus}. \tag{4.54}$$

Dritte Gleichung:

$$U_{Aus} = R_4 \cdot I_3 \iff I_3 = \frac{U_{Aus}}{R_4} \Rightarrow U_{Ein} = -\frac{U_{Aus}}{R_4} \cdot \frac{R_3}{R_2} \cdot R_1 + U_{Aus} \tag{4.55}$$

Die weitere Umformung führt auf die Gleichung für den NIC:

$$U_{Ein} = -\frac{U_{Aus}}{R_4} \cdot \frac{R_3}{R_2} \cdot R_1 + U_{Aus} \iff U_{Ein} = -U_{Aus} \cdot \left(\frac{R_1 R_3}{R_2 R_4} - 1\right)$$
$$\Rightarrow U_{Aus} = U_{Ein} \cdot \left(\frac{-R_2 R_4}{R_1 R_3 - R_2 R_4}\right) = U_{Ein} \cdot \frac{-R_4}{\frac{R_1 R_3}{R_2} - R_4}. \tag{4.56}$$

In dieser Gleichung ist im Zähler der invertierte Widerstand R_4 enthalten. In einem Beispiel weiter unten wird das Verhalten des NIC näher erläutert.

4.9.2 Eingangswiderstand des NIC

Der Eingangswiderstand der Schaltung in Abb. 4.90 ist allgemein

$$R_{\text{Ein}} = \frac{U_{\text{Ein}}}{I_2}. \tag{4.57}$$

Zur Bestimmung des Stromes I_2 wird Gl. (4.53) in Gl. (4.56) eingesetzt:

$$\begin{aligned} U_{\text{Ein}} &= I_2 \cdot R_1 + U_{\text{Aus}} = I_2 \cdot R_1 + U_{\text{Ein}} \cdot \left(\frac{-R_2 R_4}{R_1 R_3 - R_2 R_4} \right) \\ \iff U_{\text{Ein}} &- U_{\text{Ein}} \cdot \left(\frac{-R_2 R_4}{R_1 R_3 - R_2 R_4} \right) = I_2 \cdot R_1 \\ \iff U_{\text{Ein}} &\cdot \left(\frac{R_3}{R_1 R_3 - R_2 R_4} \right) = I_2. \end{aligned} \tag{4.58}$$

Eingesetzt in die Definitionsgleichung (4.57) für den Eingangswiderstand folgt:

$$R_{\text{Ein}} = \frac{R_1 R_3 - R_2 R_4}{R_3} = R_1 - \frac{R_2}{R_3} R_4. \tag{4.59}$$

Der Eingangswiderstand der Operationsverstärkerschaltung, also am nichtinvertierenden Eingang ist damit:

$$R_{\text{Ein, OP, NIC A}} = -\frac{R_2}{R_3} R_4. \tag{4.60}$$

In praktischen Anwendungen sind die beiden Widerstände $R_2 = R_3$ gleich groß. Damit gilt vereinfacht:

$$\begin{aligned} U_{\text{Aus}} &= U_{\text{Ein}} \cdot \frac{-R_4}{R_1 - R_4}, \\ R_{\text{Ein}} &= R_1 - R_4. \end{aligned} \tag{4.61}$$

4.9.3 Stabilitätsbetrachtung für den NIC Typ A

Die Schaltung des NIC Typ A (Abb. 4.90) enthält im rechten Pfad eine Gegenkopplung vom OP-Ausgang zurück auf den invertierenden Eingang und im linken Pfad eine Mitkopplung auf den nichtinvertierenden Eingang. Für die Stabilität des NIC wird gefordert,

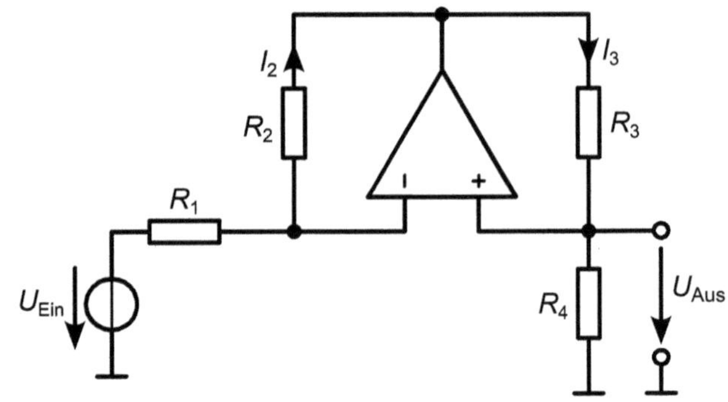

Abb. 4.91 Schaltung des negativen Impedanzkonverter Typ B

dass die Gegenkopplung zum invertierenden Eingang stärker als die Mitkopplung zum nichtinvertierenden Eingang sein muss.

Auch wenn in guter Näherung $U_{Pos} = U_{Neg}$ gilt, muss für stabiles Verhalten die Spannung U_{Neg} des Gegenkopplungspfades ein klein wenig größer als die Spannung U_{Pos} des Mitkopplungspfades sein. Die Spannungen U_{Neg} und U_{Pos} werden über die Spannungsteiler ausgehend von der Ausgangsspannung des OPs bestimmt:

$$U_{Neg} > U_{Pos} \Rightarrow U_{OP,Aus} \cdot \frac{R_4}{R_3 + R_4} > U_{OP,Aus} \cdot \frac{R_1}{R_1 + R_2}.$$

Nach einigen Umformungen folgt:

$$R_1 < \frac{R_2}{R_3} \cdot R_4. \tag{4.62}$$

als Stabilitätsbedingung für den NIC Typ A. Die Stabilitätsbedingung sagt aus, dass der Widerstand R_1 kleiner als das Produkt der Widerstände auf der rechten Seite der Ungleichung sein muss. Damit ist diese Schaltung kurzschlussstabil am Eingang ($R_1 = 0\ \Omega$) und leerlaufstabil am Ausgang ($R_4 = \infty$).

4.9.4 NIC Typ B

Der NIC Typ B entsteht aus dem NIC Typ A, in dem einfach die beiden Eingänge des Operationsverstärkers vertauscht werden. Die resultierende Schaltung ist in Abb. 4.91 dargestellt.

Durch diese Vertauschung ändert sich im Vergleich zum NIC Typ A nur die Stabilitätsbedingung, da Mitkopplung und Gegenkopplung vertauscht sind:

$$R_1 > \frac{R_2}{R_3} \cdot R_4. \tag{4.63}$$

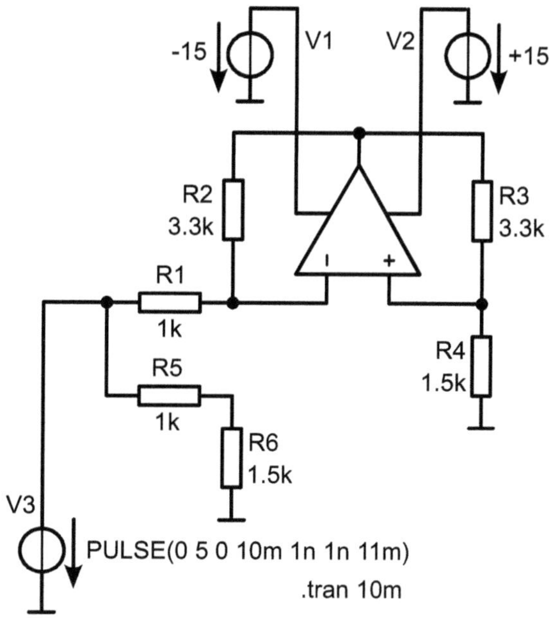

Abb. 4.92 Simulationsschaltung zum NIC Typ A. Die Nomenklatur dieser Schaltung weicht von der üblichen Notation ab: Es werden keine Einheiten verwendet, auch sind alle Formelzeichen in Steilschrift dargestellt. Die Bezeichnung der Spannungsquellen ist ebenfalls passend zum Spice-Simulator gewählt

Das bedeutet, dass diese Schaltung leerlaufstabil am Eingang und kurzschlussstabil am Ausgang ist. Der Eingangswiderstand für den NIC in Abb. 4.91 berechnet sich analog zur vorigen Berechnung für den NIC, Typ A. Hier gilt auch wieder:

$$R_{\text{Ein, OP, NIC B}} = -\frac{R_2}{R_3} R_4 \qquad \text{(Wdh.)}$$

und für $R_2 = R_3$:

$$R_{\text{Ein}} = R_1 - R_4. \qquad \text{(Wdh.)}$$

4.9.5 Beispielschaltungen mit einem Negativ-Impedanz-Konverter

Das Verhalten des Negativ-Impedanz-Konverters soll anhand der Simulationsschaltung in Abb. 4.92 verdeutlicht werden.

Die Schaltung besteht im oberen Teil aus einem Negativen Impedanz-Konverter (Typ A). Der Eingangswiderstand kann sehr klein gewählt werden, da die Schaltung kurzschlussstabil am Eingang ist.

Im unteren Bereich befindet sich eine einfache Vergleichsschaltung mit passiven Widerständen.

Wenn man sich die Ströme durch den Widerstand R_1 und R_5 in Abb. 4.93 anschaut, stellt man fest, dass der Strom durch R_1 in die „falsche“ Richtung fließt. Der Strom durch R_5 ist „normal“: Mit einer Spannung von 1 V wird ein Strom

$$I_{\mathrm{R5}} = \frac{1\ \mathrm{V}}{1\ \mathrm{k}\Omega + 1.5\ \mathrm{k}\Omega} = 400\,\mu\ \mathrm{A}$$

erreicht. Der obere Schaltungsteil ist auf dem Steckbrett aufgebaut und gemessen worden, s. Abb. 4.94 und 4.95.

Der „umgekehrte“ Strom durch R_1 passt ausgezeichnet zur Rechnung: Es gilt für den Strom

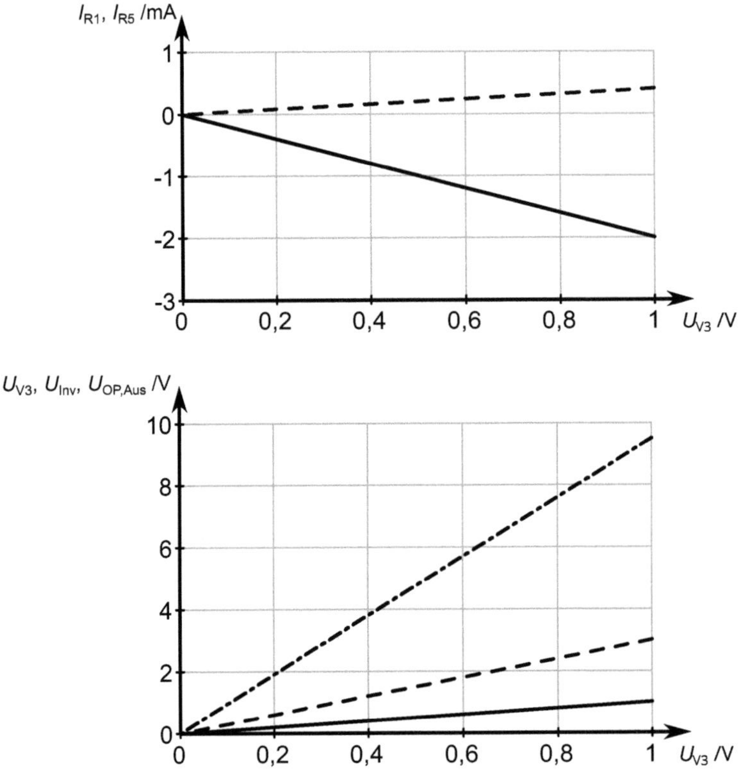

Abb. 4.93 Oben: Simulation der Ströme durch R_1 und R_5 zur Schaltung in Abb. 4.92. Der Strom durch Widerstand R_5 ist gestrichelt dargestellt, der Strom durch R_1 als durchgezogene Linie. Unten: Simulation der Spannungen: Die Eingangsspannung U_{V3} entspricht der durchgezogene Linie, die Spannung am invertierenden Eingang U_{Inv} der gestrichelten Linie und $U_{\mathrm{OP,Aus}}$ (strichpunktiert) der Spannung am Ausgang des OPs

Abb. 4.94 Foto der auf dem Steckbrett aufgebauten Schaltung eines negativen Impedanzkonverters

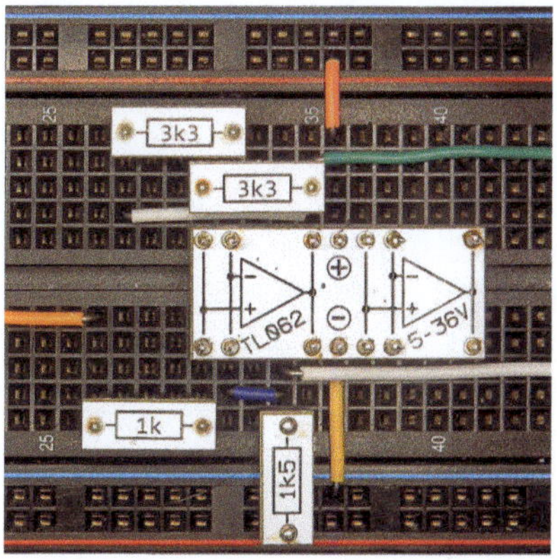

$$I_{R1} = \frac{1\,\text{V}}{1\,\text{k}\Omega - 1{,}5\,\text{k}\Omega} = \frac{1\,\text{V}}{-0{,}5\,\text{k}\Omega} = -2\,\text{mA}.$$

Grundsätzlich lassen sich mit einem negativen Impedanzkonverter auch Kondensatoren oder Spulen in die jeweils negativen Impedanzen wandeln. Aus einer Spule ($Z_L = \text{j}\omega L$) entsteht so ein Bauteil mit einer negativen imaginären Impedanz ($Z_{\text{NIC,L}} = -\text{j}\omega L$), also ein Kondensator mit einem anderen Frequenzgang. In der Regel wird jedoch ein Kondensator verwendet, um per NIC eine Spule zu realisieren. Hierbei hat sich die Verwendung eines doppelten NIC bewährt, s. [11]. Die Prinzipschaltung ist in Abb. 4.96 oben dargestellt. Die obere Schaltung ist die Reihenschaltung aus zwei negativen Impedanzkonvertern. Der untere OP ist als NIC Typ B beschaltet, der obere als NIC Typ A. Beide Schaltungen stabilisieren sich gegenseitig. Schaut man sich den Schaltplan genauer an, stellt man fest, dass alle OP Eingänge die gleiche Spannung haben, solange die OPs im normalen Betriebsbereich sind. Ein besonders stabiler Impedanzkonverter ergibt sich, wenn die Eingänge getauscht werden. Anschaulicher ist jedoch die Beschreibung, dass die beiden OP Ausgänge getauscht werden. Damit erhält man die Schaltung in Abb. 4.96 unten. Diese Schaltung wurde auf dem Steckbrett aufgebaut, s. Abb. 4.97 und mit verschiedenen Eingangssignalen gemessen, s. Abb. 4.98. Die Schaltung in Abb. 4.96 bzw. 4.97 entspricht der Reihenschaltung aus einem Widerstand von 1 kΩ (R_0 in Abb. 4.96 unten) und einer Spule L. Für den Induktivitätswert des per NIC transformierten Kondensators gilt nach [11]:

$$L = R_1 \cdot R_4 \cdot C_5 \tag{4.64}$$

Die Berechnung ergibt sich aus der zweifachen Berechnung des Eingangswiderstands. Für den Eingangswiderstand des rechten NIC (Typ B) gilt:

$$R_{\text{Ein,NIC B}} = -\frac{R_3}{\frac{1}{\text{j}\omega C}} \cdot R_4 = -\text{j}\omega C_5 \cdot R_3 \cdot R_4.$$

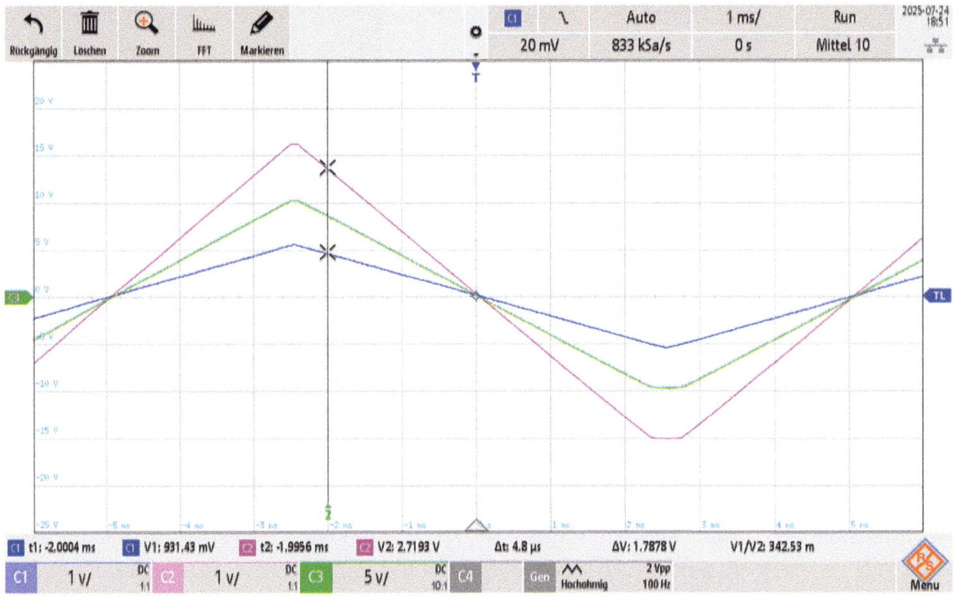

Abb. 4.95 Messung des auf dem Steckbrett aufgebauten NICs aus Abb. 4.94. Die blaue Kurve (Kanal 1) entspricht dem Eingangssignal, die pinkfarbene Linie an Kanal 2 der Spannung am nichtinvertierenden Eingang. Beide Kanäle haben die gleiche Skalierung. So ist gut erkennbar, dass ein Spannungswert am Eingang eine höhere Spannung am nichtinvertierenden Eingang bewirkt. Zusätzlich wurde die Ausgangsspannung des OPs mit Kanal 3 (grün) gemessen. Hier ist die Skalierung 5 V/□. Bei der höchsten Eingangsspannung ist der OP in Begrenzung und kann die erforderliche Ausgangsspannung nicht mehr liefern. Die Messung kann direkt mit der Simulation in Abb. 4.93 unten verglichen werden

Dieser Eingangswiderstand ist der Lastwiderstand für den linken NIC (Typ A). Für den kompletten Eingangswiderstand der Schaltung gilt damit:

$$R_{\mathrm{Ein,NIC\,A}} = -\frac{R_1}{R_2} \cdot (-\mathrm{j}\omega C_5 \cdot R_3 \cdot R_4).$$

In der Schaltung haben R_2 und R_3 die gleichen Bauteilwerte. Damit folgt für den Eingangswiderstand der Schaltung die oben angegebene Gl. (4.64):

$$R_{\mathrm{Ein,NIC\,A}} = \mathrm{j}\omega C_5 \cdot R_1 \cdot R_4 = \mathrm{j}\omega L.$$

Mit den in Abb. 4.96 unten angegebenen Bauteilwerten ergibt sich eine Induktivität von 0,1 H. Der Messung in Abb. 4.98 kann entnommen werden, dass die Spannungsamplitude am Eingang 1 V beträgt. Am nichtinvertierenden Eingang wird eine Amplitude von 0,5 V gemessen. Dieser Anschluss entspricht der elektronisch nachgebildeten Spule. Gemäß der Wechselstromrechnung in Kap. 1 ergibt sich die Spannungsamplitude $\hat{U}_{\mathrm{R}}$ am Widerstand

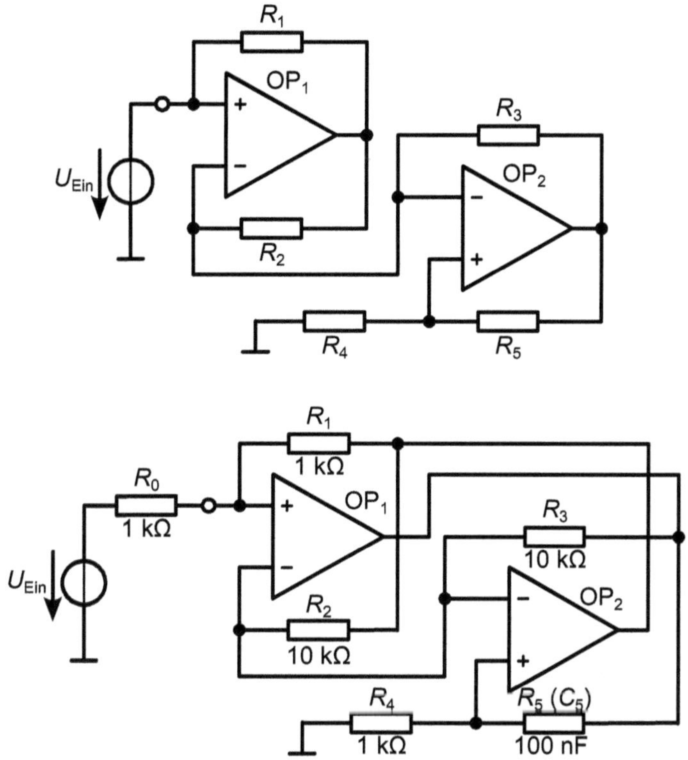

Abb. 4.96 Oben: Prinzipschaltung zur Realisierung einer elektronischen Spule, unten häufig verwendete Schaltung, nach [11]. Im unteren Teilbild sind die Widerstandswerte und der Kapazitätswert für die aufgebaute Schaltung in Abb. 4.97 angegeben. Hier ist auch der Eingangswiderstand R_0 ergänzt worden

zu 0,866 V:

$$\widehat{U}_R = \sqrt{\widehat{U}^2_{Ges} - \widehat{U}^2_L} = \sqrt{(1V)^2 - (0{,}5V)^2} = 0{,}866 \text{ V}.$$

Aus der Spannung $\hat{U}_L$ und dem Strom ergibt sich mit der Frequenz $f = 1$ kHz ein Induktivitätswert von $L = 0{,}0919$ H. Dieser Wert passt ausgezeichnet zur Berechnung nach Gl. (4.64).

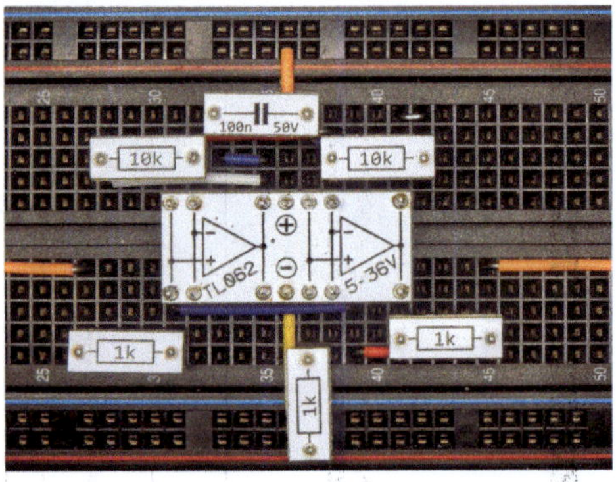

Abb. 4.97 Foto der Schaltung auf dem Steckbrett. Das Eingangssignal wird über die orangene Leitung links eingespeist. Die rechte orangene Leitung ist über die rote Leitung unterhalb des 1 kΩ-Widerstands unten rechts und die blaue Leitung mit dem nichtinvertierenden Eingang des linken OPs verbunden

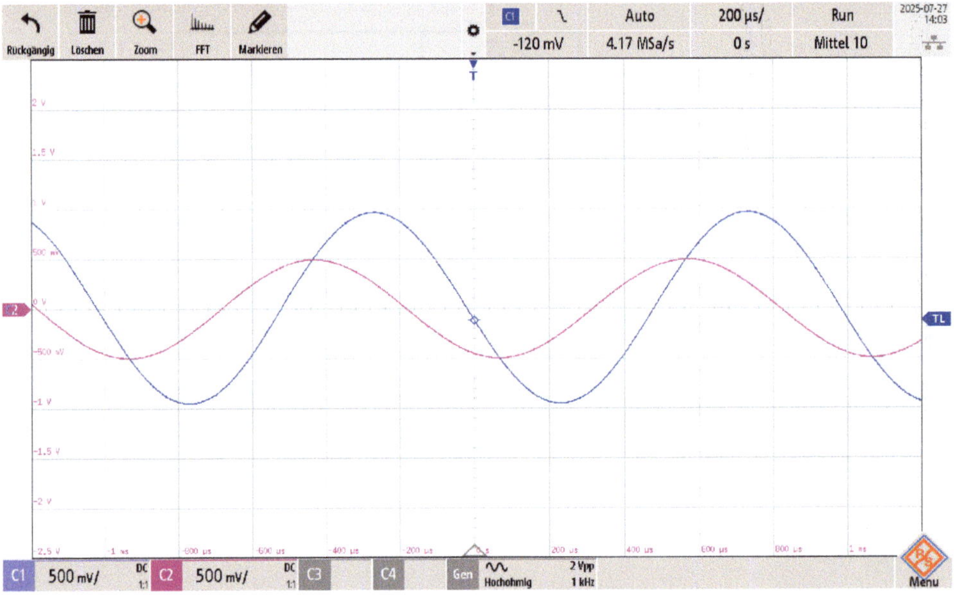

Abb. 4.98 Messung der Schaltung aus Abb. 4.97. Die Eingangsspannung entspricht der blauen Linien (Kanal 1). Die Spannung am nichtinvertierenden Eingang der pinkfarbenen Linie an Kanal 2. Beide Kurven haben die gleiche Skalierung von 500 mV/□. Die Eingangsspannung ist ein sinusförmiges Signal mit einer Amplitude von 1 V und einer Frequenz von 1 kHz

4.10 Grundschaltungen des Operationsverstärkers: Oszillatoren mit rechteckförmigen Ausgangssignal

Oszillatoren, die rechteckförmige Signale generieren, werden mit Operationsverstärker in der Regel aus der Kombination eines integrierenden Verstärkers und einem Schmitt-Trigger gebildet. Bei diesem Oszillator entsteht neben dem rechteckförmigen Signal auch ein dreieckförmiges Signal. Der Schmitt-Trigger wird bei dieser Oszillatorversion bis auf die kurzen Umschaltmomente in Sättigung betrieben. Damit ähnelt die Schaltung vom Funktionsprinzip her der Transistorschaltung des astabilen Multivibrators, s. beispielsweise [6]. In der klassischen Version werden diese beiden Schaltungsteile in Reihe geschaltet. Diese Schaltung ist in Abb. 4.99 gezeigt. Der linke OP_1 ist der invertierende Integrator, der rechte OP_2 bildet den Schmitt-Trigger. Der Schmitt-Trigger schaltet je nach Eingangssignal bis nahe an die positive bzw. negative Betriebsspannung, s. Abschn. 4.6. Für die Beschreibung der Funktionsweise wird hier davon ausgegangen, dass der Schmitt-Trigger eine Ausgangsspannung von $+U_\mathrm{B}$ liefert. Diese Spannung bildet das Eingangssignal des invertierenden Integrators. Der invertierende Integrierer liefert am Ausgang ein Spannungssignal, dass proportional mit der Zeit negativer wird. Ist die Ausgangsspannung ausreichend negativ, schaltet der Schmitt-Trigger um und liefert eine negative Ausgangsspannung. Die negative Ausgangsspannung ist jetzt das Eingangssignal für die Integratorschaltung. Hier steigt die Ausgangsspannung nun proportional mit der Zeit an. Bei genügend hoher Ausgangsspannung schaltet der Schmitt-Trigger wieder um und liefert eine positive Ausgangsspannung. An dieser Stelle beginnt der nächste Zyklus. Das Ausgangssignal des Schmitt-Triggers ist natürlich rechteckförmig. Am Ausgang des invertierenden Integrierers kann ein dreieckförmiges Signal abgegriffen werden. Die Berechnung der Oszillatorfrequenz hängt von der Dimensionierung des invertierenden Integrators und der Festlegung der Umschaltspannungen des Oszillators ab. Der Ausgang des invertierenden Integrators muss zweimal eine Spannungsdifferenz, die der Hysterese entspricht, durchlaufen. Im ersten Fall ändert sich die Spannung beispielsweise ansteigend, im zweiten abfallend. Für die Hysterese gilt bei symmetrischer Betriebsspannung entsprechend Gl. (4.51):

$$\Delta U_{\text{Ein,Schmitt-Trigger}} = 2 \cdot U_\mathrm{B} \cdot \frac{R_2}{R_3}.$$

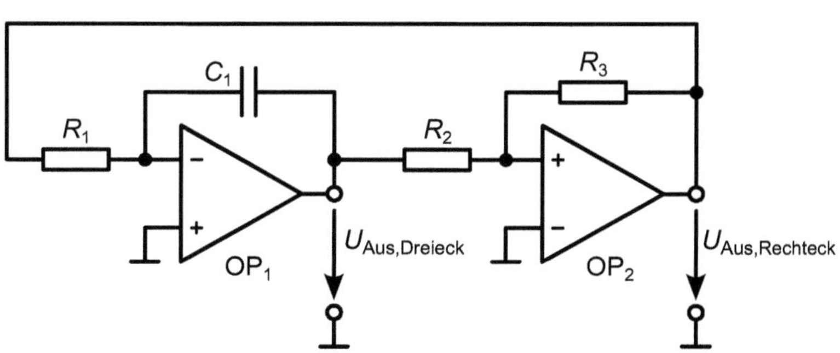

Abb. 4.99 Zusammenschaltung eines Schmitt-Triggers mit einem invertierenden Integrator zu einem Rechteckoszillator

Um diese Spannung muss sich die Ausgangsspannung des invertierenden Integrators ändern. Hier gilt Gl. (4.29):

$$U_{\text{Aus,Integrator}} = -\frac{1}{R_1 C_1} \int U_{\text{Ein}} \mathrm{d}t + U_{\text{konst}}.$$

Die Eingangsspannung U_{Ein} entspricht der Ausgangsspannung des Schmitt-Triggers, ist also näherungsweise die Betriebsspannung. Mit der zeitlichen Konstanz kann das Integral einfach gebildet werden. Außerdem wird beachtet, dass es hier nur auf eine Änderung der Ausgangsspannung ankommt. Aus diesem Grund kann der Summand U_{konst} entfallen. Es folgt:

$$\Delta U_{\text{Aus,Integrator}} = -\frac{1}{R_1 C_1} \int U_{\text{Ein}} \mathrm{d}t = -\frac{1}{R_1 C_1} \cdot U_{\text{B}} \cdot t \tag{4.65}$$

Für die Funktion des Rechteckgenerators ist das negative Vorzeichen sehr wichtig. Zur Berechnung der Periodendauer T kann das Vorzeichen hier jedoch entfallen. Wie bereits dargestellt, benötigt der invertierende Integrator eine halbe Periodendauer, damit die Spannungsänderung am Ausgang der Hysterese entspricht. Dementsprechend wird in Gl. (4.65) die Zeitvariable t durch $T/2$ ersetzt. Anschließend wird diese Gleichung mit der oben gezeigten Gl. (4.51) für die Hysterese gleich gesetzt:

$$\Delta U_{\text{Ein,Schmitt-Trigger}} = 2 \cdot U_{\text{B}} \cdot \frac{R_2}{R_3} = \Delta U_{\text{Aus,Integrator}} = \frac{1}{R_1 C_1} \cdot U_{\text{Ein}} \cdot \frac{T}{2}$$

Die Eingangsspannung des invertierenden Integrators entspricht bei einem rail-to-rail Operationsverstärker der Betriebsspannung U_{B}. Unter dieser Voraussetzung folgt für die Periodendauer der Rechteckoszillation:

$$T = 4 \cdot \frac{R_2}{R_3} \cdot R_1 C_1 \tag{4.66}$$

Ein Foto der auf dem Steckbrett aufgebauten Schaltung ist in Abb. 4.100 gezeigt, eine zugehörige Messung in Abb. 4.101. In dem Bildschirmfoto des Oszilloskops sind die beiden Ausgangssignale gut erkennbar: Am Ausgang des invertierenden Integrators ist die Messkurve für Kanal 1. Der Ausgang des Schmitt-Triggers entspricht Kanal 2. Zusätzlich ist an Kanal 3 die Spannung am nichtinvertierenden Eingang des Schmitt-Triggers enthalten. Hier ist das Umschalten des Schmitt-Triggers bei der Umschaltspannung von etwa $\pm 1{,}2$ V sichtbar.

Mit Gl. (4.66) ergibt sich für die Bauteilwerte ($C_1 = 100$ nF, $R_1 = 10$ kΩ, $R_2 = 1$ kΩ, $R_3 = 10$ kΩ) eine Periodendauer von $T = 400$ µs, entsprechend einer Frequenz von $f = 2{,}5$ kHz. Dieser Wert weicht um etwa 5 % vom gemessenen Wert ab. Eine Erklärung, neben Bauteiltoleranzen, ist sicherlich, dass die Eingangsspannung des invertierenden Integrators bei dem verwendeten Standard-OP nicht die Betriebsspannung erreicht. Für weitere Messungen wurde der Wert des Widerstands R_2 im Bereich von 470 Ω bis 3,3 kΩ

Abb. 4.100 Foto des Rechteckoszillators entsprechend der Schaltung in Abb. 4.99 auf dem Steckbrett. Die Bauteilwerte sind: $C_1 = 100$ nF, $R_1 = 10$ kΩ (unten links), $R_2 = 1$ kΩ (unten Mitte) und $R_3 = 10$ kΩ (oben rechts). Der linke Operationsverstärker ist als invertierender Integrierer beschaltet, der rechte OP als Schmitt-Trigger. Die Schaltung hat kein Eingangssignal. Die beiden Ausgangssignale werden über die weiße Leitung (links) bzw. die orange Leitung (rechts unten) gemessen

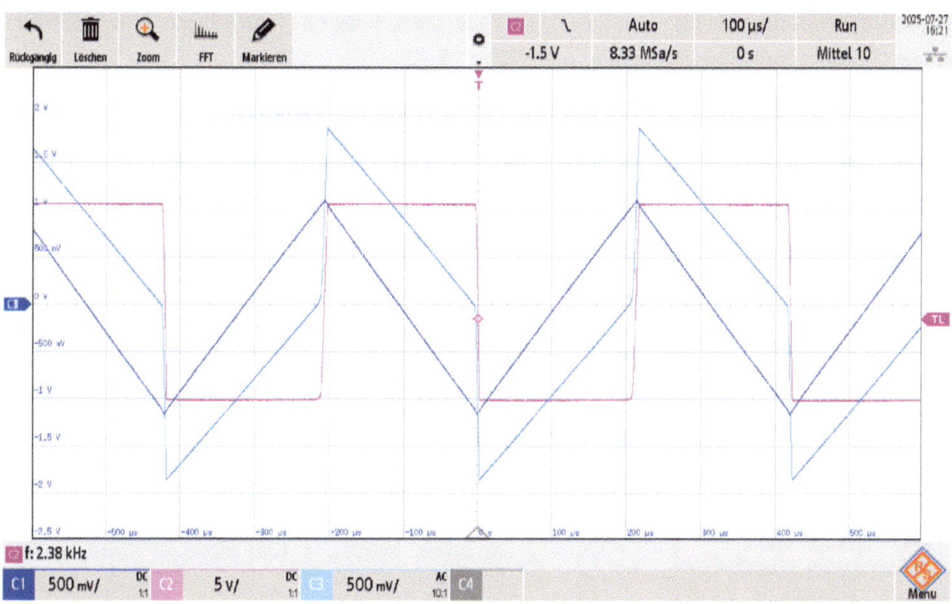

Abb. 4.101 Messung des Rechteckoszillators aus Abb. 4.100. Die blaue Kurve (Kanal 1) entspricht der Ausgangsspannung am invertierenden Integrator, die pinkfarbene Kurve (Kanal 2) der Ausgangsspannung des Schmitt-Triggers. Zusätzlich wurde der nichtinvertierende Eingang des Schmitt-Triggers an Kanal 3 (hellblaue Kurve) gemessen. Die Skalierung beträgt 500 mV/□ für Kanal 1 und 3, bzw. 5 V/□ für Kanal 2. Per Messfunktion wird die Frequenz für die Bauteilwerte aus Abb. 4.100 zu 2,38 kHz gemessen

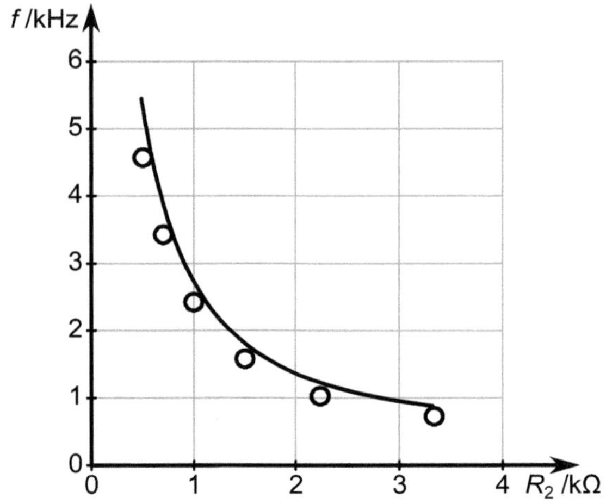

Abb. 4.102 Messung der Ausgangsfrequenz des Rechteckoszillators mit invertierendem Integrierer aus Abb. 4.100. Die durchgezogene Kurve entspricht der berechneten Frequenz nach Gl. (4.66), die eingezeichneten Kreise entsprechen der gemessenen Frequenz

variiert. Die theoretische Frequenz des Ausgangssignals und die gemessenen Werte sind in Abb. 4.102 dargestellt.

Die Schaltung des Rechteckoszillators kann weiter zusammengefasst werden. Dazu werden der Schmitt-Trigger und der invertierenden Integrator an einem Operationsverstärker kombiniert. Gegenüber der Schaltung in Abb. 4.99 gibt es den Unterschied, dass kein invertierender Integrator mehr enthalten ist, es gibt also kein dreieckförmiges Ausgangssignal mehr. Vielmehr gilt für die Teilschaltung mit R_1 und C_1 die Kondensator-Auf- und Entladung mit exponentiellem Verlauf. Die Schaltung ist in Abb. 4.103 dargestellt.

In der Schaltung ist der Schmitt-Trigger im unteren Bereich erkennbar: Die Rückkopplung auf den nichtinvertierenden Eingang wird durch R_2 gebildet. Die Widerstände R_3 und R_4 legen eine Art Arbeitspunkt fest, um den die Spannung am nichtinvertierenden Eingang schwanken kann. In der Regel werden die beiden Widerstände R_3 und R_4 mit gleichen Widerstandswerten realisiert. Hier bietet sich, wie auch für R_2 ein hochohmiger Widerstandswert von beispielsweise 100 kΩ an.

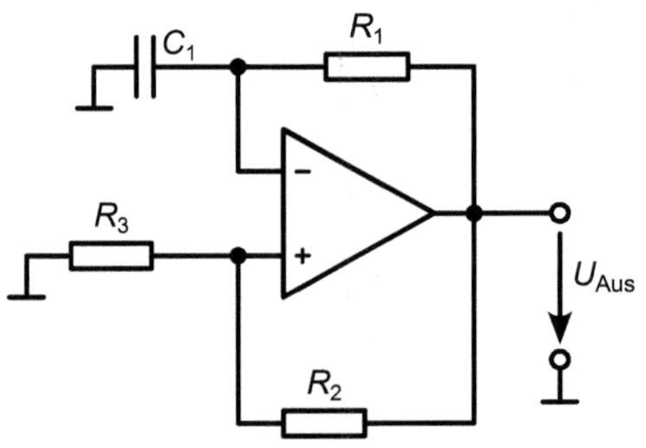

Abb. 4.103 Schaltung eines Rechteckoszillators. R_1 und C_1 sorgen für eine Zeitverzögerung und Invertierung, R_2 und R_3 haben die Funktion eines Schmitt-Triggers und halten die Schwingung aufrecht

Abb. 4.104 Foto des Rechteckoszillators auf dem Steckbrett. Die beiden Widerstände unten rechts bilden den Schmitt-Trigger. Die Aufladung des Kondensators links unten erfolgt über den 10 kΩ-Widerstand oben rechts

Der obere Bereich realisiert eine Art Integratorfunktion: Der Kondensator C_1 wird über R_1 geladen. Überschreitet die Spannung am Kondensator bzw. am invertierenden Eingang die Spannung am nichtinvertierenden Eingang schaltet der Operationsverstärker um: Die Ausgangsspannung wird jetzt negativ und der Kondensator wird entladen bzw. auf eine negative Spannung aufgeladen. Die Schmitt-Trigger-Charakteristik sorgt dafür, dass die Spannung am Kondensator vor dem erneuten Umschalten deutlich absinken muss.

Für den Aufbau der Schaltung in Abb. 4.103 wurden die folgenden Bauteilwerte verwendet: R_1: ca. 2,2 kΩ bis 100 kΩ, C_1: ca. 1 nF bis 10 µF, $R_2 = R_3 = R_4 = 100$ kΩ.

Ein Foto des Messaufbaus und das Ausgangssignal für $R_1 = 4{,}7$ kΩ und $C_1 = 1$ µF sind in den Abb. 4.104 und 4.105 dargestellt.

Die Berechnung der Periodendauer geschieht auf die folgende Weise: Zunächst wird davon ausgegangen, dass die Kondensatorspannung an der positiven Umschaltschwelle ist, die sich aus der Ausgangsspannung U_{Aus} und dem Spannungsteiler R_2, R_3 ergibt. Die Ausgangsspannung ist in diesem Umschaltmoment auf die negative Spannung gesprungen. Jetzt entlädt sich der Kondensator exponentiell und die Spannung entlädt sich bis zur Umschaltschwelle, die sich aus der negativen Ausgangsspannung und dem Spannungsteiler R_2, R_3 ergibt. Hier wird zunächst davon ausgegangen, dass der Operationsverstärker ein rail-to-rail OP ist, die Ausgangsspannung also die positive bzw. negative Betriebsspannung erreicht. Da für die Messung ein Standard-OP verwendet wurde, wird die Rechnung später auf „normale" OPs erweitert.

Für die Aufladung des Kondensators gilt die allgemeine Kondensatorgleichung:

$$u_{\text{C}}(t) = U_{\text{C,vorher}} + \left(U_{\text{C,nachher}} - U_{\text{C,vorher}}\right) \cdot \left(1 - \mathrm{e}^{t/\tau}\right). \tag{4.67}$$

Die Kondensatorspannung zu Beginn der Entladung ergibt sich aus der Ausgangsspannung des Operationsverstärkers mit dem Spannungsteiler zu

$$U_{\text{C,vorher}} = +U_{\text{B}} \cdot \frac{R_2}{R_2 + R_3}.$$

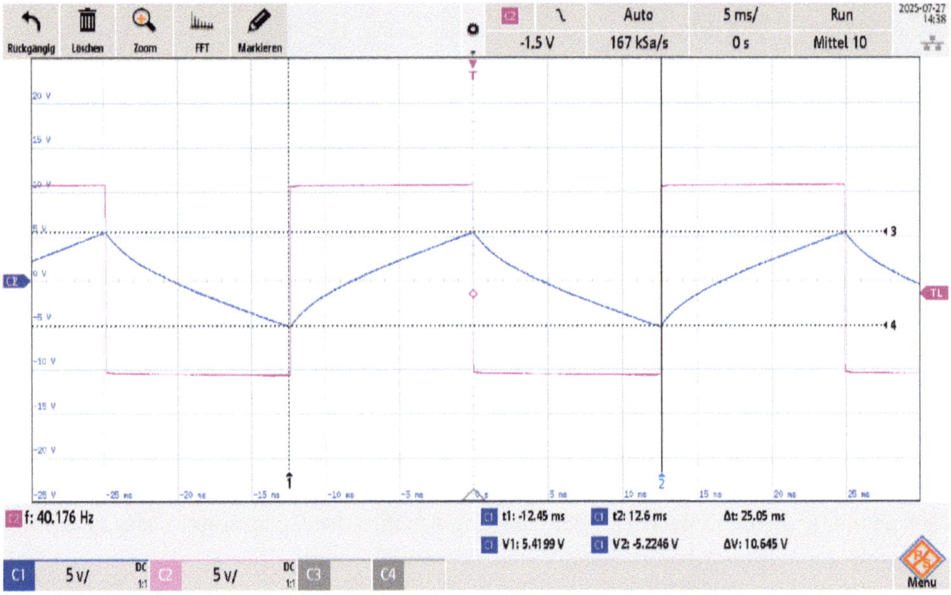

Abb. 4.105 Messung der Ausgangsspannung U_{Aus} des Rechteckoszillators aus Abb. 4.104. Die blaue Kurve an Kanal 1 entspricht der Spannung am Kondensator, die pinkfarbene Kurve wurde am Ausgang des OPs gemessen. Die gemessene Frequenz beträgt 40,176 Hz

Die Entladespannung des Kondensators ergibt sich aus der negativen Ausgangsspannung des OPs zu

$$U_{\mathrm{C,nachher}} = -U_{\mathrm{B}}.$$

Für Standard-OPs erfolgt hier eine Anpassung der Kondensatorspannungen. Die beiden Spannungswerte werden in Gl. (4.67) eingesetzt:

$$\begin{aligned} u_{\mathrm{C}}(t) &= U_{\mathrm{B}} \cdot \frac{R_2}{R_2 + R_3} + \left(-U_{\mathrm{B}} - U_{\mathrm{B}} \cdot \frac{R_2}{R_2 + R_3}\right) \cdot \left(1 - \mathrm{e}^{t/\tau}\right) \\ &= U_{\mathrm{B}} \cdot \frac{R_2}{R_2 + R_3} - U_{\mathrm{B}} \left(\frac{2R_2 + R_3}{R_2 + R_3}\right) \cdot \left(1 - \mathrm{e}^{t/\tau}\right). \end{aligned} \tag{4.68}$$

Mit dieser Gleichung wird die Zeitdauer berechnet, die vergeht, bis die Kondensatorspannung die untere Umschaltwelle erreicht, die sich aus der negativen Betriebsspannung und dem Spannungsteiler zu

$$U_{\mathrm{C,umschalt}} = -U_{\mathrm{B}} \cdot \frac{R_2}{R_2 + R_3}$$

ergibt. Gleichsetzen der vorstehenden Gleichung mit Gl. (4.68) ergibt:

$$U_{\text{C,umschalt}} = -U_{\text{B}} \cdot \frac{R_2}{R_2 + R_3} = U_{\text{B}} \cdot \frac{R_2}{R_2 + R_3} - U_{\text{B}}\left(\frac{2R_2 + R_3}{R_2 + R_3}\right) \cdot \left(1 - \mathrm{e}^{t/\tau}\right).$$

Diese Gleichung wird nach der Zeit t umgestellt:

$$\begin{aligned}
& - U_{\text{B}} \cdot \frac{R_2}{R_2 + R_3} = U_{\text{B}} \cdot \frac{R_2}{R_2 + R_3} - U_{\text{B}}\left(\frac{2R_2 + R_3}{R_2 + R_3}\right) \cdot \left(1 - \mathrm{e}^{t/\tau}\right) \\
\Longleftrightarrow\ & -U_{\text{B}} \cdot \frac{R_2}{R_2 + R_3} - U_{\text{B}} \cdot \frac{R_2}{R_2 + R_3} = -U_{\text{B}}\left(\frac{2R_2 + R_3}{R_2 + R_3}\right) \cdot \left(1 - \mathrm{e}^{t/\tau}\right) \\
\Longleftrightarrow\ & \frac{2R_2}{R_2 + R_3} = \left(\frac{2R_2 + R_3}{R_2 + R_3}\right) \cdot \left(1 - \mathrm{e}^{t/\tau}\right) \\
\Longleftrightarrow\ & \frac{2R_2}{2R_2 + R_3} = 1 - \mathrm{e}^{t/\tau} \\
\Longleftrightarrow\ & \frac{2R_2}{2R_2 + R_3} - 1 = -\mathrm{e}^{t/\tau} \\
\Longleftrightarrow\ & t = -\tau \cdot \ln\left(1 - \frac{2R_2}{2R_2 + R_3}\right) = -\tau \cdot \ln\left(\frac{R_3}{2R_2 + R_3}\right)
\end{aligned} \tag{4.69}$$

Die Zeitdauer t steht hier für die Entladung, also der halben Periodendauer. Damit folgt schließlich:

$$T = -2\tau \cdot \ln\left(\frac{R_3}{2R_2 + R_3}\right) \tag{4.70}$$

Die Zeitkonstante τ der Auf- bzw. Entladung ergibt sich aus der Kapazität C_1 und dem Widerstand R_1 zu

$$\tau = R_1 C_1. \tag{4.71}$$

Die Zeitkonstante τ wird in Gl. (4.69) eingesetzt und für die folgenden Bauteilwerte die Schwingfrequenz $f = 1/T$ für die folgenden Bauteilwerte berechnet: $R_1 = 2{,}2\ \text{k}\Omega$ bis $22\ \text{k}\Omega$, $C_1 = 1\ \mu\text{F}$, $R_2 = R_3 = 10\ \text{k}\Omega$. Die berechneten Werte und die gemessenen Frequenzen sind in Abb. 4.106 dargestellt.

4.11 Grundschaltungen des Operationsverstärkers: Oszillatoren mit sinusförmigen Ausgangssignal

Oszillatoren mit sinusförmigen Ausgangsspannungen erfordern einen deutlich höheren Aufwand im Vergleich zu den Rechteckoszillatoren. Damit sich eine stabile Oszillationsfrequenz ergibt, muss die Resonanzbedingung erfüllt sein: Wird die Schaltung an einem Punkt aufgetrennt, muss bei einem kompletten Umlauf der Betrag der Verstärkung größer als 1 bzw. größer als 0 dB sein. Gleichzeitig muss die komplette Phasendrehung 0° bzw.

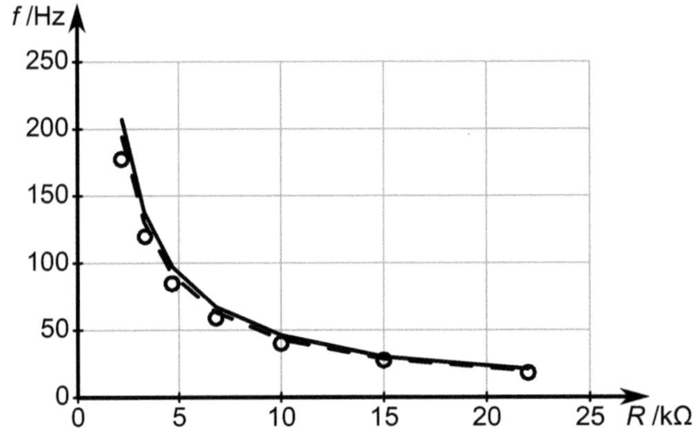

Abb. 4.106 Messung der Ausgangsspannung U_{Aus} des Rechteckoszillators mit einer Kapazität von 10 μF in Abhängigkeit des Widerstands R_1. Die durchgezogene Kurve entspricht den berechneten Werten. Die Kreise markieren die gemessenen Werte. Schließlich ist mit der gestrichelten Linie die Berechnung der Oszillationsfrequenz für Standard-OPs dargestellt, s. Text

ein ganzzahliges Vielfaches von 360° sein. In der Regel wird eine Phasendrehung von 0° oder −360° verwendet. Durch die stets vorhandenen Rauschsignale baut sich dann sehr schnell ein stabiles Oszillationssignal auf. Hier soll kurz ergänzt werden, dass es bei der Simulation in der Regel keine Rauschsignale gibt. Hier muss ggf. durch einen Spannungsstoß o. ä. die Schwingung „angestoßen" werden.

Ein Punkt ist, dass die Operationsverstärker als Sinusoszillator nicht in Sättigung betrieben werden dürfen, da dieser Betrieb Verzerrungen der Spannungssignale verursacht. Das bedeutet, dass in der Regel eine Amplitudenregelung erforderlich ist. Der zweite Punkt ist, dass durch eine externe Beschaltung eine Art Bandpassfilter aufgebaut wird, der eine bestimmte Phasendrehung erfordert. Da Oszillatoren mit Operationsverstärkern in der Regel im Frequenzbereich bis maximal 1 MHz betrieben werden, haben sich Schaltungen etabliert, die ohne Spulen auskommen. Der frequenzbestimmende Schaltungsteil sollte für eine ordentliche Frequenzstabilität bei der Oszillationsfrequenz eine große Phasenänderung aufweisen. Hier gilt: Je stärker die Phasenänderung in Abhängigkeit der Frequenzvariation ist, desto frequenzstabiler wird die Schaltung. Ein Gütekriterium zur Beurteilung von Oszillatorschaltung ist der Klirrfaktor bzw. der Oberwellenanteil. Mit Oberwellen werden Frequenzanteile bezeichnet, die Vielfache der Grundfrequenz sind. Wird das Oszillatorsignal in die Frequenzanteile zerlegt, stellt man fest, dass es bei periodischen Signalen die sog. Grundwelle gibt und ganzzahlige Vielfache dieser Frequenz (Oberwellen), s. Abb. 4.107. Hier ist die Messung eines dreieckförmigen Signals dargestellt. Für den Wechsel in den Frequenzbereich wurde die FFT-Funktion des Oszilloskops verwendet (FFT: Fast Fourier Transform). Bei einem idealen sinusförmigen Signal gibt es nur die Grundwelle. Je mehr das Signal von einem sinusförmigen Verlauf abweicht, desto höher werden die Oberwellen. Als Zahlenwert gibt es den Klirrfaktor k. Im englischsprachigen Raum ist hierfür die Abkürzung *THD* üblich (*THD*: total harmonic distortion). Für die Berechnung werden die quadratischen Signalanteile der Oberwellen durch die Summe aller quadratischen Signalbestandteile geteilt. Am Schluss wird die Wurzel aus dem Quotienten berechnet:

$$k = \sqrt{\frac{U_{2f0}^2 + U_{3f0}^2 + U_{4f0}^2 + \ldots}{U_{f0}^2 + U_{2f0}^2 + U_{3f0}^2 + U_{4f0}^2 + \ldots}} \tag{4.72}$$

Bei einem reinen Sinussignal ist der Klirrfaktor $k = 0$. Zahlenwerte für einige typische Anwendungen sind:

- HIFI-Signal (DIN 45 500): $k \leq 0{,}1$ %
- CD-Spieler:$k \leq 0{,}1$ %
- Telefon: $k = 2 \ldots 10$ %

Es gibt sehr viele Schaltungen oder Schaltungsvarianten für sinusförmige Spannungssignale. Im Folgenden sollen einige Schaltungen vorgestellt werden. Eine einfache Version eines Oszillators ist ein *RC*-Tiefpassoszillator. Sehr beliebt ist ein Wienbrücken-Oszillator. Diese Schaltungen werden im Folgenden kurz vorgestellt. Insbesondere beim *RC*-Tiefpassoszillator und beim Wienbrücken-Oszillator wird intensiv das Thema Amplitudenregelung behandelt. Für Oszillatoren mit sinusförmigen Ausgangssignalen gibt es sehr viele weitere Schaltungsvarianten. Einige Schaltungen zur Generation sinusförmiger Signale sind beispielsweise in [12] enthalten.

4.11.1 RC-Tiefpassoszillator

Bei einem *RC*-Tiefpassoszillator ist die Aufteilung in Verstärkungs- und Filterteil offensichtlich. Eine Schaltungsvariante ist in Abb. 4.108 gezeigt, der zugehörige Aufbau auf dem Steckbrett in Abb. 4.109. Das dreifache Tiefpassfilter im linken Bereich bewirkt hier neben der Dämpfung vor allem eine Phasendrehung von bis zu $-270°$. In der Regel werden die drei Grenzfrequenzen identisch gewählt. Dazu müssten die Bauteilwerte streng genommen unterschiedlich gewählt werden, da die drei Filter nicht entkoppelt sind. Vielmehr belastet das Tiefpassfilter R_3, C_3 das Tiefpassfilter R_2, C_2. Entsprechendes gilt auch für die Filter R_2, C_2 und R_1, C_1. Häufig werden die Bauteilwerte jedoch gleich gewählt. Die Resonanzbedingung stellt sich hier ein, wenn die gesamte Phasendrehung aus invertierendem Verstärker und dreifachen Tiefpassfilter $-360°$ ergibt. Bei niedrigen Frequenzen arbeitet der invertierende Verstärker sehr genau mit $-180°$. In diesem Fall stellt sich die Oszillationsfrequenz so ein, dass sich über das dreifache Tiefpassfilter ebenfalls eine Phasenänderung von $-180°$ ergibt. Bei höheren Oszillationsfrequenzen wirkt sich in

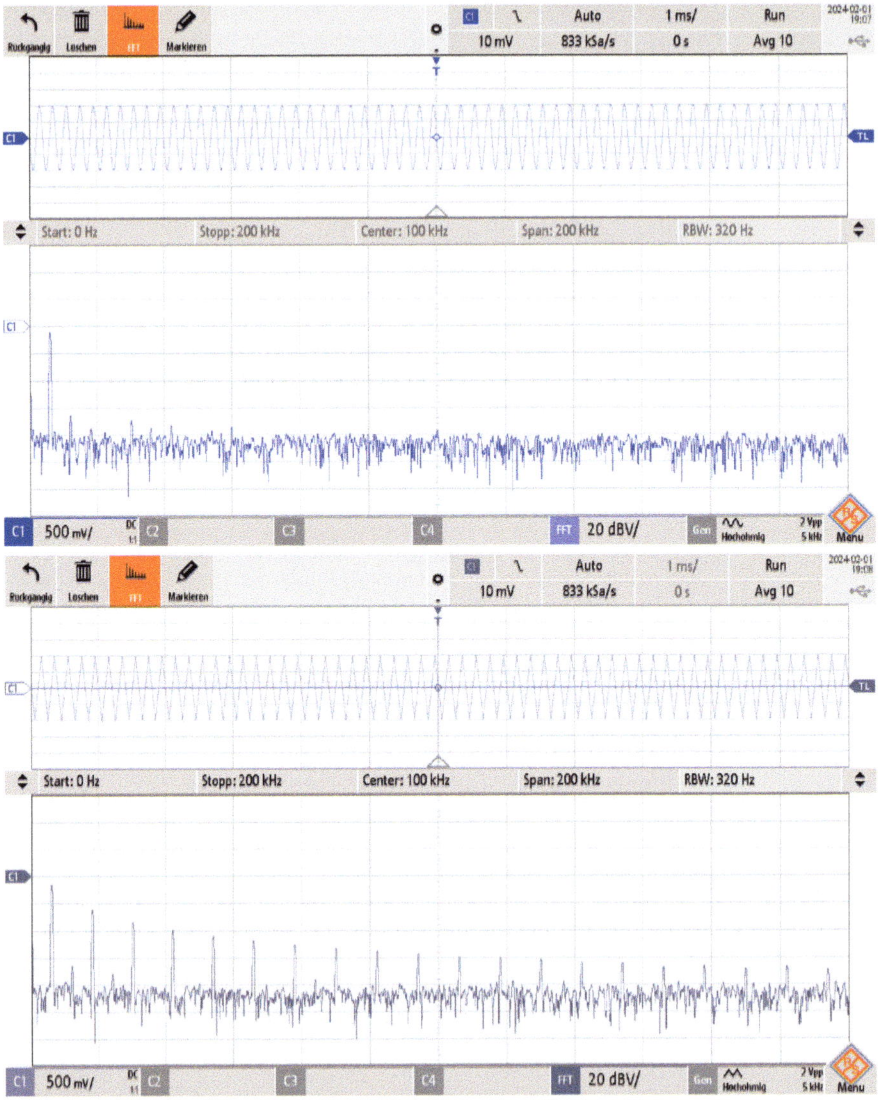

Abb. 4.107 Messung eines sinusförmigen (oben) und eines dreieckförmigen Signals (unten) im Zeitbereich und mit der FFT-Funktion des Oszilloskops. In den oberen Teilbereichen ist das Messsignal im Zeitbereich sichtbar. Im größeren, unteren Teilbereich ist die Umrechnung des Signals in den Frequenzbereich gezeigt. Hier wird als Maßeinheit Dezibel verwendet. Die Skalierung beträgt für beiden Messungen 20 dB/□. Der dargestellte Frequenzbereich reicht jeweils von 0 Hz bis 200 kHz. Die Grundwelle hat eine Frequenz von 5 kHz, Oberwellen sind im unteren Bild bei 15 kHz, 25 kHz usw. sichtbar. In beiden Teilbilder ist ein Rauschanteil mit einem Pegel von etwa −85 dB sichtbar

der Operationsverstärkerschaltung die unterste Grenzfrequenz aus, s. Abschn. 5.8 bzw. Kap. 6. In diesem Fall ist die Phasendrehung des invertierenden Verstärkers im Bereich von $-180°$ bis etwa $-270°$. Entsprechend geringer wird die Phasenänderung im Filterbereich. Auch hier muss die Phasenänderung eines kompletten Umlaufs wieder $-360°$ ergeben. In den Messungen sind diese zwei Fälle dargestellt, s. Abb. 4.110 und 4.111. Der *RC*-Tiefpassoszillator verwendet in der Regel drei Tiefpassfilter, da sich für diesen Fall bei der Resonanzfrequenz eine große Phasenänderung in Abhängigkeit der Frequenz ergibt. Aufgrund der dreifachen Filterung ist es möglich, bei geringen Ansprüchen an den Klirrfaktor bzw. die Reinheit des sinusförmigen Signals, das Schwingungssignal am Ausgang des dritten Tiefpassfilters abzugreifen. Ohne Amplitudenregelung ist es so, dass der Operationsverstärker in Sättigung betrieben wird und ein rechteckförmiges Signal liefert.

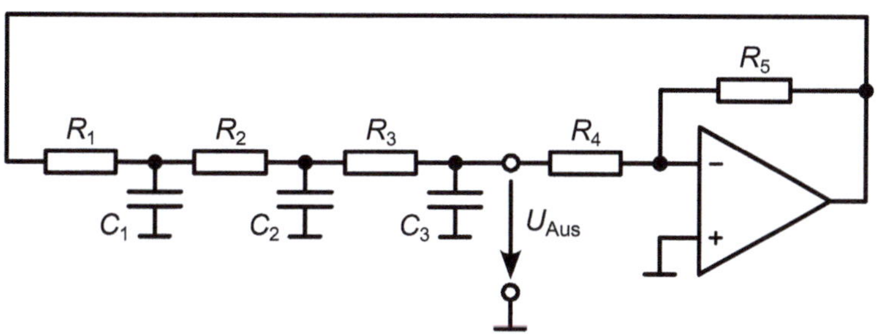

Abb. 4.108 Schaltung eines *RC*-Tiefpass-Oszillators. Im linken Teil ist ein dreifaches Tiefpassfilter bestehend aus den Widerständen R_1 bis R_3 und den Kondensatoren C_1 bis C_3 sichtbar. Der OP ist als invertierender Verstärker beschaltet

Abb. 4.109 Foto der auf einem Steckbrett aufgebauten Schaltung eines *RC*-Tiefpass-Oszillators nach Abb. 4.108. Mit dem Oszilloskop wird die Spannung nach dem ersten Tiefpassfilter über die orangene Leitung links gemessen. Die Spannung nach dem zweiten und dritten Tiefpassfilter wird über die weiße bzw. grüne Leitung gemessen. Der Ausgang des Operationsverstärkers wird schließlich über die orange Leitung rechts unten gemessen

Mit den drei Filterstufen ergibt sich jedoch bereits ein sinusförmiges Signal mit wenig Oberwellenanteil am Ausgang des dritten Filters.

Die Berechnung der Resonanzfrequenz dieser Schaltung ist aufwendig. Das liegt zum einen daran, dass der komplexe Spannungsteiler der Reihenschaltung aus drei Tiefpässen ziemlich aufwendig zu berechnen ist. Auch muss berücksichtigt werden, welche Phasendrehung die Verstärkerschaltung bewirkt. Aus diesem Grund wird die Berechnung hier nicht dargestellt.

Eine Variante des *RC*-Tiefpassoszillators wurde in Abwandlung von [11] erstellt. Diese Schaltung ist in Abb. 4.112 gezeigt. Hier ist eine Amplitudenregelung im Rückkopplungspfad des Verstärkers integriert. Dazu wird ab einer Amplitude von etwa 0,6 V über die Dioden ein Kondensator mit geringerer Kapazität parallel geschaltet. Auf diese Weise erhöht sich der Kapazitätswert im Rückkopplungspfad und die Wechselspannungsverstärkung nimmt ab.

4.11.2 Wienbrücken-Oszillator

Die Schaltung des Wienbrücken-Oszillators ist eine recht beliebte Schaltung für Oszillatoren mit sinusförmigem Ausgangssignal. Von dieser Schaltung gibt es zahlreiche Variationen, die zum Teil auch etwas unterschiedliche Bezeichnungen haben. Die grundlegende Schaltung verwendet eine Filterstruktur aus einer Reihen- und einer Parallelschaltung eines Widerstandes und eines Kondensators. In der Regel werden die Bauteilwerte jeweils gleich gewählt. Diese Filterstruktur ist zwischen den Ausgang und den Eingang eines nichtinvertierenden Verstärkers geschaltet. Diese Schaltung arbeitet demzufolge mit einer Phasendrehung von 0°. Das grundlegende Schaltbild ist in Abb. 4.113 oben gezeigt. Bei dieser Schaltung ist es so, dass die Verstärkung des Operationsverstärkers für eine stabile Oszillation ausreichend hoch gewählt werden muss. Nach sehr kurzer Zeit erreicht die Spannungsamplitude jedoch so hohe Werte, dass das Ausgangssignal einem Rechtecksignal gleicht. Das bedeutet, dass für ein sinusförmiges Signal eine Amplitudenregelung erforderlich ist: Bei niedrigen Amplituden arbeitet die OP-Schaltung mit hoher Verstärkung. Wird eine bestimmte Spannungsamplitude erreicht, wird die Verstärkung automatisch reduziert. Die Schwingung wird so sehr sinusförmig. Für die Amplitudenregelung wird hier ein Einweggleichrichter aus der Diode D_1, den beiden Widerständen R_5 und R_6, dem Kondensator C_3 gebildet. Der Kondensator sorgt für eine Glättung des gleichgerichteten Signals. Dieses Spannungssignal wird genutzt, um den Feldeffekttransistor T_1 anzusteuern. Die Parallelschaltung der Drain-Source-Strecke mit dem Widerstand R_{2b} bewirkt, dass bei geringen Spannungspegeln die komplette Spannungsamplitude als Eingangssignal verwendet wird. Erhöht sich die Spannungsamplitude, wird ab einem bestimmten Spannungswert die Drain-Sourcestrecke niederohmig und das Eingangssignal reduziert, s. Schaltung in Abb. 4.113 unten. Damit die Amplitudenregelung funktioniert,

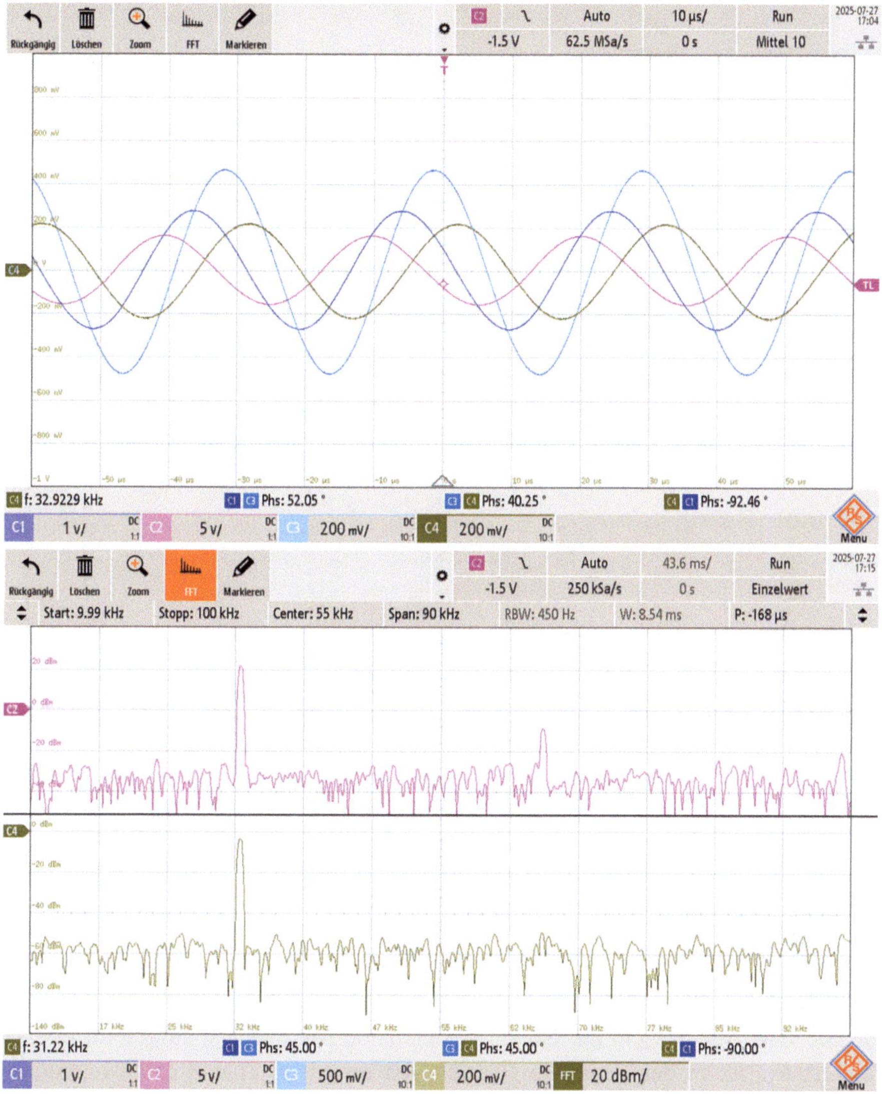

Abb. 4.110 Messung der auf einem Steckbrett aufgebauten Schaltung eines *RC*-Tiefpass-Oszillators aus Abb. 4.109. Das obere Teilbild zeigt die Messung im Zeitbereich, das untere Teilbild das per FFT berechnete Spektrum. Die Frequenz liegt mit 33 kHz knapp unter dem simulierten Wert von 37 kHz. Im Spektrum ist das OP-Ausgangssignal (Kanal 2) und das Ausgangssignal der Schaltung (Kanal 4) dargestellt An Kanal 2 ist die 1. Oberwelle bei der doppelten Frequenz sichtbar, am Schaltungsausgang an Kanal 4 verschwindet die Oberwelle im Rauschen, der Abstand zur Grundwelle bei etwa 33 kHz beträgt mindestens 45 dB

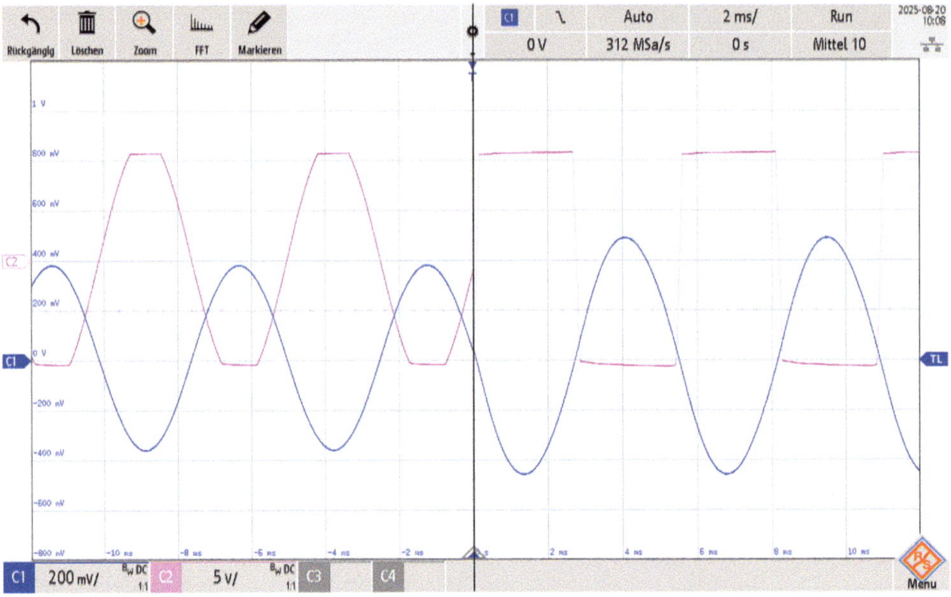

Abb. 4.111 Messung der auf einem Steckbrett aufgebauten Schaltung eines *RC*-Tiefpass-Oszillators aus Abb. 4.109. Dargestellt ist die Spannung U_{Aus} an Kanal 1 (blaue Linie). und das Ausgangssignal des Operationsverstärkers an Kanal 2 (pinkfarbene Linie). Die Bauteilwerte wurden so geändert, dass sich eine Oszillationsfrequenz von etwa 200 Hz ergibt. Im Vergleich zum Schaltplan wurden die Widerstände R_1 bis R_3 auf 4,7 kΩ und die Kondensatoren C_1 bis C_3 auf 470 nF geändert. Eine weitere Änderung betrifft den Verstärkungsteil. Hier wurde vor den invertierenden Verstärker ein nichtinvertierender Verstärker mit $V_{\mathrm{U}} = +1$ zur Entkopplung eingesetzt. Der Rückkopplungswiderstand R_5 beträgt für diese Schaltung 33 kΩ (linkes Teilbild) bzw. 220 kΩ (rechtes Teilbild). Der 33 kΩ Widerstand ermöglicht ein Anschwingen mit niedriger Amplitude. Bei 220 kΩ ist die Verstärkung deutlich höher. Damit erhöht sich die Amplitude, gleichzeitig steigen die Abweichungen von der Sinuskurve etwas an. Die Skalierung ist in beiden Teilbildern 2 ms/□, 200 mV/□ für Kanal 1 und 5 V/□ für Kanal 2

wurde der Widerstand R_2 in die beiden Widerstände $R_{2\mathrm{a}}$ und $R_{2\mathrm{b}}$ aufgeteilt. Der Widerstandswert $R_{2\mathrm{b}}$ ist in der Regel im Bereich von etwa 100 Ω und sollte maximal etwa 1 % des Widerstandswertes von $R_{2\mathrm{a}}$ betragen. Dadurch bleibt der Einfluss auf die Resonanzfrequenz gering. Eine andere Variante mit Dioden zur Amplitudenregelung ist in Abb. 4.114 dargestellt, nach [10]. Diese Schaltung wurde auf dem Steckbrett aufgebaut und gemessen, s. Abb. 4.115 und Abb. 4.116.

Die Berechnung der Resonanzfrequenz f_0 bzw. ω_0 ist für den Wien-Brückenoszillator relativ einfach: Die Wien-Brücke bildet einen komplexen Spannungsteiler vom Ausgang des OPs zum nichtinvertierenden Eingang. Für das Verhältnis der Spannungen gilt:

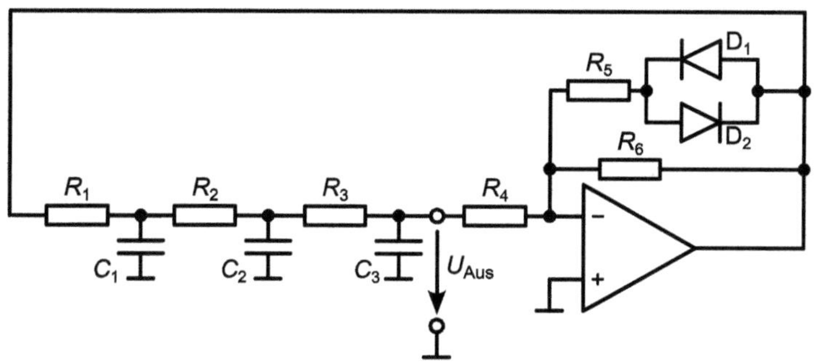

Abb. 4.112 Variante der Schaltung eines RC-Tiefpass-Oszillators in Anlehnung an [11]. Im linken Teil ist ein dreifaches Tiefpassfilter bestehend aus den Widerständen R_1 bis R_3 und den Kondensatoren C_1 bis C_3 sichtbar. Rechts ist der OP als invertierender Verstärker mit variabler Verstärkung beschaltet

Abb. 4.113 Schaltung eines Wienbrücken-Oszillators. Im oberen Teilbild ist die grundlegende Schaltung gezeigt. Darunter befindet sich die Schaltung eines Wienbrücken-Oszillators mit Amplitudenregelung mit einem MOSFET

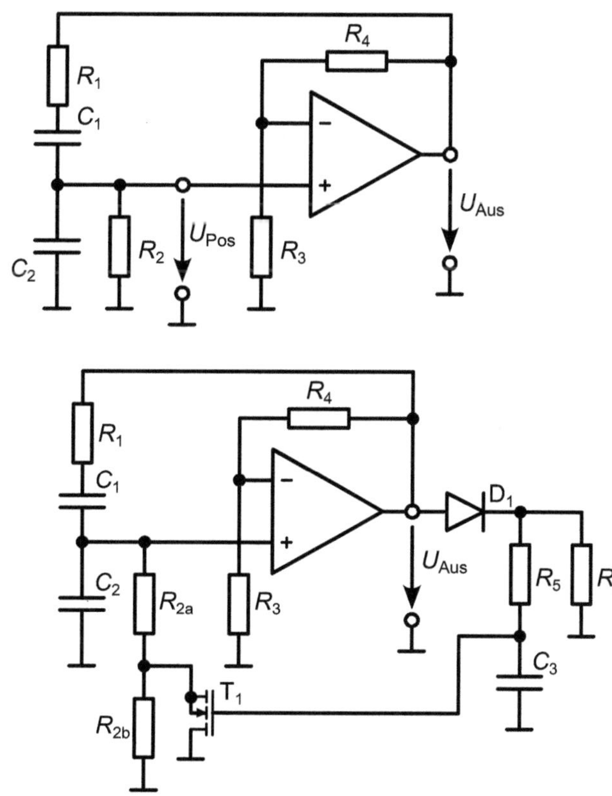

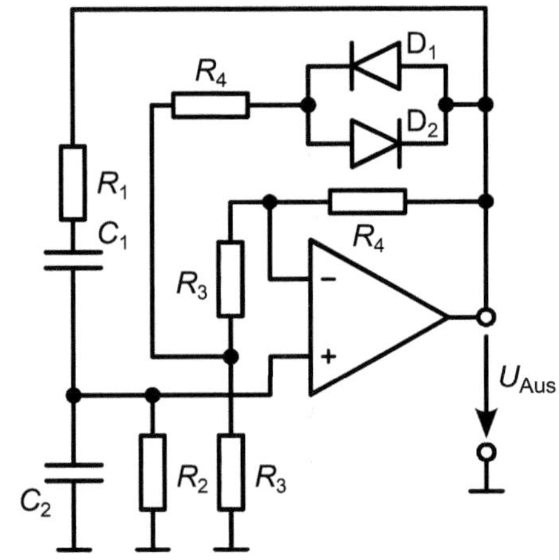

Abb. 4.114 Schaltung eines Wienbrücken-Oszillators mit Amplitudenregelung über Dioden, nach [10]

$$\frac{U_{\text{Pos}}}{U_{\text{Aus}}} = \frac{R_2||Z_{\text{C2}}}{R_1 + Z_{\text{C1}} + R_2||Z_{\text{C2}}} = \frac{\frac{R_2 \cdot Z_{\text{C2}}}{R_2 + Z_{\text{C2}}}}{R_1 + Z_{\text{C1}} + \frac{R_2 \cdot Z_{\text{C2}}}{R_2 + Z_{\text{C2}}}}.$$
$$= \frac{R_2 \cdot Z_{\text{C2}}}{(R_1 + Z_{\text{C1}})(R_2 + Z_{\text{C2}}) + R_2 \cdot Z_{\text{C2}}}$$

Als nächstes wird vorausgesetzt, dass die Widerstands- und Kapazitätswerte gleich sind:

$$R_1 = R_2 = R \,\text{und}$$
$$Z_{\text{C1}} = Z_{\text{C}} = Z_{\text{C}}.$$

Außerdem wird der komplexe Widerstand des Kondensators durch

$$Z_{\text{C}} = \frac{1}{\text{j}\omega_0 C}$$

ersetzt. Es folgt

$$\frac{U_{\text{Pos}}}{U_{\text{Aus}}} = \frac{\frac{R}{\text{j}\omega_0 C}}{\left(R + \frac{1}{\text{j}\omega_0 C}\right)\left(R + \frac{1}{\text{j}\omega_0 C}\right) + \frac{R}{\text{j}\omega_0 C}} = \frac{R}{\text{j}\omega_0 C \cdot \left(R^2 + \frac{2R}{\text{j}\omega_0 C} - \frac{1}{(\omega_0 C)^2}\right) + R}$$
$$= \frac{R}{\text{j}\omega_0 C R^2 - \frac{\text{j}}{\omega_0 C} + 3R}. \tag{4.73}$$

Das Spannungsverhältnis wird reell (Phasendrehung 0°!) und maximal, wenn der Imaginärteil im Nenner von Gl. (4.73) verschwindet:

$$\text{j}\omega_0 C R^2 - \frac{\text{j}}{\omega_0 C} = 0$$

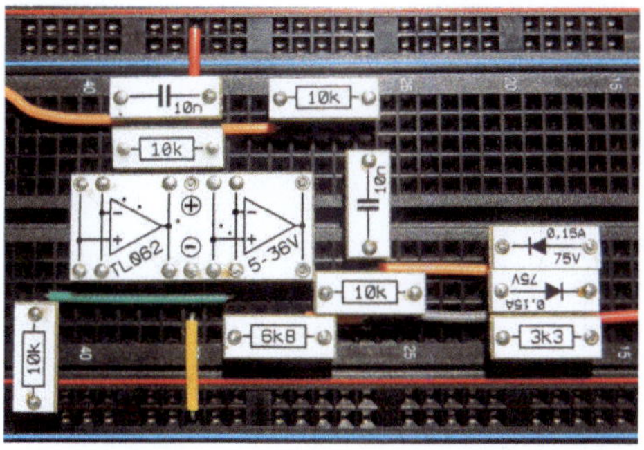

Abb. 4.115 Foto der Schaltung aus Abb. 4.114 auf dem Steckbrett. Die Filter aus Kondensator (10 nF) und Widerstand (10 kΩ) sind oberhalb und rechts vom OP angeordnet. Im rechten unteren Bereich ist die Amplitudenbegrenzung mit den Dioden erkennbar

$$\Longleftrightarrow \; \mathrm{j}\omega_0 CR^2 = \frac{\mathrm{j}}{\omega_0 C}$$

$$\Longleftrightarrow \; \omega_0^2 = \frac{1}{C^2R^2}$$

$$\Longleftrightarrow \; \omega_0 = \frac{1}{\pm\sqrt{C^2R^2}}.$$

Für die Kreisfrequenz macht hier ein negativer Wert keinen Sinn. Damit folgt:

$$\Rightarrow \omega_0 = \frac{1}{CR} \text{ bzw.} f_0 = \frac{1}{2\pi CR} \tag{4.74}$$

4.12 Mehrfachgegenkopplung (Berechnungsverfahren)

In diesem Abschnitt wird ein spezielles Berechnungsverfahren erläutert, mit dem die Berechnung von OP-Schaltungen mit einer mehrfachen Rückführung vom Ausgang auf den Eingang deutlich vereinfacht wird. Die mehrfache Rückführung wird in der Regel als Mehrfachgegenkopplung bezeichnet.

4.12.1 Miller-Theorem

Häufig befindet sich zwischen dem Eingang und dem Ausgang einer Schaltung ein Widerstand R oder allgemeiner eine Impedanz $\underline{Z}$. Die rechnerische Berücksichtigung dieser Impedanz ist teilweise umständlich. Aus diesem Grund wird diese Impedanz mit Anwendung des Miller-Theorems in eine Ersatzschaltung aus zwei Impedanzen umgewandelt, die sich am Eingang und Ausgang der Schaltung befinden, aber jeweils zur Masse angeschlossen werden, s. Abb. 4.117.

Es gilt allgemein für die Berechnung der ersten Verstärkerschaltung:

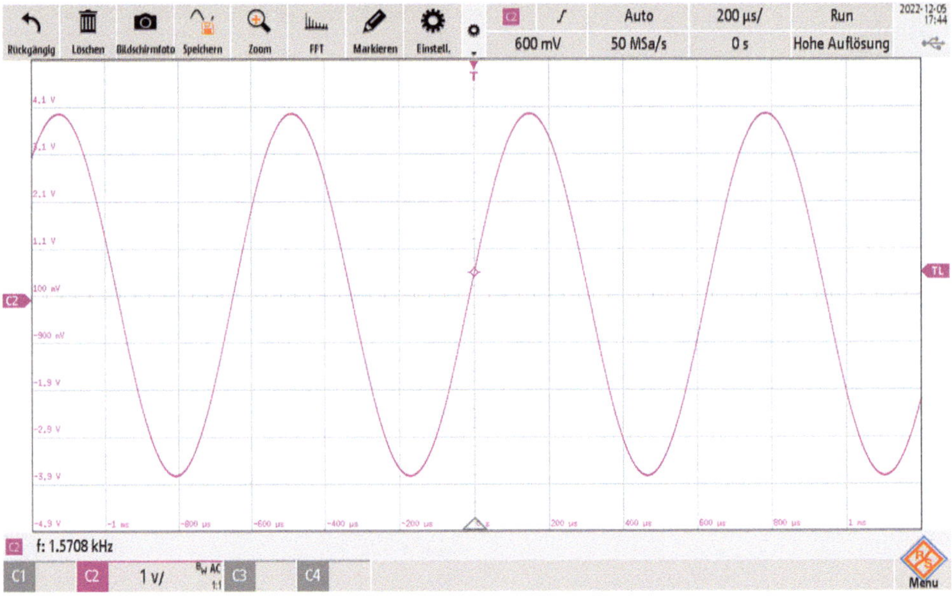

Abb. 4.116 Oszilloskopbildschirm zur Schaltung des Wienbrücken-Oszillators in Abb. 4.115

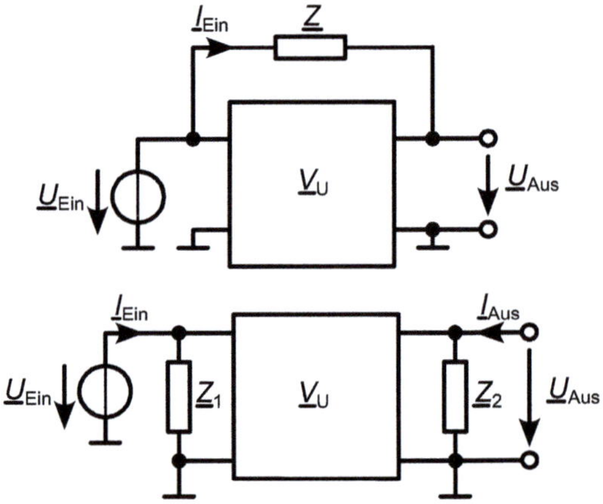

Abb. 4.117 Schaltung einer Verstärkerschaltung mit Impedanz zwischen Ein- und Ausgang (oben) und elektrisch äquivalente Schaltung mit zwei Impedanzen (unten). Die eingezeichneten Ströme werden für die Herleitung der Gleichungen verwendet

$$\underline{V}_\text{U} = \frac{\underline{U}_\text{Aus}}{\underline{U}_\text{Ein}}, \tag{4.75}$$

Für die umgewandelte Verstärkerschaltung aus Abb. 4.117 unten gilt mit den Impedanzen $\underline{Z}_1$ und $\underline{Z}_2$:

$$\underline{Z}_1 = \frac{\underline{Z}}{1 - \underline{V}_\text{U}} \text{ und} \tag{4.76}$$

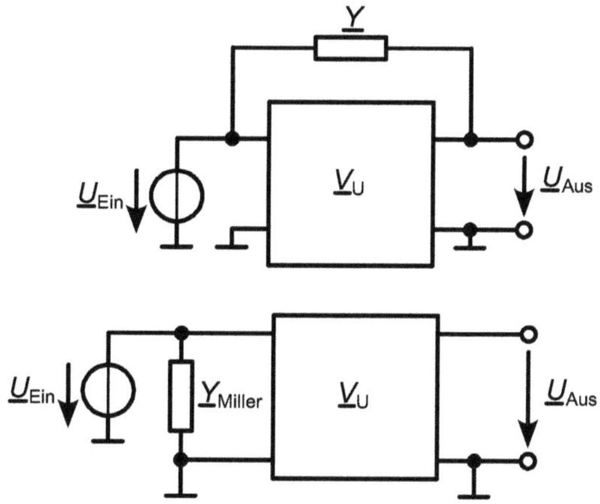

Abb. 4.118 Operationsverstärkerschaltung mit Leitwert zwischen Ein- und Ausgang oben und umgewandelte OP-Schaltung mit Miller-Leitwert am Eingang unten

$$\underline{Z}_2 = \frac{\underline{V}_U}{\underline{V}_U - 1} \cdot \underline{Z} = \frac{\underline{Z}}{1 - \frac{1}{\underline{V}_U}} \tag{4.77}$$

Das Miller-Theorem besagt: Werden die beiden Impedanzen nach der o. g. Formel bestimmt, ist das elektrische Verhalten der beiden Schaltungen aus Abb. 4.117 identisch. Das heißt, dass die Schaltungen elektrisch äquivalent sind. Die Umwandlung der Schaltung aus Abb. 4.117 oben in die Schaltung aus Abb. 4.117 unten wird als Anwendung des Miller-Effektes bezeichnet.

Die beiden Gleichungen können leicht hergeleitet bzw. bestätigt werden. Die Impedanz $\underline{Z}_1$ in Abb. 4.117 unten muss den gleichen Eingangsstrom bewirken, wie die Schaltung aus Abb. 4.118. Dazu wird zunächst der Eingangsstrom $\underline{I}_{Ein}$ aus dem oberen Teilbild bestimmt. Hier gilt:

$$\underline{I}_{Ein} = \frac{\underline{U}_{Ein} - \underline{U}_{Aus}}{\underline{Z}} = \frac{\underline{U}_{Ein} - \underline{V}_U \cdot \underline{U}_{Ein}}{\underline{Z}}.$$

Im zweiten Schritt wurde oben die Ausgangsspannung durch das Produkt der Eingangsspannung und der Verstärkung eingesetzt. Der Strom $\underline{I}_{Ein}$ wird in die folgende Gleichung zur Berechnung des Eingangswiderstands eingesetzt:

$$\underline{Z}_{Ein} = \underline{Z}_1 = \frac{\underline{U}_{Ein}}{\underline{I}_{Ein}} = \frac{\underline{U}_{Ein}}{\frac{\underline{U}_{Ein} - \underline{V}_U \cdot \underline{U}_{Ein}}{\underline{Z}}} = \frac{\underline{Z}}{1 - \underline{V}_U}. \tag{Wdh.}$$

Der Ausgangswiderstand $\underline{Z}_2$ im unteren Teilbild (Abb. 4.117) muss den Strom $\underline{I}_{Ein}$ aus dem oberen Teilbild fließen lassen, wenn die Ausgangsspannung $\underline{U}_{Aus}$ gemessen werden kann. Die Ausgangsspannung wird wieder aus der Eingangsspannung bestimmt. Die Impedanz $\underline{Z}_2$ ergibt sich damit zu

$$\underline{Z}_2 = \frac{\underline{U}_{\text{Aus}}}{-\underline{I}_{\text{Ein}}} = \frac{\underline{V}_{\text{U}} \cdot \underline{U}_{\text{Ein}}}{-\frac{\underline{U}_{\text{Ein}} - \underline{V}_{\text{U}} \cdot \underline{U}_{\text{Ein}}}{\underline{Z}}} = \frac{\underline{V}_{\text{U}} \cdot \underline{Z}}{\underline{V}_{\text{U}} - 1}. \qquad \text{(Wdh.)}$$

4.12.2 Miller-Effekt bei Operationsverstärkern

Für Operationsverstärker gilt im idealisierten Modell, dass der Ausgangswiderstand des Operationsverstärker $R_{\text{Aus}} = 0\ \Omega$ ist. Das bedeutet bei der Anwendung des Miller-Theorems, dass die Impedanz $\underline{Z}_2$ am Ausgang nicht berücksichtigt werden muss. Der Operationsverstärker liefert ausreichend hohen Strom, so dass die Belastung durch diese Impedanz keine Rolle spielt. Damit ist für die OP-Schaltung nur die Impedanz am Eingang des OPs zu beachten.

Für den OP kann deshalb die vereinfachte Umwandlung gemäß Abb. 4.118 angewandt werden. Gleichzeitig wurden hier anstelle der komplexen Widerstände komplexe Leitwerte verwendet. Die Operationsverstärkerschaltung wird als Verstärker mit der allgemeinen Verstärkung $\underline{V}_{\text{U}}$ verwendet. Das bedeutet, dass in dem OP-Symbol eine komplette rückgekoppelte OP-Schaltung enthalten ist. Dabei kann die Verstärkungsfunktion komplexe Anteile enthalten.

Für die Umwandlung gemäß dem Miller-Theorem gilt, dass sich beide Schaltungen elektrisch gleich verhalten müssen. Das bedeutet insbesondere, dass am Eingang bei gleichen Eingangsspannungen auch gleich Eingangsströme fließen. Hierbei wird das Verhalten am Ausgang streng genommen falsch behandelt. Da der Ausgang des OPs jedoch in der Regel ausreichend niederohmig ist (s. Abschn. 5.9), ist die Abweichung von der Realität in der Regel gering und vernachlässigbar.

Diese Bedingung wird durch das Miller-Theorem in Gl. (4.76) erfüllt. Angewandt auf den komplexen Leitwert gilt das Miller-Theorem für den Operationsverstärker allgemein:

$$\underline{Y}_{\text{Ein}} = \frac{\underline{I}}{\underline{U}_{\text{Ein}}} = \frac{\left(\underline{U}_{\text{Ein}} - \underline{U}_{\text{Aus}}\right) \cdot \underline{Y}}{\underline{U}_{\text{Ein}}} = \underline{Y}\left(1 - \underline{V}_{\text{U}}\right) = \underline{Y}_{\text{Miller}}. \qquad (4.78)$$

Dabei können die Leitwerte, Spannungen, Ströme und Verstärkung rein reell oder komplex sein. Für invertierende Operationsverstärkerschaltungen mit Gegenkopplung, beispielsweise für invertierende Verstärker, gilt mit $V_{\text{U}} < 0$:

$$\underline{Y}_{\text{Ein}} = \underline{Y} \cdot \left(1 + \left|\underline{V}_{\text{U}}\right|\right) = \underline{Y}_{\text{Miller}}. \qquad (4.79)$$

Im Zweifelsfall sollte immer die allgemeinere Formel aus Gl. (4.78) angewendet werden.

Mit einer Kapazität zwischen Ein- und Ausgang (s. Abb. 4.119 oben) gilt für den komplexen Leitwert zwischen Ein- und Ausgang $\underline{Y} = \mathrm{j}\omega C$. Diese Kapazität wird in eine Eingangskapazität, d. h. die sog. Miller-Kapazität (Abb. 4.119 unten) umgewandelt.

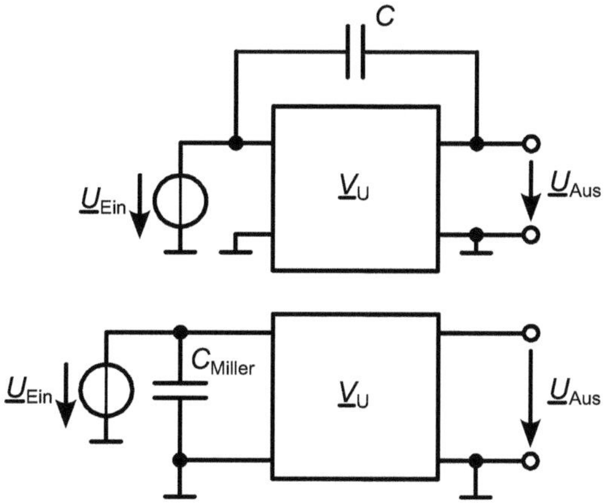

Abb. 4.119 OP-Schaltung mit Kapazität zwischen Ein- und Ausgang (oben) und OP-Schaltung mit umgewandelter Miller-Kapazität (unten)

Für die Miller-Kapazität $\underline{Y}_M$ gilt mit Gl. (4.78) für eine reelle Übertragungsfunktion V_U:

$$j\omega C_{Miller} = j\omega C \cdot \left(1 - \underline{V}_U\right).$$

Daraus folgt:

$$C_{Miller} = C \cdot \left(1 - \underline{V}_U\right) \text{ bzw.}$$
$$C_{Miller} = C \cdot \left(1 + \left|\underline{V}_U\right|\right). \tag{4.80}$$

Im Sonderfall $V_U = +1$ (nichtinvertierender Verstärker) gilt:

$$\underline{Y}_{Miller} = \underline{Y}_{Ein} = \underline{Y} \cdot \left(1 - \underline{V}_U\right) = \underline{Y} \cdot (1 - 1) = 0. \tag{4.81}$$

Der Leitwert zwischen Eingang und Ausgang ist in diesem Fall elektrisch nicht wirksam! Das lässt sich auch anschaulich belegen: Die Spannung am Eingang und Ausgang der Schaltung ist identisch. Das bedeutet, dass in dem Zweig zwischen Ein- und Ausgang kein Strom fließt. Damit behält eine Kapazität zwischen Ein- und Ausgang die Ladung und wird nicht umgeladen.

4.12.3 Miller-Effekt mit Tiefpass

Die Schaltung aus Abb. 4.120 wird beispielhaft untersucht. Dabei wird durch das „Dreieck" ein invertierender Verstärker mit den beiden Widerständen verdeutlicht. Die Spannungsverstärkung V_U ist negativ und für den invertierenden Verstärker normalerweise reell. Aus diesem Grund wird im Folgenden der Unterstrich als Markierung komplexer

Größen nicht verwendet. Die Größe V_U bezeichnet die Verstärkung der invertierenden Verstärkerschaltung.

Wird diese Schaltung mithilfe des Miller-Effektes untersucht, wird die Rückkopplungskapazität an den Eingang transformiert. Durch diese Umformung kann die Schaltung in eine Filter- und eine Verstärkungsfunktion zerlegt werden. Beide Schaltungen sind in Reihe geschaltet, s. Abb. 4.121.

Die Miller-Kapazität ist

$$C_{\text{Miller}} = C \cdot (1 - V_U) = C \cdot (1 + |V_U|).$$

Für die Übertragungsfunktion des Tiefpasses gilt:

$$\underline{F}_{\text{TP}} = \frac{\frac{1}{\mathrm{j}\omega C_{\text{Miller}}}}{R + \frac{1}{\mathrm{j}\omega C_{\text{Miller}}}} = \frac{1}{1 + \mathrm{j}\omega R C_{\text{Miller}}}$$

$$\Longleftrightarrow \underline{F}_{\text{TP}} = \frac{1}{1 + \mathrm{j}\omega RC \cdot (1 - V_U)}. \tag{4.82}$$

Die Grenzfrequenz eines Tiefpasses ergibt sich aus den Werten des Widerstandes R und der Kapazität C:

$$\omega_g = \frac{1}{RC} \text{ bzw.}$$

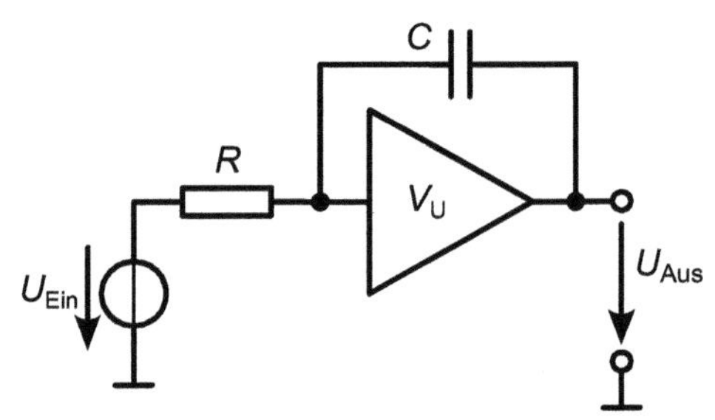

Abb. 4.120 OP-Schaltung mit Kapazität im Rückkopplungspfad. Das dreieckige Verstärkersymbol steht für eine komplette Operationsverstärkerschaltung

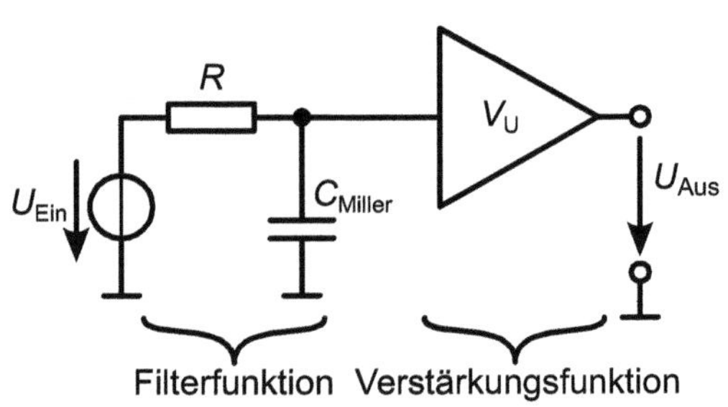

Abb. 4.121 Miller-Effekt angewendet auf die OP-Schaltung mit Rückkopplungskapazität

$$f_g = \frac{1}{2\pi RC}.$$

Aufgrund des Miller-Effektes ändert sich die Grenzfrequenz hier auf:

$$\omega_g = \frac{1}{RC_{\text{Miller}}} = \frac{1}{RC(1 - V_U)} \text{ bzw.}$$

$$f_g = \frac{1}{2\pi RC(1 - V_U)}. \tag{4.83}$$

Die Gesamtübertragungsfunktion der Schaltung bestimmt sich – wie bei der Hintereinanderschaltung von mehreren OP-Grundschaltungen – aus dem Produkt der einzelnen Schaltungen. Das bedeutet, dass hier die Übertragungsfunktion der Filterfunktion mit der Verstärkung V_U der Verstärkungsfunktion multipliziert wird:

$$F_{\text{Ges}} = \frac{U_{\text{Aus}}}{U_{\text{Ein}}} = F_{\text{TP}} \cdot V_U = \frac{V_U}{1 + j\omega RC \cdot (1 - V_U)}. \tag{4.84}$$

Zu beachten ist, dass die Verstärkung V_U hier im Allgemeinen negativ ist.

4.12.4 Mehrfach-Gegenkopplung bei Operationsverstärkern

Die in Abb. 4.122 dargestellte Schaltung soll mittels Miller-Effekt untersucht werden. In dieser Schaltung liegt eine Mehrfachgegenkopplung vor, das bedeutet, dass es hier zwei Rückkopplungswiderstände gibt.

Eine Analyse der Schaltung kann über das bekannte Knoten- und Maschenverfahren unter Beachtung der üblichen Operationsverstärker-Eigenschaften (virtuelle Masse) erfolgen. Dieses Verfahren führt immer zum Ziel, kann aber eine umfangreiche Rechnung erfordern.

Häufig führt die Analyse der Schaltung mithilfe des Miller-Effektes schneller zum Ziel. Dabei wird der äußere Rückkopplungspfad umgewandelt. In diesem Beispiel wird

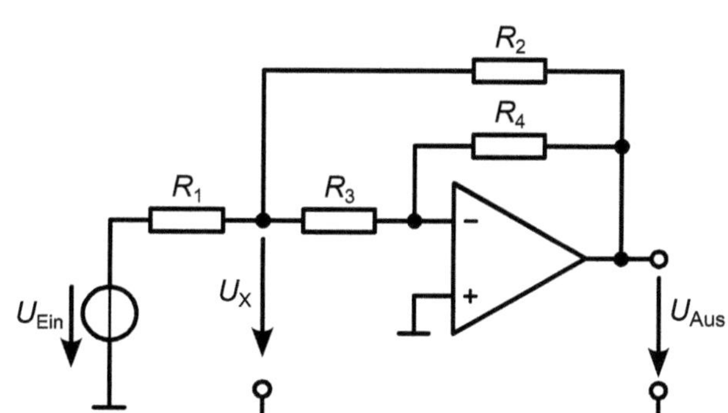

Abb. 4.122 Beispielschaltung zur Mehrfach-Gegenkopplung bei OPs

der Widerstand R_2 über den Miller-Effekt in einen Widerstand $R_{2,\text{Miller}}$ umgewandelt, s. Abb. 4.123. Dieser Widerstand wird vom Verbindungsknoten $R_1 - R_3$ nach Masse geschaltet.

Die Analyse der Schaltung kann jetzt getrennt nach Verstärkungsfunktion und Filterfunktion erfolgen.

Die Verstärkungsfunktion der OP-Schaltung wird auch als „innere" Verstärkung bezeichnet und ergibt sich aus den beiden Widerständen R_3 und R_4 zu

$$V_\text{U} = -\frac{R_4}{R_3}.$$

Diese Spannungsverstärkung ist zwischen der Spannung U_x und der Ausgangsspannung U_Aus wirksam und kann jetzt getrennt gezeichnet werden.

Die Filterfunktion wird zwischen der Eingangsspannung U_Ein und der Spannung U_x bestimmt. Allerdings muss der Widerstand R_3 zur virtuellen Masse dabei ebenfalls berücksichtigt werden. Zur Analyse der Filterfunktion wird dieser Widerstand vom OP gelöst und gegen Masse geschaltet. Die Filterfunktion kann so getrennt von der Verstärkungsfunktion gezeichnet werden. Die Schaltung wird damit in zwei Teilschaltungen aufgeteilt (s. Abb. 4.124):

Zu beachten ist, dass der Widerstand R_3 jetzt zweimal enthalten ist! In der Verstärkungsfunktion ist der Widerstand Bestandteil der Einstellung der Verstärkung, in der Filterfunktion muss er aufgrund des Stromflusses zur Masse beachtet werden.

Die beiden Teilfunktionen sind jeweils über die Spannung U_x verbunden. Damit gilt für die gesamte Übertragungsfunktion:

$$\frac{U_\text{Aus}}{U_\text{Ein}} = \frac{U_\text{Aus}}{U_\text{x}} \cdot \frac{U_\text{x}}{U_\text{Ein}}$$

mit den beiden einzelnen Übertragungsfunktionen für die Filter- bzw. Verstärkungsfunktion. Die Spannung U_x wird dabei einmal als Ausgangs- und einmal als Eingangsgröße verwendet.

Die obere Gleichung enthält für dieses Beispiel nur reelle Größen, gilt aber analog auch für komplexe Spannungen und Übertragungsfunktionen. Für das Beispiel hier gilt

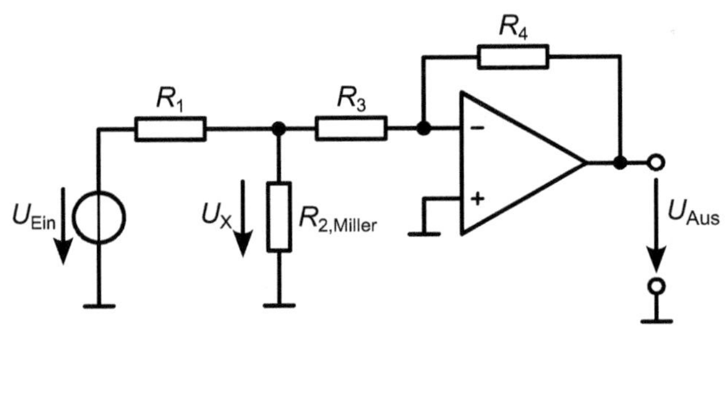

Abb. 4.123 Umgewandelte Schaltung entsprechend den Regeln zur Anwendung des Miller-Effekts

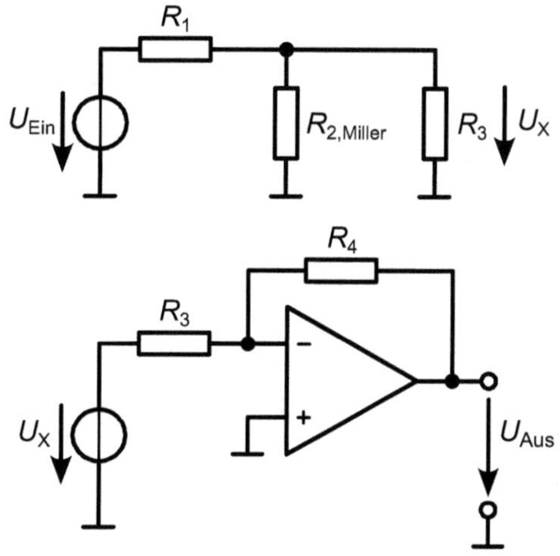

Abb. 4.124 Aufteilung der Schaltung in eine Filter- und eine Verstärkungsfunktion. Die Filterfunktion ist oben dargestellt, die Verstärkungsschaltung unten

für die Berechnung des Widerstands $R_{2,\text{Miller}}$:

$$R_{2,\text{Miller}} = \frac{R_2}{1 - \left(-\frac{R_4}{R_3}\right)}.$$

In dem folgenden Schema ist das Vorgehen zur Bestimmung der Gesamtübertragungsfunktion mithilfe des Miller-Effektes noch einmal zusammengefasst.

Bestimmung der Übertragungsfunktion mit dem Miller-Effekt

1. Umwandlung der äußeren Rückkopplung mithilfe des Miller-Effektes
2. Einführung einer Spannung U_x an dem Knoten im Eingangszweig der Verstärkerschaltung
3. Abtrennung der Verstärkungsfunktion
4. Berechnung der Verstärkungsfunktion
5. Berücksichtigung des Eingangselementes (das an der virtuellen Masse liegt) durch Anschluss an Masse und an den Knoten mit der Spannung U_x der Filterfunktion.
6. Berechnung der Filterfunktion.
7. Bestimmung der kompletten Übertragungsfunktion durch Multiplikation der beiden einzelnen Übertragungsfunktionen.

Beispiel zur Analyse einer Schaltung mit Knotenregeln/ohmschen Gesetz und mit Anwendung des Miller-Effektes

Für die Schaltung in Abb. 4.125 wird die Übertragungsfunktion zunächst „klassisch" bestimmt. Anschließend wird das Vorgehen mithilfe des Miller-Effektes durchgeführt.

In der ersten Version wird die Übertragungsfunktion der Schaltung mit Knotengleichungen bzw. dem ohmschen Gesetz bestimmt. Dazu werden zunächst weitere Bezeichner in die Schaltung eingetragen, s. Abb. 4.126.

Anschließend werden die Stromsummen an den Knoten und danach das ohmsche Gesetz für jeden Widerstand aufgestellt:

$$I_1 = I_2 + I_3 + I_4 \tag{4.85}$$

$$I_3 = I_5 \tag{4.86}$$

(kein Eingangsstrom in den Operationsverstärker)

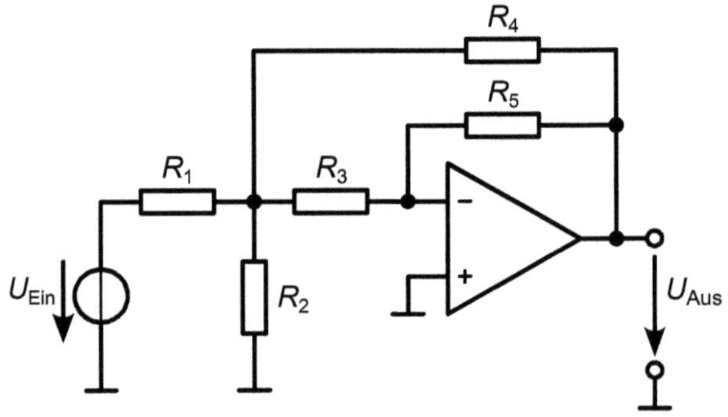

Abb. 4.125 Beispielschaltung zur Analyse einer OP-Schaltung mit dem Miller-Effekt

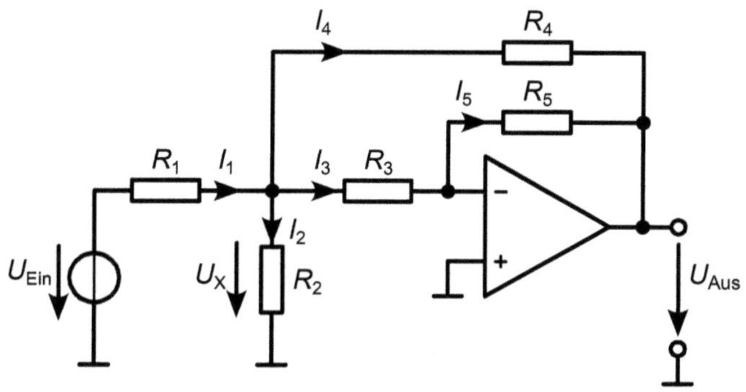

Abb. 4.126 Beispielschaltung mit Strom- und Spannungspfeilen

$$I_1 = \frac{U_{\text{Ein}} - U_{\text{x}}}{R_1} \tag{4.87}$$

$$I_2 = \frac{U_x}{R_2} \tag{4.88}$$

$$I_3 = \frac{U_{\text{x}}}{R_3} \tag{4.89}$$

$$I_4 = \frac{U_{\text{x}} - U_{\text{Aus}}}{R_4} \tag{4.90}$$

$$I_5 = -\frac{U_{\text{Aus}}}{R_5} \tag{4.91}$$

Die Gl. (4.87) bis (4.90) werden in Gl. (4.85) eingesetzt:

$$\begin{aligned} \frac{U_{\text{Ein}} - U_{\text{x}}}{R_1} &= \frac{U_{\text{x}}}{R_2} + \frac{U_{\text{x}}}{R_3} + \frac{U_{\text{x}} - U_{\text{Aus}}}{R_4} \\ \Longleftrightarrow \quad \frac{U_{\text{Ein}}}{R_1} &= U_{\text{x}} \cdot \left(\frac{1}{R_1} + \frac{1}{R_2} + \frac{1}{R_3} + \frac{1}{R_4} \right) - \frac{U_{\text{Aus}}}{R_4} \end{aligned} \tag{4.92}$$

Gl. (4.89) und (4.91) werden in Gl. (4.86) eingesetzt:

$$\begin{aligned} \frac{U_{\text{x}}}{R_3} &= -\frac{U_{\text{Aus}}}{R_5} \\ \Longleftrightarrow \quad U_{\text{x}} &= -U_{\text{Aus}} \cdot \frac{R_3}{R_5} \end{aligned} \tag{4.93}$$

Diese Gleichung wird in (4.92) eingesetzt und dann zur Übertragungsfunktion umgestellt:

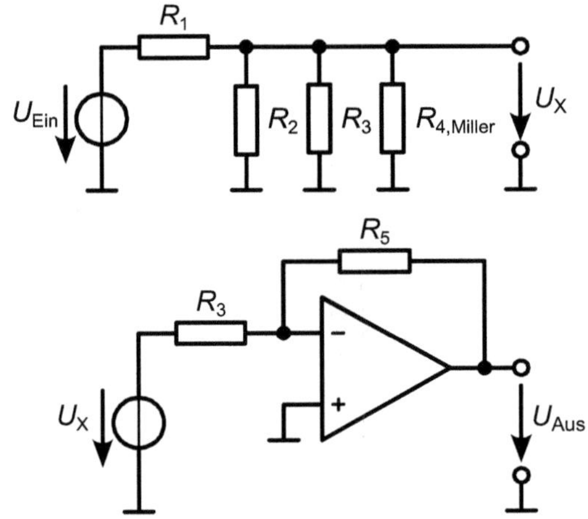

Abb. 4.127 Aufteilung der Beispielschaltung aus Abb. 4.125 in die Filter- und die Verstärkungsfunktion. Die Filterfunktion ist oben gezeigt, die Verstärkungsfunktion unten

$$\begin{aligned} \frac{U_{\text{Ein}}}{R_1} &= -U_{\text{Aus}} \cdot \frac{R_3}{R_5} \cdot \left(\frac{1}{R_1} + \frac{1}{R_2} + \frac{1}{R_3} + \frac{1}{R_4} \right) - \frac{U_{\text{Aus}}}{R_4} \\ \Longleftrightarrow \quad \frac{U_{\text{Ein}}}{U_{\text{Aus}}} &= -\frac{R_1 + R_3}{R_5} - \frac{R_1 R_3}{R_2 R_5} - \frac{R_1 (R_3 + R_5)}{R_4 R_5} \\ \Longleftrightarrow \quad \frac{U_{\text{Aus}}}{U_{\text{Ein}}} &= -\frac{R_2 R_4 R_5}{R_1 R_2 (R_3 + R_4 + R_5) + R_3 R_4 (R_1 + R_2)}. \end{aligned} \tag{4.94}$$

Damit ist die Übertragungsfunktion der Schaltung allgemein, d. h. in Abhängigkeit der fünf Widerstände, bestimmt.

Die zweite Berechnung nutzt den Miller-Effekt zur Bestimmung der Übertragungsfunktion. Dazu werden zunächst die Schaltungen der Filter- und der Verstärkungsfunktion gezeichnet, s. Abb. 4.127.

Die Filterfunktion enthält nun den „Miller-Widerstand" $R_{4,\text{Miller}}$, der aus dem oberen Rückkopplungswiderstand mit dem Strom I_4 entstanden ist. Außerdem ist der Eingangswiderstand der OP-Schaltung mit dem Wert R_3 in der Filterfunktion enthalten.

Zunächst wird die Verstärkungsfunktion untersucht. Es handelt sich hier um einen invertierenden Verstärker mit der Spannungsverstärkung

$V_{\text{U}} = -\frac{R_5}{R_3}$.

Damit kann zunächst der Wert des Miller-Widerstands berechnet werden. Es gilt analog zu Gl. (4.76):

$$R_{\text{Miller}} = \frac{R_4}{1 - V_{\text{U}}} = \frac{R_4}{1 - \left(-\frac{R_5}{R_3}\right)} = \frac{R_3 R_4}{R_3 + R_5}.$$

Die Spannung U_{X} kann über den Spannungsteiler aus der Spannung U_{Ein} berechnet werden. Dazu wird zunächst die Parallelschaltung bestimmt:

$$R_2||R_3||\frac{R_3R_4}{R_3+R_5}=\frac{R_2R_3R_4}{R_2(R_3+R_5)+R_4(R_2+R_3)}.$$

Mit Anwendung der Spannungsteilerregel folgt:

$$\frac{U_X}{U_{Ein}}=\frac{R_2R_3R_4}{R_1R_2(R_3+R_5)+R_1R_4(R_2+R_3)+R_2R_3R_4}.$$

Damit ergibt sich die Gesamt-Übertragungsfunktion zu:

$$\frac{U_{Aus}}{U_{Ein}}=\frac{U_{Aus}}{U_X}\cdot\frac{U_X}{U_{Ein}}=\frac{-R_2R_3R_4}{R_1R_2(R_3+R_4+R_5)+R_3R_4(R_1+R_2)}.$$

Die Berechnung unter Verwendung des Miller-Effektes liefert (natürlich) das gleiche Ergebnis, wie die andere Schaltungsanalyse. Insbesondere bei der Verwendung von Zahlenwerten ist der Rechenaufwand jedoch deutlich geringer.

4.13 Verständnisfragen zu Kap. 4

4.13.1 Einführung und typische Kenngrößen des Operationsverstärkers

Frage 4.1: Warum werden die Versorgungsspannungsanschlüsse bei Operationsverstärkern in der Regel nicht gezeichnet?

Frage 4.2: Welche vier wichtigen idealisierten Eigenschaften hat ein Operationsverstärker? Warum sind diese Eigenschaften wichtig?

4.13.2 Grundschaltungen des Operationsverstärkers

Invertierender Verstärker

Frage 4.3: Beschreiben Sie, wie die Schaltung des invertierenden Verstärkers funktioniert.

Frage 4.4: Was bedeutet der Begriff „virtuelle Masse"?

Frage 4.5: Welchen Einfluss hat die Innenbeschaltung des Operationsverstärkers auf die Funktionsweise der Schaltung in Abb. 4.3?

Nichtinvertierender Verstärker

Frage 4.6: Kann die „virtuelle Masse" auch bei dem nichtinvertierenden Verstärker angewendet werden?

Frage 4.7: Welche Besonderheit hat der nichtinvertierende Verstärker bezogen auf den Eingang?

4.13.3 Umschaltung nichtinvertierender und invertierender Verstärker

Frage 4.8: Beschreiben Sie das Verhalten der Schaltung in Abb. 4.9 in Abhängigkeit des Schalters S.

4.13.4 Reihenschaltung von Operationsverstärkern

Frage 4.9: Welchen Vorteil könnte die Schaltung in Abb. 4.13 gegenüber einer Schaltung mit nur einem OP bieten?

4.13.5 Gesteuerte Stromquelle

Frage 4.10: Was ist ein Nachteil der dargestellten gesteuerten Stromquelle?

Frage 4.11: Die gesteuerte Stromquelle hat einen sehr hohen Innenwiderstand und ist damit ziemlich „ideal". Bis zu welchen Spannungsgrenzen funktioniert die Schaltung?

4.13.6 Invertierende Additionsschaltung

Frage 4.12: Wie setzt sich der Strom I_2 aus den Einzelströmen zusammen?

Frage 4.13: Wie viele Eingänge darf die invertierende Additionsschaltung haben?

4.13.7 Differenzverstärker als OP-Schaltung

Frage 4.14: Welche Funktion wird durch den Differenzverstärker nachgebildet, wenn alle Widerstände gleich groß sind?

4.13.8 Nichtinvertierende Additionsschaltung, Mittelwertbildung

Frage 4.15: Aus welchen Teilschaltungen besteht die Schaltung eigentlich?

4.13.9 Invertierender Integrator

Frage 4.16: Mathematisch gesehen ist die Schaltung des invertierenden Integrators in Ordnung. In der Praxis funktioniert die Schaltung typischerweise jedoch nicht. Welchen Grund kann es dafür geben?

4.13.10 Invertierender Differenzierer

Frage 4.17: Die theoretische Übertragungskennlinie des Differenzierers tritt in der Praxis häufig nicht auf. In der Regel wird die Schaltung des invertierenden Differenzieres zumindest nach dem Umschalten oszillieren. Was kann man gegen diese Oszillationen machen?

4.13.11 Komparator (Vergleicher)

Frage 4.18: Welches „Problem“ hat der Komparator?

Frage 4.19: Spielt die „virtuelle Masse“ beim Komparator eine Rolle?

4.13.12 Schmitt-Trigger

Frage 4.20: Der Schmitt-Trigger hat eine Rückkopplung über den Widerstand R_2, s. Abb. 4.65. Warum schaltet der Ausgang trotzdem immer „hart“ um?

4.13.13 Gleichrichterschaltungen, Präzisionsgleichrichter

Frage 4.21: Kann die Gleichrichterschaltung basierend auf Abb. 4.76 bzw. Abb. 4.81 für die Stromversorgung genutzt werden?

Frage 4.22: Welche beiden Teilschaltungen sind in der Gleichrichterschaltung nach Abb. 4.76 enthalten?

Frage 4.23: Was ist der Vorteil der Gleichrichterschaltung nach Abb. 4.81? Welchen Nachteil hat diese Schaltung?

4.13.14 NIC

Frage 4.24: Was macht grundsätzlich ein NIC?

Frage 4.25: Wie unterscheiden sich die beiden NIC Typen?

4.13.15 Rechteckoszillator

Frage 4.26: Wie ändert sich die Frequenz des Rechtecksignals, wenn der Kapazitäts- bzw. der Widerstandswert erhöht werden?

4.13.16 Miller-Effekt

Frage 4.27: Bei der Anwendung des Miller-Effekts wird ein Fehler gemacht, der in der Regel bei OP-Schaltungen unkritisch ist. Welcher Fehler ist das?

4.14 Aufgaben zu Kap. 4

4.14.1 Aufgabe 4.1

Entwerfen Sie einen invertierenden Verstärker, bestehend aus zwei Widerständen R_1 und R_2, sowie einem Operationsverstärker mit endlicher Verstärkung V_0. Weiter gilt für den Operationsverstärker: $r_{Aus} = 50\ \Omega$. Die Eingangsspannung beträgt 1 V.

Hinweis: Für die Bearbeitung der Teilaufgaben e) und f) sind Kenntnisse aus Kap. 5 erforderlich.

a) Zeichnen Sie das Schaltbild mit den genannten Komponenten und allen wesentlichen Anschlüssen. Der Widerstand R_1 soll im Eingang der Schaltung sein.
b) Die Verlustleistung im Eingangswiderstand soll bei 1 mW liegen. Legen Sie damit den geeigneten Widerstand mit dem passenden Wert fest.
c) Die Verstärkung der OP-Schaltung soll einen Betrag von 10 haben. Legen Sie den zweiten Widerstand passend fest.
d) Wie hoch muss die Leerlaufverstärkung V_0 des Operationsverstärkers mindestens sein, damit für die Spannung am invertierenden Eingang gilt: $|U_N| \leq 5$ mV. Geben Sie den Wert auch in Dezibel an.

Hinweis für die folgenden Teilaufgaben: Wenn Sie die vorhergehenden Aufgaben nicht lösen konnten, rechnen Sie mit $V_0 = 2000$ weiter.

e) Welcher effektive Ausgangswiderstand ergibt sich für diese OP-Beschaltung? (2P)
f) Bestimmen Sie den genauen Wert des Eingangswiderstands unter Berücksichtigung von $|U_{Neg}| = 5$ mV. (3P)

4.14.2 Aufgabe 4.2

Mit verschiedenen OP-Schaltungen soll aus einem Rechtecksignal ein Signal mit stufenlos verstellbarer Einschaltdauer (Pulsweitenmodulation, PWM) generiert werden.

a) Aus einem Rechtecksignal soll das unten dargestellte Dreiecksignal 1 generiert werden. Welche OP-Schaltung ist dafür erforderlich? Nennen Sie zwei mögliche Schaltungen.
b) Mit einer zusätzlichen Gleichspannung soll das Dreiecksignal 1 einen variablen Gleichspannungsanteil erhalten. Mit welchen OP-Schaltungen kann aus den beiden Eingangssignalen „Dreiecksignal 1“ und einer variablen Gleichspannung das Signal „Dreiecksignal 2“ erzeugt werden?
c) Wie groß muss die variable Gleichspannung für den Übergang von Dreiecksignal 1 auf Dreiecksignal 2 sein? Gehen Sie für diese Teilaufgabe davon aus, dass alle Widerstände in der Schaltung nach b) den gleichen Wert haben.
d) Das Ausgangssignal soll positiv sein, wenn die Spannung des Dreiecksignals 2 größer als 0 V ist. Welche Schaltung ist erforderlich (Stichwort)? Skizieren Sie die Schaltung unter Beachtung der Polarität (keine Berechnung!).

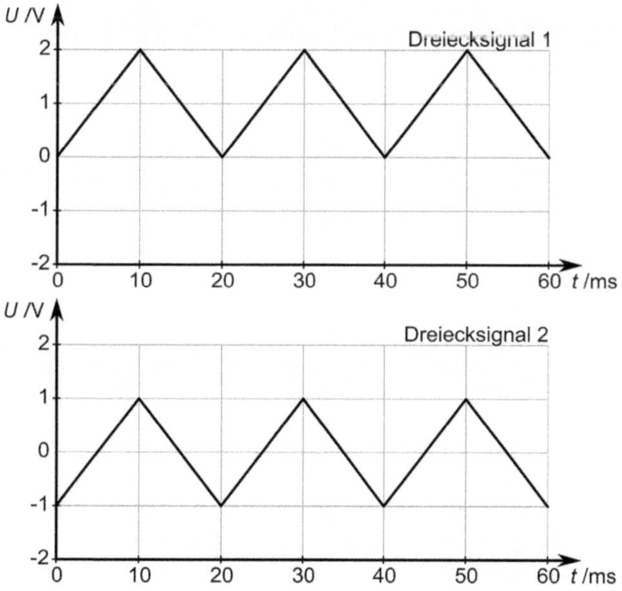

4.14.3 Aufgabe 4.3

In der folgenden Abbildung sind die beiden Eingangssignale einer OP-Schaltung mit zwei Eingängen gezeichnet. Das zugehörige Ausgangssignal ist darunter dargestellt. Geben Sie an, welche der folgenden drei Operationsverstärkerschaltungen verwendet wurde: invertierender Summationsverstärker, nichtinvertierender Summationsverstärker oder Differenzverstärker. Geben Sie auch die Verstärkungen der beiden Pfade an. Begründen Sie Ihre Antwort, beispielsweise mit einer Berechnung.

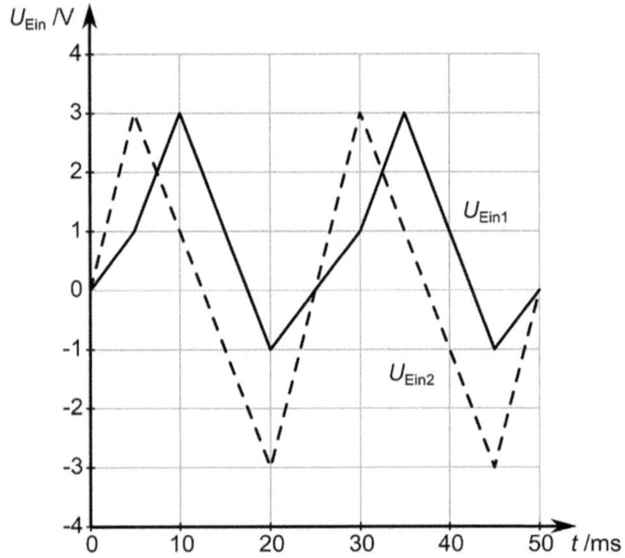

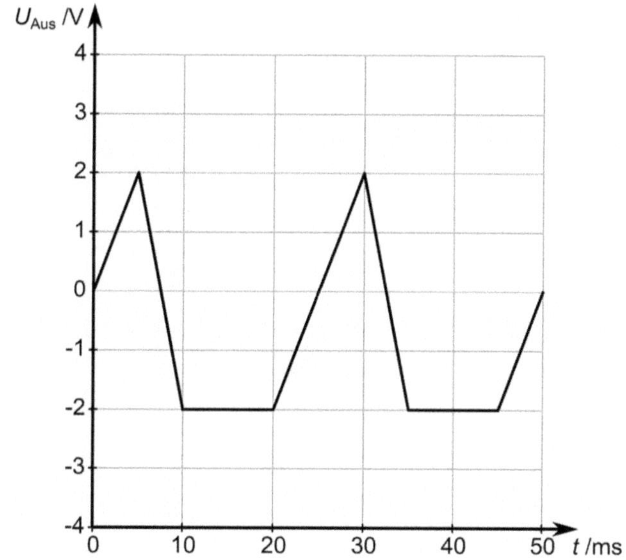

4.14.4 Aufgabe 4.4

Gegeben sind die folgende Schaltung und die dargestellten Eingangssignale.

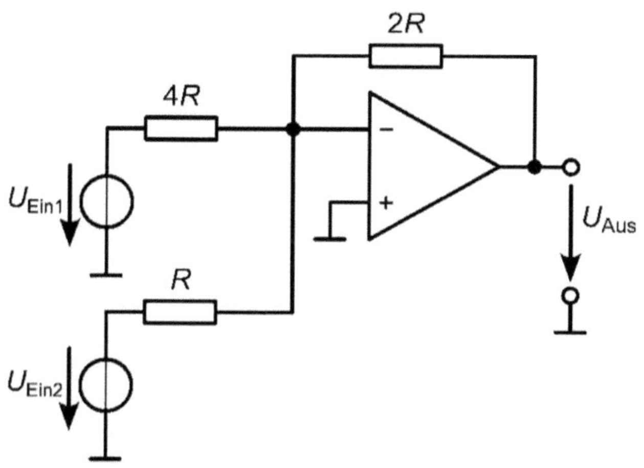

Skizzieren Sie die Spannung am Ausgang der Schaltung in das vorbereitete Diagramm:

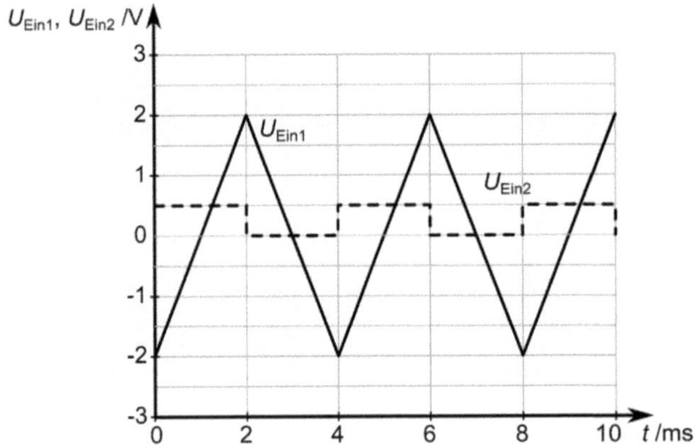

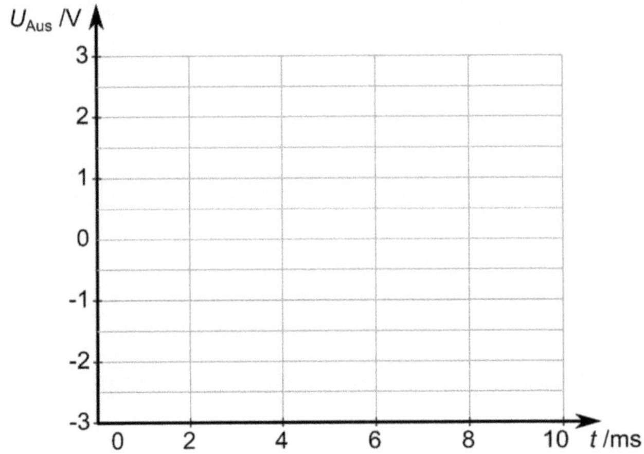

4.14.5 Aufgabe 4.5

Entwerfen Sie einen invertierenden Verstärker, bestehend aus zwei Widerständen R_1 und R_2, sowie einem idealen rail-to-rail Operationsverstärker (Versorgungsspannung ± 12 V).

Das Eingangssignal ist eine sinusförmige Wechselspannung mit einem Effektivwert von 50 mV und einer Frequenz von 50 kHz.

Hinweis: Für den Zusammenhang von Effektivwert und Amplitude gilt für sinusförmige Signale: $\hat{U} = U_{\mathrm{Eff}} \cdot \sqrt{2}$. Für Teilaufgabe d) sind Kenntnisse aus Kap. 5 erforderlich.

a) Zeichnen Sie das Schaltbild mit den genannten Komponenten. Der Widerstand R_1 soll im Eingang der Schaltung sein.

b) Mit der o. g. Eingangsspannung soll ein maximaler Strom von 100 µA durch R_1 fließen. Dimensionieren Sie R_1 entsprechend.
c) Das Ausgangssignal soll gegenüber dem Eingangssignal um den Faktor 2 angehoben werden. Bestimmen Sie dazu R_2!
d) Welche maximale Spannung (Effektivwert!) kann mit dieser Schaltung umgesetzt werden, ohne dass die Ausgangsspannung begrenzt wird?
e) Erweitern Sie die Schaltung von a) um einen weiteren OP (ohne Widerstände), so dass der Eingangswiderstand der Gesamtschaltung sehr hochohmig wird, ohne die Verstärkung zu ändern. Dieser Schaltungsteil kann getrennt gezeichnet werden.

4.14.6 Aufgabe 4.6

Die nachfolgende Schaltung soll mithilfe des Miller-Effektes untersucht werden. Dazu sollen die folgenden Punkte bearbeitet werden:

a) Welches Bauelement wird mithilfe des Miller-Effektes transformiert?
b) Berechnen Sie die „innere" Verstärkungsfunktion.
c) Wie groß wird der Wert des transformierten Bauelementes?
d) Bestimmen Sie die Filterfunktion!
e) Berechnen Sie die Gesamtübertragungsfunktion.

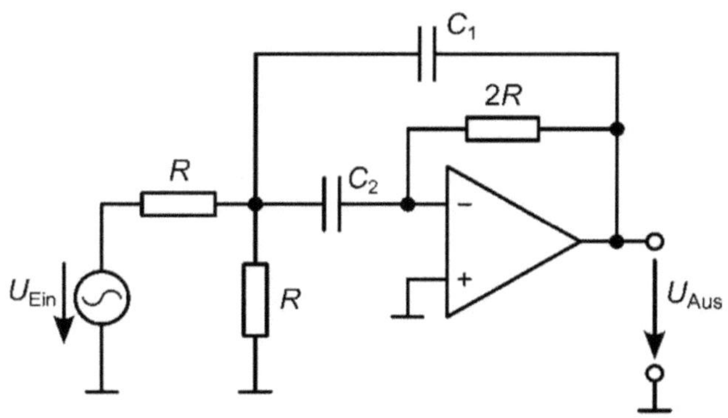

4.14.7 Aufgabe 4.7

Gegeben ist die nachfolgende Schaltung. Bestimmen Sie die Gesamtübertragungsfunktion mithilfe des Miller-Effektes. Kontrollieren Sie das Ergebnis für Gleichspannung ($f = 0$ Hz) und für sehr hohe Frequenzen ($f = \infty$).

Es gilt: $R_1 = R_2 = R_3 = R$ und $C_1 = C_2 = C$.

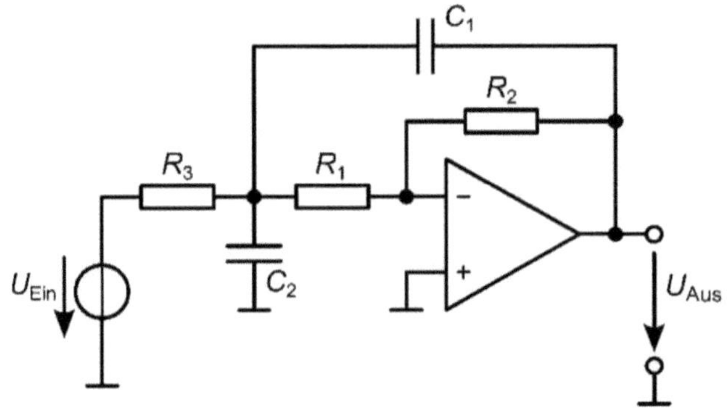

Literatur zu Kapitel 4

1. D. Verkest, „Analoge Schaltungen senken Stromaufnahme", Elektronik 23, 2020, S. 24 ff.
2. M. Paliy, S. Strangio, P. Ruiu, T. Rizzo, G. Iannaccone, „Analog Vector-Matrix Multiplier Based on Programmable Current Mirrors for Neural Network Integrated Circuits", IEEE Access, 2020, Vol. 8, 203525–203537, https://doi.org/10.1109/ACCESS.2020.3037017
3. Texas Instruments, „Integrated logarithmic amplifiers for industrial applications", Analog Applications Journal, 1Q 2004, www.ti.com/lit/pdf/slyt088, abgerufen am 16.11.2023
4. Texas Instruments, „An Applications Guide for Op Amps", Application Report AN 20, www.ti.com/lit/pdf/snoa621, abgerufen am 3.8.2025
5. Texas Instruments, „Op Amp Circuit Collection"; Application Report AN 31, www.ti.com/lit/pdf/snla140, abgerufen am 3.8.2025
6. M. Alles, „Einführung in die elektronische Schaltungstechnik Dioden, Transistoren und Grundschaltungen", Springer-Vieweg Verlag, Berlin, 2024, 978-3-662-69277-6
7. U. Tietze, Ch. Schenk, „Halbleiter-Schaltungstechnik", Springer-Verlag, Berlin, 2002, 3-540-42849-6
8. Texas Instruments, „Measuring the linear operating region of instrumentation amplifiers", Analog Applications Journal, 4Q 2016, www.ti.com/lit/pdf/SLYT690, abgerufen am 16.11.2023
9. Linear Technology, „High Speed Comparator Techniques", Application Note 13, www.analog.com/media/en/technical-documentation/aplication-notes/an13f.pdf, abgerufen am 27.10.2024
10. c't Make „Operationsverstärker Special", Maker Media GmbH, 2022
11. L. v. Wangenheim, „Aktive Filter und Oszillatoren", Springer Verlag Berlin Heidelberg, 2008, 978-3-540-71737-9
12. Texas Instruments, „Sine Wave Generation Techniques", Application Report AN 263, www.ti.com/lit/pdf/snoa66, abgerufen am 3.8.2025
13. B. Carter, T. Brown, Texas Instruments, „Handbook of Operational Amplifier Applications", Application Report SBOA092A, www.ti.com/lit/pdf/sboa092, abgerufen am 3.8.2025
14. R. Mancini, Texas Instruments, „OpAmps For Everyone", Design Reference SLOD006A, www.ee.nmt.edu/~thomas/data_sheets/op-amp-slod006a.pdf, abgerufen am 25.11.2023
15. „Halbleiterschaltungsheft", Elektor-Verlag, Aachen, Ausgabe Juli/August 1977

Weiterführende Literatur

16. Texas Instruments, „Understanding Basic Analog – Ideal Op Amps", Application report SLAA068A, www.ti.com/lit/pdf/slaa068b, abgerufen am 21.8.2025
17. Analog Devices, „Basic linear design", Section 1.1, www.analog.com/en/resources/technical-books/linear-circuit-design-handbook.html, abgerufen am 21.8.2025, abgerufen am 3.8.2025, ISBN 0-916550-28-1 bzw. 978-0-7506-8703-4
18. Linear Technology, „Measurement and Control Circuit Collection", Application Note 45, www.analog.com/media/en/technical-documentation/application-notes/an45f.pdf, abgerufen am 27.10.2024
19. Linear Technology, „High Speed Amplifier Techniques" Application Note 47, www.analog.com/media/en/technical-documentation/application-notes/an47fa.pdf, abgerufen am 27.10.2024
20. Texas Instruments, „Op Amp Booster Designs", Application Note AN-272, www.ti.com/lit/pdf/snoa600, abgerufen am 21.8.2025

5 Realer Operationsverstärker

5.1 Lernziele Realer Operationsverstärkern

In diesem Abschnitt werden die realen Eigenschaften des Operationsverstärkers behandelt. Dazu gehört die Betrachtung der Offset-Eingangsspannung, die insbesondere bei präzisen Messschaltungen mit geringen Eingangssignalen eine große Rolle spielt. Ein weiterer Punkt ist der Eingangsstrom, der in Abhängigkeit der verwendeten Transistoren und Architektur sehr unterschiedlich sein kann. Dazu gehören auch die Eingangs- und Ausgangswiderstände, die sich im Betrieb einstellen. Des Weiteren werden die erreichbare Ausgangsspannung von rail-to-rail Operationsverstärkern und die Slewrate behandelt. Das zeitliche Verhalten der Ausgangsspannung wird in dem folgenden Kapitel Slewrate behandelt. Nach der Behandlung der endlichen Bandbreite des OPs wird das Ersatzschaltbild des idealen OPs mit nachgeschaltetem Tiefpass behandelt. Im letzten Abschnitt dieses Kapitels werden insbesondere das thermische Rauschen, die Bestimmung des Signal-Rausch-Abstandes und die Rauschzahl behandelt. Wenn Sie dieses Kapitel bearbeitet haben, können Sie die unterschiedlichen Parameter des Operationsverstärkers mit üblichen Werten einordnen. Sie können den Einfluss der Parameter auf die Funktionsweise einer Operationsverstärkerschaltung beurteilen und zwischen idealen und realen Größen unterscheiden. Bei einigen Größen, insbesondere Rauschen, Slewrate, Bandbreite und Ausgangswiderstand sind Sie in der Lage, die realen Größen der OP-Schaltung zu berechnen.

Ergänzende Information Die elektronische Version dieses Kapitels enthält Zusatzmaterial, auf das über folgenden Link zugegriffen werden kann https://doi.org/10.1007/978-3-662-72536-8_5.

M. Alles, *Operationsverstärker*, https://doi.org/10.1007/978-3-662-72536-8_5

5.2 Eingangs-Offsetspannung

5.2.1 Theoretische Betrachtung

Für einen idealen Operationsverstärker gilt:

$$U_{\text{Aus}} = V_0 \cdot U_\text{D}. \qquad \text{(Wdh.)}$$

Das bedeutet, dass die Ausgangsspannung $U_{\text{Aus}} = 0$ V ist, wenn die Differenzspannung $U_\text{D} = 0$ V ist, wenn z. B. die beiden Eingänge miteinander verbunden werden. Dieser Sachverhalt ist in Abb. 5.1 dargestellt.

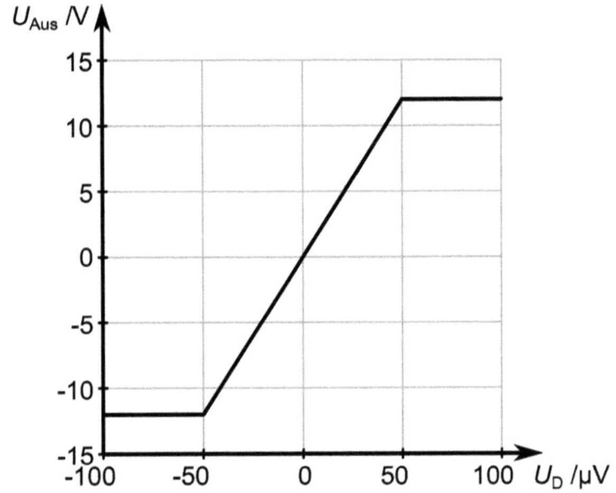

Abb. 5.1 Ausgangsspannung eines idealen OPs in Abhängigkeit der Eingangs-Differenzspannung U_D

Durch die Herstellung des Operationsverstärkers als integrierte Schaltung ist bereits eine sehr hohe Symmetrie der Eingangsstufe gegeben, allerdings bleibt eine gewisse Restunsymmetrie bestehen. Damit ist die Ausgangsspannung bei kurzgeschlossenen Eingängen nicht 0 V. Vielmehr muss eine gewisse Eingangs-Differenzspannung U_{Off} angelegt werden, um eine Ausgangsspannung von 0 V zu erreichen, s. Abb. 5.2.

Diese Spannung U_{Off} muss entweder am invertierenden oder nichtinvertierenden Eingang angelegt werden. Manche OP-Hersteller verwenden einen Anschluss an den nichtinvertierenden Eingang, beispielsweise [1]. Andere Hersteller wählen für die additive Spannungsquelle den invertierenden Eingang, s. beispielsweise [17]. Sie wird als Offsetspannung bezeichnet und ist im Datenblatt des Operationsverstärkers angegeben.

Typische Werte für die Offsetspannung sind 0,2 mV bis 2 mV für Bipolarprozesse und 0,3 mV bis 5 mV für CMOS-Prozesse. Operationsverstärker in CMOS-Technologie haben typischerweise eine höhere Offsetspannung als OPs in Bipolartechnik [17].

In den Tab. 5.1 bzw. 5.2 sind typische Offsetspannungswerte von einigen Operationsverstärkern zusammengestellt. In Tab. 5.1 ist eine Übersicht der typischen Offsetspannung

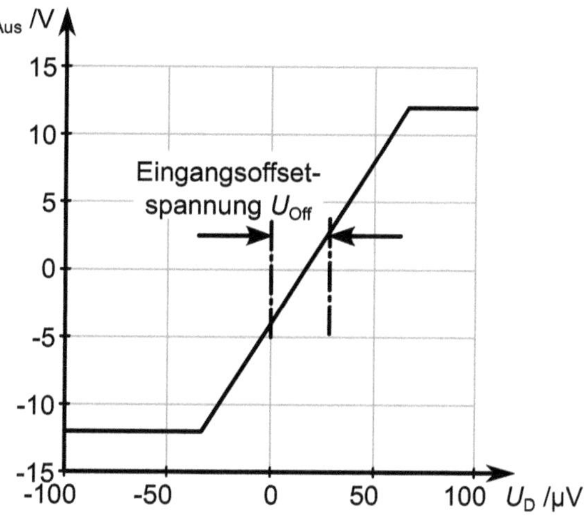

Abb. 5.2 Näherungsweise Darstellung des realen Verlaufs der Ausgangsspannung in Abhängigkeit der Eingangs-Differenzspannung. Für dieses Beispiel muss eine Eingangsspannung von 25 µV angelegt werden, damit die Ausgangsspannung 0 V erreicht

in Abhängigkeit der verwendeten Technologie gezeigt. Deutlich ist erkennbar, dass Operationsverstärker mit Feldeffekttransistoren in der Regel eine höhere Offsetspannung als OPs auf Basis von Bipolartransistoren haben. Bei den Chopper-stabilized OPs handelt es sich um geschaltete Operationsverstärker. In einer sehr vereinfachten Beschreibung ist es so, dass in einer Schaltphase das Eingangssignal gemessen wird, in der anderen Schaltphase wird die Offsetspannung ausgemessen und geeignet an den OP-Eingang gelegt. Dadurch wird die Offsetspannung in der Regel nahezu komplett ausgeregelt. Nachteilig ist jedoch, dass diese OPs in der Regel geschaltet arbeiten und häufig stärkeres Rauschen generieren. Für Präzisionsanwendungen mit sehr hohen Anforderungen an die Offsetspannung (typischerweise messtechnische Anwendungen) sind diese OPs sehr gut geeignet.

Tab. 5.1 Typische Offsetspannungen für verschiedene OP-Typen, nach [2, 9, 17]

Operationsverstärker-Technologie	Offsetspannung
Chopper-stabilized OPs	<1 µV
Präzisions-OPs	50 µV–500 µV
Sehr gute Bipolar-OPs	10 µV–25 µV
Sehr gute JFET-OPs	100 µV–1000 µV
Schnelle OPs	100 µV–2000 µV
ungetrimmte CMOS-OPs	5 mV–50 mV
getrimmte CMOS-OPs	100 µV–1 mV
Bipolar OP	150 µV–10 mV
BiFET OP	800 µV–15 mV
CMOS OP	200 µV–10 mV

Tab. 5.2 Angabe der Offsetspannung einiger OP-Typen, nach [3–8]

Operationsverstärker	Technologie	typ. Wert	max. Wert
NE5532	Bipolar	0,5 mV	4 mV
TLV272	MOSFET	0,5 mV	
TSH80		1,1 mV	10 mV
LMV358	BICMOS	1,7 mV	7 mV
LM358	bipolar	2 mV	7 mV
TL062	JFET	3 mV	9 mV

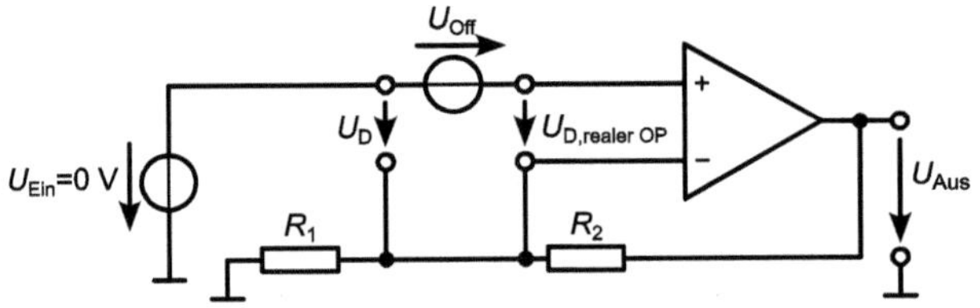

Abb. 5.3 Beschreibung der Offsetspannung des realen Operationsverstärkers durch eine additive Spannungsquelle am nichtinvertierenden Eingang. In diesem Fall ist der nachgeschaltete Operationsverstärker ideal, also mit einer Offsetspannung von 0 V

Die Eingangs-Offsetspannung wird hier durch eine additive Spannungsquelle am nichtinvertierenden Eingang beschrieben, s. Abb. 5.3. Die Offsetspannung hat in der Regel keine Polarität, sondern nur einen maximalen Betrag, der im Datenblatt angegeben wird. Hier wird die Beschreibung der Offsetspannung zunächst mit einem Zahlenwert und einem Vorzeichen betrachtet. Am Ende der Beschreibung wird dann auf den Betrag gewechselt.

Hier gilt (Maschenregel):

$$U_{\mathrm{D}} = U_{\mathrm{Off}} + U_{\mathrm{D,realer\ OP}} \iff U_{\mathrm{D,realer\ OP}} = U_{\mathrm{D}} - U_{\mathrm{Off}}. \tag{5.1}$$

Für den nichtinvertierenden Verstärker ergibt sich damit das in Abb. 5.4 dargestellte Schaltbild. Dabei wurde die Eingangsspannung zur Vereinfachung auf 0 V gelegt.

Für die Ausgangsspannung U_{Aus} gilt die allgemeine Formel.

$$U_{\mathrm{Aus}} = V_0 \cdot U_{\mathrm{D,realer\ OP}}.$$

Mit Gl. (5.1) folgt:

$$U_{\mathrm{Aus}} = V_0 \cdot (U_{\mathrm{D}} - U_{\mathrm{Off}}). \tag{5.2}$$

Die Differenzspannung U_{D} kann auch über den Spannungsteiler vom Ausgang bestimmt werden:

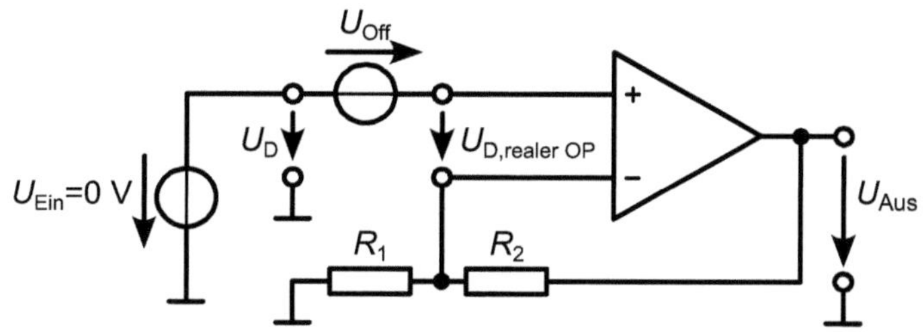

Abb. 5.4 Nichtinvertierender Verstärker mit Offsetspannungsquelle am nichtinvertierenden Anschluss, s. Abb. 5.3

$$U_D = U_{Ein} - U_{Aus} \cdot \frac{R_1}{R_1 + R_2}$$

Durch Einsetzen von $U_{Ein} = 0$ V folgt:

$$U_D = 0\,\text{V} - U_A \cdot \frac{R_1}{R_1 + R_2} = -U_{Aus} \cdot \frac{R_1}{R_1 + R_2}$$

Einsetzen von U_D in die obere Gl. (5.2) ergibt:

$$\begin{aligned} U_{Aus} &= V_0 \cdot \left(-U_{Aus} \cdot \frac{R_1}{R_1 + R_2} - U_{Off}\right) \\ \Longleftrightarrow\quad U_{Aus} &+ U_{Aus} \cdot \frac{R_1}{R_1 + R_2} \cdot V_0 = -U_{Off} \cdot V_0 \\ \Longleftrightarrow\quad U_{Aus} &= -\frac{V_0}{1 + \frac{R_1}{R_1+R_2} \cdot V_0} \cdot U_{Off} \end{aligned} \tag{5.3}$$

Diese Gleichung besagt, dass bei Vorhandensein einer Offsetspannung, die Ausgangsspannung nicht 0 V ist, selbst wenn die Eingangsspannung 0 V beträgt. Ist die Leerlaufverstärkung V_0 sehr groß, gilt näherungsweise:

$$\frac{R_1}{R_1 + R_2} \cdot V_0 \gg 1 \text{ und damit } 1 + \frac{R_1}{R_1 + R_2} \cdot V_0 \approx \frac{R_1}{R_1 + R_2} \cdot V_0.$$

Damit kann Gl. (5.3) vereinfacht werden zu:

$$\begin{aligned} U_{Aus} &\approx -\frac{V_0}{\frac{R_1}{R_1+R_2} \cdot V_0} \cdot U_{Off} = -\frac{R_1 + R_2}{R_1} \cdot U_{Off} \\ \Longleftrightarrow\quad U_{Aus} &\approx -\left(1 + \frac{R_2}{R_1}\right) \cdot U_{Off}. \end{aligned}$$

Bei Vorhandensein einer Offsetspannung gilt für den nichtinvertierenden Verstärker mit $V_U = 1 + \frac{R_2}{R_1}$:

$$U_{\text{Aus}} \approx -V_{\text{U}} \cdot U_{\text{Off}}.$$

Die vorstehende Gleichung kann auf weitere OP-Schaltungen verallgemeinert werden. Im allgemeinen Fall gilt, dass die Offsetspannung mit der Rauschverstärkung an den Ausgang übertragen wird:

$$U_{\text{Aus}} \approx -V_{\text{U,Rauschen}} \cdot U_{\text{Off}}. \tag{5.4}$$

Die Offsetspannung ergibt sich in der Produktion als statistischer Wert. In der Regel wird ein positiver Wert angegeben und das Vorzeichen von U_{Off} geändert. Zusammen mit einem Eingangssignal U_{Ein} gilt für die Ausgangsspannung:

$$U_{\text{Aus}} = V_{\text{U}} \cdot U_{\text{Ein}} \pm V_{\text{U,Rauschen}} \cdot U_{\text{Off}}. \tag{5.5}$$

Da die Offsetspannung in der Regel relativ niedrig ist, wirkt sich manchmal der Fehler stärker aus, der sich aus dem Wert der Leerlaufverstärkung ergibt, s. Abschn. 5.7. Häufig wird für die Offsetspannung der relative Fehler der Ausgangsspannung betrachtet:

$$F_{\text{Off}} = \frac{|U_{\text{Off}}|}{|U_{\text{Ein}}| - U_{\text{Off}}}.$$

Der relative Fehler F_{Off} wird insbesondere dann groß, wenn die Eingangsspannung in den Bereich der Offsetspannung kommt, d. h. wenn die Eingangsspannung im Bereich weniger Millivolt oder darunter ist.

Eine Schaltung mit zwei in Reihe geschalteten nichtinvertierenden Operationsverstärkern mit Offsetspannung ist in Abb. 5.5 dargestellt.

Für diese Schaltung gilt für die Ausgangsspannung des linken bzw. rechten Operationsverstärkers:

$$U_{\text{Zwischen}} = \left(U_{\text{Ein}} + U_{\text{Off},1}\right) \cdot V_{\text{U},1} \text{ bzw.}$$
$$U_{\text{Aus}} = \left(U_{\text{Zwischen}} + U_{\text{Off},2}\right) \cdot V_{\text{U},2}.$$

Die Ausgangsspannung der Reihenschaltung ergibt sich damit zu

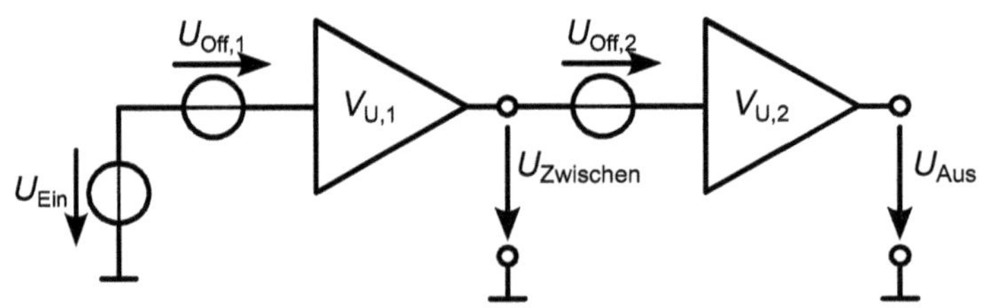

Abb. 5.5 Ersatzschaltbild der Reihenschaltung aus zwei nichtinvertierenden Operationsverstärkern mit gegengekoppelter Verstärkung $V_{\text{U},1}$ bzw. $V_{\text{U},2}$ bei Vorhandensein von Offsetspannungen

$$U_{\text{Aus}} = \left(\left(U_{\text{Ein}} + U_{\text{Off},1}\right) \cdot V_{\text{U},1} + U_{\text{Off},2}\right) \cdot V_{\text{U},2}$$
$$\Leftrightarrow U_{\text{Aus}} = V_{\text{U},1} \cdot V_{\text{U},2}\left[U_{\text{Ein}} + U_{\text{Off},1} + \frac{U_{\text{Off},2}}{V_{\text{U},1}}\right]. \tag{5.6}$$

Die Offsetspannung des zweiten Verstärkers geht nur noch reduziert in die Ausgangsspannung ein. Das bedeutet, dass der erste Operationsverstärker eine sehr niedrige Offsetspannung und ausreichend hohe Verstärkung haben muss. Die Offsetspannung des zweiten Verstärkers fällt dann nur noch wenig ins Gewicht.

5.2.2 Eingangs-Offsetspannung – Messtechnik

Es ist direkt nachvollziehbar, dass die Offsetspannung nicht direkt gemessen werden kann. Wenn man die Offsetspannung messen möchte, müsste man eine Eingangsspannung im Bereich von einigen wenigen Millivolt bzw. sogar niedrigere Werte sehr genau einstellen und messen können. Das könnte grundsätzlich mit einem Spannungsteiler an einem Eingang erfolgen, erfordert allerdings eine sehr präzise Einstellung. Eine andere Möglichkeit stellt die Schaltung in Abb. 5.6 dar. Diese Schaltung wurde [10] entnommen und leicht modifiziert.

Der zu messende Operationsverstärker befindet sich in Abb. 5.6 bzw. dem Foto des Messaufbaus in Abb. 5.7 jeweils links. Der invertierende und der nichtinvertierende Eingang sind mit dem Widerstand R_1 bzw. R_2 (jeweils 100 Ω) an Masse angeschlossen. Zusätzlich ist der nichtinvertierende Eingang über R_4 mit einem Wert von 100 kΩ am Ausgang des rechten OPs angeschlossen. Der rechte Operationsverstärker wird als invertierender Integrator mit R_3 = 100 kΩ und C = 2,2 μF betrieben. Die Funktionsweise ist dann die folgende: Der invertierende Integrator ändert die Ausgangsspannung so lange, bis der Ausgang des zu testenden OPs auf 0 V eingestellt ist. Über den 100 kΩ Widerstand erfolgt die Verbindung vom invertierenden Integrator zum zu messenden Operationsverstärker über den Spannungsteiler 100 kΩ–100 Ω.

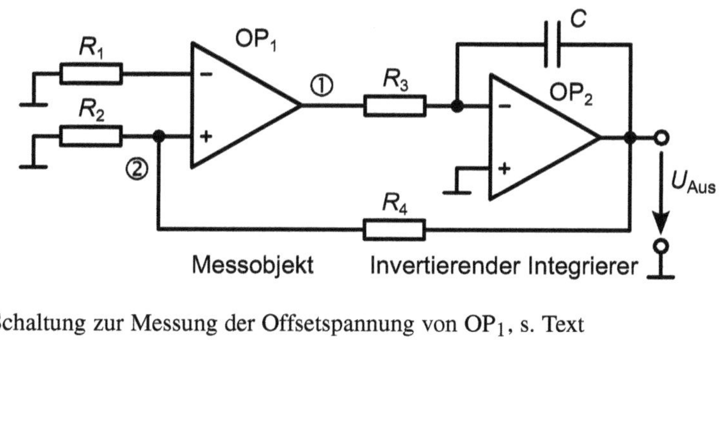

Abb. 5.6 Schaltung zur Messung der Offsetspannung von OP_1, s. Text

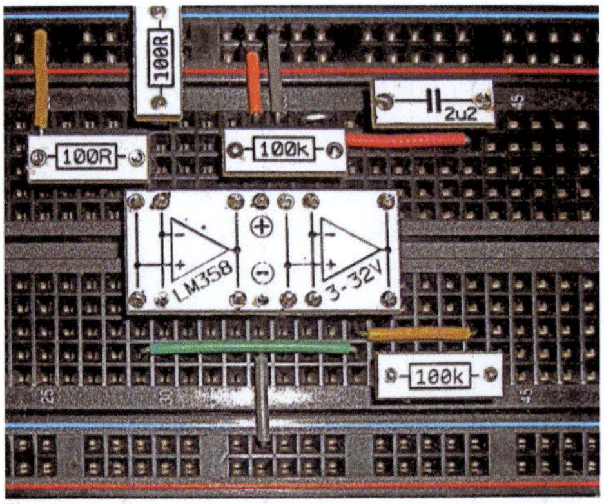

Abb. 5.7 Foto des Messaufbaus zur Messung der Offsetspannung entsprechend der Schaltung in Abb. 5.6. Der linke Operationsverstärker ist das Messobjekt, während der rechte Operationsverstärker als Hilfs-OP verwendet wird. Die obere blaue Reihe liegt auf Masse (0 V), die rote Reihe darunter auf der positiven Betriebsspannung von + 12 V. Die untere blaue Reihe ist an die negative Betriebsspannung (−12 V) angeschlossen. Oben links sind die beiden 100 Ω-Widerstände zu erkennen, mit denen die beiden Operationsverstärker-Eingänge mit Masse verbunden sind. Die Versorgungsspannung der beiden OPs wird über die orange (oben) und die graue (unten) Leitung gebildet. Der rechte Operationsverstärker ist als invertierende Integratorschaltung aufgebaut. Der Eingang ist über den oberen 100 kΩ-Widerstand an den Ausgang des zu messenden Operationsverstärkers angeschlossen. Der 2,2 μF Kondensator oben rechts ist in der Rückkopplung vom Ausgang auf den invertierenden Eingang angeordnet (rote Leitung). Der nichtinvertierende Eingang wird über die graue Leitung (oben) an Masse angeschlossen. Die Verbindung vom Ausgang des Hilfs-OPs zum nichtinvertierenden Eingang des zu messenden OPs (linker OP) erfolgt über den 100 kΩ-Widerstand, der am Ausgang des rechten „Hilfs-OPs" angeschlossen ist. Hier wird auch die Ausgangsspannung gemessen

Für die Messung der Offsetspannung wird der Ausgang des zu messenden Operationsverstärkers auf den invertierenden Integrator gegeben. Der invertierende Integrator ändert die Ausgangsspannung, solange die Ausgangsspannung des zu messenden OPs ungleich Null ist. Über den Spannungsteiler aus R_4 und R_2 wird die Ausgangsspannung des Integrators auf den nichtinvertierenden Eingang des zu messenden OPs zurückgeführt. Diese Rückkopplung bewirkt, dass sich die Ausgangsspannung U_{Aus} ändert, bis die Spannung am Punkt ② genau die Offsetspannung des zu messenden OPs ausgleicht. In diesem Fall wird die Ausgangsspannung des zu messenden OPs am Punkt ① zu Null. Dadurch bleibt die aktuelle Spannung am Ausgang des Hilfs-OPs konstant und kann mit einem hochohmigen Messgerät abgelesen werden. Der Widerstand R_2 wird benötigt, um die Spannung am nichtinvertierenden Eingang des zu messenden OPs verändern zu können. Da im allgemeinen Fall Operationsverstärker geringe Eingangsströme haben, wird am invertierenden Eingang der gleiche Widerstandswert verwendet. Hier kommen niederohmige Widerstände zur Anwendung, um den Spannungsabfall an diesen Widerständen aufgrund der Eingangsströme gering zu halten. Als nicht berücksichtigte Fehlerquelle bleibt der Unterschied der Eingangsströme, der jetzt mitgemessen wird. Der Messfehler der Offsetspannung ist das Produkt der Differenz der Eingangsströme multipliziert mit dem Widerstandswert von 100 Ω. Hier treten in der Regel Spannungen bis zu einigen Zehn Mikrovolt auf. Dieser Fehler ist damit vernachlässigbar. Nach der Messung der Eingangsströme (s. Abschn. 5.3) könnte dieser Fehler auch noch korrigiert werden.

Als Messgröße wird die Ausgangsspannung U_{Aus} am invertierenden Integrator gemessen. Unter Beachtung der Spannungsteilerformel ergibt sich die Offsetspannung damit zu

$$U_{\text{Off}} = U_{\text{Aus}} \cdot \frac{100\,\Omega}{100,1\,\text{k}\Omega} = \frac{U_{\text{Aus}}}{1001}$$

Eigentlich wird mit der vorstehenden Gleichung die Spannung bestimmt, die erforderlich ist, damit der OP eine Ausgangsspannung von 0 V liefert, also die negative Offsetspannung. In Datenblättern wird in der Regel der Betrag der Offsetspannung angegeben, s. Tab. 5.2. Daher wird das Vorzeichen der Offsetspannung nicht beachtet. Einige Messdaten der Offsetspannung für verschiedene OP-Typen sind in Abb. 5.8 zusammengestellt.

Mit dieser Schaltung wurden die Offsetspannungen in Abb. 5.8 ermittelt. Aus den Abbildungen wird die Streuung der Messwerte ersichtlich. Deutlich ist erkennbar, dass die Wiederholgenauigkeit der Messung mit einem teilweisen Neuaufbau auf dem Steckbrett sehr ähnliche Messwerte liefert. Das belegt die Genauigkeit des Messaufbaus. Die angehängten Buchstaben bezeichnen das jeweils gemessene Bauteil. Das Vorzeichen des Messergebnisses wurde beibehalten. In der Regel wird die Offsetspannung jedoch als Betrag, also positiv, angegeben.

Noch ein abschließender Kommentar zur Offsetspannung: Falls die Offsetspannung zu hoch erscheint, sollte untersucht werden, ob der Spannungsabfall am Messwiderstand aufgrund des Eingangsstroms nicht zur Offsetspannung beiträgt.

5.3 Eingangsstrom

5.3.1 Theorie

In den beiden Eingängen des Operationsverstärkers befindet sich jeweils die Basis bei Bipolar-OPs bzw. das Gate bei CMOS-OPs des Eingangstransistors (vgl. Kap. 3 Differenzverstärker). Das bedeutet, dass ein Basis- oder Gatestrom in den Eingangstransistor hineinfließt. Die Größe dieses Stromes hängt vom Arbeitspunkt des Eingangstransistors ab. Häufig werden die Eingangstransistoren mit konstanten Strömen betrieben. Damit sind im Falle von Bipolartransistoren auch die Basisströme konstant und können im Ersatzschaltbild durch Konstantstromquellen in den Eingängen ersetzt werden. Es ist auch üblich, dass die Basisströme durch einen internen Basisstrom kompensiert werden. Diese

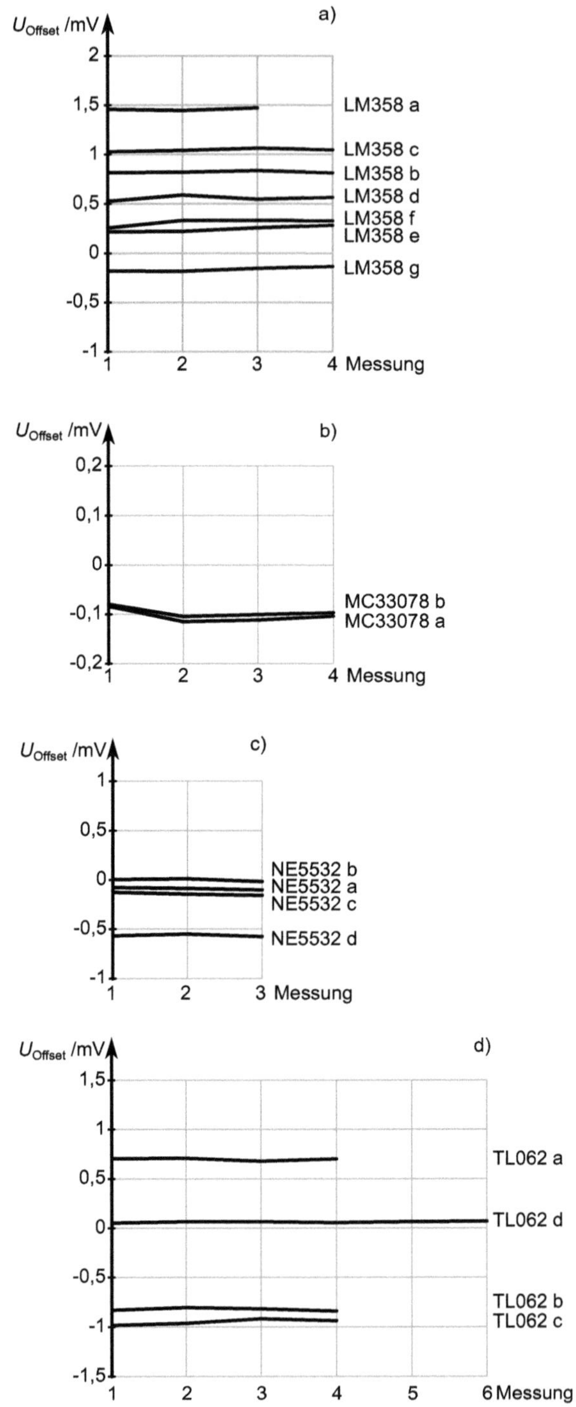

Abb. 5.8 Gemessene Offsetspannung eines Operationsverstärkers vom Typ LM358 (Teilbild a), MC33078 (Teilbild b), NE5532 (Teilbild c) und TL062 (Teilbild d). Die typischen Datenblattwerte der Offsetspannung sind 3 mV (LM358), 150 μV (MC33078), 500 μV (NE5532) und 3 mV (TL062). Bitte beachten Sie, dass die Skalierung der Offsetspannungswerte unterschiedlich ist. Für die jeweiligen Messdaten wurde die Schaltung auf dem Steckbrett verändert und teilweise neu aufgebaut. Trotzdem ist die Wiederholgenauigkeit der Messung relativ hoch. Die angehängten Buchstaben verweisen auf das jeweils gemessene Bauteil. Die Datenblattwerte wurden [3, 7, 8, 11] entnommen

Beschaltung wurde ebenfalls in Abschn. 3.4 angesprochen. Außerdem werden bei Rail-to-Rail-Operationsverstärkern NPN- und PNP-Transistoren parallel geschaltet verwendet, s. Abschn. 3.4. In diesem Fall können sich die Basisströme in Abhängigkeit der Eingangsspannung ändern. Bei Feldeffekttransistoren ist es so, dass bei J-FET-Transistoren sehr geringe Gate-Source-Sperrströme fließen, s. [12]. Bei MOS-FETs im Eingang verschwindet der Gatestrom in der Regel, s. [12]. Bei Feldeffekttransistoren als Eingangstransistoren werden die Eingangsströme des OPs in der Regel durch die ESD-Schutzbeschaltung verursacht, s. Abschn. 3.7.

Die Übersicht in Tab. 5.3 zeigt typische Eingangsströme für Operationsverstärker in Abhängigkeit der Transistortechnologie. Ergänzend sind in Tab. 5.4 die Eingangsströme einiger Operationsverstärkertypen zusammengestellt.

Bei realen Operationsverstärkern sind die Eingangsströme zwar ähnlich groß, aber typischerweise nicht exakt gleich. Im Datenblatt wird deshalb häufig der Eingangsruhestrom angegeben, der sich aus dem gemittelten Strom der beiden Eingänge ergibt:

$$I_{\mathrm{B}} = \frac{1}{2}\left(I_{\mathrm{Pos}} + I_{\mathrm{Neg}}\right).$$

Zusätzlich wird dann der Offsetstrom

$$I_{\mathrm{Off}} = \left|\left|I_{\mathrm{Pos}}\right| - \left|I_{\mathrm{Neg}}\right|\right|$$

Tab. 5.3 Eingangsströme von Operationsverstärkern, nach [13]

Operationsverstärkerschaltung	Eingangsstrom
Universalverstärker mit Bipolartransistoren (Kollektorstrom 10 µA)	ca. 0,1 µA
Breitbandverstärker mit Bipolartransistoren (Kollektorstrom 1 mA)	einige µA
OP mit Darlingtonschaltung im Eingang	nA-Bereich
OP mit CMOS-Transistoren	wenige pA

Tab. 5.4 Datenblattangaben des Eingangsstroms einiger OP-Typen, nach [3], [4], [5], [6], [7], [8]

Operationsverstärker	Technologie	Eingangsstrom (typ.)	Eingangsstrom (max.)	Offset Eingangsstrom (typ.)	Offset Eingangsstrom (max.)
NE5532	Bipolar	200 nA	800 nA	10 nA	150 nA
TLV272	MOSFET	1 pA	60 pA	1 pA	60 pA
TSH80		6 µA	15 µA	0,1 µA	3,5 µA
LMV358	BICMOS	5 nA	50 nA	11 nA	250 nA
LM358	bipolar	45 nA	250 nA	5 nA	50 nA
TL062	JFET	30 pA	200 pA	5 pA	100 pA

angegeben. Normalerweise ist der Offsetstrom als Differenz der beiden Eingangsströme deutlich kleiner als der Eingangsruhestrom:

$$|I_{\text{Off}}| \ll |I_{\text{B}}|.$$

Wenn der Offsetstrom größer als der Eingangsruhestrom ist, deuten diesen Werte daraufhin, dass der Differenzverstärker am Eingang mit einer Stromkompensation versehen ist, s. Abschn. 3.4.

5.3.2 Eingangsstrom – Messtechnik

Der Eingangsstrom eines Operationsverstärkers kann relativ leicht gemessen werden. Die verwendete Schaltung in Abb. 5.9 beruht auf [10]. Die grundlegende Basis der Messschaltung ist wieder die Zusammenschaltung des zu messenden Operationsverstärkers und einer invertierenden Integratorschaltung, wie sie auch in Abschn. 5.2 zur Messung der Eingangs-Offsetspannung verwendet wurde. Für die Messung der Eingangsströme werden jetzt allerdings zwei 1 kΩ-Widerstände ergänzt. An diesen 1 kΩ Widerständen bewirkt der Eingangsstrom einen Spannungsabfall. Durch Nutzung bzw. Überbrückung der 1 kΩ Widerstände können die Eingangs-Offsetspannung, der Eingangsstrom der beiden Eingänge und die Differenz des Eingangsstroms gemessen werden. Die Messschaltung ist in Abb. 5.9 dargestellt. Für minimale Fehler sollten die Widerstände R_1 und R_2 den gleichen Wert haben, ebenfalls die Widerstände R_3 und R_4. Hier wird für R_1 und R_2 jeweils ein Wert von 100 Ω verwendet und für R_3 und R_4 ein Widerstandswert von 1 kΩ.

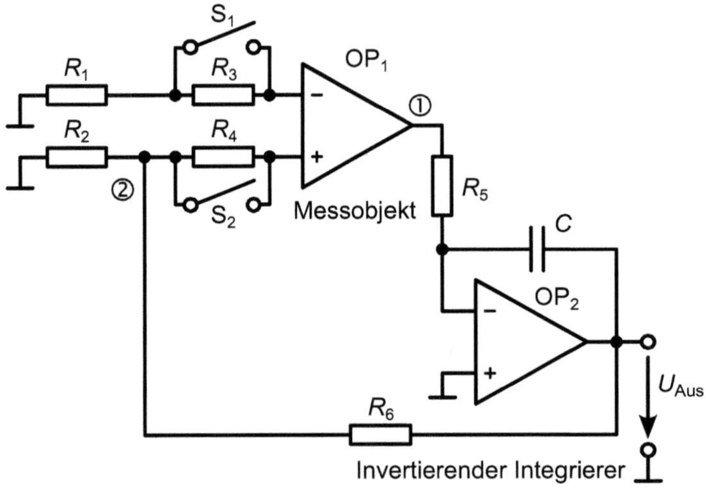

Abb. 5.9 Schaltung zur Messung der Eingangsströme von OP_1, s. Text

Die Messung wird auf die folgende Weise durchgeführt: Begonnen wird mit der Messung der Ausgangsspannung U_{Aus1}, mit geschlossenen Schaltern S_1 und S_2. Diese Messung liefert unter Berücksichtigung des Spannungsteilers aus R_2 und R_6 wieder die Eingangs-Offsetspannung. Dieser Spannungswert bildet die Referenzspannung für die folgenden drei Messungen. Für die Messung des Eingangsstroms des invertierenden Eingangs wird Schalter S_1 geöffnet und die Ausgangsspannung U_{Aus2} gemessen. Die Änderung der Ausgangsspannung des Hilfs-OPs OP_2 entspricht dem Stromwert. Beachtet werden muss der Spannungsteiler R_2, R_6 und der Widerstandswert R_3:

$$I_{\mathrm{Ein,Inv}} = -\frac{(U_{\mathrm{Aus1}} - U_{\mathrm{Aus2}})}{\frac{R_2+R_6}{R_2} \cdot R_3}. \tag{5.7}$$

Mit der Ausgangsspannung des Hilfs-OPs OP_2 wird wieder der Spannungsabfall am Eingangswiderstand R_3 ausgeglichen.

Die Messung des Eingangsstroms des nichtinvertierenden Eingangs wird sinngemäß ausgeführt: Schalter S_1 wird geschlossen, Schalter S_2 geöffnet und die Spannung U_{Aus3} gemessen. Mit der Ausgangsspannung des Hilfs-OPs OP_2 wird jetzt eine Spannung generiert, die den Spannungsabfall am Eingangswiderstand R_4 kompensiert. Diese Spannung ist gegenüber der vorigen Messung negiert. Daher gilt für den Eingangsstrom des nichtinvertierenden Eingangs:

$$I_{\mathrm{Ein,Nichtinv}} = \frac{(U_{\mathrm{Aus1}} - U_{\mathrm{Aus3}})}{\frac{R_2+R_6}{R_2} \cdot R_4}. \tag{5.8}$$

Im letzten Schritt werden beide Schalter S_1 und S_2 geöffnet. Mit dieser Messung ergibt sich die Eingangsspannungsdifferenz:

$$I_{\mathrm{Ein,Differenz}} = \frac{(U_{\mathrm{Aus1}} - U_{\mathrm{Aus4}})}{\frac{R_2+R_6}{R_2} \cdot R_4}. \tag{5.9}$$

Hier müssen die Widerstände R_1 und R_2, sowie R_3 und R_4 identische Werte haben, wie bereits oben erwähnt.

Ein Foto des Messaufbaus auf dem Steckbrett ist in Abb. 5.10 gezeigt. Hier ist zu beachten, dass die Schalter S_1 und S_2 durch Steckbrücken ersetzt werden. Mit den Steckbrücken werden die 1 kΩ-Widerstände ggf. überbrückt. Die kompletten Messdaten sind beispielhaft für den Operationsverstärker LM358 a in Tab. 5.5 dargestellt.

Mit Gl. (5.7) und (5.8) werden die Eingangsströme berechnet. Für die dargestellten Messwerte ergibt sich ein Eingangsstrom von −17,25 nA für den invertierenden und −18,2 nA für den nichtinvertierenden Eingang. Der Unterschied der Eingangsströme ergibt sich mit Gl. (5.9) zu 5,45 nA. Dieser Wert deutet auf einen Messfehler hin, da sich der Stromunterschied aus den beiden vorigen Werten offensichtlich zu 0,95 nA ergibt. Die gemessenen Eingangsströme von einigen OPs sind in Tab. 5.6 zusammengestellt.

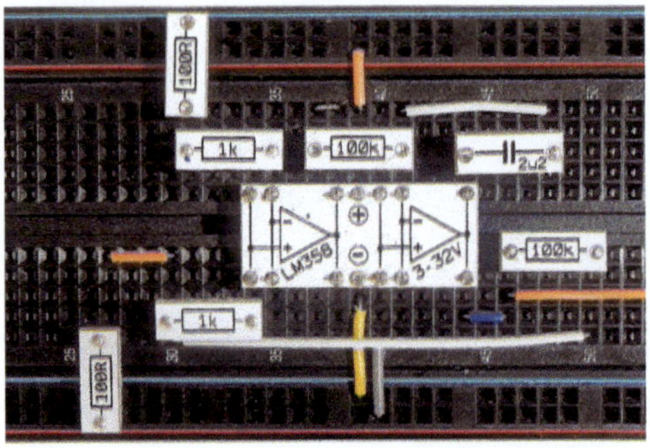

Abb. 5.10 Foto des Aufbaus zur Messung der Eingangsströme auf dem Steckbrett entsprechend der Schaltung in Abb. 5.9. Die obere blaue Querreihe ist an Masse (0 V) angeschlossen, die obere rote Reihe an + 12 V und die untere blaue Reihe an −12 V. Der linke Operationsverstärker LM358 ist das Messobjekt mit den 100 Ω und 1 kΩ-Widerständen in den jeweiligen Eingangspfaden. Der rechte Operationsverstärker ist der Hilfs-OP, der als invertierender Integrator beschaltet ist. Der Kondensator ist rechts oben angeordnet, der Einkoppelwiderstand mit einem Wert von 100 kΩ ist oberhalb der beiden OPs sichtbar. Der rechte 100 kΩ Widerstand wird als Rückkopplung auf den nichtinvertierenden Eingang des zu messenden OPs verwendet. Über die rechte orangefarbige Leitung wird die Ausgangsspannung des Hilfs-OPs gemessen

Tab. 5.5 Messung der Eingangsströme des Operationsverstärkers LM358 a

Bedingung	Messung	Variable	Messwert
S_1 und S_2 geschlossen	Eingangs-Offsetspannung	U_{Aus1}	1,446 V
S_1 offen, S_2 geschlossen	Eingangsstrom inv. Eingang	U_{Aus2}	1,532 V
S_1 geschlossen, S_2 offen	Eingangsstrom nichtinv. Eingang	U_{Aus3}	1,382 V
S_1 und S_2 offen	Differenz der Eingangsströme	U_{Aus4}	1,462 V

Die Messgenauigkeit der Spannungsmessung von 1 mV entspricht einer Auflösung von 1 nA für die Strommessung. Für eine genaue Messung sollte daher ein Tischmultimeter verwendet werden. Für die Messdaten in Tab. 5.6 wurde der Mittelwert aus einer Oszilloskop- und einer Multimetermessung verwendet. Zu den Vorzeichen der Ströme ist anzumerken, dass der Operationsverstärker LM358 PNP-Transistoren als Eingangstransistoren hat [7]. Hier fließt der Strom aus dem Differenzverstärker heraus, die Ströme sind also negativ. Der Operationsverstärker NE5532 hat NPN-Transistoren [3], der Typ MC33078 PNP-Transistoren [11]. Schließlich hat der Operationsverstärker TL062 hat JFET-Transistoren im Eingang [8].

Tab. 5.6 Zusammenstellung der gemessenen Eingangsströme. Die rechte Spalte wurde aus der Messung der beiden Eingangsströme berechnet und erlaubt eine Beurteilung der Messgenauigkeit. Die Messgenauigkeit liegt bei etwa 0,5 nA

OP	$I_{\text{Ein,inv}}$	$I_{\text{Ein,nichtinv}}$	ΔI_{Ein}	$I_{\text{Ein,inv}}$-$I_{\text{Ein,nichtinv}}$
LM358 a	−17,25 nA	−18,2 nA	5,45 nA	0,95 nA
LM358 b	−17 nA	−19,7 nA	4,15 nA	2,7 nA
LM358 c	−17,55 nA	−20,15 nA	3,05 nA	2,6 nA
LM358 d	−6,85 nA	−13,6 nA	4,75 nA	6,75 nA
LM358 e	−5,95 nA	−12,1 nA	9,6 nA	6,15 nA
LM358 f	−9,65 nA	−3,8 nA	4,4 nA	−5,85 nA
LM358 g	−14,4 nA	−6,15 nA	1,45 nA	−8,25 nA
MC33078 a	−286 nA	−285,6 nA	6,45 nA	−0,4 nA
MC33078 b	−281,35 nA	−280,4 nA	−3,9 nA	−0,95 nA
NE5532 a	223,15 nA	222,05 nA	−2,6 nA	1,1 nA
NE5532 b	219,15 nA	215 nA	−1,55 nA	2,08 nA
NE5532 c	234,65 nA	230,5 nA	3,35 nA	4,15 nA
NE5532 d	242,3 nA	237,55 nA	2,7 nA	4,75 nA
TL062 a	0,3 nA	−0,06 nA	0,64 nA	0,36 nA
TL062 b	−1 nA	−4,69 nA	−1,9 nA	3,69 nA
TL062 c	−3,55 nA	−0,66 nA	−0,4 nA	−2,89 nA
TL062 d	0,97 nA	−0,25 nA	4,8 nA	1,22 nA

5.4 Eingangswiderstand

In der Eingangsstufe des Operationsverstärkers befindet sich typischerweise ein Differenzverstärker. Der Eingangswiderstand dieser Schaltung ist unterschiedlich, je nachdem, ob ein Gleichtakt- oder ein Differenzsignal angelegt wird, s. Kap. 2. Dabei ist der Gleichtakteingangswiderstand typischerweise sehr viel höher als der Eingangswiderstand für das Differenzsignal. Dieses Verhalten zeigt sich auch in der Übersicht der Datenblattwerte in Tab. 5.7. Generell gilt ebenfalls, dass der Eingangswiderstand für Operationsverstärker mit Feldeffekttransistoren als Eingangsstufe sehr viel hochohmiger sind, als Operationsverstärker mit Bipolartransistoren, s. Tab. 5.8.

Tab. 5.7 Eingangswiderstände verschiedener OPs, nach [13–16]

Eingangswiderstand für	µA741 (bipolar)	TLC2272 (CMOS)	OP177 (präzise)
Differenzsignal	2 MΩ	1 TΩ	45 MΩ
Gleichtaktsignal	1 GΩ	1 TΩ	200 GΩ

Tab. 5.8 Angabe des Eingangswiderstands einiger OP-Typen, nach [3, 4, 8]

Operationsverstärker	Technologie	Eingangswiderstand (typ.)
NE5532	Bipolar	300 kΩ
TLV272	MOSFET	1 TΩ (Differenzeingangswiderstand)
TL062	JFET	10^{12} Ω

Tab. 5.9 Zusammenstellung des gemessenen Spannungsabstands für einige Operationsverstärkertypen. Hier wurden einzelne Operationsverstärker gemessen und die Messdaten gerundet

Operationsverstärker	Typ	Spannungsabstand zur positiven Versorgungsspannung	Spannungsabstand zur negativen Versorgungsspannung
LM358	Standard	1400 mV	600 mV
MC33078	Standard	750 mV	175 mV
NE5532	Standard	800 mV	1300 mV
TL062	Standard	750 mV	900 mV
LMV358	Single-Supply	250 mV	0 mV
TLV272	rail-to-rail	7 mV	0 mV

Betrachtung des Eingangswiderstands im nichtinvertierenden und invertierenden Betrieb:

Wird der Operationsverstärker als nichtinvertierender Verstärker betrieben, ist der Eingang der Schaltung direkt mit dem nichtinvertierenden Eingang verbunden, s. Abb. 5.11.

In erster Näherung ist daher der Eingangswiderstand der Schaltung durch den Eingangswiderstand des Operationsverstärkers gegeben. Eine genauere Analyse unter Berücksichtigung der Gegenkopplung ergibt, dass der Eingangswiderstand weiter ansteigt und typischerweise Werte im Giga-Ohm-Bereich erreicht, auch wenn der unbeschaltete

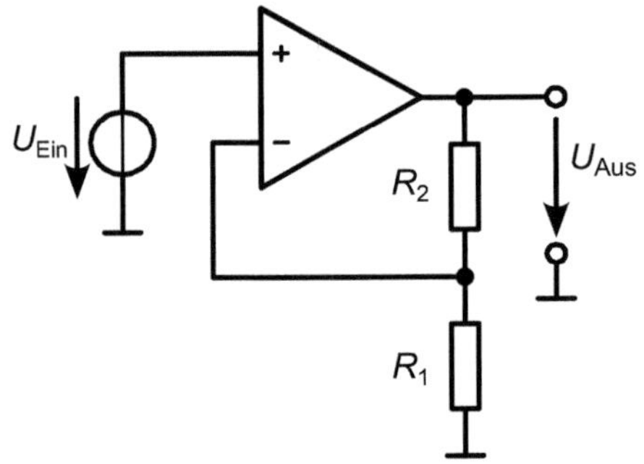

Abb. 5.11 OP als nichtinvertierender Verstärker

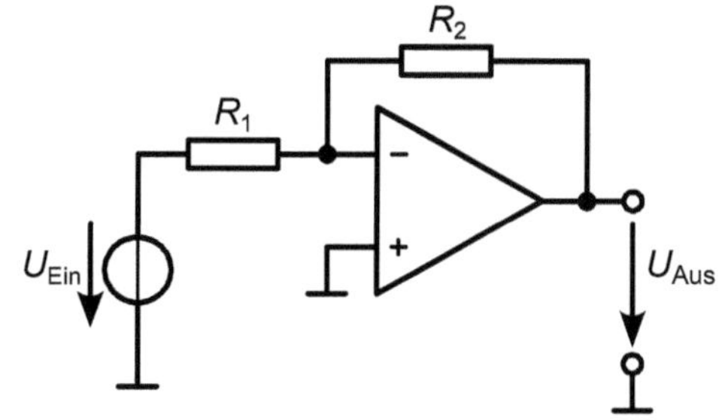

Abb. 5.12 Operationsverstärker im invertierenden Betrieb

Eingangswiderstand im Mega-Ohm-Bereich liegt. Im Regelbetrieb liegen am invertierenden und am nichtinvertierenden Eingang gleiche Spannungen an (erweiterte virtuelle Masse). Das Eingangssignal „beginnt“ als Differenzsignal und wird zum Gleichtaktsignal.

Im invertierenden Betrieb ist der Eingangswiderstand leichter bestimmbar. Die zugehörige Schaltung ist in Abb. 5.12 abgebildet. Durch die virtuelle Masse am invertierenden Eingang ist der Eingangswiderstand dieser Schaltung durch den Widerstand R_1 gegeben. Bei einer genaueren Berechnung muss die Spannung am invertierenden Eingang beachtet werden.

5.5 Ausgangsspannung

Für die Ausgangsspannung eines Operationsverstärkers muss unterschieden werden, um welchen Typ es sich bei dem Operationsverstärker handelt. Die „alten“ Standard-Operationsverstärker können die Ausgangsspannung in einem Bereich einstellen, der deutlich kleiner als die Spannungsdifferenz ist, die sich aus der Betriebsspannung ergibt. Mit der weiteren Entwicklung von Operationsverstärkern konnte durch die Veränderung der Ausgangsstufe des Operationsverstärkers der Ausgangsspannungsbereich deutlich erweitert werden.

5.5.1 Theoretische Beschreibung

Für die Betrachtung der Ausgangsspannung eines Operationsverstärkers müssen im Wesentlichen drei Operationsverstärkertypen unterschieden werden:

- Standardtyp (z. B. µA741)
- Single Supply (z. B. LVM358)
- rail-to-rail-OP (z. B. TLC2272)

Für den Standardtyp gilt am Beispiel des μA741:
Bei einer Versorgungsspannung von ± 15 V wird bei einem Lastwiderstand von 10 kΩ eine Mindestausgangsspannung von ± 12 V und eine typische Ausgangsspannung von ± 14 V erreicht. Wird der Lastwiderstand auf 2 kΩ verringert, ergibt sich eine Ausgangsspannung von mindestens ± 10 V bzw. typisch ± 13 V (Werte aus dem Datenblatt des μA741, [14]). Der „Abstand" der Ausgangsspannung von der Versorgungsspannung beträgt damit zwischen 1 V und 5 V.

Single-Supply Operationsverstärker sind zwischen den Standardtypen und den Rail-to-Rail Operationsverstärkern eingeordnet. Single-Supply bedeutet, dass diese Operationsverstärker mit einer positiven Versorgungsspannung und Masse betrieben werden. In der Regel zeigen diese Operationsverstärker rail-to-rail Verhalten für die niedrige Betriebsspannung, also Masse bzw. 0 V. Zur hohen Betriebsspannung von beispielsweise 5 V bleibt häufig ein Spannungsabstand von etwa 0,5 V. Die Ausgangsspannung hat damit einen möglichen Spannungsbereich von 0 V bis zur positiven Versorgungsspannung abzüglich den 0,5 V. Damit sind die 0 V (Masse) als Bezugsspannung als mögliche Ausgangsspannung eingeschlossen. Bei der Verwendung dieser Operationsverstärker muss beachtet werden, dass 0 V am Rande des Spannungsbereiches und nicht in der Mitte ist. Das kann häufig störend sein, ermöglicht aber auch Schaltungen, die diesen Effekt bewusst ausnutzen, beispielsweise ein Gleichrichter ohne Dioden (s. Abschn. 4.8) oder Komparatoren bzw. Schmitt-Trigger mit geeigneter Ausgangsspannung für übliche Digitalschaltungen (s. Abschn. 4.6).

Für rail-to-rail-OPs gilt, dass die Ausgangsspannung in guter Näherung bis an die Versorgungsspannungsgrenzen (d. h. die „rails") heranreicht. Eine kleine Restspannungsdifferenz bleibt jedoch bestehen. Im Datenblatt für den TLC2272 sind die folgenden Werte für die Ausgangsspannung bei einer Versorgungsspannung von ± 5 V gegeben [15]. Mit einem Lastwiderstand von 250 kΩ wird eine typische Ausgangsspannung von ± 4,99 V erreicht. Wird der Lastwiderstand auf 25 kΩ reduziert, sinkt die Ausgangsspannung auf typisch ± 4,93 V bzw. mindestens ± 4,85 V ab.

Trotz dieser Differenz wird bei rail-to-rail-OPs näherungsweise davon ausgegangen, dass die Ausgangsspannung bis an die Versorgungsspannungsgrenzen heranreicht.

Im Gegensatz zu etlichen anderen Operationsverstärkerparametern gibt es für Rail-to-Rail-OPs keine definierte Messbedingung, häufig kann man von einer maximalen Spannungsdifferenz von 25 mV ausgehen, s. beispielsweise [1]. Für Rail-to-Rail OPs sind spezielle Schaltungstechniken erforderlich, s. Abschn. 3.4 und 3.5.

5.5.2 Messtechnische Darstellung

Die messtechnische Darstellung des Ausgangsspannungsbereichs ist sehr einfach durchführbar. In der Regel ist es ausreichend ein sinusförmiges oder dreieckförmiges Signal als Eingangssignal einzustellen und das Spannungsmaximum bzw. Spannungsminimum am Ausgang des Operationsverstärkers zu messen. Häufig ist es jedoch so, dass der Signalgenerator nicht die erforderliche Amplitude liefern kann. In diesem Fall wird der Operationsverstärker als invertierender bzw. nichtinvertierender Verstärker mit einer Spannungsverstärkung $|V_U| > 1$ verwendet.

Der Messaufbau entspricht damit einem invertierenden bzw. nichtinvertierenden Verstärker, der jedoch so betrieben wird, dass die Ausgangsspannung in die Begrenzung läuft. Beispielhafte Fotos sind in Abb. 4.4 bzw. 4.7 gezeigt. Die Messung eines Operationsverstärkers TL062 ist in Abb. 5.13 gezeigt. Wenn die Betriebsspannung berücksichtigt wird, ergibt sich für den positiven Spannungsabstand ein Wert von $+\,U_B - U_{Max,Pos} = 11{,}7\ \text{V} - 10{,}94\ \text{V} \approx 750\ \text{mV}$. Entsprechend ergibt sich für den negativen Spannungsabstand ein Wert von etwa 900 mV. Für weitere Standard-Operationsverstärker sind die in Tab. 5.9 zusammengestellten Werte gemessen worden. Neben dem Operationsverstärkertyp ist ebenfalls zu beachten, wie groß der Ausgangsstrom ist, der aus dem OP heraus fließt. In der Regel ist es so, dass ein höherer Ausgangsstrom einen größeren Spannungsabstand erfordert. Für einen Operationsverstärker vom Typ NE5532 steigt der erforderliche Spannungsabstand um jeweils etwa 300 mV an, wenn ein Laststrom von etwa 20 mA fließt.

Für eine weitere Messung wurde ein single-supply Operationsverstärker LMV358 verwendet. Für die Messung in Abb. 5.14 wurde dieser Operationsverstärker mit einer

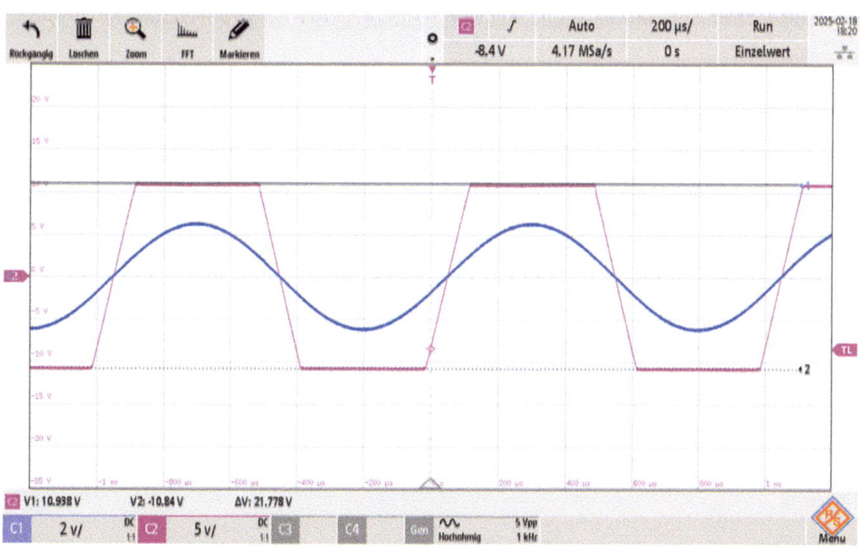

Abb. 5.13 Messung des Ausgangsspannungsbereichs eines Operationsverstärkers TL062. Das Eingangssignal an Kanal 1 (pinkfarbene Linie) hat eine Amplitude von 2,5 V. Das Ausgangssignal (blau, Kanal 2) wird bei etwa 10,9 V bzw. −10,8 V abgeschnitten

positiven Betriebsspannung von etwa 3,25 V und einer negativen Betriebsspannung von 0 V betrieben. Die Messung zeigt deutlich, dass der Operationsverstärker am Ausgang eine Spannung sehr nahe zu 0 V erreicht. Hier kann in guter Näherung davon ausgegangen werden, dass die Ausgangsspannung bis zur negativen Betriebsspannung reicht. Für den positiven Spannungshub ist ein Abstand von ca. 0,25 V zur Betriebsspannung erforderlich.

Hier soll noch auf einen weiteren Punkt hingewiesen werden. Manchmal scheint es so, als würde eine Spannungsbegrenzung bei willkürlichen Spannungswerten erfolgen. Ein Beispiel ist die Messung in Abb. 5.15. Für diese Messung wurde der Operationsverstärker LMV358 als invertierender Verstärker mit einer Spannungsverstärkung $V_\mathrm{U} = -10$ betrieben. Als Eingangssignal wird ein sinusförmiges Signal mit einer Amplitude von 0,2 V und einer Frequenz von 10 kHz betrieben. Für die linke Hälfte wurde sowohl für das Ein- als auch für das Ausgangssignal eine AC-Kopplung eingestellt. Mit der AC-Kopplung werden Gleichanteile aus dem Messsignal entfernt, es gibt also keine feste Bezugsspannung mehr. Auf den ersten Blick scheint die untere Spannungsgrenze des Ausgangssignals deshalb bei etwa −1,1 V zu sein. Ausgehend von der 0 V Markierung am linken Rand reicht das Ausgangssignal etwa 2,2 Kästchen nach unten. Bei einer Skalierung von 500 mV/ □ entsprechen die 2,2 Kästchen etwa 1,1 V. Diese Annahme ist jedoch falsch. Sinnvoll

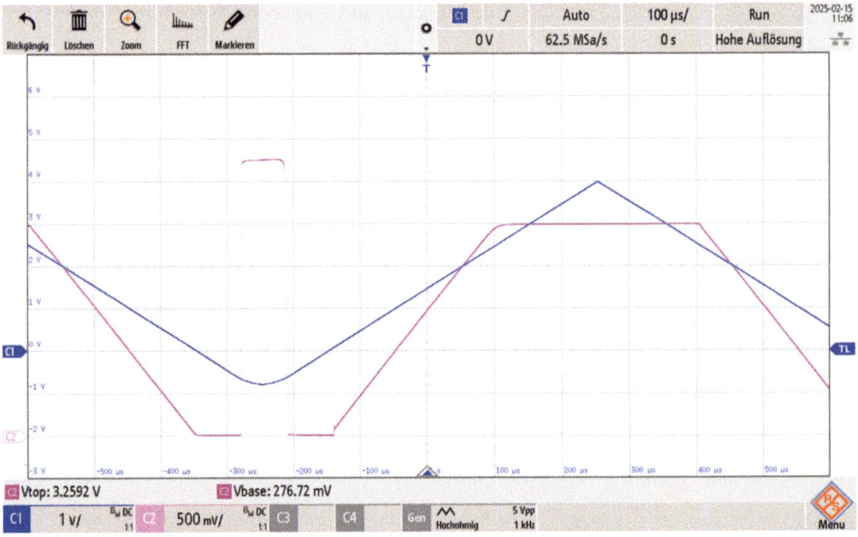

Abb. 5.14 Messung des Ausgangsspannungsbereichs eines LMV358 single-supply OPs mit einem Lastwiderstand von 10 kΩ. Die Spannungsverstärkung ist $V_\mathrm{U} = +1$. Der Operationsverstärker wird mit 3,3 V und 0 V betrieben. Das Eingangssignal ist die blaue Linie (Kanal 1), das Ausgangssignal (pinkfarbene Linie, Kanal 2) ist übersteuert und ermöglicht die Messung des Ausgangsspannungsbereichs. Zu beachten ist, dass eine Eingangsspannung, die im linken Teil der Messung −600 mV beträgt, zu einer positiven Ausgangsspannung führt. Dieses Verhalten wird als Phasenumkehr bzw. phase-reversal bezeichnet, s. Abschn. 3.7

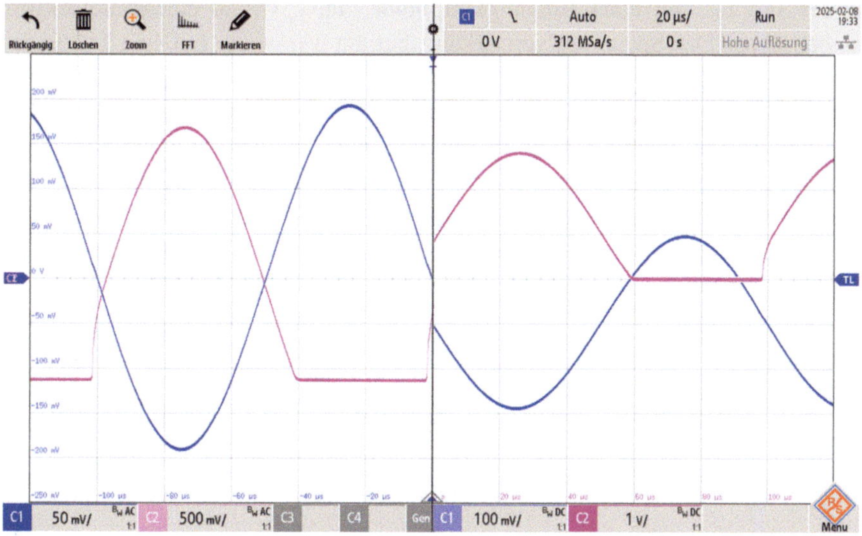

Abb. 5.15 Begrenzung der Ausgangsspannung eines Single-Supply OPs LMV358. Im linken Teilbild ist die Messung mit AC-Kopplung, im rechten Teilbild mit DC-Kopplung gemessen worden. Als Eingangssignal wurde ein sinusförmiges Signal mit einer Amplitude von 200 mV und einer Frequenz von 1 kHz verwendet. Das Eingangssignal an Kanal 1 ist mit der blauen Linie, das Ausgangssignal an Kanal 2 mit der pinkfarbenen Linie dargestellt. Der Operationsverstärker wurde als invertierender Verstärker mit $V_U = -10$ beschaltet. Die Versorgungsspannung des OPs ist +3,3 V und 0 V. Dementsprechend wird das Ausgangssignal zu niedrigen Spannungen begrenzt

werden die Zahlenwerte erst dann, wenn beachtet wird, dass die untere Spannungsgrenze wirklich bei 0 V ist. Die obere Spannungsgrenze ist damit etwa 5,5 Kästchen über diesem Wert. Als Spannungswert entspricht das +2,75 V. Ein Vergleich mit dem rechten Teilbild, für das DC-Kopplung verwendet wurde, bestätigt diese Annahme. Noch ein Kommentar zu der in Abb. 5.15 gezeigten Messung: Bei genauem Hinsehen erkennt man, dass der Spannungsanstieg nach der Spannungsbegrenzung anders aussieht, als vor der Spannungsbegrenzung. Anders ausgedrückt: Der Anstieg der Ausgangsspannung am Ende des ganz linken Kästchens ist ein wenig verzögert und dafür sehr steil im Vergleich zum Abfall der Ausgangsspannung am Ende des vierten Kästchens. Dieses Verhalten deutet daraufhin, dass der Operationsverstärker neben der Spannungsbegrenzung in Sättigung betrieben wird.

Als letztes wird ein Operationsverstärker TLV272 gemessen. Dieser Operationsverstärker ist ein rail-to-rail OP, der typischerweise mit einer unsymmetrischen Versorgungsspannung betrieben wird. Unsymmetrische Versorgungsspannung bedeutet hier, dass als positive Spannung 3,3 V und als negative Spannung Masse verwendet wird. Die Messung eines nichtinvertierenden Verstärkers ist in Abb. 5.16 gezeigt. Für diese Messung wurde der TLV272 mit einer Eingangsamplitude von 2 V und einem dreieckförmigen Signal betrieben. Die Spannungsverstärkung beträgt $V_{\mathrm{U}} = +\ 1$. Ohne Lastwiderstand ist der Ausgangsspannungsbereich von etwa -10 mV bis ca. 3,3 V. Aus der Messkurve wird deutlich, dass die Ausgangsspannung bis auf einige wenige Millivolt an die positive Versorgungsspannung heran reicht. Die negative Versorgungspannung wird im Rahmen der Messgenauigkeit erreicht. Ein wenig überraschend ist, dass der Messwert eine negative Spannung anzeigt, auch wenn die negative Betriebsspannung 0 V, also Masse ist. Mit einem Lastwiderstand von 3,3 kΩ bzw. 1 kΩ reduziert sich der Ausgangsspannungsbereich auf −15 mV bis 3,2 V bzw. −12 mV bis 3 V, s. Abb. 5.17 und 5.18.

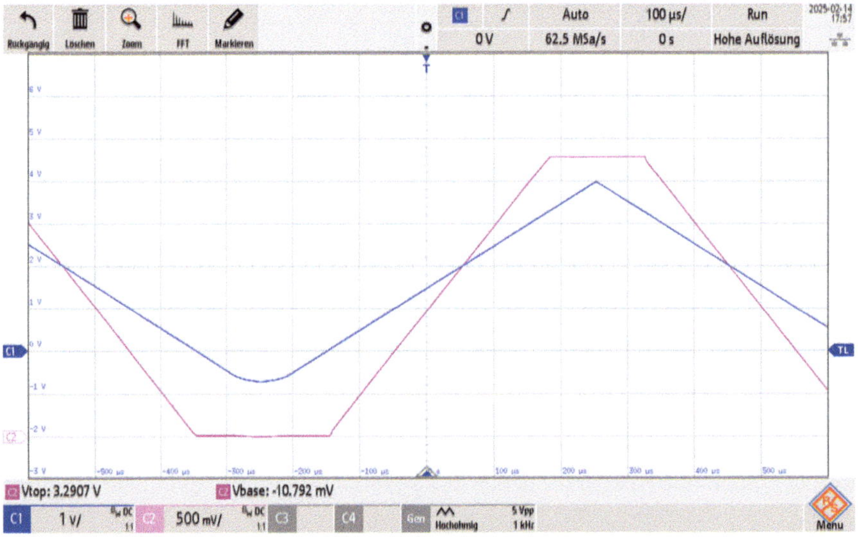

Abb. 5.16 Begrenzung der Ausgangsspannung eines rail-to-rail OPs TLV272. Der OP wird mit einer Betriebsspannung von 0 V und 3,3 V als nichtinvertierender Verstärker mit $V_{\mathrm{U}} = +1$ betrieben. Das Eingangssignal an Kanal 1 (blau) ist ein dreieckförmiges Signal mit einer Amplitude von 2 V. Das Ausgangssignal wird an Kanal 2 gemessen (pinkfarbene Linie). Hier bzw. mit den Messfunktionen ist der Ausgangsspannungsbereich sichtbar. Ein Hinweis zum Eingangssignal: Bei negativen Eingangsspannungen wird eine Schutzdiode aktiv. Aus diesem Grund ist die Eingangsspannung im negativen Spannungsbereich abgerundet

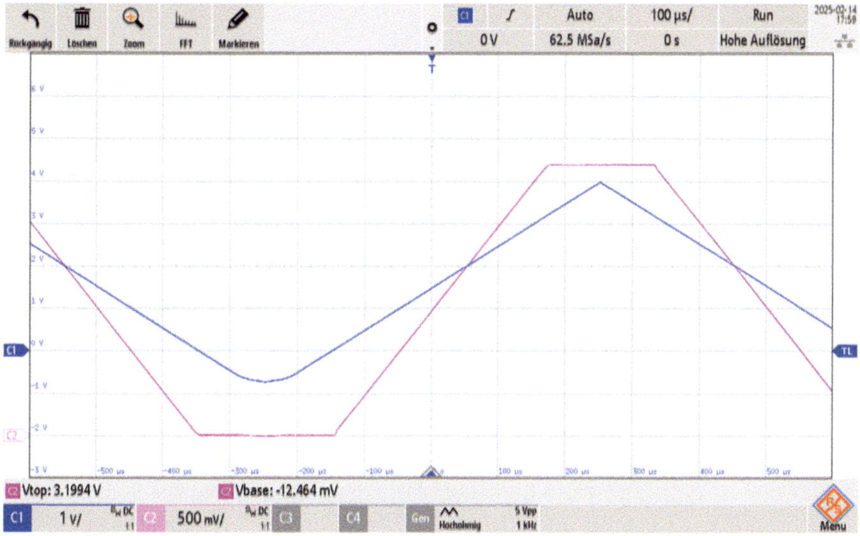

Abb. 5.17 Begrenzung der Ausgangsspannung eines rail-to-rail OPs TLV272. Die Messbedingungen entsprechen der Messung in Abb. 5.16 Hier wurde jedoch ein Lastwiderstand von 3,3 kΩ ergänzt

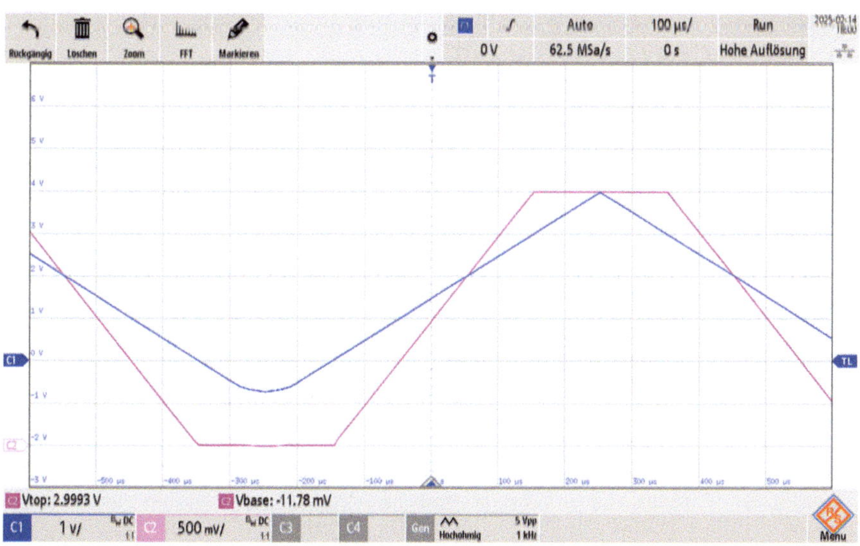

Abb. 5.18 Begrenzung der Ausgangsspannung eines rail-to-rail OPs TLV272. Die Messbedingungen entsprechen den Messungen in Abb. 5.16 bzw. 5.17. Hier wurde ein Lastwiderstand von 1 kΩ ergänzt

5.6 Slewrate

5.6.1 Theoretische Beschreibung

Die Ausgangsspannung eines Operationsverstärkers kann nicht in beliebig kurzer Zeit beliebige Spannungswerte annehmen. Grund sind zum Teil ungewollte d. h. parasitäre Kapazitäten, die im Operationsverstärker umgeladen werden müssen. Dabei ergeben sich entsprechende Zeitkonstanten für die Umladung. Zum Beispiel muss die Kapazität der zweiten Verstärkerstufe umgeladen werden. Für die Umladung steht allerdings nur der geringe Strom der ersten Stufe zur Verfügung. Das Verhältnis aus maximaler Spannungsänderung pro Zeit wird als Slewrate bezeichnet:

$$S_\mathrm{L} = \left|\frac{\Delta U_\mathrm{Aus}}{\Delta t}\right|_\mathrm{Max}. \tag{5.10}$$

Die Slewrate ist typischerweise im Datenblatt angegeben. Werte für Standard-OPs sind im Bereich von 0,5…20 V/µs, schnelle Operationsverstärker erreichen bis einige 1000 V/µs.

Die Auswirkungen der Slewrate auf ein Eingangssignal sollen anhand eines sinusförmigen Signals untersucht werden, s. Abb. 5.19. Zur Vereinfachung wird ein nichtinvertierender Verstärker mit der Spannungsverstärkung $V_\mathrm{U} = 1$ betrachtet. Damit entspricht die Ausgangsspannung U_Aus idealerweise auch der Eingangsspannung U_Ein.

Die theoretische Ausgangsspannung ist durch $U_\mathrm{Aus}(t) = \widehat{U}_\mathrm{Aus} \cdot \sin(\omega t)$ gegeben. Zur Beurteilung, ob ein Eingangssignal unverzerrt übertragen werden kann, ist die maximale Steigung des Signals entscheidend. Die Steigung des Ausgangssignals, also die Ableitung, ist:

$$\dot{u}_\mathrm{Aus}(t) = \frac{\mathrm{d}}{\mathrm{d}t}\widehat{U}_\mathrm{Aus} \cdot \sin(\omega t) = \widehat{U}_\mathrm{Aus} \cdot \omega \cdot \cos(\omega t).$$

Die Ableitung erreicht den Maximalwert, wenn die Cosinusfunktion zu 1 wird. Damit beträgt die maximale Steigung für ein sinusförmiges Eingangssignal:

$$\left|\frac{\mathrm{d}U_\mathrm{Aus}}{\mathrm{d}t}\right|_\mathrm{Max} = \omega \cdot \widehat{U}_\mathrm{Aus} = 2\pi f \cdot \widehat{U}_\mathrm{A}. \tag{5.11}$$

Diese Zeitpunkte sind in Abb. 5.20 oben markiert. Das Sinussignal am Ausgang bleibt unverzerrt, solange die maximale Steigung kleiner oder gleich der Slewrate des

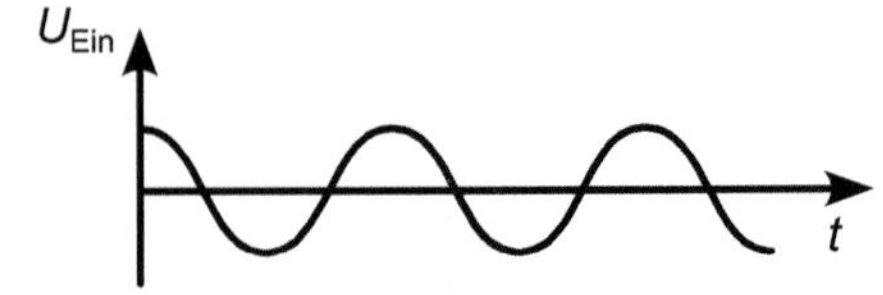

Abb. 5.19 Sinusförmiges Eingangssignal zur Untersuchung der Slewrate

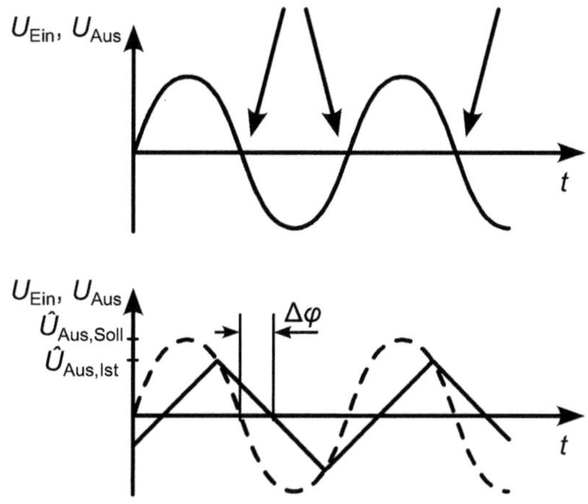

Abb. 5.20 Slewrate-Verhalten eines nichtinvertierenden Verstärkers mit $V_U = +1$. Oben: Idealfall (gestrichelt) und reale Ausgangsspannung (durchgezogene Linie) bei geringer Überschreitung der Slewrate. Beide Kurven liegen praktisch aufeinander. Bei den Nulldurchgängen (Pfeile) laufen die Kurven etwas auseinander. Unten: Idealfall (gestrichelt) und reale Ausgangsspannung (durchgezogene Linie) bei starker Überschreitung der Slewrate. Die Bezeichnungen im unteren Teilbild werden für die Berechnung der Phasenverschiebung verwendet, s. Text

übertragenden Operationsverstärkers ist:

$$\omega \cdot \widehat{U}_{Aus} \leq S_L \tag{5.12}$$

Bei Überschreiten der Slewrate setzten zunächst praktisch unmerkbare Verzerrungen in den Bereichen maximaler Steigung ein. Bei wachsender Überschreitung der Slewrate wird aus dem Sinussignal schließlich ein Dreiecksignal, s. Abb. 5.20 unten.

Wird in Gl. (5.12) ein Gleichheitszeichen verwendet, kann die maximal zulässige Slewrate des Operationsverstärkers berechnet werden. Daraus ergibt sich die Grenze für die maximale Frequenz f_{Max}, die unverzerrt übertragen wird:

$$f_{Max} = \frac{S_L}{2\pi \widehat{U}_{Aus}}. \tag{5.13}$$

Wird anstelle der Ausgangsspannung die Eingangsspannung betrachtet, gilt mit der Bedingung $\widehat{U}_{Aus} = |V_U| \cdot \widehat{U}_{Ein}$ für den invertierenden bzw. nichtinvertierenden Verstärker für ein sinusförmiges Signal:

$$f_{Max} = \frac{S_L}{2\pi \cdot |V_{U,D}| \cdot \widehat{U}_{Ein}}. \tag{5.14}$$

Ist der Einfluss der Slewrate so stark, dass das sinusförmige Signal in ein Dreiecksignal umgewandelt wird (Abb. 5.20 unten), kann die Amplitude des Dreiecksignals mithilfe der

Tab. 5.10 Datenblattangabe des Eingangsstroms einiger OP-Typen, nach [3–8]

Operationsverstärker	Technologie	Slewrate (typ.)
NE5532	Bipolar	9 V/µs
TLV272	MOSFET	2,4 V/µs
TSH80		100 V/µs
LMV358	BICMOS	1 V/µs
LM358	bipolar	0,5 V/µs
TL062	JFET	3 V/µs

Slewrate bestimmt werden. Dazu geht man davon aus, dass das Dreiecksignal in einem Viertel der Periodendauer T von 0 V auf den Maximalwert ansteigt, in der Hälfte der Periodendauer vom Maximalwert auf den Minimalwert (also den negativen Maximalwert) fällt und schließlich im letzten Viertel der Periodendauer wieder bis auf 0 V ansteigt. Da die Steigung des Ausgangssignals durch die Slewrate gegeben und damit bekannt ist, kann die Amplitude bzw. Maximalspannung des Dreiecksignals berechnet werden:

$$\widehat{U}_{\text{Aus}} = \frac{T}{4} \cdot S_{\text{L}} = \frac{S_{\text{L}}}{4 \cdot f}. \tag{5.15}$$

In Tab. 5.10 ist das Slewrate-Verhalten einiger Operationsverstärkertypen zusammengestellt.

Das Slewrate-Verhalten führt nach Abb. 5.20 unten zu einer Phasenverschiebung zwischen Ein- und Ausgangssignal. Hier wird kurz der dargestellte Fall behandelt: Das Slewrate-Verhalten bewirkt ein dreieckförmiges Signal am Ausgang. Solange die Ausgangsspannung niedriger als der Sollwert ist, steigt die Ausgangsspannung an. Ist die Ausgangsspannung höher als der Sollwert, sinkt die Ausgangsspannung wieder. Das bedeutet letztendlich, dass der Scheitelpunkt des dreieckförmigen Ausgangssignals auf dem sinusförmigen Sollsignal liegt, wie es auch in Abb. 5.20 unten gezeichnet wurde. Dieses Verhalten wird auch in der Messung in Abb. 5.27 weiter unten deutlich. Für die Amplitude des dreieckförmigen Ausgangssignals gilt daher:

$$\widehat{U}_{\text{Aus,Ist}} = \frac{T}{4} \cdot S_{\text{L}} = \frac{S_{\text{L}}}{4 \cdot f}. \tag{Wdh.}$$

und

$$\widehat{U}_{\text{Aus,Ist}} = \widehat{U}_{\text{Aus,Soll}} \cdot \cos(\Delta\varphi). \tag{5.16}$$

$\hat{U}_{\text{Aus,Soll}}$ entspricht dabei dem Sollwert der Amplitude am Ausgang. Für einen nichtinvertierenden Verstärker mit $V_{\text{U}} = +1$ ist dieser Wert identisch mit der Eingangsamplitude. Die Phasenverschiebung wird mit $\Delta\varphi$ bezeichnet. Gleichsetzen und umformen führt zu:

$$\widehat{U}_{\text{Aus,Soll}} \cdot \cos(\Delta\varphi) = \frac{S_{\text{L}}}{4 \cdot f}$$
$$\iff \Delta\varphi = \arccos\left(\frac{S_{\text{L}}}{4 \cdot f \cdot \widehat{U}_{\text{Aus,Soll}}}\right). \tag{5.17}$$

Häufig interessiert neben der Phasenverschiebung $\Delta\varphi$ auch der zeitliche Unterschied Δt der Nulldurchgänge. Die Phasenverschiebung $\Delta\varphi$ bezogen auf 360° entspricht dabei dem zeitlichen Unterschied Δt bezogen auf eine Periodendauer T:

$$\frac{\Delta\varphi}{360^\circ} = \frac{\Delta t}{T} \iff \Delta t = \frac{\Delta\varphi}{360^\circ} \cdot T = \frac{\Delta\varphi}{360^\circ \cdot f}. \tag{5.18}$$

Diese Gleichung wird im folgenden Abschnitt verwendet.

5.6.2 Messtechnik

Zur Bestimmung der Slewrate wird ein Operationsverstärker in der Regel als nichtinvertierender Verstärker ($V_{\text{U}} = +1$) betrieben. Diese Messschaltung, die üblicherweise für die Bestimmung der Slewrate verwendet wird, ist in Abb. 5.21 dargestellt. Häufig wird zusätzlich ein Lastwiderstand zur Masse und eine Lastkapazität verwendet. Diese beiden Bauteile sind hier nicht dargestellt, da die Werte je nach Operationsverstärker variieren. Genaue Informationen zu den Messbedingungen stehen in der Regel in den jeweiligen Datenblättern. Die Messungen wurden mit verschiedenen Operationsverstärkertypen durchgeführt.

Als Eingangssignal wird ein rechteckförmiges Signal mit einer Amplitude von 2 V und einer Frequenz von 10 kHz verwendet. Gemessen werden das Eingangssignal (Kanal 1, blau) und das Ausgangssignal des OPs (Kanal 2, pinkfarbene Linie). Die Messung ist in Abb. 5.23 dargestellt. In der Übersicht im linken Teilbild ist das Slewrate-Verhalten nur schwer erkennbar. Im rechten Teilbild ist das Slewrate-Verhalten aufgrund der höheren Frequenz gut erkennbar.

Mit einer höheren zeitlichen Auflösung erhält man die Darstellung in Abb. 5.24. Im linken Teilbild ist der ansteigende Puls, im rechten Teilbild der abfallende Puls dargestellt. Gut ist an dem Kurvenverlauf und den Messdaten erkennbar, dass die Abfallzeit kürzer

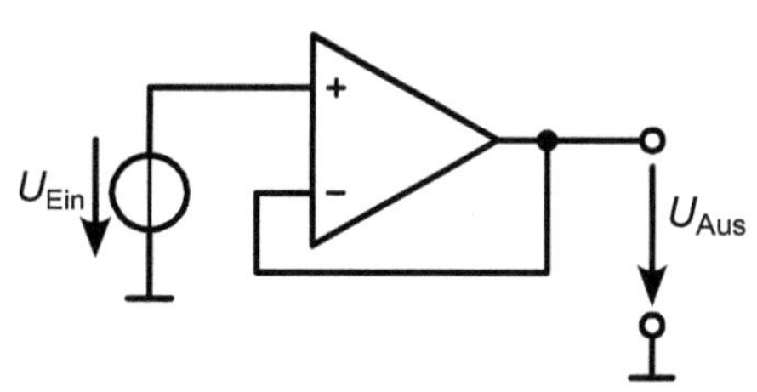

Abb. 5.21 OP als nichtinvertierender Verstärker zur Messung der Slewrate mit $V_{\text{U}} = 1$

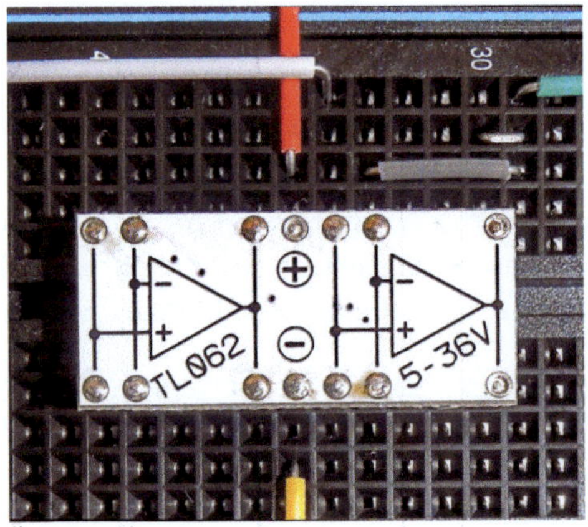

Abb. 5.22 Foto der auf dem Steckbrett aufgebauten Schaltung aus Abb. 5.21. Die graue Leitung verbindet zusammen mit dem silberfarbigen kurzen Draht darüber den Ausgang des rechten OPs mit dem invertierenden Eingang. Über den weißen Draht wird das Eingangssignal an den nichtinvertierenden Eingang gegeben. Über den grünen Draht rechts oben wird das Ausgangssignal gemessen

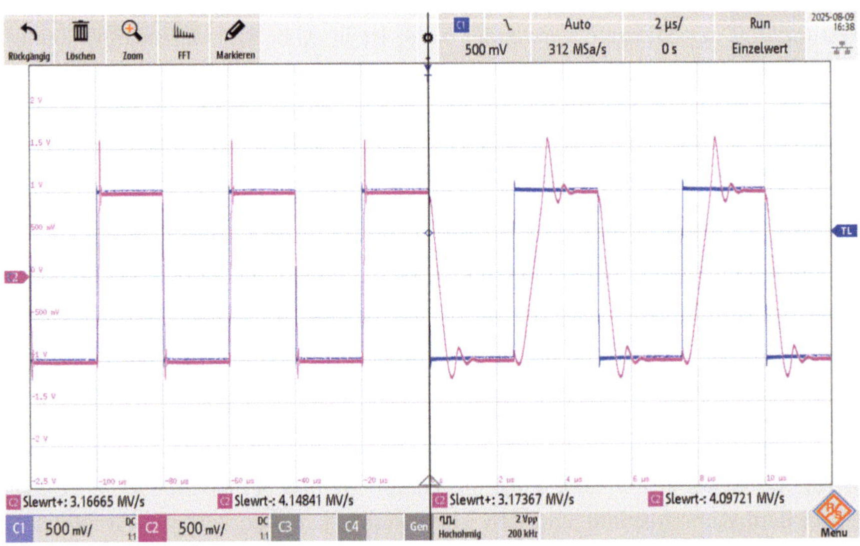

Abb. 5.23 Ein- und Ausgangssignals eines Operationsverstärkers TL062 beschaltet entsprechend Abb. 5.21 bzw. Abb. 5.22. Als Eingangssignal wird ein Rechteckpuls mit einer Amplitude von 1 V verwendet. Die Frequenz beträgt 25 kHz (linkes Teilbild) bzw. 200 kHz (rechtes Teilbild). Das Eingangssignal ist die blaue Linie, das Ausgangssignal ist die pinkfarbene Linie. Im rechten Teilbild ist das Slewrate-Verhalten deutlicher sichtbar. In beiden Teilbildern ist ein Überschwingen erkennbar

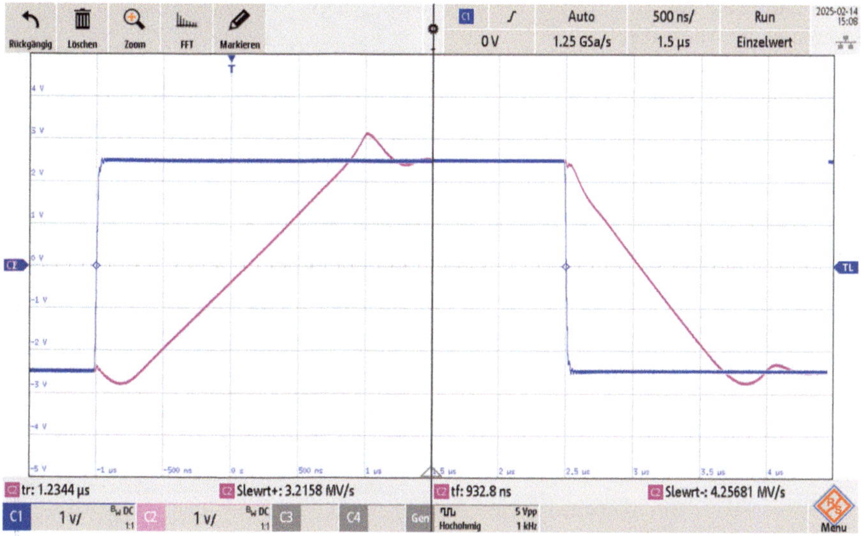

Abb. 5.24 Messung der Slewrate eines Operationsverstärkers TL062 mit einem Rechteckpuls mit einer Amplitude von 2,5 V. Das Eingangssignal ist die blaue Linie (Rechteckpuls), das Ausgangssignal ist die pinkfarbene Linie (steigende Rampe). Dargestellt ist eine Vergrößerung des ansteigenden Pulses (links) und des abfallenden Pulses (rechts). Die zeitliche Skalierung ist in beiden Teilbildern gleich

als die Anstiegszeit ist. Diese Asymmetrie tritt häufig bei Operationsverstärkern auf. Aus der Messung kann die Steigung mit 3,2 V/µs bzw. 4,3 V/µs bestimmt werden. Dieser Wert passt recht gut zum Datenblattwert. Hier ist als typischer Wert für die Slewrate 3,5 V/µs angegeben [8]. Was auch auffallend ist: Es gibt hier Über- bzw. Unterschwinger am Anfang und am Ende des Pulses. Das Unterschwingen am Beginn der ansteigenden Rampen entspricht einer Verzögerungszeit von etwa 300 ns. In der Regel wird die Slewrate mit einem nichtinvertierenden Verstärker mit einer Spannungsverstärkung V_U von $+1$ gemessen. Dazu werden ein Lastwiderstand und eine Lastkapazität im Datenblatt für diese Messung angegeben. Hier werden die Messung jedoch abweichend von der Vorgabe ohne speziellen Lastwiderstand oder Lastkapazität durchgeführt.

Die Slewrate, also die Anstiegs- bzw. Abfallgeschwindigkeit kann sich mit der Beschaltung des OPs und der Spannungsamplitude ändern. Evtl. müssen dazu Messungen durchgeführt werden. In den folgenden Messungen wird dargestellt, wie die Verzerrung eines sinusförmigen Signals langsam einsetzt. Für die Messung wurde ein Operationsverstärker vom Typ LM358 als nichtinvertierender Verstärker mit $V_U = +1$ verwendet, s. Abb. 5.25.

In den Abb. 5.26 bis 5.27 wird die Auswirkung der Slewrate für verschiedene sinusförmige Signale gezeigt. In Abb. 5.26 ist erkennbar, dass die Verzerrung einsetzt. In

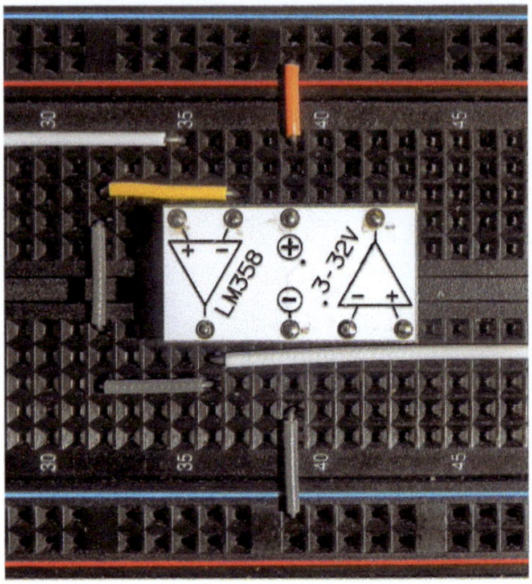

Abb. 5.25 Aufbau eines nichtinvertierenden Verstärkers (OP LM358) mit $V_U = +1$ auf dem Steckbrett

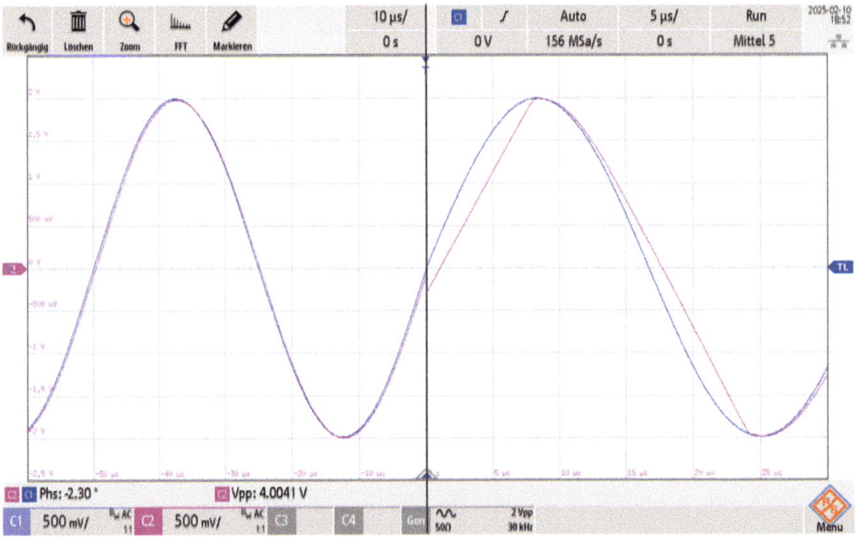

Abb. 5.26 Ein- und Ausgangssignals eines nichtinvertierenden Verstärkers mit einem Operationsverstärkers LM358 und sinusförmiger Eingangsspannung. Im linken Teilbild ist die Frequenz 20 kHz, im rechten Teilbild 30 kHz. Das Eingangssignal ist blau dargestellt, das Ausgangssignal ist die pinkfarbene Linie. Im linken Teilbild ist die Verzerrung sehr gering, Aus- und Eingangsspannung liegen praktisch aufeinander. Im rechten Teilbild ist die Verzerrung bereits gut erkennbar

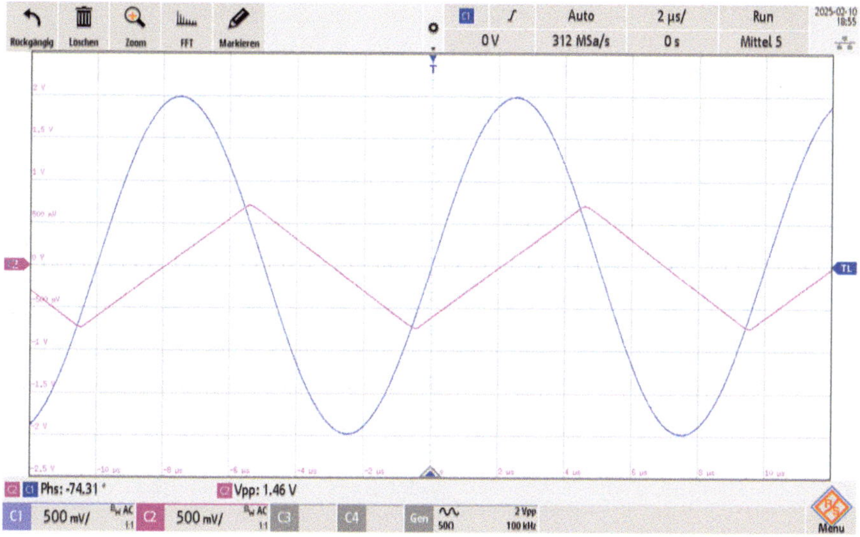

Abb. 5.27 Ein- und Ausgangssignals eines Operationsverstärkers LM358 mit einem Sinussignal (Frequenz: 100 kHz, Amplitude: 2 V). Das Eingangssignal ist blau dargestellt, das Ausgangssignal ist die pinkfarbene Linie. Hier ist aus dem Sinussignal bereits ein dreieckförmiges Signal geworden, s. Text

Abb. 5.27 ist die Verzerrung so stark, dass das sinusförmige Eingangssignal ein dreieckförmiges Ausgangssignal liefert. Hier wird die Rechnung jetzt „rückwärts" durchgeführt: Die maximale Amplitude ist 0,8 V. Mit Gl. (5.15) ergibt sich daraus eine Slewrate von 0,32 V/µs. Im Datenblatt des LM358 wird eine Slewrate von 0,3 V/µs als typischer Wert angegeben [6].

Der Vollständigkeit halber kann die Phasenverschiebung bzw. die zeitliche Verschiebung in Abb. 5.27 kontrolliert werden. Die Frequenz beträgt 100 kHz, die Soll-Amplitude 2 V. Mit der Slewrate von 0,3 V/µs ergibt sich aus Gl. (5.17) eine Phasendifferenz $\Delta\varphi = 68°$. Eine Umrechnung auf die zeitliche Verschiebung ergibt mit Gl. (5.18) $\Delta t = 1{,}89$ µs. Die zeitliche Skalierung der Messung in Abb. 5.27 ist 2 µs/□. Das bedeutet, dass die Nulldurchgänge etwas weniger als eine Kästchenbreite auseinander sein sollten. Das passt ausgezeichnet zur Messung.

5.7 Leerlaufverstärkung

Operationsverstärker weisen in der Regel eine recht hohe Verstärkung von etwa 100 bis 120 dB auf. Dieser Wert entspricht einem Verstärkungsfaktor von 100 000 bis eine Million. Wie weiter unten in diesem Abschnitt gezeigt wird, bewirkt eine hohe Verstärkung eine geringe Abweichung der eingestellten Spannungsverstärkung V_{U} vom idealen OP.

5.7.1 Theorie

Bisher wurde für Operationsverstärker davon ausgegangen, dass die Leerlaufverstärkung V_0 unendlich ist. In der Realität ist die Verstärkung V_0 sehr hoch, sodass die Näherung $V_0 = \infty$ für die meisten Anwendungen geeignet ist.

Typische Werte für die Leerlaufverstärkung V_0 sind im Bereich von $V_0 = 100\,000\ldots10$ 000 000 bei niedrigen Frequenzen. Für höhere Frequenzen nimmt die Verstärkung bei vielen OPs ab der ersten Grenzfrequenz mit 20 dB pro Dekade ab, s. Abschn. 5.8. Die Werte einiger Operationsverstärker sind in Tab. 5.11 zusammengestellt.

Wenn die Leerlaufverstärkung nicht unendlich hoch ist, kommt es in der Regel zu Abweichungen der Ausgangsspannung von den in Kap. 4 beschriebenen Idealwerten. Das Prinzip der virtuellen Masse ist bei genauer Betrachtung nicht mehr anwendbar! Dazu sind in Abb. 5.28 noch einmal die Schaltung des invertierenden und des nichtinvertierenden Verstärkers dargestellt.

Für den invertierenden Verstärker wird in der Regel die idealisierte Gleichung

$$\frac{U_{\mathrm{Aus}}}{U_{\mathrm{Ein}}} = V_{\mathrm{U}} = -\frac{R_2}{R_1} \qquad \text{(Wdh.)}$$

verwendet. Diese Gleichung lässt sich sehr einfach über die virtuelle Masse herleiten, s. Abschn. 4.3. Hier wird die genaue Berechnung hergeleitet. Ausgangspunkt ist die OP-Grundgleichung aus Abschn. 4.2:

$$U_{\mathrm{Aus}} = U_{\mathrm{D}} \cdot V_0 \Leftrightarrow U_{\mathrm{D}} = \frac{U_{\mathrm{Aus}}}{V_0}. \qquad (5.19)$$

Die Ausgangsspannung ergibt sich aus dem Strom I, dem Widerstand R_2 und der Differenzspannung U_{D} entsprechend Abb. 5.28 oben zu:

$$U_{\mathrm{Aus}} = -U_{\mathrm{D}} - I \cdot R_2. \qquad (5.20)$$

Für den Strom I gilt, dass der in OP hinein fließende Strom vernachlässigt werden kann. Aus der Eingangsspannung U_{Ein} kann der Strom bestimmt werden:

Tab. 5.11 Angabe der Verstärkung einiger OP-Typen, nach [3–8]

Operationsverstärker	Technologie	Leerlaufverstärkung (typ.)	Leerlaufverstärkung (typ.)
NE5532	Bipolar	100 000	100 dB
TLV272	MOSFET	316 228	110 dB
TSH80		20 000	86 dB
LMV358	BICMOS	100 000	100 dB
LM358	bipolar	100 000	100 dB
TL062	JFET	6 000	75,6 dB

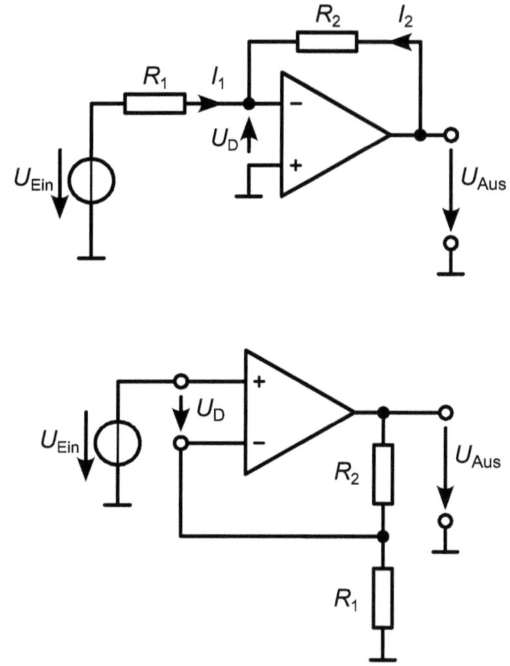

Abb. 5.28 Oberes Teilbild: Schaltung des invertierenden Verstärkers, unteres Teilbild: Schaltung des nichtinvertierenden Verstärkers

$$U_{\mathrm{Ein}} = I \cdot R_1 - U_{\mathrm{D}} \Leftrightarrow I = \frac{U_{\mathrm{Ein}} + U_{\mathrm{D}}}{R_1}. \tag{5.21}$$

Gl. (5.21) wird in Gl. (5.20) eingesetzt und umgestellt:

$$U_{\mathrm{Aus}} = -U_{\mathrm{D}} - \frac{U_{\mathrm{Ein}} + U_{\mathrm{D}}}{R_1} \cdot R_2 = -U_{\mathrm{Ein}} \cdot \frac{R_2}{R_1} - U_{\mathrm{D}} \cdot \frac{R_1 + R_2}{R_1}. \tag{5.22}$$

Hier wird Gl. (5.19) eingesetzt, anschließend wird die Gleichung zur Berechnung der Spannungsverstärkung V_{U} umgestellt.

$$U_{\mathrm{Aus}} = -U_{\mathrm{Ein}} \cdot \frac{R_2}{R_1} - \frac{U_{\mathrm{Aus}}}{V_0} \cdot \frac{R_1 + R_2}{R_1} \Leftrightarrow U_{\mathrm{Aus}} \cdot \left(1 + \frac{1}{V_0} \cdot \frac{R_1 + R_2}{R_1}\right) = -U_{\mathrm{Ein}} \cdot \frac{R_2}{R_1}$$
$$\Leftrightarrow \frac{U_{\mathrm{Aus}}}{U_{\mathrm{Ein}}} = V_{\mathrm{U}} = -\frac{R_2}{R_1} \cdot \frac{1}{1 + \frac{1}{V_0} \cdot \frac{R_1+R_2}{R_1}}.$$

Der Term $\frac{R_1+R_2}{R_1}$ entspricht der Rauschverstärkung $V_{\mathrm{U,Rauschen}}$, s. Abschn. 5.12. Mit diesem Formelzeichen folgt:

$$V_{\mathrm{U}} = -\frac{R_2}{R_1} \cdot \frac{1}{1 + \frac{V_{\mathrm{U,Rauschen}}}{V_0}}. \tag{5.23}$$

Diese Gleichung wird so interpretiert, dass der erste Multiplikator dem Wert der idealisierten Spannungsverstärkung entspricht. Der zweite Faktor bildet eine Art relative Abweichung vom Idealfall. Deutlich wird, dass eine hohe Leerlaufverstärkung V_0 dazu führt, dass der zweite Faktor praktisch 1 wird.

Eine ähnliche Rechnung kann mit der nichtinvertierenden Verstärkungsschaltung durchgeführt werden. Dazu wird die Schaltung in Abb. 5.28 unten verwendet. Die idealisierte Spannungsverstärkung ist nach Abschn. 4.3:

$$\frac{U_{\text{Aus}}}{U_{\text{Ein}}} = V_{\text{U}} = 1 + \frac{R_2}{R_1} = \frac{R_1 + R_2}{R_1} \qquad \text{(Wdh.)}$$

Für die Herleitung dieser Gleichung wird die erweiterte virtuelle Masse verwendet. Die Berechnung des genauen Verstärkungswertes nutzt Gl. (5.16) und die Näherung, dass kein Strom in den OP hineinfließt. Für die Ausgangsspannung gilt entsprechend der Schaltung in Abb. 5.28 unten mit dem Strom I:

$$U_{\text{Aus}} = I \cdot (R_1 + R_2) \Leftrightarrow I = \frac{U_{\text{Aus}}}{R_1 + R_2}. \tag{5.24}$$

Die Eingangsspannung U_{Ein} ergibt sich aus der Differenzspannung U_{D} und dem Spannungsabfall am Widerstand R_1 zu:

$$U_{\text{Ein}} = U_{\text{D}} + I \cdot R_1.$$

Hier wird der Strom I aus Gl. (5.24) eingesetzt. Anschließend wird die Differenzspannung U_{D} durch Gl. (5.19) ersetzt:

$$U_{\text{Ein}} = U_{\text{D}} + I \cdot R_1 = U_{\text{D}} + \frac{U_{\text{Aus}}}{R_1 + R_2} \cdot R_1 = \frac{U_{\text{Aus}}}{V_0} + \frac{R_1}{R_1 + R_2} \cdot U_{\text{Aus}}.$$

Aus dieser Gleichung kann die Spannungsverstärkung V_{U} bestimmt werden:

$$\frac{U_{\text{Aus}}}{U_{\text{Ein}}} = V_{\text{U}} = \frac{1}{\frac{1}{V_0} + \frac{R_1}{R_1 + R_2}} = \frac{R_1 + R_2}{R_1} \cdot \frac{1}{\frac{1}{V_0} \cdot \frac{R_1 + R_2}{R_1} + 1}.$$

Hier wird im Nenner des zweiten Faktors wieder die Rauschverstärkung $V_{\text{U,Rauschen}}$ eingesetzt:

$$\frac{U_{\text{Aus}}}{U_{\text{Ein}}} = V_{\text{U}} = \frac{R_1 + R_2}{R_1} \cdot \frac{1}{1 + \frac{V_{\text{U,Rauschen}}}{V_0}}. \tag{5.25}$$

Auch hier ergibt sich die Spannungsverstärkung aus dem Produkt zweier Faktoren. Der erste Faktor entspricht der idealisierten Spannungsverstärkung, der zweite Faktor ist wieder eine Art Genauigkeit bzw. Abweichung von diesem Idealwert. Auch hier gilt wieder, dass eine hohe Leerlaufverstärkung V_0 dazu führt, dass die Spannungsverstärkung praktisch dem Idealfall entspricht.

5.7.2 Messtechnik

Zur Messung der Leerlaufverstärkung bei Gleichspannung wird als Grundlage die Schaltung zur Messung der Offsetspannung verwendet, s. Abschn. 5.2. Diese Schaltung wird nach [10] um einen additiven Gleichspannungseingang ergänzt, s. Abb. 5.29. Die Widerstände R_1 und R_2 werden gleich gewählt, ebenso die Widerstände R_3 und R_4. Über diesen Eingang kann eine Spannung U_{DC} von 3,3 V zugeschaltet werden. Die invertierende Integrationsschaltung bewirkt über die Rückkopplung, dass die Summe der Eingangsspannungen zu 0 V wird. Das ist nur dann möglich, wenn die Ausgangsspannung des zu messenden Operationsverstärkers −3,3 V ist. Dazu liefert der Ausgang der invertierenden Integrationsschaltung den passenden Spannungswert. Aus dem Unterschied der Spannungswerte ΔU_{Aus} des Hilfs-OPs kann entsprechend der folgenden Rechnung die Verstärkung des Operationsverstärkers OP_1 bestimmt werden.

Für den Operationsverstärker OP_1 gilt Gl. (4.1) als Standardgleichung.

$$U_{\mathrm{Aus,OP1}} = V_0 \cdot U_{\mathrm{D}}. \tag{5.26}$$

Wie oben dargestellt, muss die Ausgangsspannung von OP_1 mit dem Schalter in der oberen Position genau der negativen Spannung U_{DC} entsprechen:

$$U_{\mathrm{Aus,OP1}} = -U_{\mathrm{DC}}. \tag{5.27}$$

Einsetzten von Gl. (5.27) in Gl. (5.26) ergibt.

$$-U_{\mathrm{DC}} = V_0 \cdot U_{\mathrm{D}} \iff V_0 = -\frac{U_{\mathrm{DC}}}{U_{\mathrm{D}}}. \tag{5.28}$$

Die Differenzspannung, die am Eingang von OP_1 anliegt, ergibt sich über den Spannungsteiler aus der Ausgangsspannung von OP_2 zu.

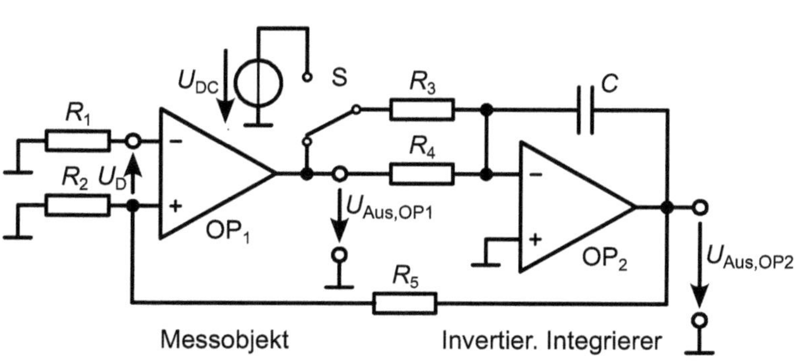

Abb. 5.29 Messschaltung zur Bestimmung der Leerlaufverstärkung, s. Text

Tab. 5.12 Gemessene Verstärkung einiger OP-Typen. Die Messgenauigkeit ist insbesondere beim OP LM358 relativ gering

Operationsverstärker	Mittelwert der Leerlaufverstärkung	Mittelwert der Leerlaufverstärkung/dB
LM358	1.188.339	121,5
MC33078	628.123	116
TL062	30.054	89,6

$$U_{\mathrm{D}} = U_{\mathrm{Aus,OP2}} \cdot \frac{R_2}{R_2 + R_5}. \tag{5.29}$$

Diese Gleichung wird in Gl. (5.28) eingesetzt, außerdem wird die Ausgangsspannung von $\mathrm{OP_2}$ durch den Spannungsunterschied ersetzt. Wenn der Spannungsunterschied passend gewählt wird, entfällt dabei auch das Minuszeichen:

$$V_0 = \frac{U_{\mathrm{DC}}}{\Delta U_{\mathrm{Aus,OP2}}} \cdot \frac{R_2}{R_2 + R_5}. \tag{5.30}$$

Diese Messung liefert relative ungenaue Ergebnisse, da die Spannungsunterschiede am Ausgang von $\mathrm{OP_2}$ sehr gering sind. Prinzipiell zeigt die Messung insbesondere bei niedrigen Leerlaufverstärkungen plausible Ergebnisse. Einige Messwerte sind in Tab. 5.12 zusammengestellt.

5.8 Bandbreite

Die nutzbare Bandbreite eines Operationsverstärkers hängt sowohl von dem verwendeten Operationsverstärkertyp als auch von der Beschaltung ab. Letztendlich spielen hier auch Stabilitätskriterien eine Rolle, s. Kap. 6. Viele Operationsverstärker sind durch die interne Schaltung „gedrosselt“. Das bedeutet, dass diese Operationsverstärker eine sehr niedrige untere Grenzfrequenz im Bereich von wenigen Hertz haben. Dieses Verhalten macht die Operationsverstärker praktisch universell nutzbar, schränkt aber unter speziellen Bedingungen die Bandbreite ein. Man spricht dann auch von kompensierten Operationsverstärkern.

5.8.1 Theoretische Darstellung

Operationsverstärker besitzen häufig bis zu zwanzig Grenzfrequenzen. In vielen Fällen interessieren jedoch nur die niedrigsten zwei bis drei Grenzfrequenzen. In diesem Buch wird in Kap. 6 von drei Grenzfrequenzen ausgegangen, die den drei Schaltungsblöcken Eingangs-Differenzverstärker, interner Verstärkungsblock und Ausgangsstufe

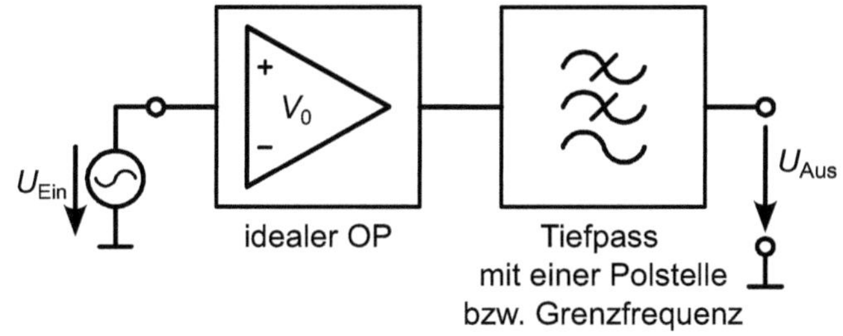

Abb. 5.30 Zusammenschaltung eines idealen OPs mit einem nachgeschaltetem Tiefpass als Modell des realen Operationsverstärkers

zugeordnet werden können. Heutzutage sind praktisch nur sog. kompensierte Operationsverstärker üblich. Diese Operationsverstärker sind mit den meisten Beschaltungen stabil und oszillieren nicht. Diese Kompensation bedeutet, dass durch eine interne Kapazität eine sehr niedrige untere Grenzfrequenz realisiert wird. Diese Beschreibung mit einer dominierenden Grenzfrequenz wird in diesem Abschnitt verwendet.

Dieses Verhalten des Operationsverstärkers kann durch ein Modell beschrieben werden, bei dem der reale Operationsverstärker durch einen idealen Operationsverstärker mit nachgeschaltetem einstufigen oder mehrstufigen Tiefpass gebildet wird, s. Abb. 5.30.

Der Tiefpass in Abb. 5.31 mit der Übertragungsfunktion

$$F_{\text{TP}}(\mathrm{j}\omega) = \frac{1}{1 + \mathrm{j}\omega RC}$$

wird durch die Grenzfrequenz

$$\omega_{\text{g}} = \frac{1}{RC}$$

beschrieben. Eine Herleitung findet sich in Abschn. 1.7.

Für die meisten Operationsverstärker ist der Tiefpass mit der niedrigsten Grenzfrequenz dominant. Später wird deutlich, dass zur Stabilitätsbetrachtung auch die anderen Tiefpassfrequenzen beachtet werden müssen: Im Frequenzgang spielen die höheren

Abb. 5.31 Einfacher RC-Tiefpass mit einer Polstelle bzw. Grenzfrequenz

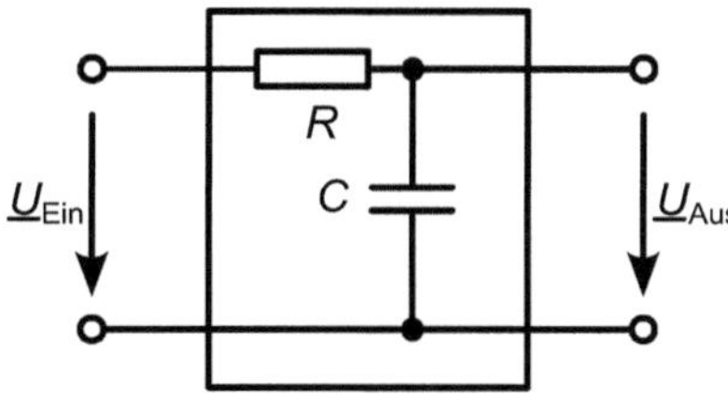

Grenzfrequenzen häufig nur eine untergeordnete Rolle, müssen allerdings für den Phasengang beachtet werden (s. Kap. 6).

Hier wird ein Operationsverstärker mit einem dominierenden Tiefpass mit einer Grenzfrequenz betrachtet.

Ein Operationsverstärker mit einer unteren Tiefpassgrenzfrequenz $f_g = 10$ Hz und einer Leerlaufverstärkung $V_0 = 120$ dB zeigt damit die in Abb. 5.32 dargestellte frequenzabhängige Verstärkung. Ein wichtiger Punkt ist: Wird die Verstärkung nicht komplett ausgenutzt, erhöht sich die Bandbreite. Das bedeutet, dass bei einer Spannungsverstärkung V_U von 80 dB die obere Grenzfrequenz 1 kHz beträgt. Wird die Spannungsverstärkung weiter auf 40 dB verringert, erhöht sich die Grenzfrequenz auf 100 kHz. Es ist also möglich, Bandbreite und Verstärkung gegeneinander auszutauschen. Eine beispielhafte Messung eines beschalteten OPs ist in Abb. 5.33 gezeigt.

Das bedeutet, dass das Produkt aus Bandbreite und Verstärkung für einen OP konstant ist! Dieses Produkt wird als Transitfrequenz f_T bezeichnet. Bei der Transitfrequenz ist die Verstärkung 1, d. h. unterhalb dieser Frequenz wird das Eingangssignal verstärkt, oberhalb kann das Signal nicht mehr verstärkt werden und es tritt Abschwächung auf.

Es gilt:

$$f_T = V_0 \cdot f_{g,0} = V_U \cdot f_{g,U} \tag{5.31}$$

mit der Leerlaufverstärkung V_0, der Grenzfrequenz des nicht gegengekoppelten Verstärkers $f_{g,0}$, der Verstärkung V_U und der Grenzfrequenz $f_{g,U}$ des gegengekoppelten Verstärkers. Wichtig: V_U und V_0 dürfen für die Berechnung der Transitfrequenz nicht in

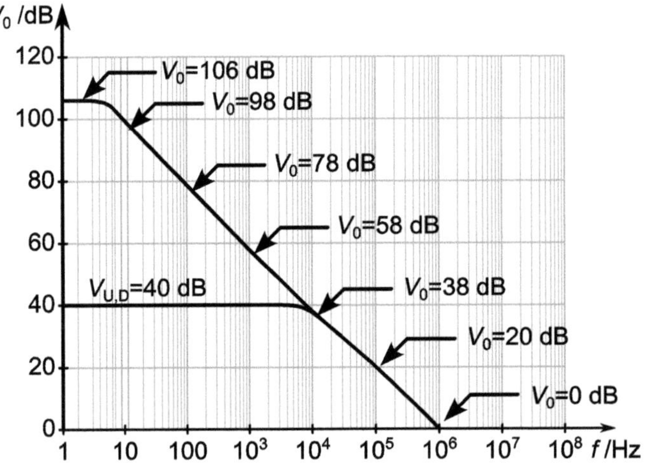

Abb. 5.32 Frequenzabhängige Leerlaufverstärkung V_0 eines Operationsverstärkers (durchgezogene Linie) und Betrieb mit $V_U = 80$ dB bzw. 40 dB (gestrichelt) als theoretische Darstellung

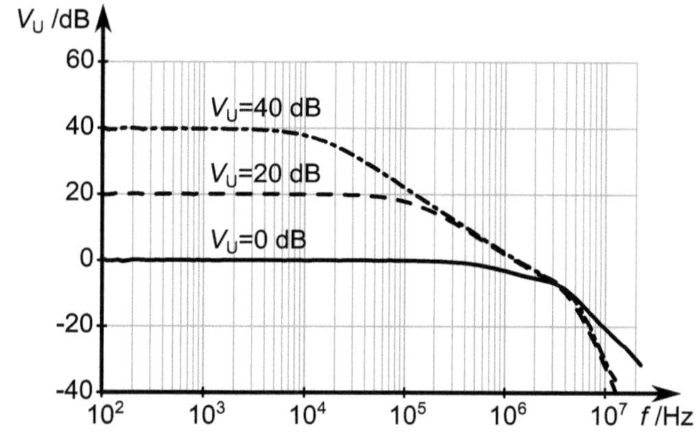

Abb. 5.33 Messung der Spannungsverstärkung V_U eines Operationsverstärkers TL072 mit Verstärkung von 1, 10 und 100. Deutlich wird sichtbar, dass sich die Bandbreite mit der Verstärkung ändert: Bei hoher Verstärkung von 40 dB ist die Bandbreite etwa 6 kHz, bei einer Verstärkung von 0 dB steigt die Bandbreite auf etwa 600 kHz an

Dezibel angegeben werden! Außerdem wird für den Operationsverstärker nur die unterste Grenzfrequenz berücksichtigt.

Durch das Tiefpassverhalten wird die Bandbreite, d. h. der nutzbare Frequenzbereich nach oben begrenzt.

Das Tiefpassverhalten ähnelt dem Slewrate-Verhalten. Eine Unterscheidung ist dadurch möglich, dass ein Sinussignal oberhalb der Grenzfrequenz ein Sinussignal bleibt. Bei Überschreiten der Slewrate-Bedingung wird allerdings das Sinussignal verzerrt und in ein Dreiecksignal umgewandelt.

Die Transitfrequenz entspricht häufig dem Verstärkungs-Bandbreiten-Produkt (Unity-Gain-Bandwidth). Einige Werte sind in Tab. 5.13 zusammengestellt.

Tab. 5.13 Angabe der Bandbreite und Grenzfrequenz einiger OP-Typen, nach [3–8]

Operationsverstärker	Technologie	Verstärkungs-Bandbreiten-Produkt	Verstärkung (typ.)	Grenzfrequenz, berechnet aus den beiden vorigen Spalten
NE5532	Bipolar	10 MHz	100 000	100 Hz
TLV272	MOSFET	3 MHz	316 228	9,5 Hz
TSH80		65 MHz	20 000	3250 Hz
LMV358	BICMOS	1 MHz	100 000	10 Hz
LM358	bipolar	700 kHz	100 000	7 Hz
TL062	JFET	1 MHz	6 000	167 Hz

Wenn also eine hohe Grenzfrequenz erforderlich ist, kann es erforderlich sein, zwei Operationsverstärker in Reihe zu schalten. An dieser Stelle sollen zwei Hinweise ergänzt werden: Die Umrechnung von Dezibelwerten in „normale“ Verstärkungswerte und umgekehrt ist in Abschn. 1.5 beschrieben. Da es sich hier um Spannungsverstärkung handelt, wird der Faktor 20 dB verwendet. Der zweite Hinweis betrifft den Frequenzgang bei höheren Frequenzen. Das hier verwendete einfache Modell ist für niedrige Frequenzen ausreichend genau. Als Faustregel kann man sich merken, dass für die meisten kompensierten Operationsverstärker das einfache Modell bis zu einem Zehntel der Transitfrequenz f_T ausreichend genau ist. Überschreitet die Frequenz ein Zehntel der Transitfrequenz, wirken sich häufig weitere Polstellen auf den Frequenzgang aus. Dieses Verhalten wird intensiv im Kap. 6 beschrieben. Die Transitfrequenz wird weiter unten in diesem Abschnitt beschrieben.

5.8.2 Messtechnik

Die Messung der frequenzabhängigen Verstärkung beruht wieder auf der Grundschaltung zur Messung der Offsetspannung aus Abschn. 5.2 nach [10]. Hier wird jetzt ein kapazitiv gekoppelter Eingang für die Einspeisung eines sinusförmigen Signals verwendet. Gleichzeitig wird die Ausgangsspannung des Operationsverstärkers gemessen. Das Schaltbild ist in Abb. 5.34 dargestellt, ein Foto des Messaufbaus in Abb. 5.35. Aus der Eingangsspannung nach Berücksichtigung des Spannungsteilers und der Ausgangsspannung ergibt

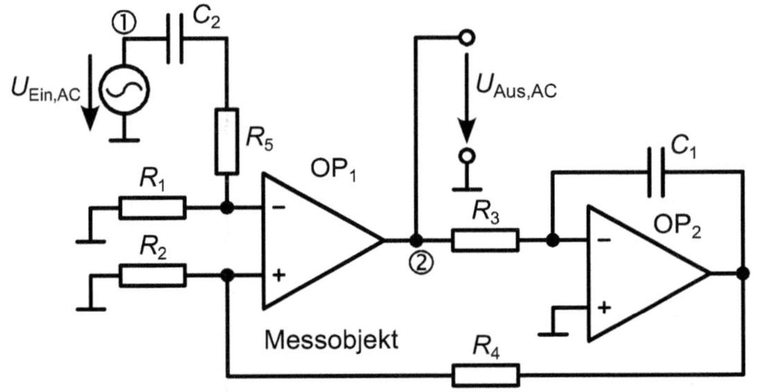

Abb. 5.34 Schaltung zur Messung der Spannungsverstärkung V_0 eines Operationsverstärkers. Grundlage ist die Schaltung zur Messung der Offset-Spannung aus Abschn. 5.2. Der invertierende Integrator ist weiterhin aktiv. Das sinusförmige Testsignal wird über den Kondensator C_2 und den Widerstand R_2 an den invertierenden Eingang des zu messenden OPs gegeben. Am Ausgang des OPs wird die Spannung bestimmt. Aus dem Verhältnis der Spannungen wird unter Berücksichtigung des Spannungsteilers R5 R1 die Wechselspannungsverstärkung bestimmt

sich die Verstärkung des Operationsverstärkers bei einer bestimmten Frequenz. Zu niedrigen Frequenzen begrenzen sowohl der Koppelkondensator als auch der rechts befindliche integrierende Verstärker die Messung. Der Koppelkondensator C_2 bildet mit den Widerständen R_5 R_1 einen Hochpass, der integrierende Verstärker OP_2 regelt bei niedrigen Frequenzen die Ausgangsspannung des zu messenden Operationsverstärkers nach.

In Abb. 5.36 und 5.37 sind die gemessenen Frequenzgänge von zwei Operationsverstärkertypen dargestellt. Hier ist jeweils auch die Verstärkung eingezeichnet, die sich aus der Spice-Simulation ergibt.

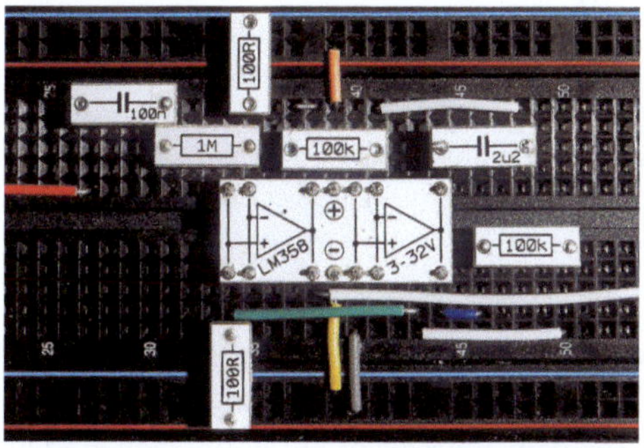

Abb. 5.35 Messung der Spannungsverstärkung V_0 eines Operationsverstärkers LM358 entsprechend der Schaltung in Abb. 5.34. Der zu messenden Operationsverstärker befindet sich auf dem Steckbrett links. Die Einspeisung des Wechselsignals erfolgt über die rote Leitung links oben, den Kondensator und Widerstand. Das Ausgangssignal wird am linken OP über die lange weiße Leitung rechts unten gemessen

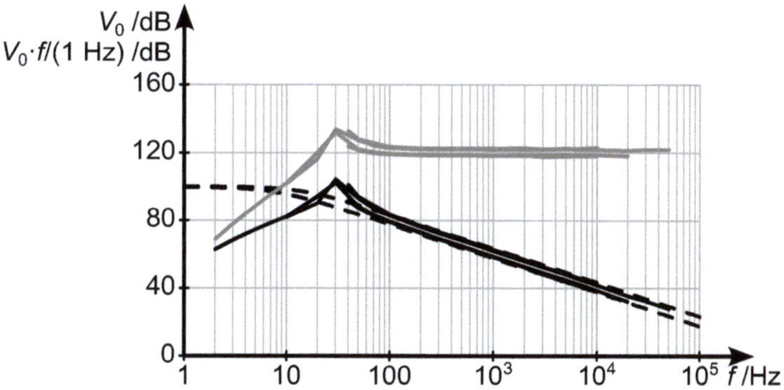

Abb. 5.36 Simulation (gestrichelt) und Messung (durchgezogene Linie) der frequenzabhängigen Leerlaufverstärkung V_0 von Operationsverstärkern LM358. Außerdem ist in grau das Produkt aus gemessener Leerlaufverstärkung und Frequenz dargestellt. Es wurden mehrere unterschiedliche ICs gemessen. Für die Simulation wurden zwei unterschiedliche Modelle verwendet

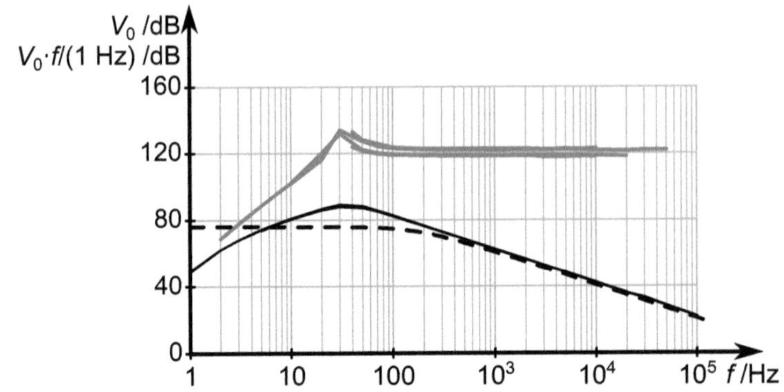

Abb. 5.37 Simulation (gestrichelt) und Messung (durchgezogene Linie) der frequenzabhängigen Leerlaufverstärkung V_0 von Operationsverstärkern TL062. Außerdem ist in grau das Produkt aus gemessener Leerlaufverstärkung und Frequenz dargestellt. Es wurden mehrere unterschiedliche ICs gemessen

In Abb. 5.36 ist die Simulation und Messung des LM358 dargestellt. In der Simulation ist der Wechsel von der waagerechten Betragskurve auf den Abfall von −20 dB/Dekade gut erkennbar. Aus dem Betragsverlauf ergibt sich eine untere Grenzfrequenz von etwa 10 Hz. Die Messungen mehrerer ICs passt oberhalb von 100 Hz ausgezeichnet zur Simulation. Im Bereich unterhalb von etwa 100 Hz machen sich die o. g. Messfehler bemerkbar. Das Produkt aus Leerlaufverstärkung V_0 und Frequenz f ergibt oberhalb von 100 Hz einen waagerechten Verlauf, was ausgezeichnet zur Theorie und Gl. (5.31) passt. Aus dem waagerechten Verlauf kann geschlossen werden, dass nur eine Grenzfrequenz im betrachteten Frequenzbereich wirksam ist. Abb. 5.37 zeigt als Beispiel die Messung und die Simulation eines OPs TL062. Der Verlauf der Messkurve und des Verstärkungs-Bandbreitenprodukts ist vom Verlauf her recht ähnlich, wie beim LM358. Simulation und Messung passen oberhalb von 200 Hz sehr gut zusammen. Aus dem Verlauf der Simulation ergibt sich eine untere Grenzfrequenz von etwa 300 Hz.

5.8.3 Messungen des Frequenzverhaltens einiger OP-Schaltungen

Ein Operationsverstärker TL062 wurde für die folgenden Messungen als nichtinvertierender Verstärker beschaltet. Die Spannungsverstärkung V_U wurde auf 1, 11, 34, 101 und 334 eingestellt. Die Verstärkung $V_U = 1$ ergibt sich natürlich, wenn der Ausgang direkt mit dem invertierenden Eingang verbunden wird. Die anderen Verstärkungsfaktoren ergeben sich bei Spannungsteiler mit 10 kΩ und 1 kΩ, 33 kΩ und 1 kΩ, 100 kΩ und 1 kΩ und schließlich mit 330 kΩ und 1 kΩ. Entsprechende Fotos des Messaufbaus finden sich in Abschn. 4.3. Mit dem Oszilloskop wurde das komplexe Frequenzverhalten

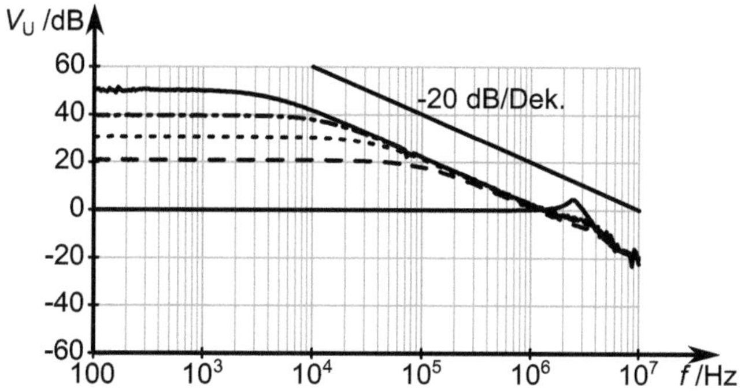

Abb. 5.38 Betragsmessung (Frequenzgang) eines Operationsverstärkers TL062 mit Spannungsverstärkungen von 1 (untere durchgezogene Linie), 11 (gestrichelt), 34 (gepunktet), 101 (strichpunktiert) und 334 (obere durchgezogene Linie). Dargestellt ist die Spannungsverstärkung V_U in Dezibel in Abhängigkeit der Frequenz. Zusätzlich ist oben rechts eine Gerade mit der Steigung von -20 dB pro Dekade eingezeichnet

gemessen. Der Betrag der fünf Schaltungen ist in Abb. 5.38 dargestellt. Aus dem Betrag lassen sich die Bandbreite und die Grenzfrequenz ablesen. Sehr schön ist zu erkennen, wie die Messkurven mit unterschiedlicher Verstärkung bei höheren Frequenzen zu einer Kurve zusammen laufen. Eine kleine Ausnahme ist die Überhöhung der Verstärkung bei $V_U = 1$ bei einer Frequenz von etwa 3,3 MHz. Diese Überhöhung deutet auf eine geringe Phasenreserve hin. Dieser Punkt wird in Kap. 6 ausführlich besprochen. Aus diesen Messkurven ergeben sich die in Tab. 5.14 gezeigten Grenzfrequenzen. Diese Werte stimmen nicht mit den Grenzfrequenzen überein, die sich aus dem Phasenverlauf ergeben. Das deutet daraufhin, dass sowohl der Phasenverlauf als auch der Betrag etwas vom idealen Tiefpassverhalten abweichen. Ein Hauptgrund ist das einsetzende Slewrate-Verhalten, s. Abschn. 5.6. Der zugehörige Phasenverlauf ist in Abb. 5.39 gezeigt. Für die Darstellung in der Abbildung wurde die Phase mit Werten von 0° bis 450° skaliert. Bei der Darstellung, die das Messgerät liefert, wird der Phasenbereich häufig von 180° bis $-180°$ oder von 0° bis 360° skaliert. In dieser Darstellung sieht es dann auf den ersten Blick so aus, als würde die Phase „springen". Das ist in der Regel nicht der Fall. Für die Messung in Abb. 5.39 kann abgelesen werden, dass sich der Phasenwechsel von 0° auf $-$ 90° mit wachsender Verstärkung zu niedrigeren Frequenzen verschiebt. Der Phasenwert von $-45°$ entspricht der Grenzfrequenz. Auch diese Werte sind in Tab. 5.15 eingetragen. Gut zu erkennen ist, dass bei höheren Verstärkungswerten erst die Phase von 0° bis -90° läuft. Erst bei deutlich größeren Frequenzen dreht die Phase weiter in den negativen Bereich. Diese weitere Phasendrehung deutet daraufhin, dass der OP mehr als eine Grenzfrequenz hat. Deutlich ist auch zu erkennen, dass bei einer Verstärkung mit V_U $= +1$ der Phasenverlauf von der idealen Theorie abweicht. Ursache ist eine zusätzliche Phasenänderung aufgrund des Slewrate-Verhaltens. Auch aus dieser Messung wurde

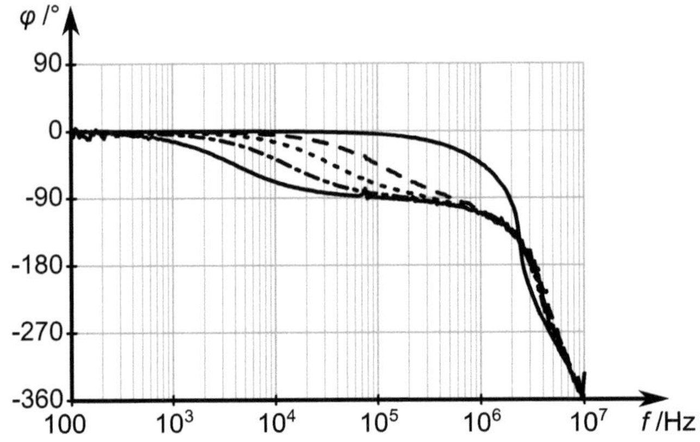

Abb. 5.39 Phasenmessung (Frequenzgang) eines Operationsverstärkers TL062 mit Spannungsverstärkungen von 1 (obere durchgezogene Linie), 11 (gestrichelt), 34 (gepunktet), 101 (strichpunktiert) und 334 (untere durchgezogene Linie). Dargestellt ist die Spannungsverstärkung V_U in Dezibel in Abhängigkeit der Frequenz. Die Phasenverschiebung von 0° bis -90° verschiebt sich mit wachsender Verstärkung zu niedrigeren Frequenzen

die Grenzfrequenz bestimmt und in Tab. 5.14 eingetragen. Für diese Tabelle wurde weiter das Verstärkungs-Bandbreitenprodukt (Gain-bandwidth product GBW) einmal aus der Betragskurve und einmal aus dem Phasengang bestimmt. Die meisten Werte liegen bei etwa 1,2 bis 1,3 MHz. Nur die Grenzfrequenz aus der Betragskurve zur Spannungsverstärkung $V_U = 1$ weicht deutlich ab. Die Grenzfrequenz zeigt ansonsten sowohl bei der Betrags- als auch bei der Phasenmessung einen ähnlichen Verlauf: Mit sinkender Verstärkung scheint die Grenzfrequenz auf einen Wert von etwa 1,32 MHz zu laufen. Dieser Wert passt sehr gut zum Datenblattwert von 1 MHz [8]

In Kap. 6 wird der Frequenzgang und der Phasengang eines Operationsverstärkers ausgehend von der Ersatzschaltung eines idealen Verstärkers mit drei nachgeschalteten Tiefpässen diskutiert. Dabei stehen Stabilitätsbetrachtungen im Vordergrund. Aus diesem Grund werden in Kap. 6 Operationsverstärker mit drei Grenzfrequenzen betrachtet.

Tab. 5.14 Bestimmung der Grenzfrequenz für den gemessenen Operationsverstärker TL062 aus den in Abb. 5.38 und 5.39 gezeigten Messungen

Spannungsverstärkung V_U	Gemessene Bandbreite $f_{G,B}$ (Betragskurve)	Verstärkungs-Bandbreitenprodukt GBW_B (Betragskurve)	Gemessene Bandbreite $f_{G,Ph}$ (Phasengang)	Verstärkungs-Bandbreitenprodukt GBW_{Ph} (Phasenkurve)
1	3,45 MHz	3,45 MHz	1,016 MHz	1,016 MHz
11	102,9 kHz	1,132 MHz	94,9 kHz	1,044 MHz
34	35,1 kHz	1,193 MHz	35,5 kHz	1,207 MHz
101	13,36 kHz	1,349 MHz	12,69 kHz	1,282 MHz
334	3,99 kHz	1,333 MHz	3,934 kHz	1,314 MHz

5.9 Ausgangswiderstand

Operationsverstärker haben häufig einen relativ hohen Ausgangswiderstand. Beim Standard-OP µA741 ist der Ausgangswiderstand des OPs mit 75 Ω recht hoch [14]. Die Rückkopplung des OPs bewirkt eine Nachregelung der Ausgangsspannung. Dadurch wird der effektiv wirksame Ausgangswiderstand drastisch reduziert und kann sehr niedrige Werte erreichen. Auch das ist ein positiver Effekt, der sich aufgrund der Rückkopplung ergibt.

5.9.1 Theorie

Für die Bestimmung des wirksamen Ausgangswiderstands wird zunächst in das Kleinsignal-Ersatzschaltbild gewechselt. Der Operationsverstärker wird als nichtinvertierender Verstärker mit der Eingangsspannung $u_D = 0$ V betrachtet. Die Schaltung ist in Abb. 5.40 dargestellt.

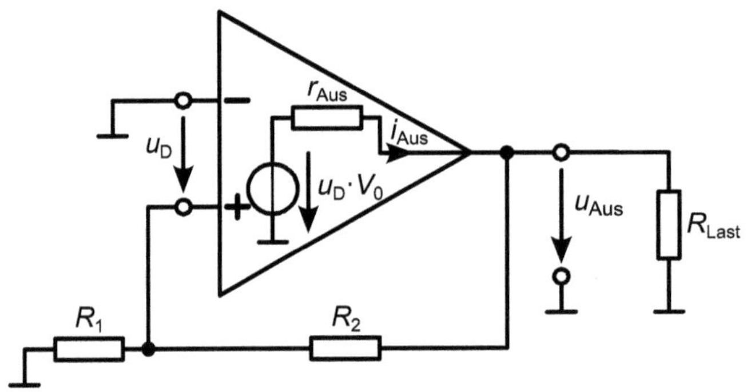

Abb. 5.40 Operationsverstärkerschaltung zur Bestimmung des Ausgangswiderstandes

Tab. 5.15 Elektrisch wirksamer Ausgangswiderstand $r_{Aus,Eff}$ für den OP µA741

f	V_0 logarithmisch	V_0 linear	$r_{Aus,Eff}$
1 Hz	10 6dB	200 000	0,75 mΩ
10 Hz	98 dB	80 000	1,9 mΩ
100 Hz	78 dB	8 000	19 mΩ
1 kHz	58 dB	800	0,19 Ω
10 kHz	38 dB	80	1,8 Ω
100 kHz	20 dB	10	12,5 Ω
1 MHz	0 dB	1	50 Ω

Der Operationsverstärker wird durch eine Spannungsquelle mit nachgeschaltetem Innenwiderstand r_{Aus} beschrieben. Am Ausgang der Schaltung befindet sich ein Lastwiderstand R_{Last}, der zur Masse geschaltet ist. Die Spannung u_{Aus} am Ausgang des Operationsverstärkers ist:

$$u_{Aus} = V_0 \cdot u_D - i_A \cdot r_{Aus}.$$

Für die Eingangsdifferenzspannung u_D gilt mit der Spannungsteilerformel:

$$u_D = -u_{Aus} \cdot \frac{R_1}{R_1 + R_2}.$$

Diese Gleichung wird in die obere Gleichung eingesetzt:

$$u_{Aus} = V_0 \cdot \left(-u_{Aus} \cdot \frac{R_1}{R_1 + R_2}\right) - i_{Aus} \cdot r_{Aus}$$

$$\Longleftrightarrow \quad u_{Aus} \cdot \left(1 + V_0 \cdot \frac{R_1}{R_1 + R_2}\right) \cdot \frac{1}{r_{Aus}} = -i_{Aus}.$$

Für den effektiven Ausgangswiderstand $r_{Aus,Eff}$ des Operationsverstärkers gilt allgemein im Erzeugerzählpfeilsystem:

$$r_{Aus,Eff} = -\frac{u_{Aus}}{i_{Aus}}.$$

Durch Einsetzen des Stromes i_{Aus} und Kürzen durch die Spannung u_{Aus} folgt für den Ausgangswiderstand:

$$r_{Aus,Eff} = \frac{1}{\left(1 + V_0 \cdot \frac{R_1}{R_1+R_2}\right) \cdot \frac{1}{r_{Aus}}}$$

$$\Longleftrightarrow \quad r_{Aus,Eff} = \frac{r_{Aus}}{1 + V_0 \cdot \frac{R_1}{R_1+R_2}}. \tag{5.32}$$

Diese Gleichung besagt, dass der interne Kleinsignal-Ausgangswiderstand r_{Aus} des Operationsverstärkers durch die Rückkopplung weiter verringert wird. Diese Gleichung wurde für das Beispiel des nichtinvertierenden Verstärkers bestimmt. Sie gilt aber auch für die anderen Verstärkerschaltungen, beispielsweise den invertierenden Verstärker.

Am Beispiel des Operationsverstärkers µA741 soll dieses Verhalten verdeutlicht werden. Im Datenblatt des OPs ist der Ausgangswiderstand ($r_{Aus} = 75\ \Omega$) und die Verstärkung in Abhängigkeit der Frequenz dargestellt, s. Abb. 5.41, nach [14].

Der elektrisch wirksame Widerstand nach Gl. (5.32) der OP-Schaltung ist für einen nichtinvertierenden Verstärker mit $R_1 = R_2 = 1\ \text{k}\Omega$ in Tab. 5.15 zusammengestellt.

In der Beschaltung mit Rückkopplung, verhält sich die OP-Schaltung so, wie ein Verstärker mit einem sehr viel geringeren Ausgangswiderstand als real vorhanden ist.

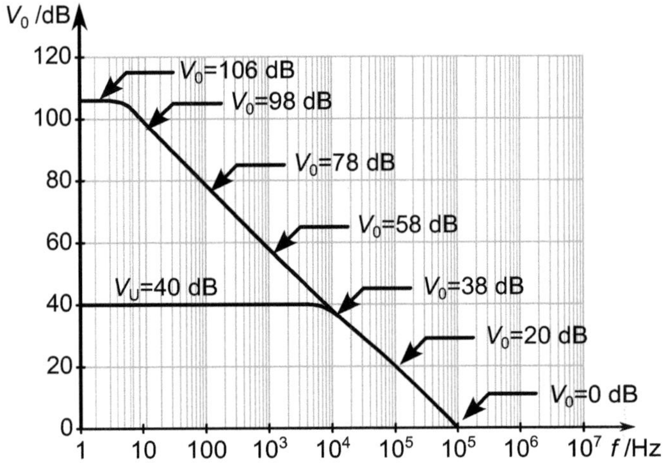

Abb. 5.41 Leerlaufverstärkung des µA741 in Abhängigkeit der Frequenz, nach [14]

Maximal steigt der Ausgangswiderstand auf den Datenblattwert $r_{\text{Aus}} = 75\ \Omega$ an, liegt aber bei niedrigen Frequenzen im Milliohmbereich.

Mit wachsender Frequenz steigt der Ausgangswiderstand der Schaltung an. Das kann mit einer Ersatzschaltung aus einer Induktivität und zwei Widerständen beschrieben werden. Die beiden Widerstände bilden näherungsweise den minimalen und den maximale Ausgangswiderstand ab. Damit ergibt sich für den Ausgangswiderstand die Ersatzschaltung aus Abb. 5.42.

Der Widerstand R_{A} ist durch den maximalen Widerstand gegeben, den der Ausgangswiderstand erreicht: $R_{\text{A}} = 75\ \Omega$.

Der Widerstand R_{B} ergibt sich näherungsweise aus dem minimalen Widerstand, der in diesem Fall durch den Ausgangswiderstand r'_{Aus} bei 1 Hz gegeben ist. Diese Frequenz liegt unterhalb der Tiefpassgrenzfrequenz von 6 Hz für den µA741. Insbesondere bei kapazitiver Belastung am Ausgang sind einige weitere Punkte zu beachten, s. beispielsweise [20].

Abb. 5.42 Ersatzschaltbild des elektrisch wirksamen Ausgangswiderstands $r_{\text{Aus,Eff}}$

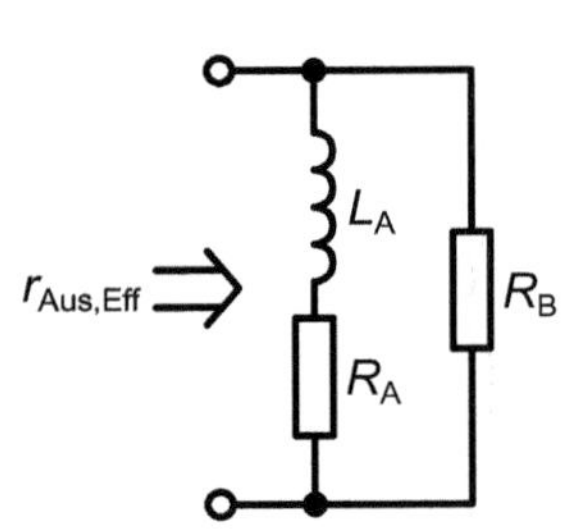

Im abfallenden Bereich der Verstärkungskennlinie steigt der Ausgangswiderstand an. Dieser Abfall wird durch die Induktivität L_B beschrieben. Der Wert der Induktivität kann im unteren Drittel der Kennlinie bestimmt werden und ergibt sich über $X_L = \omega L_B$ zu $L_B = 30\ \mu H$.

Näherungsweise ergibt sich der elektrisch wirksame Ausgangswiderstand der OP-Schaltung aus der Parallelschaltung des Widerstands R_A mit der Reihenschaltung aus L_B und R_B.

Wichtig ist hier der Hinweis, dass sich der Ausgang der OP-Schaltung elektrisch gesehen wie eine Induktivität verhält. Das bedeutet, dass eine Kapazität am Ausgang des Operationsverstärkers vermieden werden sollte. Die Kapazität kann zusammen mit der elektrisch wirksamen Induktivität einen Schwingkreis bilden und so ungewollte Oszillationen erzeugen. Dieses Thema wird in diversen Application Notes behandelt.

Schließlich soll noch daraufhin gewiesen werden, dass der niedrige Ausgangswiderstand der Schaltung insbesondere durch einen niedrigen Verstärkungswert V_U erreicht wird. Im Beispiel für Tab. 5.15 mit $V_U = 2$ können Ausgangswiderstände von wenigen Milliohm erzielt werden. Wenn die Verstärkung angehoben wird, steigt gleichzeitig auch der Ausgangswiderstand an. So wird z. B. bei einer Verstärkung $V_U = 2000$ für den µA741 ein elektrisch wirksamer Ausgangswiderstand von 0,74 Ω anstelle von 0,75 mΩ erreicht.

5.9.2 Messtechnik

Der in der Schaltung wirksame Ausgangswiderstand kann nur indirekt bei Variation des Lastwiderstands gemessen werden. Hier ist das entscheidende Problem, dass der wirksame Ausgangswiderstand natürlich nicht in echt vorhanden ist, sondern sich insbesondere durch die Rückkopplung des Ausgangs auf den Eingang ergibt. Als Messprinzip wird ausgenutzt, dass sich die Ausgangsspannung bei Belastung mit einem Widerstand reduziert. Dieses Messprinzip ist in Abb. 5.43 dargestellt. Wenn der effektive Ausgangswiderstand $r_{Aus,Eff}$ und der Lastwiderstand R_{Last} deutlich niederohmiger als die Rückkopplungswiderstände R_1 und R_2 sind, ergibt sich ein Spannungsteiler mit $r_{Aus,Eff}$ und R_{Last}. In einer ersten Messung wird die Ausgangsspannung ohne Belastung, also ohne R_{Last}, gemessen:

$$U_{Aus,1} = u_0. \tag{5.33}$$

Diese Spannung entspricht dann der internen Spannungsquelle u_0. In der zweiten Messung wird R_{Last} angeschlossen und wieder die Ausgangsspannung gemessen, s. Abb. 5.43. Hier ergibt sich ein Spannungsteiler mit dem effektiven Innenwiderstand $r_{Aus,Eff}$ und dem Lastwiderstand R_{Last}. Als Abkürzung wird für die interne Spannungsquelle das Formelzeichen u_0 verwendet. Mit der Berechnung des Spannungsteilers gilt für die zweite Messung:

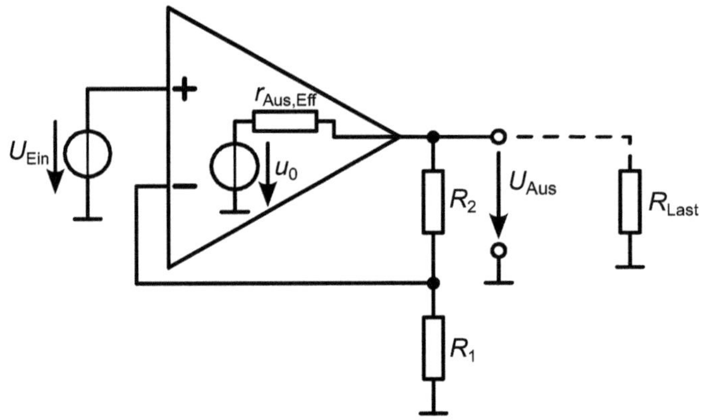

Abb. 5.43 Nichtinvertierender Verstärker mit Rückkopplungswiderständen und optionalen Lastwiderstand R_{Last}, s. Text

Tab. 5.16 Rauschspannung und Rauschstrom von verschiedenen Operationsverstärkern, nach [3, 6, 13, 15, 16]

Operationsverstärker	OP177	NE5532	µA741	TLC2272	LMV358
Eingangsrauschspannung $\overline{u}^*_{N,OP,Ein}$	$10\text{nV}/\sqrt{\text{Hz}}$	$12\text{nV}/\sqrt{\text{Hz}}$	$13\text{nV}/\sqrt{\text{Hz}}$	$25\text{nV}/\sqrt{\text{Hz}}$	$46\text{nV}/\sqrt{\text{Hz}}$
Eingangsrauschstrom $\overline{i}^*_{N,OP,Ein}$	$0{,}3\text{pA}/\sqrt{\text{Hz}}$	$0{,}7\text{pA}/\sqrt{\text{Hz}}$	$2\text{pA}/\sqrt{\text{Hz}}$	$1\text{fA}/\sqrt{\text{Hz}}$	$0{,}17\text{pA}/\sqrt{\text{Hz}}$

$$U_{Aus,2} = u_0 \cdot \frac{R_{Last}}{R_{Last} + r_{Aus,Eff}}. \tag{5.34}$$

Hier wird Gl. (5.33) eingesetzt. Nach Umstellung der Gleichung kann der effektive Ausgangswiderstand bestimmt werden:

$$r_{Aus,Eff} = R_{Last} \cdot \frac{u_0 - U_{Aus,2}}{U_{Aus,2}}. \tag{5.35}$$

Über diese Gleichung kann aus den beiden Messungen der effektive Ausgangswiderstand des Operationsverstärkers bestimmt werden.

Da die Messung frequenzabhängig erfolgen soll, wird als Eingangssignal ein sinusförmiges Wechselsignal verwendet. Der Ausgangsstrom des Operationsverstärkers ist begrenzt, sodass für den Lastwiderstand ein Widerstandswert im Bereich von etwa 220 Ω bis 1 kΩ verwendet werden muss. Das erfordert eine sehr hohe Messgenauigkeit bei der Amplitudenmessung. Eine beispielhafte Messung ist in Abb. 5.44 für den Operationsverstärker TL062 gezeigt. Die Ausgangsspannung im linken und rechten Teilbild ist praktisch

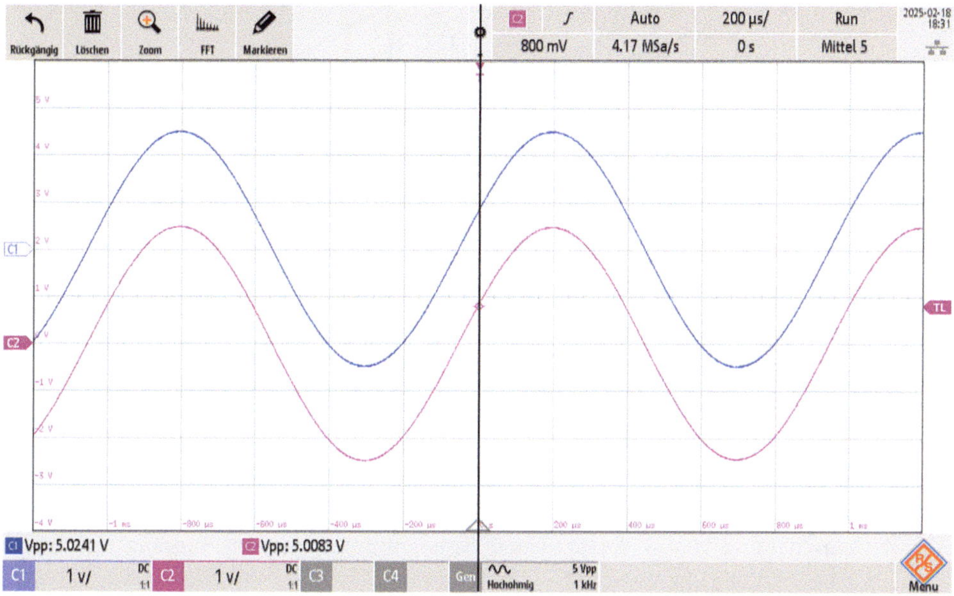

Abb. 5.44 Messung eines nichtinvertierenden Verstärkers mit einem sinusförmigen Signal mit einer Frequenz von 1 kHz. Als Operationsverstärker wird hier ein TL062 mit einer Spannungsverstärkung $V_{\mathrm{U}} = +1$ verwendet. Die linken Hälfte ist die Messung ohne Lastwiderstand, die rechte Hälfte wurde mit einem Lastwiderstand von 330 Ω gemessen, s. Text

identisch. Für eine Frequenz von 1 kHz und eine Spannungsverstärkung von +1 ergibt sich aus dieser Messung ein effektiver Ausgangswiderstand von 2,53 Ω. Dieser Wert ist im Vergleich zur Theorie deutlich zu hoch. Als theoretischer Wert ergibt sich ein Wert von etwa 0,1 Ω. Dabei wurden die folgenden Werte für den OP TL06 verwendet: Ausgangswiderstand 60 Ω, Leerlaufverstärkung V_0 6000 bei einer Frequenz von 1 kHz. Hier ist anzumerken, dass die Leerlaufverstärkung des TL062 mit 6000 bei niedrigen Frequenzen relativ niedrig ist. Das sollte die Messung des effektiven Ausgangswiderstands eigentlich gut ermöglichen. Wie man den Messdaten entnehmen kann, ist die messtechnische Bestimmung jedoch praktisch nicht möglich.

5.10 Ausgangsstrom

In der Regel können Operationsverstärker Ausgangsströme von etwa 10 bis 20 mA liefern. Natürlich gibt es auch OPs mit deutlich höherem Ausgangsstrom, zum Teil bis zu 1 A. Manchmal wird ein Strom benötigt, der nur wenig über dem zulässigen Limit liegt. In diesem Fall besteht bei vielen Operationsverstärkern die Möglichkeit, die Ausgänge über sog. Balance-Widerstände parallel zu schalten, s. Abb. 5.45. Dabei muss jedoch beachtet

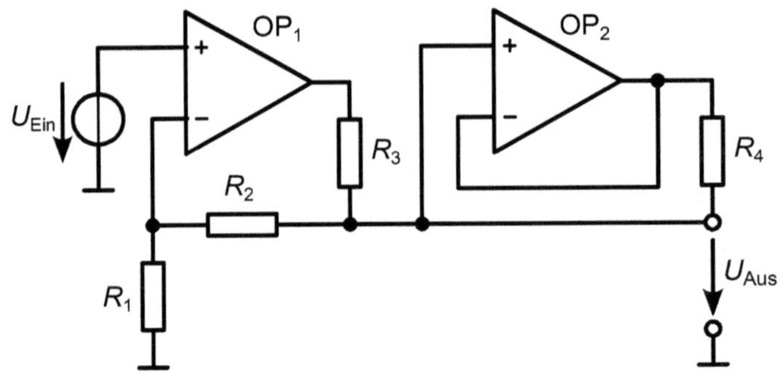

Abb. 5.45 Parallelschaltung von mehreren OPs zur Erhöhung des Ausgangsstroms nach [19]

werden, dass ein Reihenwiderstand von bis zu 50 Ω die nachfolgende Schaltung nicht stört. Der linke OP gleicht den Spanungsabfall am Balance-Widerstand aus, der rechte Operationsverstärker ist als nichtinvertierender Verstärker mit $V_U = +1$ beschaltet [19]. Eine Reihenschaltung aus Widerstand und Kondensator zwischen Ausgang und Masse reduziert mögliche Oszillationen.

Eine weitere Möglichkeit besteht darin, diskrete Transistoren für einen höheren Ausgangsstrom zu verwenden,. s. Abschn. 4.4.

5.11 Virtuelle Masse

Bisher wurde angenommen, dass die virtuelle Masse einen Wert von 0 V annimmt. Das ist jedoch nur der Fall, wenn die Verstärkung in guter Näherung praktisch unendlich ist. Betrachtet wird dazu der invertierende Verstärker, der auch bereits in Kap. 4 verwendet wurde. Diese Verstärkerschaltung ist hier noch einmal dargestellt, s. Abb. 5.46.

Sinkt die Leerlaufverstärkung V_0 des Operationsverstärkers, ergibt sich für die virtuelle Masse grundsätzlich ein Spannungswert, der von 0 V abweicht. Diese reduzierte Leerlaufverstärkung entsteht bei einer höheren Signalfrequenz. In Abb. 5.46 ist als Größe die Spannungsdifferenz U_D zwischen nichtinvertierenden und invertierenden Eingang dargestellt. Für diese OP-Schaltung gilt die grundlegende OP-Gleichung, die bereits in Abschn. 4.3 angegeben wurde:

$$U_{Aus} = V_0 \cdot \left(U_{Pos} - U_{Neg}\right) = V_0 \cdot U_D. \qquad \text{(Wdh.)}$$

Weiter gilt im Schaltbild von Abb. 5.46 unter Beachtung der Pfeilrichtung der Spannung U_D:

$$U_{Ein} - I_1 \cdot R_1 = -U_D \iff U_D = -U_{Ein} + I_1 \cdot R_1 \qquad (5.36)$$

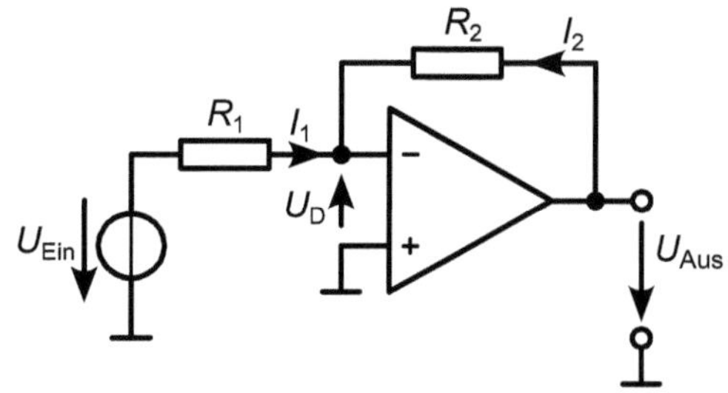

Abb. 5.46 Invertierender Verstärker als Beispielschaltung

und

$$U_{Aus} = -U_D + I_2 \cdot R_2 \tag{5.37}$$

Da der Operationsverstärker einen vernachlässigbaren Eingangsstrom hat, gilt $I_1 = -I_2$. Damit wird der Strom I_1 in der vorstehenden Gleichung ersetzt. Durch Umstellen von Gl. (5.37) nach I_1 ergibt sich:

$$U_{Aus} = -U_D + I_2 \cdot R_2 = -U_D - I_1 \cdot R_2 \iff I_1 = -\frac{U_{Aus} + U_D}{R_2} \tag{5.38}$$

Gl. (5.38) wird nun in Gl. (5.36) eingesetzt:

$$U_D = -U_{Ein} - \frac{U_{Aus} + U_D}{R_2} \cdot R_1. \tag{5.39}$$

Hier wird nun die Gleichung $U_{Aus} = V_0 \cdot U_D$ eingesetzt. Es folgt:

$$U_D = -U_{Ein} - \frac{V_0 \cdot U_D + U_D}{R_2} \cdot R_1 \iff U_D + \frac{V_0 \cdot U_D + U_D}{R_2} \cdot R_1 = -U_{Ein}$$
$$\iff U_D \cdot \left(1 + \frac{V_0 + 1}{R_2} \cdot R_1\right) = -U_{Ein} \iff U_D = -U_{Ein} \cdot \frac{R_2}{R_1 + R_2 + V_0 \cdot R_1} \tag{5.40}$$

Mit dieser Gleichung kann für die Schaltung des invertierenden Operationsverstärkers die Differenzspannung U_D und damit die negative Spannung der virtuellen Masse berechnet werden. Dazu ist die Pfeilrichtung der Spannung U_D in Abb. 5.46 zu beachten!

Die Schaltung des invertierenden Verstärkers wurde bereits in Abschn. 4.3 gezeigt. An dieser Schaltung wird die Spannung am invertierenden Eingang – also die virtuelle Masse – gemessen, Schaltung s. Foto in Abb. 5.47.

In den Abb. 5.48 bis 5.51 sind Messungen des invertierenden Verstärkers für verschiedene Leerlaufverstärkungen des Operationsverstärkers TL062 dargestellt. Die Variation der Leerlaufverstärkung gelingt sehr einfach durch unterschiedliche Signalfrequenzen für das eingespeiste Sinussignal. Laut Datenblatt beträgt die Leerlaufverstärkung bei 1 kHz

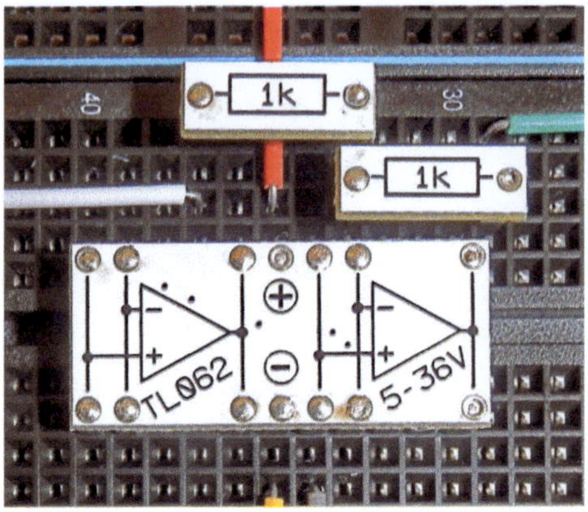

Abb. 5.47 Foto des Schaltungsaufbaus des invertierenden Verstärkers auf dem Steckbrett. Der Einkoppel- und der Rückkoppelwiderstand sind jeweils 1 kΩ

1000 und geht bis 1 MHz auf 1 zurück [8]. Neben dem Eingangs- und Ausgangssignal wurde für die Abb. 5.48 bis 5.51 auch die virtuelle Masse – also die Spannung am invertierenden Eingang des Operationsverstärkers – gemessen.

Für die erste Abb. 5.48 beträgt die Frequenz des eingespeisten Sinussignals 1 kHz. Als Amplitude wurde hier – wie auch bei den folgenden Abbildungen – 2 V eingestellt. Bei dieser Frequenz beträgt die Leerlaufverstärkung des TL062 etwa 1000. Das Ausgangssignal scheint wie erwartet genau das invertierte Eingangssignal zu sein. Die Spannung am

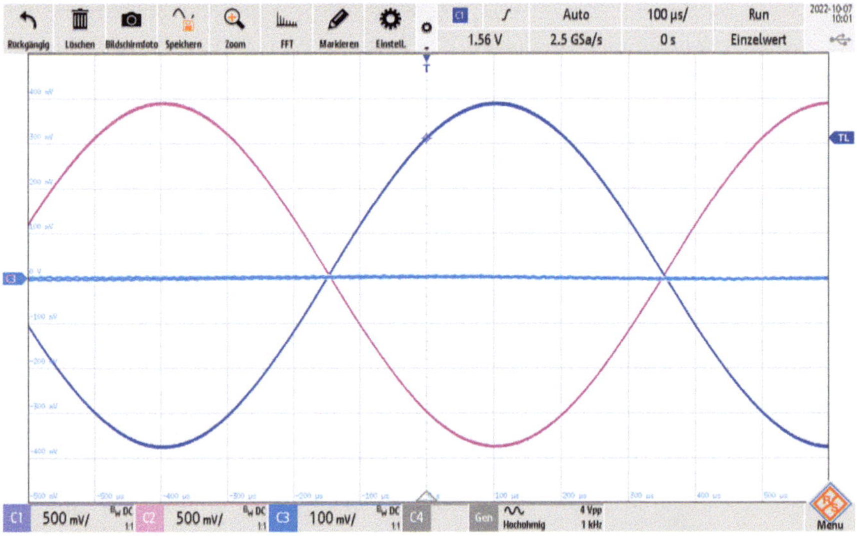

Abb. 5.48 Messung des invertierenden Verstärkers mit einem sinusförmigen Eingangssignal mit einer Frequenz von 1 kHz und einer Amplitude von 2 V. Dargestellt ist das Eingangssignal (dunkelblau), das Ausgangssignal (pink) und die Spannung am invertierenden Eingang (hellblau)

invertierenden Eingang des Operationsverstärkers zeigt Rauschen bzw. Oszillationen mit einem Spannungspegel unter 10 mV. Rechnerisch ergibt sich mit Gl. (5.40) eine maximale Differenzspannung U_D von etwa 1,996 mV.

Für Abb. 5.49 wurde die Frequenz des Eingangssignals auf 10 kHz erhöht. Der Rest ist gegenüber Abb. 5.48 unverändert geblieben. Deutlich ist sichtbar, dass die virtuelle Masse hier durch das Eingangssignal beeinflusst wird. Die Amplitude der Spannung am invertierenden Eingang beträgt etwa 10 mV. Gleichzeitig ist eine Phasenverschiebung von etwa 90° sichtbar. Das Ausgangssignal des invertierenden Verstärkers sieht nach Augenschein noch recht gut aus. Wenn man das Messergebnis genauer betrachtet, erkennt man, dass die Nulldurchgänge des Eingangs- und Ausgangssignal ein klein wenig verschoben sind. Das deutet daraufhin, dass das Ausgangssignal gegenüber der Messung bei 1 kHz eine geringe additive Phasenverschiebung aufweist. Die Berechnung mit Gl. (5.40) ergibt für eine Leerlaufverstärkung von 100 eine maximale Differenzspannung von 19,6 mV. Dieser Wert entspricht sehr genau dem Ablesewert von ca. 20 mV.

Im nächsten Schritt wird die Signalfrequenz auf 10 kHz erhöht. Damit sinkt die Leerlaufverstärkung des verwendeten Operationsverstärkers TL062 auf 10. Das Messergebnis ist in Abb. 5.50 gezeigt. Deutlich ist zu erkennen, dass die virtuelle Masse einen ausgeprägten Spannungsverlauf zeigt. Die berechnete maximale Spannungsamplitude beträgt 167 mV. Der Verlauf der virtuellen Masse zeigt einige Auslenkungen, insbesondere zu

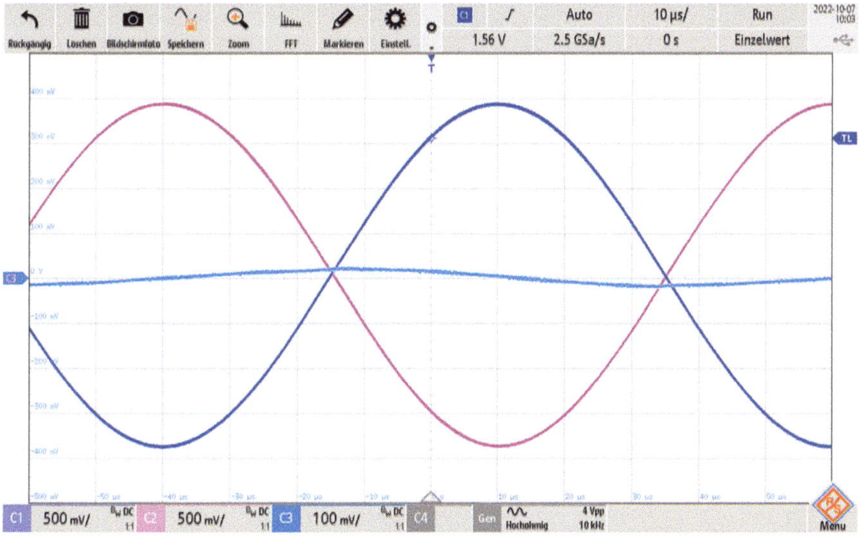

Abb. 5.49 Messung des invertierenden Verstärkers mit einem sinusförmigen Eingangssignal. Gegenüber Abb. 5.48 wurde die Frequenz auf 10 kHz erhöht. Die Spannungsamplitude ist unverändert bei 2 V. Dargestellt ist das Eingangssignal (dunkelblau), das Ausgangssignal (pink) und die Spannung am invertierenden Eingang (hellblau)

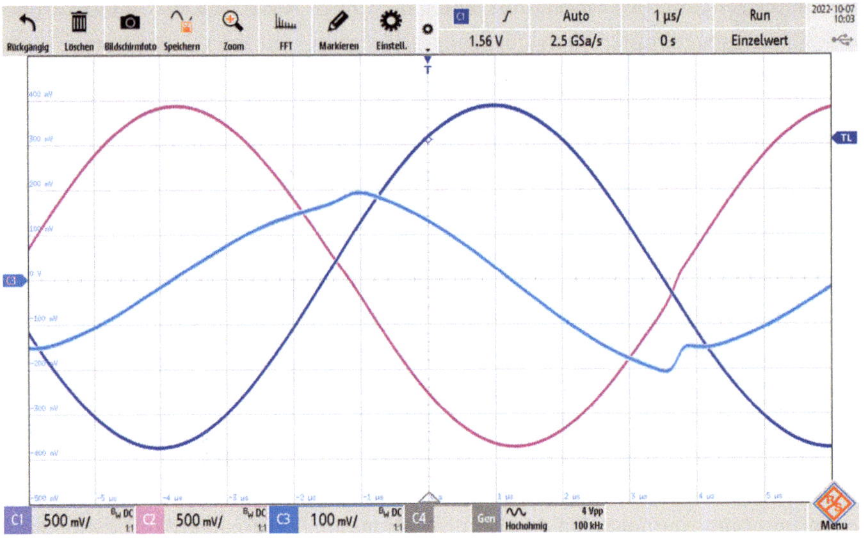

Abb. 5.50 Messung des invertierenden Verstärkers mit einem sinusförmigen Eingangssignal. Gegenüber Abb. 5.49 wurde die Frequenz auf 100 kHz erhöht. Die Spannungsamplitude ist unverändert bei 2 V. Dargestellt ist das Eingangssignal (dunkelblau), das Ausgangssignal (pink) und die Spannung am invertierenden Eingang (hellblau)

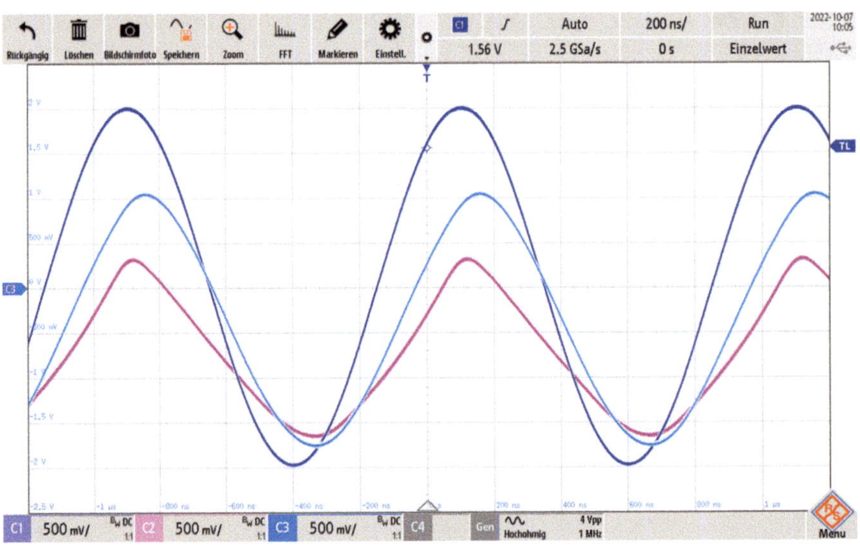

Abb. 5.51 Messung des invertierenden Verstärkers mit einem sinusförmigen Eingangssignal. Gegenüber Abb. 5.50 wurde die Frequenz auf 1 MHz erhöht. Die Spannungsamplitude ist unverändert bei 2 V. Dargestellt ist das Eingangssignal (dunkelblau), das Ausgangssignal (pink) und die Spannung am invertierenden Eingang (hellblau)

den Zeitpunkten, bei denen die Eingangsspannung das Vorzeichen wechselt. Bei diesen Störungen steigt die Spannung der virtuellen Masse kurzzeitig auf fast 200 mV an. Ohne diese Störungen scheinen die berechneten 167 mV durchaus plausibel zu sein. Für eine Signalfrequenz von 100 kHz scheint die Ausgangsamplitude immer noch ausreichend hoch zu sein. Nach Augenschein werden am Ausgang immer noch 2 V Amplitude erreicht, auch wenn die virtuelle Masse "kräftig arbeitet". Durch die Nulldurchgänge wird jedoch deutlich, dass es zu einer additiven Phasenverschiebung des Ausgangssignals kommt. Aus der zeitlichen Verschiebung von 0,4 μs folgt mit der Frequenz von 100 kHz eine zusätzliche Phasenverschiebung von 14,4°. Verwendet man diese Phasenverschiebung für den klassischen Tiefpass folgt daraus eine Amplitude, die nur noch 97 % des ursprünglichen Wertes beträgt. Für Abb. 5.50 sollte die Ausgangsamplitude demnach bei 1,94 V liegen – was durchaus der Messung entspricht.

Der Vollständigkeit halber wurde die Signalfrequenz für das Eingangssignal auf 1 MHz erhöht, s. Abb. 5.51. Die Leerlaufverstärkung liegt jetzt bei 1. Rein rechnerisch ergibt sich eine maximale Spannung U_D von 667 mV. Die Messung zeigt jedoch einen Wert, von etwa 1 V (positiver Spannungsbereich) bzw. $-1{,}7$ V (negativer Spannungsbereich). Zudem ist sichtbar, dass das Ausgangssignal sehr stark verzerrt ist und bei dieser Frequenz schon sehr dreieckförmig verläuft.

5.12 Rauschen

Rauschen bezeichnet die statistische Schwankung eines Spannungswertes um einen Mittelwert herum. Zur Beschreibung sind statistische Größen insbesondere der Spannungs- bzw. Stromquadrate nötig. Rauschen tritt bei allen Messgeräten und Anwendungen auf. Ein typisches Rauschsignal entsteht bei älteren Radios, wenn die Frequenz nicht auf einen Sender eingestellt ist.

Ursache des Rauschens sind stochastische Schwankungen, die z. B. durch die thermische Bewegung von Ladungsträgern in Leitern und Halbleitern (thermisches Rauschen) oder die endliche Größe der elektrischen Elementarladung (Schrotrauschen) bewirkt werden. Für Operationsverstärker als Halbleiterelement gibt es im Wesentlichen fünf Rauschsignale [21].

Schrotrauschen entsteht bei Stromfluss über pn-Übergänge, da es mit dem Elektron eine diskrete Mindestladungsmenge gibt. Insbesondere bei sehr geringen Strömen kann dieser Rauscheffekt auftreten. Das Rauschsignal hat über einen großen Frequenzbereich die gleiche Amplitude. Der zweite Rauscheffekt ist thermisches Rauschen. Ursache ist die ungerichtete Bewegung von Ladungsträgern aufgrund der thermischen Energie. Eine genauere Beschreibung erfolgt im nächsten Abschnitt. Ein weiterer Rauschanteil ist das sog. $1/f$-Rauschen. Hier sind die Rauschanteile bei niedrigen Frequenzen hoch. Proportional zur Frequenz sinken die Rauschanteile. Die beiden letzten Rauschanteile entstehen durch Störstellen („burst noise") oder in Zenerdioden durch den Lawineneffekt

(„avalanche noise"). Für eine komplette Beschreibung des Rauschverhaltens müssen die Rauschanteile quadratisch addiert werden. Da eine genaue Beschreibung jedoch sehr aufwendig ist, werden hier kurz das thermische Rauschen und ein Rauschersatzschaltbild angesprochen. Für eine genaue Analyse ist es insbesondere beim Thema Rauschen sehr empfehlenswert auf Spice-Simulationen zurückzugreifen. Hier wird das Rauschen meist gut beschrieben. Dazu kommt, dass es in der Praxis mit einem Oszilloskop schwierig ist, dass Rauschen alleine zu beurteilen. Häufig kann mit einem Oszilloskop nur festgestellt werden, dass das gewünschte Signal durch Rauschanteile mehr oder weniger stark verzerrt wird. Hier ist dann der Einsatz eines Spice-Simulators sehr empfehlenswert.

5.12.1 Thermisches Rauschen

Für thermisches Rauschen gilt: In einem Leiter oder Halbleiter bewegen sich die Ladungsträger aufgrund ihrer thermischen Energie. Es entsteht eine statistisch schwankende Aufladung und damit eine Spannung, die ohne elektrisches Feld im Mittel 0 V ist, s. Abb. 5.52.

Die auftretende Spannung kann nicht als Zahlenwert beschrieben werden, vielmehr muss die Beschreibung über stochastische Eigenschaften erfolgen, da der exakte Verlauf der Spannung nicht vorbestimmt ist, sondern nur Aussagen über Mittelwerte getroffen werden können.

Der Effekt des thermischen Rauschens ist proportional zur Temperatur und verschwindet bei 0 K (absoluter Nullpunkt). Das thermische Rauschen ist proportional zum untersuchten Frequenzbereich. Das bedeutet, dass ein großer Frequenzbereich zu einer größeren Rauschleistung führt als ein schmaler Frequenzbereich. Diese Eigenschaft ist u. a. für Funkempfänger sehr wichtig.

Für das mittlere Schwankungsquadrat (den Effektivwert) der Rauschspannung gilt:

$$\overline{u}_{\mathrm{N}}^{2} = 4kTR \cdot \Delta f. \tag{5.41}$$

Dabei ist k die Boltzmann-Konstante ($k = 1{,}38 \cdot 10^{-23}\,\frac{\mathrm{J}}{\mathrm{K}}$), T die absolute Temperatur, R der Widerstandswert des rauschenden Widerstands und Δf der betrachtete Frequenzbereich. Mit der Gleichung

$$P = \frac{U^2}{R}$$

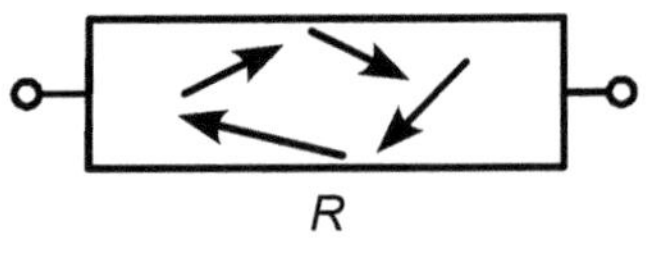

Abb. 5.52 Zufällige Ladungsträgerbewegung aufgrund der thermischen Energie

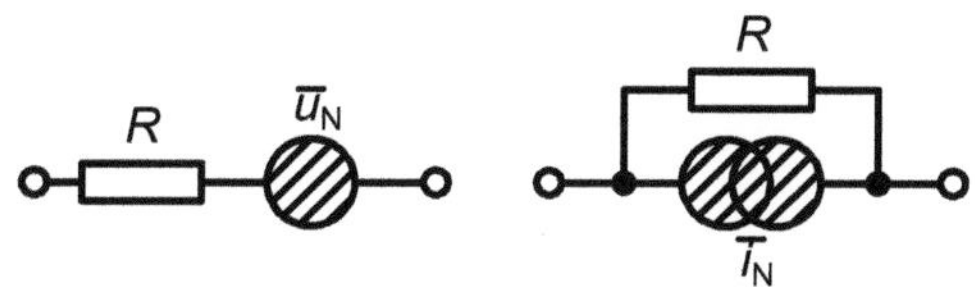

Abb. 5.53 Ersatzschaltbild eines rauschenden Widerstands (links Reihenschaltung mit Rauschspannungsquelle, rechts Parallelschaltung mit Rauschstromquelle). Da die Rauschquellen keine Richtung haben, entfällt hier auch der Spannungs- bzw. Strompfeil

folgt für die Rauschleistung:

$$P_N = 4kT \cdot \Delta f. \tag{5.42}$$

Das thermische Rauschen ist unabhängig von der Frequenz und wird als „weißes Rauschen" bezeichnet. Das bedeutet, dass die Rauschspannung bzw. Rauschleistung bei jeder Frequenz gleich groß ist. Damit kann die Rauschleistung auf die Frequenz bezogen werden und ergibt sich zu:

$$\frac{dP_N}{df} = 4kT. \tag{5.43}$$

Ein rauschender Widerstand wird im Ersatzschaltbild als Reihenschaltung aus Widerstand und Rauschspannungsquelle oder als Parallelschaltung aus Widerstand und Rauschstromquelle dargestellt, s. Abb. 5.53. Die Rauschquellen sind schraffiert gezeichnet.

Wird an den rauschenden Widerstand R ein (rauschfreier) Lastwiderstand R_{Last} angeschlossen, kann die Rauschleistung berechnet werden, die im Lastwiderstand umgesetzt wird, s. Abb. 5.54.

Die Rauschspannung bewirkt einen Strom, der durch R und R_{Last} fließt:

$$i_{R_{Last}} = \frac{\overline{u}_N}{R + R_{Last}}.$$

Für die durch thermisches Rauschen erzeugte Spannung an R_{Last} gilt:

$$u_{R_{Last}} = i_{R_{Last}} \cdot R_{Last}.$$

Abb. 5.54 Rauschender Widerstand R und Lastwiderstand R_{Last}

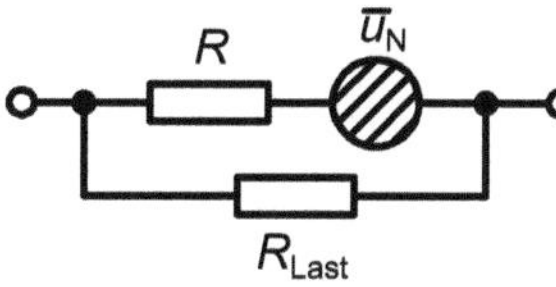

Die Rauschleistung, die im Widerstand R_{Last} umgesetzt wird, berechnet sich mit $P = UI$ zu

$$P_{R_{\mathrm{Last}}} = P_{\mathrm{N}} = \frac{\overline{u}_{\mathrm{N}}^2}{(R + R_{\mathrm{Last}})^2} \cdot R_{\mathrm{Last}}. \tag{5.44}$$

Die im Lastwiderstand R_{Last} umgesetzte Rauschleistung wird maximal, wenn beide Widerstände den gleichen Wert haben: $R_{\mathrm{Last}} = R$ (Leistungsanpassung). In diesem Fall wird die mittlere Rauschspannung $\overline{u}_{\mathrm{N}}$ halbiert. Gleichzeitig erreicht die Rauschleistung am Lastwiderstand damit ein Viertel der vom Widerstand R abgegebenen Rauschleistung. Dieser Wert wird deshalb als verfügbare Rauschleistung bezeichnet:

$$P_{\mathrm{V}} = \frac{P_{\mathrm{N}}}{4} = kT \cdot \Delta f. \tag{5.45}$$

Bezogen auf die Bandbreite gilt damit allgemein bzw. bei einer typischen Temperatur von $T = 300$ K:

$$\frac{\mathrm{d}P_{\mathrm{V}}}{\mathrm{d}f} = kT = 4 \cdot 10^{-21} \frac{\mathrm{W}}{\mathrm{Hz}}. \tag{5.46}$$

Umgerechnet auf logarithmische Einheiten (0 dBm entsprechen 1 mW) ergibt sich die verfügbare Rauschleistung bei 300 K zu:

$$\frac{\mathrm{d}P_{\mathrm{V}}}{\mathrm{d}f} = -174 \frac{\mathrm{dBm}}{\mathrm{Hz}}. \tag{5.47}$$

Mithilfe der verfügbaren Rauschleistung wird die Rauschspannung bzw. der Rauschstrom des Widerstands R neu berechnet. Mit $P_{\mathrm{V}} = \frac{\overline{u}_{\mathrm{N}}^2}{R} = kT \cdot \Delta f$ folgt für die Rauschspannung:

$$\overline{u}_{\mathrm{N}} = \sqrt{kT \cdot R \cdot \Delta f} \tag{5.48}$$

mit der Einheit $[\overline{u}_{\mathrm{N}}] = \mathrm{V}/\sqrt{\mathrm{Hz}}$. Analog ergibt sich über $P_{\mathrm{V}} = \overline{i}_{\mathrm{N}}^2 \cdot R = kT \cdot \Delta f$ der Rauschstrom zu

$$\overline{i}_{\mathrm{N}} = \sqrt{\frac{kT}{R} \cdot \Delta f} \tag{5.49}$$

mit der Einheit $\left[\overline{i}_{\mathrm{N}}\right] = \mathrm{A}/\sqrt{\mathrm{Hz}}$.

5.12.2 Verstärkung und Rauschen in einem Operationsverstärker

Jedes aktive Element, das als Verstärker genutzt wird, verstärkt die am Eingang anliegenden Signale (d. h. gewünschtes Eingangssignal und Rauschsignal), addiert jedoch „eigenes Rauschen“ zu den Signalen. Bei Operationsverstärkern wird dieses additive

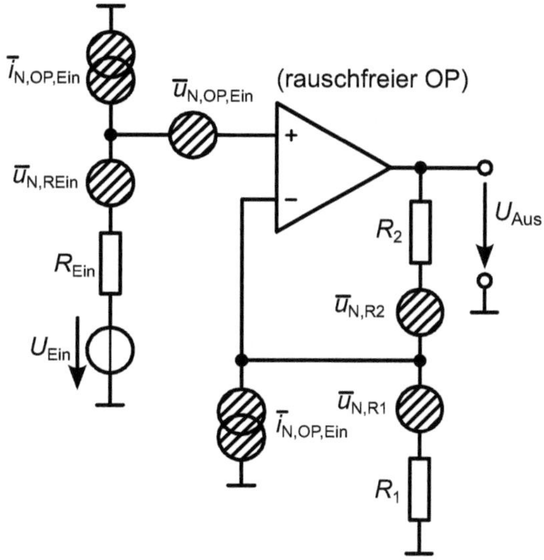

Abb. 5.55 Nichtinvertierender Verstärker mit Rauschquellen

Rauschen durch die mittlere Eingangsrauschspannung $\overline{u}^*_{N,OP,Ein}$ und den mittleren Eingangsrauschstrom $\overline{i}^*_{N,OP,Ein}$ beschrieben. Der hochgestellte Stern deutet darauf hin, dass diese Größen auf die Wurzel der Frequenz bezogen sind. Diese Daten sind üblicherweise im Datenblatt des Operationsverstärkers angegeben, s. Tab. 5.16. In der Regel sind in diesen Rauschgrößen neben thermischem Rauschen weitere Rauschanteile enthalten.

Für eine vollständige Rauschanalyse werden diese Werte als Offsetstrom (an beiden Eingängen) und Offsetspannung berücksichtigt. Gleichzeitig werden auch die (thermisch) rauschenden Widerstände durch Rauschspannungsquellen beschrieben. Als Beispiel ist in Abb. 5.55 ein Operationsverstärker als nichtinvertierender Verstärker mit Rückkopplungs- und Eingangswiderstand mit allen Rauschquellen abgebildet. Diese Schaltung ist auch in den typischen Beschreibungen des Rauschens eines OPs enthalten, s. beispielsweise [18].

Wie man erkennen kann, wird aus der einfachen rauschfreien Schaltung eine komplizierte Schaltung mit insgesamt sieben Quellen. Die genaue Analyse dieser Schaltung erfordert u. a. auch stochastische Verfahren für die Berücksichtigung der Rauschquellen. Deshalb sollte eine Berechnung mit einem Spice-Simulationsprogramm erfolgen.

Für eine schnelle Abschätzung werden die Rauschanteile näherungsweise in einer Eingangsrauschspannung $\overline{u}^*_{N,OP,Ein}$ zusammengefasst. Wenn das Eingangssignal zumindest rauscharm ist, gilt für das Rauschen des Ausgangssignals:

$$\overline{u}^*_{N,OP,Aus} = \overline{u}^*_{N,OP,Ein} \cdot V_{U,Rauschen}. \tag{5.50}$$

Unabhängig davon, ob es sich um einen invertierenden oder nichtinvertierenden Verstärker handelt, wird für das Rauschsignal die Rauschverstärkung $V_{U,Rauschen}$ verwendet.

Der Grund ist, dass für die Berücksichtigung des Ausgangsrauschens die Schaltungseingänge auf Masse gelegt werden. Hier verhalten sich invertierende und nichtinvertierende Verstärker identisch. Für beide Schaltungen wird das Rauschen mit der Rauschverstärkung $V_{\text{U,Rauschen}}$ verstärkt. Die Rauschverstärkung ist dabei identisch zur Verstärkung des nichtinvertierenden Verstärkers. Das Schaltbild eines invertierenden und nichtinvertierenden Verstärkers ist in Abb. 5.56 gezeigt. Diese Schaltung ist für den Überlagerungssatz/das Superpositionsprinzip in so weit vorbereitet, dass die Eingangsspannungsquelle entfernt wurde und der Eingang auf Masse gelegt wird. In dieser Schaltung sind der invertierende und der nichtinvertierende Verstärker identisch. Beim invertierenden Verstärker bleibt Punkt ① an Masse und Punkt ② wird als Spannungseingang verwendet. Beim nichtinvertierenden Verstärker ist es genau andersherum. Für die Rauschsignale als additive Komponente neben dem Eingangssignal gilt deshalb in beiden Fällen die Spannungsverstärkung des nichtinvertierenden Verstärkers:

$$V_{\text{U,Rauschen}} = 1 + \frac{R_2}{R_1}. \tag{5.51}$$

Bei der Bestimmung der Ausgangsrauschspannung ist die Bandbreite der OP-Schaltung entscheidend. Die „einfachen" Op-Schaltungen haben Tiefpasscharakteristik. Hier kann in der praktischen Anwendung davon ausgegangen werden, dass bei Erreichen der Grenzfrequenz die Verstärkung mit 20 dB/Dekade abfällt. Das bedeutet, dass der OP als Tiefpass erster Ordnung behandelt wird.

Für die Berechnung der Ausgangsrauschspannung wird die Übertragungsfunktion des OPs in zwei Abschnitte aufgeteilt:

Zunächst werden Frequenzen von 0 Hz bis zur Grenzfrequenz f_g mit der Verstärkung V_U berücksichtigt. Oberhalb der Grenzfrequenz fällt die Verstärkungskennlinie mit 20 dB/Dekade ab und ist damit auch proportional zur Grenzfrequenz f_g. Dieser Anteil wird in der folgenden Formel durch den Faktor $\pi/2$ berücksichtigt:

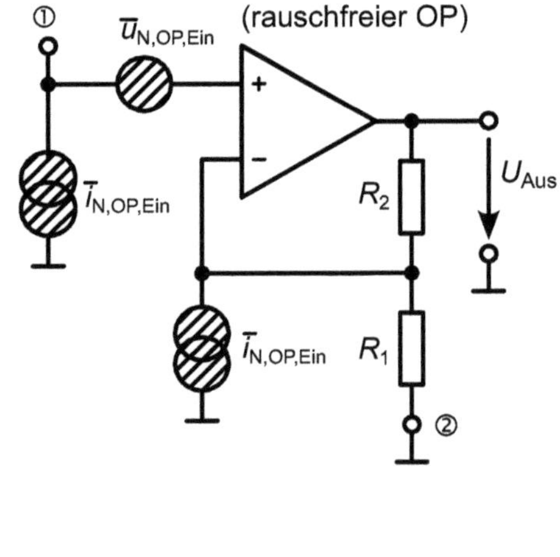

Abb. 5.56 Vereinfachtes Schaltbild eines invertierenden bzw. nichtinvertierenden Verstärkers, s. Text

$$\overline{u}_{\mathrm{N,OP,Aus}} = \overline{u}^*_{\mathrm{N,OP,Aus}} \cdot \sqrt{f_{\mathrm{g}} \cdot \frac{\pi}{2}}. \qquad (5.52)$$

Abschließend ist das simulierte Rauschverhalten in den beiden folgenden Abbildungen für einen invertierenden Verstärker mit einer Spannungsverstärkung von -10 für die beiden Operationsverstärker TL062 und NE5532 dargestellt. Die Schaltung entspricht Abb. 4.3 mit $R_1 = 1\ \mathrm{k\Omega}$ und $R_2 = 10\ \mathrm{k\Omega}$. In Abb. 5.57 ist zunächst die Simulation des frequenzabhängigen Rauschverhaltens des invertierenden Verstärkers mit dem OP TL062 gezeigt. Neben dem Ausgangsrauschen sind die Rauschanteile der beiden Widerstände und das aus dem Datenblatt bestimmte Ausgangsrauschen eingezeichnet. In der Simulation erkennt man einen relativ flachen Verlauf der Rauschspannung bis etwa 20 kHz. Die Datenblattwerte (strichpunktierte Linie) zeigen deutlich das $1/f$-Rauschen, was in der Simulation offensichtlich nicht enthalten ist.

Anschließend wurde die Simulation mit dem gleichen Verstärker und einem NE5532 durchgeführt. Das Simulationsergebnis ist in Abb. 5.58 dargestellt. Hier ist die Skalierung und der Frequenzbereich ein klein wenig anders. Sehr deutlich wird, dass der NE5532 einen deutlich geringeren Rauschanteil am Ausgang hat. Das Gesamtrauschen am Ausgang wird zwar immer noch vom OP dominiert, die Widerstände tragen jedoch bereits einen erheblichen Anteil bei. Auch hier wurde die Rauschspannung aus dem Datenblatt entnommen und umgerechnet. Sichtbar ist, dass die Datenblattwerte niedriger als die Simulation sind. Ein Grund ist sicherlich, dass für die Berechnung der strichpunktierten Linie in Abb. 5.58 der Rauschstrom aus dem Datenblatt nicht berücksichtigt wurde.

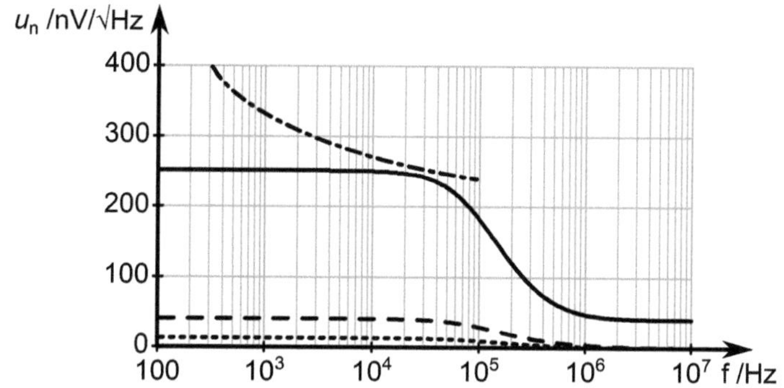

Abb. 5.57 Simulation der Rauschspannung eines invertierenden Verstärkers mit TL062. Die durchgezogene Kurve entspricht dem Rauschen am Ausgang der Schaltung, die gestrichelte und die gepunktete Linie stehen für die Rauschanteile des Eingangs- und des Rückkoppelwiderstands. Zusätzlich ist als strichpunktierte Kurve das aus dem Datenblatt umgerechnete Ausgangsrauschen des OPs eingezeichnet

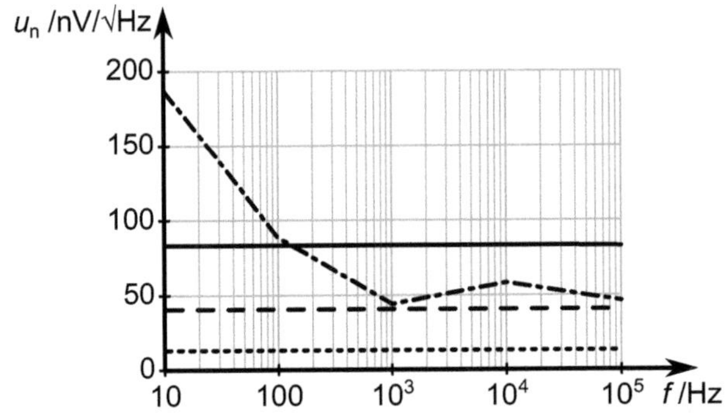

Abb. 5.58 Simulation der Rauschspannung eines invertierenden Verstärkers mit NE5532. Die durchgezogene Kurve entspricht dem Rauschen am Ausgang der Schaltung, die gestrichelte und die gepunktete Linie stehen für die Rauschanteile des Eingangs- und des Rückkoppelwiderstands. Zusätzlich ist als strichpunktierte Kurve das aus dem Datenblatt umgerechnete Ausgangsrauschen des OPs eingezeichnet

5.12.3 Signal-Rauschabstand und Rauschzahl

Zur Beurteilung der Qualität eines verrauschten Signals wird häufig der Signal-Rauschabstand *S*/*N* (Signal/Noise) verwendet. Dabei wird die Spannung (oder die Leistung) mit dem mittleren Pegel des Rauschsignals verglichen. Gleichzeitig erfolgt üblicherweise eine Umwandlung in logarithmische Größen. Damit wird das Spannungsverhältnis in dB angegeben:

$$\frac{S}{N} = 20\text{dB} \cdot \log\left(\frac{u_{\text{Aus}}}{\overline{u}_{\text{N,Aus}}}\right). \tag{5.53}$$

Beispiel: Eine Signalspannung von 1 V und eine mittlere Rauschspannung von 1 mV ergeben einen Signal-Rauschabstand von $S/N = 20\ \text{dB} \cdot \log(1\ \text{V}/1\ \text{mV}) = 60\ \text{dB}$. Neben der Bezeichnung *S*/*N* ist ebenfalls die Bezeichnung *SNR* üblich (signal to noise ratio).

Wird ein verrauschtes Signal verstärkt, wird natürlich das Eingangssignal mit dem zugehörigen Rauschanteil verstärkt. Durch den Verstärker wird ein weiteres Rauschsignal addiert, sodass das Rauschen im Verhältnis zur Signalleistung zunimmt. Das bedeutet, dass der Signal-Rauschabstand vor dem Verstärker höher als am Verstärkerausgang ist, s. Abb. 5.59.

Die Verschlechterung des Signal-Rauschabstands vom Eingang zum Ausgang des Verstärkers ist unabhängig von der Signalspannung oder –frequenz. Dabei wird vorausgesetzt, dass das Signal nicht durch Bandbreitenbegrenzung, Slewrate oder ähnliche Effekte verzerrt wird.

In diesem Fall wird die Differenz der Signal-Rauschabstände als Rauschzahl *F* bezeichnet. Diese Rauschzahl charakterisiert den Verstärker in Hinblick auf das additive

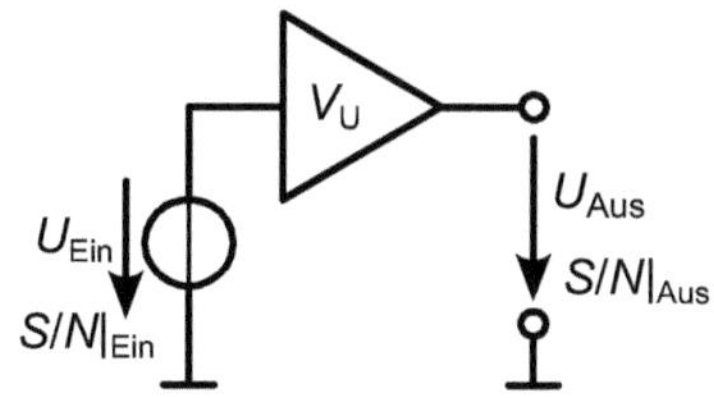

Abb. 5.59 Signal-Rauschabstände bei einem Verstärker

Rauschen:

$$F = S/N_{\text{Ein}} - S/N_{\text{Aus}}. \tag{5.54}$$

Zahlenbeispiel: Beträgt das Signal-Rauschverhältnis am Eingang 60 dB und am Ausgang 50 dB, hat der Verstärker eine Rauschzahl F = 60 dB–50 dB = 10 dB.

Verstärker, die aus Operationsverstärkern aufgebaut sind, haben häufig relativ hohe Rauschzahlen. Die untere Grenze ist 0 dB für einen rauschfreien Verstärker, den es theoretisch bei einer Temperatur von 0 K geben würde. Rauscharme Vorverstärker sind häufig spezielle Transistorverstärker mit Rauschzahlen im Bereich von 1 dB bis 3 dB. Für die Berechnung der Rauschzahl von OP-Schaltungen gibt es einige Hinweise in entsprechenden Applikationsschriften, s. weiterführende Literatur.

5.13 Verständnisfragen zu Kap. 5

5.13.1 Eingangs-Offsetspannung

Frage 5.1: Welcher Effekt wird durch die Eingangs-Offsetspannung beschrieben?

Frage 5.2: Bei welchen Spannungswerten ist die Eingangs-Offsetspannung besonders störend?

5.13.2 Eingangsstrom

Frage 5.3: Warum muss der Eingangsstrom in einen OP normalerweise nicht beachtet werden? Wann muss der Eingangsstrom doch beachtet werden?

5.13.3 Eingangswiderstand

Frage 5.4: Wieso kann der Eingangswiderstand eines OPs je nach Eingangssignal unterschiedlich sein?

5.13.4 Ausgangsspannung

Frage 5.5: Ein Standard-OP wird mit einer Spannung von ± 15 V versorgt. Der OP ist als nichtinvertierender Verstärker mit einer Verstärkung von + 10 verschaltet. Das Eingangssignal ist ein Sinussignal mit einer Amplitude von 1,5 V. Wie wird das Ausgangssignal aussehen?

Frage 5.6: Analog zu Frage 5.5 wird jetzt ein Rail-to-Rail OP mit einer Versorgungsspannung von ± 15 V verwendet. Wie wird das Ausgangssignal jetzt aussehen?

Frage 5.7: Der Präzisionsgleichrichter (Typ 1) verwendete im ersten Schaltungsteil eine OP-Schaltung mit Dioden, die nur eine Halbwelle verstärkt. Wie können Sie praktisch eine sehr ähnliche Schaltung ohne Dioden realisieren? Im Unterschied zum Präzisionsgleichrichter soll jetzt nur die negative Halbwelle mit −1 verstärkt werden.

5.13.5 Slewrate

Frage 5.8: Warum ist die Slewrate ein wichtiger Parameter für OP-Anwendungen mit schnelleren Signalen?

Frage 5.9: Warum können die üblichen digitalen Signale problematisch bei der Verwendung von OPs sein?

5.13.6 Verstärkung

Frage 5.10: Welche Folge hat die endliche Verstärkung für die Operationsverstärkeranwendungen? Welche typischen Spannungswerte ändern sich?

5.13.7 Bandbreite

Frage 5.11: Wieso ist es möglich, dass ein OP mit einer Grenzfrequenz von 10 Hz bis in den höheren Kilohertzbereich ohne Probleme arbeitet?

Frage 5.12: Wie hängen Dezibelwerte und Verstärkungswerte zusammen? Nennen Sie den jeweils anderen Wert für die folgenden Verstärkungswerte: 40 dB, 70 dB, 0 dB, 200, 10.000, 500.000.

Frage 5.13: Warum werden Dezibelwerte in Bezug auf Verstärker häufig verwendet?

Frage 5.14: Sie wollen mit einem OP-Typ mit dem Frequenzgang nach Abb. 5.32 einen invertierenden Verstärker mit einer Verstärkung mit einem Faktor von 10000 für eine Frequenz von 100 kHz aufbauen. Was müssen Sie beachten?

5.13.8 Ausgangswiderstand

Frage 5.15: Wie ist vorstellbar, dass der effektive Ausgangswiderstand niedriger ist, als der tatsächlich vorhandene?

5.13.9 Rauschen

Frage 5.16: Ein wesentlicher Parameter des thermischen Rauschens ist die verfügbare Rauschleistung in Gl. (5.45). Was wird mit diesem Wert ausgedrückt?

Frage 5.17: Wie wirkt sich das Temperaturverhalten der Rauschleistung aus?

Frage 5.18: Wenn Sie das Schaltbild in Abb. 5.55 betrachten: Was ist das Hauptproblem bei der Berechnung des resultierenden Rauschens?

Frage 5.19: Welchen Sinn hat die Berechnung der Rauschspannung mit Gl. (5.50) bzw. Gl. (5.52)?

Frage 5.20: Was bedeuten die Begriffe „Signal-Rauschabstand“ und „Rauschzahl“?

Frage 5.21: Wie wird bei einem Operationsverstärker, der als invertierender Verstärker beschaltet ist, das Rauschsignal verstärkt?

5.14 Aufgaben zu Kap. 5

5.14.1 Aufgabe 5.1

Eine Operationsverstärkerschaltung eines invertierenden Verstärkers ist mit den folgenden Daten gegeben. Der Widerstand R_1 am invertierenden Eingang beträgt $R_1 = 5\ \text{k}\Omega$. Die Betriebsspannung des rail-to-rail OPs beträgt ± 9 V. Am Eingang liegt ein symmetrisches Dreiecksignal mit einer Spitze-Spitze-Spannung $U_{SS} = 2$ V.

a) Zeichnen Sie das Schaltbild eines invertierenden Verstärkers mit idealem Operationsverstärker und zwei Widerständen R_1 und R_2.
b) Bestimmen Sie den maximalen Eingangsstrom.
c) Die Verstärkung soll $V_U = -15$ betragen. Bestimmen Sie dazu den Widerstand R_2!
d) Welche Spannung stellt sich im Normalbetrieb am invertierenden und nichtinvertierenden Eingang des OPs ein?
e) Der Operationsverstärker hat eine Transitfrequenz $f_T = 1{,}5$ MHz. Welche Grenzfrequenz ergibt sich? Hinweis: Gehen Sie für diese Teilaufgabe von einem sinusförmigen Eingangssignal aus!
f) Am Ausgang des Operationsverstärkers tritt Slewrate-Verhalten auf. Ändert sich dadurch die Form des Ausgangssignals? Geben Sie hierzu eine kurze(!) Begründung in Stichworten.

g) Der Verstärker hat ein Eigenrauschen von $11\text{nV}/\sqrt{\text{Hz}}$ am Eingang. Welches Signal-Rausch-Verhältnis ergibt sich am Ausgang unter der Annahme eines sinusförmigen rauschfreien Eingangs-Signals mit einer Amplitude von 10 mV und einer Grenzfrequenz gemäß Teilaufgabe e)?
h) Der Operationsverstärker hat eine Offsetspannung von 10 mV am Eingang. In einer Erweiterung zu einer Reihenschaltung wird eine weitere Operationsverstärkerschaltung ($V_U = +\,2$, Offsetspannung 5 mV) ergänzt. Bestimmen Sie die gemeinsame minimale Offsetspannung für die sinnvolle Anordnung der beiden Operationsverstärker!

5.14.2 Aufgabe 5.2

Entwerfen Sie einen invertierenden Verstärker, bestehend aus zwei Widerständen R_1 und R_2, sowie einem Operationsverstärker ($f_T = 400$ kHz, $V_0 = 20.000$, $r_{Aus} = 100\ \Omega$, $S_L = 0{,}7$ V/μs, $f_g = 20$ Hz, $U_B = \pm 12$ V).

Für die Teilaufgaben b) bis e) gilt: Das Eingangssignal ist eine Gleichspannung mit 0,5 V.

a) Zeichnen Sie das Schaltbild mit den genannten Komponenten. Der Widerstand R_1 soll im Eingang der Schaltung sein.
b) Der Eingangswiderstand der Schaltung soll 2 kΩ betragen. Welchen Widerstand können Sie damit festlegen? Welchen Wert muss dieser Widerstand haben?
c) Die Verstärkung der OP-Schaltung soll einen Betrag von 10 haben. Legen Sie dazu den zweiten Widerstand passend fest
d) Wenn Sie von einem idealen OP ausgehen: Welche Spannung können Sie am invertierenden Eingang messen?
e) Wenn Sie von einem realen OP mit den o. g. Daten ausgehen: Welche Spannung ergibt sich am invertierenden Eingang des OPs?

Für die folgenden Teilaufgaben gilt: Es wird ein Sinussignal mit einer Amplitude von 0,5 V und einer Frequenz von 2 kHz als Eingangssignal verwendet.

f) Wie hoch ist die Verstärkung V_0 bei einer Frequenz von 2 kHz?
g) Welchen Kleinsignalausgangswiderstand $r_{Aus,Eff}$ hat die Schaltung bei 2 kHz?
h) Ist das Signal am Ausgang verzerrt? Begründen Sie Ihre Aussage mit einer Rechnung!

5.14.3 Aufgabe 5.3

Das Eingangssignal für einen invertierenden Verstärker ist in der folgenden Abbildungen oben gezeigt. In den folgenden Teilaufgaben soll jeweils das Ausgangssignal für einen invertierenden Operationsverstärker in die beiden Diagramme unter dem Eingangssignal skizziert werden. Der reale Operationsverstärker wird mit einer Betriebsspannung von $U_{\mathrm{B}} = \pm 15$ V versorgt. Die Verstärkung des invertierenden Verstärkers beträgt $V_{\mathrm{U}} = -10$ Dabei sind jeweils die Phasenlage und die Ausgangsspannung zu beachten. Skizzieren Sie die Spannungsverläufe für die folgenden getrennten vier Fälle in den beiden Diagrammen unten.

a) Es handelt sich um einen rail-to-rail OP.
b) Die Versorgungsspannung des rail-to-rail OPs wird auf + 7,5 V/0 V reduziert.
c) Die Grenzfrequenz f_{G} ist deutlich kleiner als die verwendete Frequenz des Eingangssignals.
d) Der verwendete OP zeigt Slewrate-Verhalten.

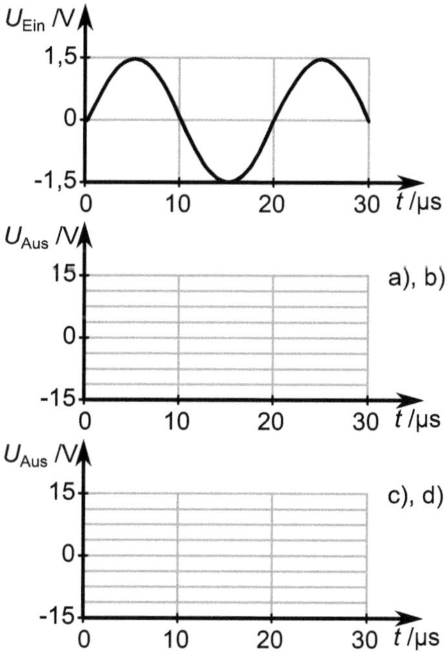

Literatur

1. Microchip, „Op Amp Topologies and DC-Specifications", Microchip AN722, 1999, ww1.microchip.com/downloads/aemDocuments/documents/APID/ApplicationNotes/ApplicationNotes/00722a.pdf, abgerufen am 3.8.2025
2. Texas Instruments, „DC Parameters: Input Offset Voltage (VIO)", Application Report SLOA059, March 2022, www.ti.com/lit/pdf/sloa059, abgerufen am 3.8.2025

3. Datenblatt NE5532, Texas Instruments, www.ti.com/lit/ds/symlink/ne5532.pdf, abgerufen am 3.8.2025
4. Datenblatt TLV272, Texas Instruments, www.ti.com/lit/ds/symlink/tlv272.pdf, abgerufen am 3.8.2025
5. Datenblatt TSH80, ST, www.st.com/resource/en/datasheet/tsh80.pdf, abgerufen am 3.8.2025
6. Datenblatt LMV358, Texas Instruments, www.ti.com/lit/ds/symlink/lmv358.pdf, abgerufen am 3.8.2025
7. Texas Instruments, Datenblatt LM358, www.ti.com/lit/ds/symlink/lm358.pdf, abgerufen am 3.8.2025
8. Datenblatt TL062, Texas Instruments, www.ti.com/lit/ds/symlink/tl062.pdf, abgerufen am 3.8.2025
9. Analog Devices, Op Amp Applications Handbook, 2005, www.analog.com/en/education/education-library/op-amp-applications-handbook.html, abgerufen am 8.9.2017
10. www.analog.com/media/en/analog-dialogue/volume-45/number-2/articles/simple-op-amp-measurements.pdf, abgerufen am 17.2.2021
11. Datenblatt MC33078, Texas Instruments, www.ti.com/lit/ds/symlink/mc33078.pdf, abgerufen am 18.9.2025
12. M. Alles, „Einführung in die elektronische Schaltungstechnik Dioden, Transistoren und Grundschaltungen", Springer-Vieweg Verlag, Berlin, 2024, 978-3-662-69277-6
13. U. Tietze, Ch. Schenk, „Halbleiter-Schaltungstechnik", Springer-Verlag, Berlin, 2002, 3-540-42849-6
14. Datenblatt µA741, Texas Instruments, www.ti.com/lit/ds/symlink/ua741.pdf, abgerufen am 3.8.2025
15. Datenblatt TLC2272, Texas Instruments, www.ti.com/lit/ds/symlink/tlc2272.pdf, abgerufen am 3.8.2025
16. Datenblatt OP177, Analog Devices, www.analog.com/media/en/technical-documentation/datasheets/OP177, abgerufen am 18.9.2025
17. Analog Devices, „Linear Device Seminar", ISBN 0-916550-15-X
18. Texas Instruments, „Noise Analysis in Operational Amplifier Circuits", Application Report SLVA043B, www.ti.com/lit/pdf/slva043, abgerufen am 3.8.2025
19. „Halbleiterheft 2001", Elektor 7–8, 2001, Elektor-Verlag, Aachen
20. Microchip, „Driving Capacitive Loads with Op Amps", Application Note AN884, ww1.microchip.com/downloads/aemDocuments/documents/OTH/ApplicationNotes/00884b.pdf, abgerufen am 16.11.2024]
21. Texas Instruments, Chapter 10: „Op Amp Noise Theory and Applications", qtwork.tudelft.nl/~schouten/linkload/lf-noise-opamps.pdf, abgerufen am 18.9.2025

Weiterführende Literatur

22. Linear Technology, „Slew Rate Verification for Wideband Amplifiers" Application Note 94, www.analog.com/media/en/technical-documentation/application-notes/an94f.pdf, abgerufen am 27.10.2024
23. Texas Instruments, „A Simplified Test Set for Op Amp Characterization", Application Note AN 24, www.ti.com/lit/pdf/snoa637, abgerufen am 3.8.2025
25. Texas Instruments, „Nulling Input Offset Voltage of Operational Amplifiers", Application Report SLOA045, August 2000, www.ti.com/lit/pdf/sloa045, abgerufen am 3.8.2025

26. Analog Devices, „Basic linear design“, Section 1.2, www.analog.com/en/resources/technical-books/linear-design-seminar-1995.html, abgerufen am 3.8.2025
27. Texas Instruments, „Noise Specs Confusing?“, Application Report AN 104, www.ti.com/lit/pdf/snva515, abgerufen am 3.8.2025
28. Texas Instruments, „Op Amps for Everyone“; Design Reference, September 2001, SLOD006A, www.ee.nmt.edu/~thomas/data_sheets/op-amp-slod006a.pdf, abgerufen am 25.11.2023
29. Texas Instruments, „Calculating noise figure in op amps“, Analog Applications Journal, 4Q, 2003, www.ti.com/lit/pdf/slyt094-1, abgerufen am 16.11.2023
30. Texas Instruments, „Frequency response errors in voltage feedback op amps“, Analog Applications Journal, February 2001, www.ti.com/lit/pdf/slyt146, abgerufen am 16.11.2023

Stabilität von Operationsverstärkern 6

6.1 Lernziele Kap. 6 Stabilität von Operationsverstärkern

In diesem Kapitel wird das Stabilitätsverhalten von Operationsverstärkern beschrieben. Da reale Operationsverstärker durch ideale OPs mit nachgeschalteten Tiefpässen beschrieben werden, s. Abschn. 5.8, kann es passieren, dass aus der Gegenkopplung über den invertierenden Eingang eine Mitkopplung wird. Bei hoher Verstärkung kann dieses Verhalten zu Instabilität, also Oszillationen, führen. Zur Untersuchung der Stabilität von Operationsverstärkern ist das Bode-Diagramm aus Abschn. 1.8 ein wirksames Hilfsmittel. Hier wird das Bode-Diagramm verwendet, um die Leerlaufverstärkung V_0 eines Operationsverstärkers nach Betrag und Phase zu zeichnen. Zusammen mit der Spannungsverstärkung V_U ergeben sich aus diesem Diagramm wichtige Hinweis zur Stabilität der Schaltung. Dazu wird zunächst die Stabilitätsbedingung hergeleitet und beschrieben. Nach diesem Kapitel haben Sie verstanden, wie das Bode-Diagramm für einen Operationsverstärker aufgebaut ist. Sie können eigenständig das Bode-Diagramm eines Operationsverstärkers aus den Daten konstruieren. Aus den regelungstechnischen Beschreibungen können Sie Bedingungen für den stabilen bzw. instabilen Betrieb eines Operationsverstärkers ableiten. Schließlich können Sie aus dem Bode-Diagramm ablesen, ob ein Operationsverstärker stabil betrieben wird bzw. wie Sie die Schaltung geeignet abändern müssen. Auch hier ist es so, dass nicht alle

Ergänzende Information Die elektronische Version dieses Kapitels enthält Zusatzmaterial, auf das über folgenden Link zugegriffen werden kann https://doi.org/10.1007/978-3-662-72536-8_6.

M. Alles, *Operationsverstärker*, https://doi.org/10.1007/978-3-662-72536-8_6

Gesichtspunkte beschrieben werden. In einzelnen Fällen hilft, wie auch bei den anderen Kapiteln, ein Blick in die weiterführende Literatur in vielen Punkten weiter.

6.2 Schleifenverstärkung V_S beim nichtinvertierenden Verstärker

Im Folgenden wird der Operationsverstärker als Regelschleife betrachtet [1–3]. Dabei wird zunächst vom nichtinvertierenden Verstärker ausgegangen, s. Abb. 6.1.

Betrachtet man diese Schaltung als Regelschleife, ergibt sich der in Abb. 6.2 dargestellte Regelkreis mit der Eingangsspannung U_{Ein} als Eingangsgröße und der Ausgangsspannung U_{Aus} als Ausgangsgröße. Dabei bezeichnet V_0 die Leerlaufverstärkung des Operationsverstärkers und F_R die Verstärkung des Rückkopplungspfades, der in der OP-Schaltung durch den Spannungsteiler mit den beiden Widerständen gebildet wird. Hier gilt für die Verstärkung des Rückkopplungspfades entsprechend Abb. 6.1:

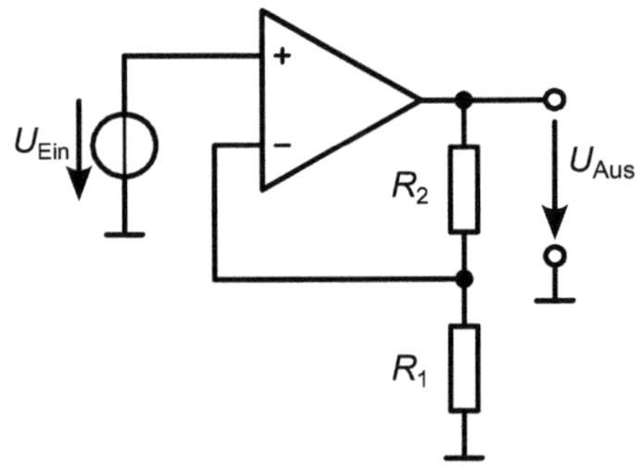

Abb. 6.1 Nichtinvertierender Verstärker

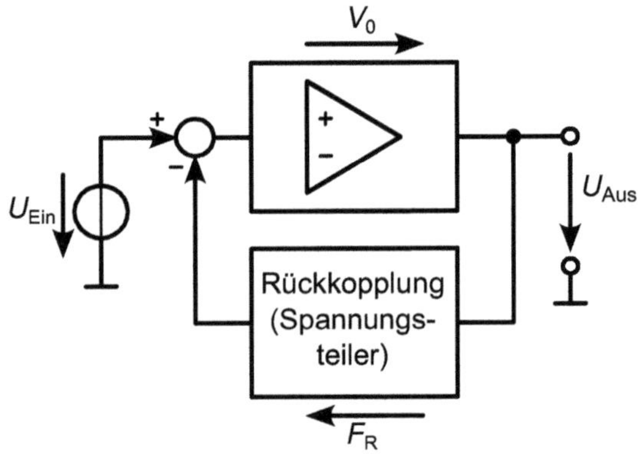

Abb. 6.2 Nichtinvertierende Operationsverstärkerschaltung als Regelkreis

$$F_R = \frac{R_1}{R_1 + R_2}. \tag{6.1}$$

Die Verstärkung F_R entspricht dem Kehrwert der Spannungsverstärkung des nichtinvertierenden Verstärkers, s. Abschn. 4.3.

Hinweis: Im englischsprachigen Raum wird anstelle von F_R häufig das Formelzeichen β verwendet.

Für den Regelkreis gilt:

$$U_{Aus} = V_0 \cdot (U_{Ein} - F_R \cdot U_{Aus})$$

$$\Longleftrightarrow U_{Aus} = V_0 \cdot U_{Ein} - F_R \cdot U_{Aus} \cdot V_0$$

$$\Longleftrightarrow U_{Aus} \cdot (1 + F_R \cdot V_0) = U_{Ein} \cdot V_0$$

$$\Longleftrightarrow \frac{U_{Aus}}{U_{Ein}} = \frac{V_0}{1 + F_R \cdot V_0}$$

.

Damit gilt für die Übertragungsfunktion der Operationsverstärkerschaltung $V_U = U_{Aus}/U_{Ein}$:

$$V_U = \frac{U_{Aus}}{U_{Ein}} = \frac{V_0}{1 + F_R \cdot V_0} \tag{6.2}$$

mit der Verstärkung des gegengekoppelten Verstärkers V_U. Aus Gl. (6.2) folgt direkt: Die Spannungsverstärkung V_U wird unendlich, wenn der Nenner aus Gl. (6.2) zu 0 wird. Das ist die Bedingung für instabilen Betrieb, s. u. In der Regel führt die Instabilität bei Verstärkerschaltungen mit OPs zu Eigenschwingungen, also Oszillationen. Diese Schwingungen sind von der Amplitude aufgrund der hohen Spannungsverstärkung sehr hoch. Damit ist ein sinnvoller Betrieb der OP-Schaltung nicht mehr möglich. Dieser Fall kann mit dem Betrieb eines Mikrofons zusammen mit Verstärker und Lautsprecher verglichen werden. Sobald es zur Rückkopplung kommt, baut sich ein lautes Pfeifsignal auf, mit dem die Nutzinformation (Sprache, Musik) praktisch überdeckt wird.

Eine wichtige Rolle im Nenner von Gl. (6.2) rechts ist das Produkt aus der Verstärkung des Rückkopplungspfades und der Leerlaufverstärkung V_0. Dieses Produkt wird Schleifenverstärkung V_S genannt:

$$V_S = F_R \cdot V_0. \tag{6.3}$$

Zur Berechnung der Schleifenverstärkung werden die Eingangsspannungen auf Masse gelegt (kurzgeschlossen) und der Regelkreis an einer Stelle unterbrochen [3]. Aus dem

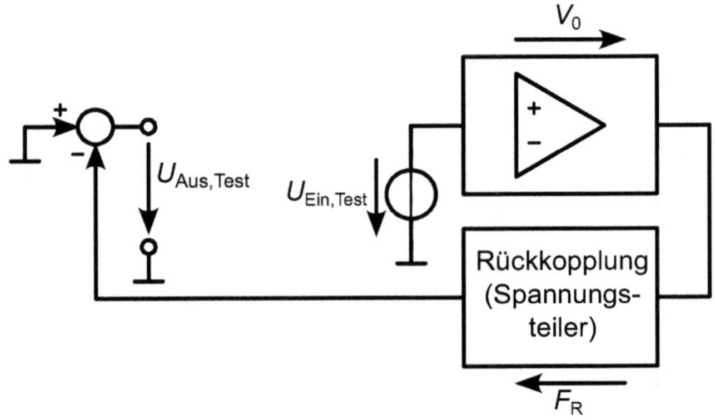

Abb. 6.3 Berechnung der Schleifenverstärkung V_S, s. Text

angenommenen Eingangssignal $U_{Ein,Test}$ wird das resultierende Ausgangssignal $U_{Aus,Test}$ bestimmt, s. Abb. 6.3.

Offensichtlich ergibt sich der Betrag der Schleifenverstärkung direkt aus dem Produkt der Leerlaufverstärkung V_0 und der Rückkopplungsfunktion F_R unter Vernachlässigung des Vorzeichens zu

$$|V_S| = F_R \cdot V_0 = \frac{R_1}{R_1 + R_2} \cdot V_0. \tag{6.4}$$

Das Testsignal durchläuft also den Operationsverstärker und den Rückkopplungspfad in einer (offenen) Schleife.

An dieser Stelle soll kurz noch einmal zu Gl. (6.2) zurückgekehrt werden. Ist das Produkt aus Leerlaufverstärkung V_0 und Verstärkung F_R des Rückkopplungspfades deutlich größer als 1 ($V_0 \bullet F_R >> 1$) gilt in guter Näherung:

$$V_U = \frac{V_0}{1 + F_R \cdot V_0} \approx \frac{V_0}{F_R \cdot V_0} = \frac{1}{F_R}. \tag{6.5}$$

Wenn für F_R Gl. (6.1) eingesetzt wird, ergibt sich natürlich wieder die Gleichung für die Spannungsverstärkung V_U des nichtinvertierenden Verstärkers aus Abschn. 4.3:

$$V_U \approx \frac{1}{F_R} = \frac{1}{\frac{R_1}{R_1+R_2}} = \frac{R_1 + R_2}{R_1}. \tag{6.6}$$

Mit der Näherung aus Gl. (6.4) eingesetzt in Gl. (6.3) folgt:

$$\begin{aligned} V_S &= F_R \cdot V_0 \approx \tfrac{V_0}{V_U} \\ \Leftrightarrow V_0 &\approx V_U \cdot V_S \end{aligned}. \tag{6.7}$$

Gl. (6.7) spielt eine wichtige Rolle bei der Untersuchung der Stabilität rückgekoppelter Verstärkungsschaltungen mit dem Bode-Diagramm. Da das Bode-Diagramm logarithmische Verstärkungswerte verwendet, wird die Multiplikation in Gl. (6.7) durch eine Addition der Dezibelwerte ersetzt:

$$V_0|_{\mathrm{dB}} \approx V_\mathrm{U}|_{\mathrm{dB}} + V_\mathrm{S}|_{\mathrm{dB}}. \tag{6.8}$$

Es gilt hier:

Die Verstärkung V_U des gegengekoppelten Verstärkers kann über das Widerstandsverhältnis eingestellt werden. Beispielsweise gilt für den nichtinvertierenden Verstärker $V_\mathrm{U} = 1 + R_2/R_1$. Die Leerlaufverstärkung V_0 wird durch Wahl des Operationsverstärkers vorgegeben. Die Schleifenverstärkung V_S ergibt sich aus diesen beiden Größen automatisch!

Beispiel: Ein Operationsverstärker mit der Leerlaufverstärkung $V_0 = 100$ dB (entsprechend 100 000) wird für einen nichtinvertierenden Verstärker verwendet. Die Verstärkung wird über die Widerstände $R_1 = 1\ \mathrm{k\Omega}$ und $R_2 = 99\ \mathrm{k\Omega}$ auf $V_\mathrm{U} = 1 + R_2/R_1 = 100$ (entsprechend 40 dB) eingestellt. Damit ergibt sich die Schleifenverstärkung zu $V_\mathrm{S} =$ 100 dB-40 dB = 60 dB.

Im folgenden Absatz wird die regelungstechnische Betrachtung für einen invertierenden Verstärker durchgeführt.

6.3 Schleifenverstärkung V_S beim invertierenden Verstärker

Im Folgenden wird der invertierende Verstärker mit einem Operationsverstärker als Regelschleife betrachtet. Das Schaltbild ist in Abb. 6.4 dargestellt.

Auch hier wird das Schaltbild in eine Regelschleife umgewandelt, nach [3]. Es ergibt sich das in Abb. 6.5 dargestellte Diagramm mit der Eingangsspannung U_Ein als Eingangsgröße und der Ausgangsspannung U_Aus als Ausgangsgröße. V_0 ist wieder die Leerlaufverstärkung des OPs und F_R die Verstärkung des Rückkopplungsnetzwerkes. Das Blockdiagramm wird in einigen Schritten umgeformt. Für eine bessere Nachvollziehbarkeit werden in diesem Blockdiagramm die Spannungsteiler mit den Widerstandswerten

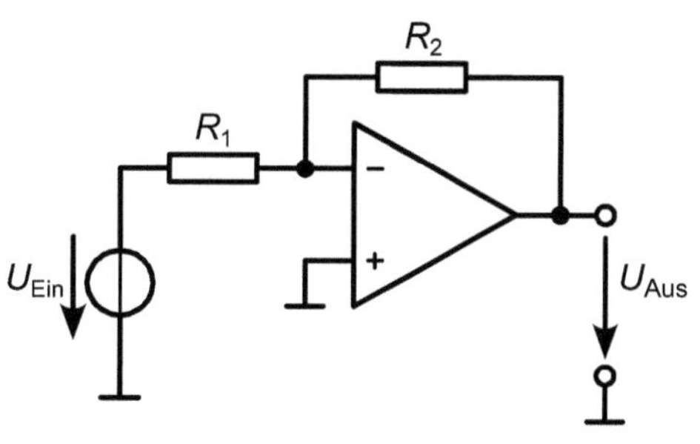

Abb. 6.4 Invertierender Verstärker

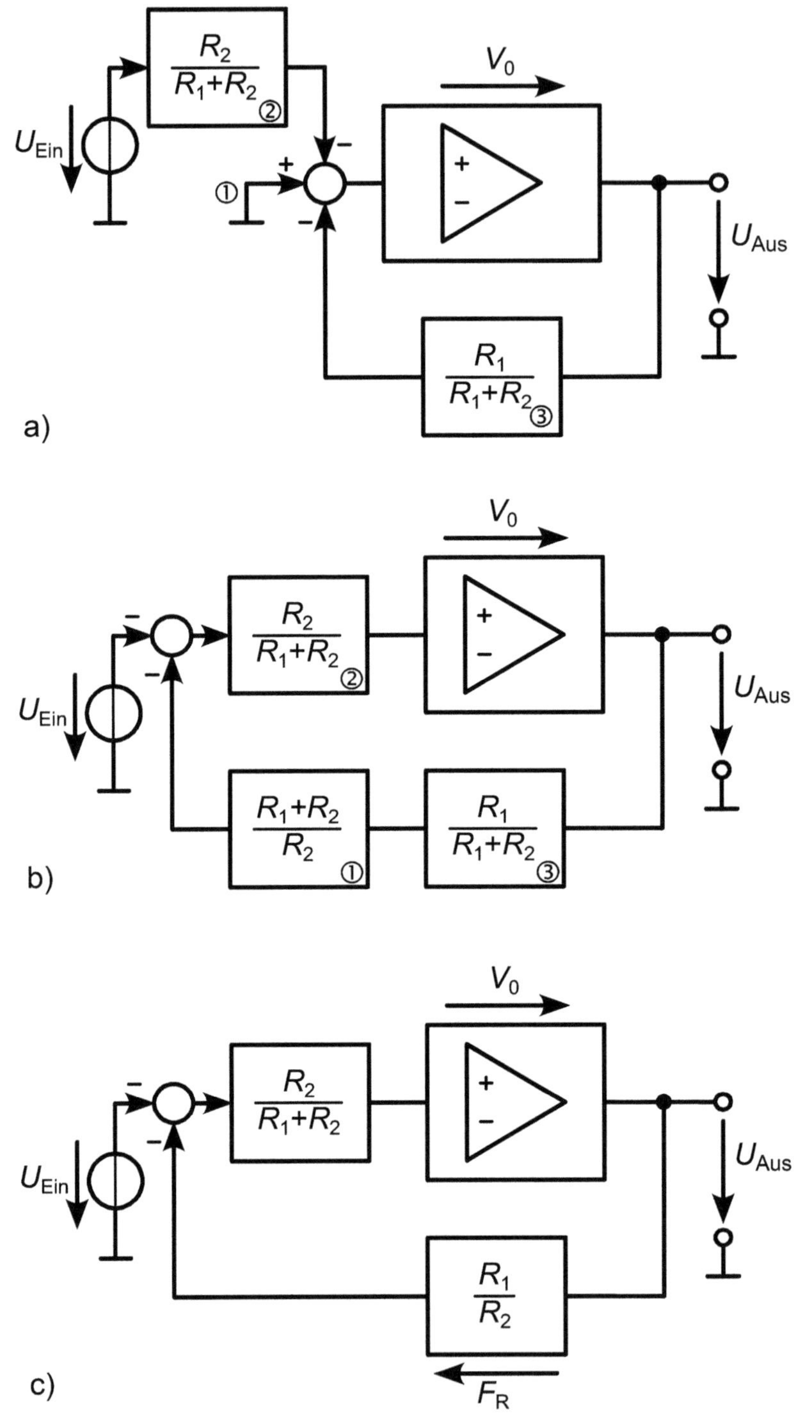

Abb. 6.5 Invertierende Operationsverstärkerschaltung als Regelkreis. Das obere Teilbild a) entsteht direkt durch Umsetzung des Schaltplans. Daraus entsteht über einen Zwischenschritt im mittleren Teilbild b) das endgültige Diagramm c) unten. Die einzelnen Schritte sind im Text erläutert

angegeben. Das obere Teilbild in Abb. 6.5 entsteht direkt aus dem Schaltbild in Abb. 6.4. Bei der Erstellung des Blockschaltbildes wird ausgenutzt, dass die Eingangsspannung 0 V ist. Mit ① ist der Anschluss des nichtinvertierenden Eingangs an Masse gekennzeichnet. Da die Eingangsspannung hier 0 V beträgt, entfällt dieser Eingang im folgenden Teilbild b). ② bezeichnet den Spannungsteiler, der sich für den invertierenden Eingang aus der Eingangsspannung ergibt. Schließlich ist der Spannungsteiler vom Ausgang auf den invertierenden Eingang mit ③ markiert. Für das mittlere Teilbild b) wird der nichtinvertierende Eingang entfernt. Außerdem wird der Spannungsteiler ② aus Teilbild a) in den Pfad des Operationsverstärkers verschoben. Damit sich keine Änderung der Übertragungsfunktion ergibt, wird der Kehrwert des Spannungsteilers in den Rückkopplungspfad verschoben. Damit entsteht das mittlere Teilbild. Für das letzte und untere Teilbild c) werden die beiden Blöcke ① und ③ durch Multiplikation in einem Block zusammengefasst. Im unteren Teilbild wurde nun auch wieder der Pfeil für die Rückkopplungsfunktion ergänzt. Schaut man sich die Gleichung der Rückkopplungsfunktion F_{R} an, stellt man wieder fest, dass der Kehrwert der Spannungsverstärkung V_{U} des invertierenden Verstärkers entspricht. Dabei muss das negative Vorzeichen am Summationseingang beachtet werden:

$$V_{\mathrm{U}} \approx \frac{1}{F_{\mathrm{R}}} = -\frac{R_2}{R_1}. \tag{6.9}$$

Der Betrag der Schleifenverstärkung ergibt sich aus der Multiplikation der beiden Spannungsteilerblöcke im Teilbild c) mit der Leerlaufverstärkung V_0:

$$|V_{\mathrm{S}}| = \frac{R_1}{R_2} \cdot \frac{R_2}{R_1 + R_2} \cdot V_0 = \frac{R_1}{R_1 + R_2} \cdot V_0. \tag{6.10}$$

Das wichtige Ergebnis ist, dass die Spannungsverstärkung V_{U} für den invertierenden Verstärker unterschiedlich zur Spannungsverstärkung des nichtinvertierenden Verstärkers ist, sich aber in beiden Fällen die identische Schleifenverstärkung nach Gl. (6.4) bzw. (6.10) ergibt. Für den invertierenden Verstärker und den nichtinvertierenden Verstärker gilt damit die identische Schleifenverstärkung zur Stabilitätsuntersuchung. Dieses Verhalten wurde auch bereits beim Thema Rauschen in Abschn. 5.12 angewendet.

6.4 Stabilität

Verstärker mit Rückkopplung können stabil oder instabil betrieben werden. Aus diesem Grund muss untersucht werden, ob ein Verstärker in einer gegebenen Schaltung instabil ist und sich damit eventuell eine Schwingung aufbaut, weil ein zu hoher Teil des Ausgangssignals als Mitkopplung auf den Eingang des Verstärkers gelangt.

Die Bedingung für das Auftreten einer Instabilität ist:

- Die Schleifenverstärkung V_S ist betragsmäßig größer als 1.
- Die Phasendrehung der Schleifenverstärkung ist ein ganzzahliges Vielfaches von 360° (einschließlich 0°).

Mathematisch erfolgt die Formulierung der Stabilitätsbedingung in der folgenden Weise:

$$\begin{aligned} V_S &> 1 \\ \varphi &= n \cdot 360°, n = ..., -2, -1, 0, 1, 2, \ldots \end{aligned} \tag{6.11}$$

Diese Bedingungen gelten allgemein für Verstärker. Mit einer Verstärkung V_S größer als 1 und der „Resonanzbedingung" erhöht sich die Amplitude eines Signals innerhalb kurzer Zeit. Als „Startsignal" ist dabei ein Rauschsignal ausreichend.

Beim Operationsverstärker gibt es zwei Möglichkeiten der Rückkopplung:

1. Anschluss des Ausgangs über ein Rückkopplungsnetzwerk an den nichtinvertierenden Eingang oder
2. Anschluss des Ausgangs über ein Rückkopplungsnetzwerk an den invertierenden Eingang.

1. **Fall: Rückkopplung des Ausgangs an den nichtinvertierenden Eingang**

Es gilt das in Abb. 6.6 dargestellte vereinfachte Schaltbild.

Die in Gl. (6.11) enthaltene Amplitudenbedingung ist selbstverständlich weiter gültig.

Die Phasendrehung durch den Operationsverstärker ist bei niedrigen Frequenzen $\varphi_{OP} = 0°$. Bei höheren Frequenzen macht sich das Tiefpassverhalten des OPs bemerkbar. Die Phasendrehung des OPs läuft mit steigender Frequenz bis auf $\varphi_{OP} = -90°$ (Annahme Tiefpass erster Ordnung) bzw. weiter bis auf −270° (drei Tiefpässe für die drei Operationsverstärkerblöcke). Der Ausgang wird auf den nichtinvertierenden Eingang zurückgekoppelt. Beträgt die Phasendrehung des Rückkopplungsnetzwerkes 0° (rein

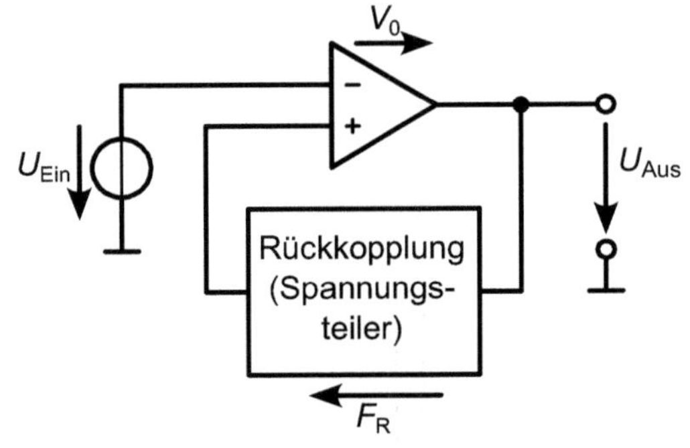

Abb. 6.6 Schaltbild des OPs mit Rückkopplung auf den nichtinvertierenden Eingang

ohmsche Rückkopplung) ist der Verstärker durch die Phasendrehung von 0° bei tiefen Frequenzen instabil. Damit ergibt sich die Bedingung für Instabilität im Falle der Rückkopplung auf den nichtinvertierenden Eingang zu:

$$\begin{aligned} V_S &> 1 \\ \varphi_S &= n \cdot 360°, n = ..., -2, -1, 0, 1, 2, \ldots \end{aligned} \tag{6.12}$$

Dabei wurde als neues Formelzeichen φ_S für die Phasendrehung der (Rückkopplungs-) Schleife verwendet.

Die Rückkopplung des Ausgangs auf den nichtinvertierenden Eingang verursacht bei Verstärkern typischerweise Instabilität und sollte vermieden werden. Bei Operationsverstärkern bewirkt die Rückkopplung auf den nichtinvertierenden Eingang eine Mitkopplung, die bei Schmitt-Triggern ausgenutzt wird, s. Abschn. 4.6. Hier zeigt sich die Instabilität durch eine Ausgangsspannung, die nahe an einer der Betriebsspannungen ist. Bei negativen Impedanzkonvertern kann dieser Effekt ebenfalls auftreten, wenn die Stabilitätsbedingung nicht eingehalten wird, s. Abschn. 4.9.

2. Fall: Rückkopplung des Ausgangs auf den invertierenden Eingang

   Dieser Fall ist in Abb. 6.7 dargestellt.

In diesem Fall entspricht die Rückkopplung des Ausgangs auf den invertierenden Eingang einer Phasendrehung von 180°. Das wird anhand einer Sinusfunktion in Abb. 6.8 verdeutlicht.

Für die Phasendrehung gilt demzufolge für diesen Fall:

Durch den Operationsverstärker mit Tiefpassverhalten erster Ordnung ergibt sich eine Phasendrehung von 0°...−90°. Mit Berücksichtigung der Phasendrehung von −180° durch die Rückkopplung auf den invertierenden Eingang ergibt sich insgesamt eine Phasendrehung von $\varphi = -180°\ldots-270°$. Damit ist diese Schaltung bei einer rein ohmschen Rückkopplung stabil.

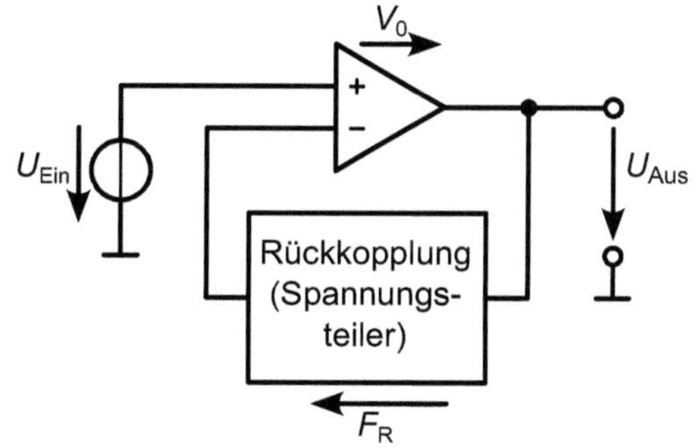

Abb. 6.7 Schaltbild des OPs mit Rückkopplung auf den invertierenden Eingang

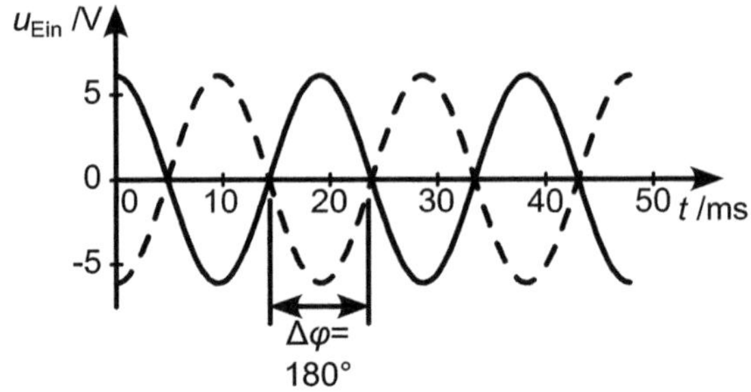

Abb. 6.8 Die Invertierung eines Sinussignals entspricht einer Phasendrehung von –180°. Dargestellt sind das Sinussignal (durchgezogene Linie) und die Invertierung als gestrichelte Linie

Wird der Operationsverstärker jedoch durch einen Tiefpass dritter Ordnung beschrieben, dreht die Phase des OPs über den Frequenzbereich von 0° bis $-270°$. Damit ist die Phasendrehung des Operationsverstärkers zusammen mit der Rückkopplung $\varphi_S = -180°$ $\ldots -450°$. Falls die Amplitudenbedingung erfüllt ist, ist diese Schaltung bei $\varphi_S = -360°$ instabil. Dazu muss die Verstärkung des OPs bei dieser Frequenz größer als 1 sein.

Mit Berücksichtigung der Phasendrehung von $-180°$ durch die Rückkopplung auf den invertierenden Eingang kann die Stabilitätsbedingung für den wichtigen Fall der Verstärker neu formuliert werden:

$$
\begin{aligned}
V_S &> 1 \\
\varphi_S &= -180° + n \cdot 360°, n = ..., -2, -1, 0, 1, 2, \ldots
\end{aligned}
\tag{6.13}
$$

Für den Fall der Instabilität gilt allgemein, dass der Verstärker bei der Frequenz schwingt, bei der die Verstärkung am höchsten ist.

6.4.1 Stabilitätsuntersuchung einer realen OP-Schaltung mit dem Bode-Diagramm

Für diesen Fall wird der Operationsverstärker hier durch einen idealen OP mit drei nachgeschalteten Tiefpässen mit jeweils unterschiedlicher Grenzfrequenz beschrieben. Beispielhaft soll ein Operationsverstärker mit einer Leerlaufverstärkung $V_0 = 100$ dB und den drei Tiefpassgrenzfrequenzen $f_{g,1} = 1$ kHz, $f_{g,2} = 100$ kHz und $f_{g,3} = 10$ MHz beschrieben werden.

Zunächst wird das Bode-Diagramm für diesen Operationsverstärker gezeichnet, s. dazu auch Abschn. 1.8. Dabei gilt, dass sich die Betragsfunktion bei jeder Grenzfrequenz um -20 dB/Dekade zu höheren Frequenzen hin ändert. Dazu tritt an jeder Grenzfrequenz eine Phasendrehung um $-45°$ auf, wobei die Phase insgesamt über zwei Dekaden um $-90°$ dreht. Das Bode-Diagramm ist in Abb. 6.9 dargestellt. Hier ist deutlich sichtbar, dass sich die Leerlaufverstärkung entsprechend der Tiefpasscharakteristik in Abhängigkeit der Frequenz ändert (Abb. 6.10).

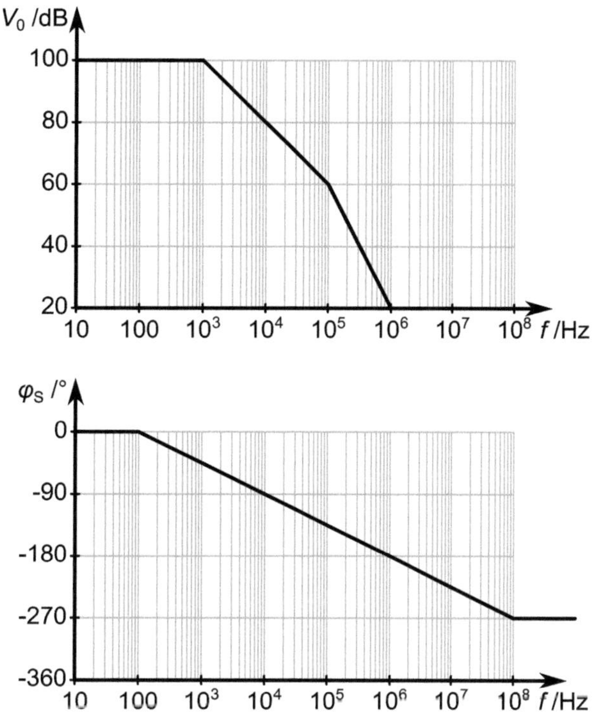

Abb. 6.9 Bode-Diagramm des Beispiel-Operationsverstärkers

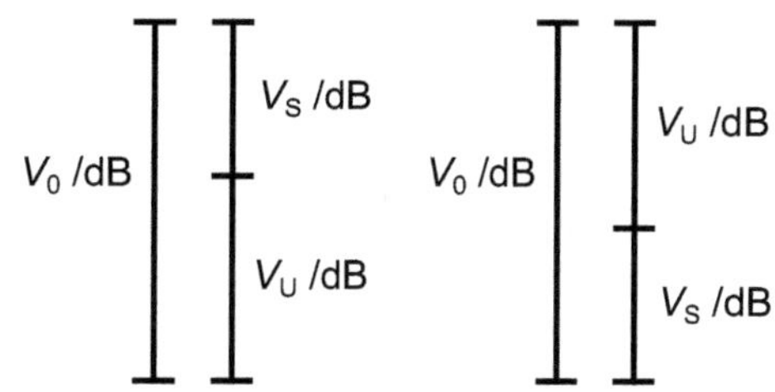

Abb. 6.10 Leerlaufverstärkung V_0 als Summe der Spannungs- und Schleifenverstärkung

Für die Beurteilung der Stabilität des beschalteten OPs werden im oberen Bereich zusätzlich die Spannungsverstärkung V_U und die Schleifenverstärkung V_S eingezeichnet. Es gibt zwei Möglichkeiten, wie die Spannungs- und Schleifenverstärkung als Summe grafisch dargestellt wird, s. Abb. 6.11. Die über die Widerstände eingestellte Spannungsverstärkung V_U wird oben oder unten aufgetragen. Die Schleifenverstärkung V_S „füllt" dann den Rest bis zur gegebenen Leerlaufverstärkung V_0 auf.

In Abb. 6.11 ist das Bode-Diagramm des Beispiel-OPs mit der Spannungs- und Schleifenverstärkung dargestellt. Im oberen Teilbild läuft die Spannungsverstärkung V_U parallel zur Leerlaufverstärkung V_0. Die Schleifenverstärkung V_S ergibt sich dann zwischen V_U und der 0 dB-Linie. Für das untere Teilbild wurde die Reihenfolge der Schleifen- und der Spannungsverstärkung geändert. Die Spannungsverstärkung V_U ist hier als Gerade

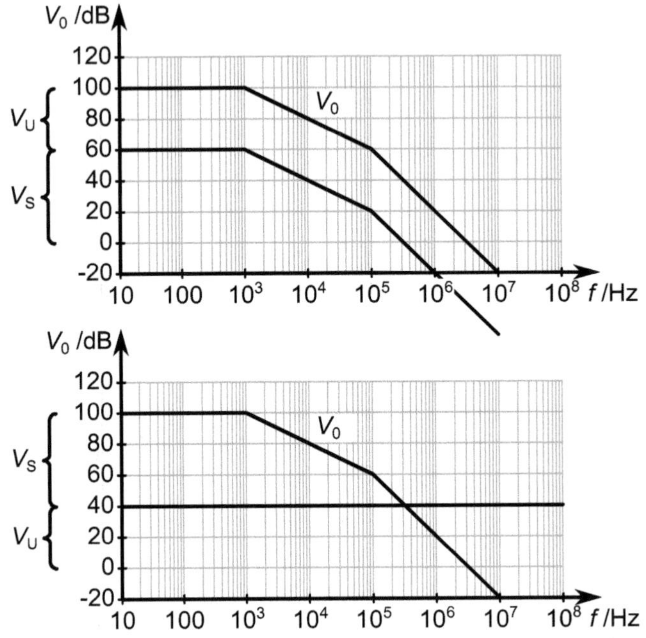

Abb. 6.11 Betrag der Spannungsverstärkung, Gegenkopplung und Leerlaufverstärkung im Bode-Diagramm. Im oberen Teilbild ist die Differenzspannungsverstärkung als Differenz der Leerlauf- und der Schleifenverstärkung dargestellt. Im unteren Teilbild ist die Spannungsverstärkung bezogen auf 0 dB eingezeichnet

gezeichnet. Die Schleifenverstärkung V_S ergibt sich als Differenz zwischen der Leerlaufverstärkung V_0 und der Spannungsverstärkung. Die über das Widerstandverhältnis eingestellte Spannungsverstärkung V_U bleibt bis zur Grenzfrequenz konstant und nimmt dann ab. Die Grenzfrequenz f_g des beschalteten OPs ist der Schnittpunkt von Spannungsverstärkung V_U und Leerlaufverstärkung V_0. Zur Bestimmung der Schleifenverstärkung V_S bleibt die Spannungsverstärkung V_U jedoch konstant. Demzufolge muss die Schleifenverstärkung mit wachsender Frequenz abnehmen und erreicht den Wert 0 dB bei der Grenzfrequenz, s. Abb. 6.11 unten. Oberhalb der Grenzfrequenz wird die Schleifenverstärkung V_S negativ. Die Schleifenverstärkung hat bei niedrigen Frequenzen einen Wert von 60 dB. Ab einer Frequenz von 1 kHz fällt die Schleifenverstärkung mit 20 dB pro Dekade. Oberhalb einer Frequenz von 100 kHz fällt die Schleifenverstärkung mit 40 dB pro Dekade. Bei 100 kHz hat die Schleifenverstärkung einen Wert von 20 dB, bei 1 MHz bereits −20 dB.

Damit die Operationsverstärkerschaltung mit Rückkopplung auf den invertierenden Eingang stabil ist, muss die Schleifenverstärkung bei Erreichen der Phase $\varphi_S = -180°$ kleiner als 1 bzw. kleiner als 0 dB sein. Die Phase von $-180°$ wird für dieses Beispiel bei einer Frequenz von 1 MHz erreicht, s. Abb. 6.10. Bei dieser Frequenz beträgt die

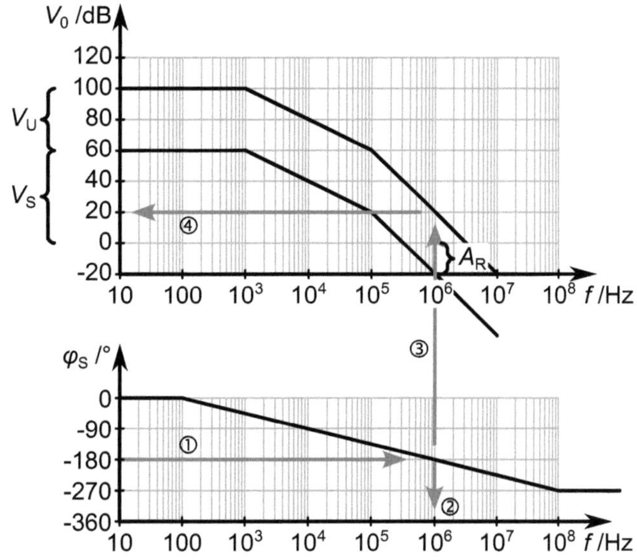

Abb. 6.12 Bestimmung der Amplitudenreserve für den Beispiel-OP, s. Text

Leerlaufverstärkung V_0 20 dB. Da dieser Wert größer als 0 dB ist, kann der OP instabil sein. Hier gilt, dass die Schleifenverstärkung in der Regel nicht höher als die Leerlaufverstärkung ist. Mit einer Schleifenverstärkung von 20 dB würde die OP-Schaltung mit der Frequenz von 1 MHz schwingen. In diesem Fall ist die Spannungsverstärkung $V_U = V_0 - V_S = 20\text{ dB} - 20\text{ dB} = 0\text{ dB}$. Wird die Spannungsverstärkung erhöht, sinkt gleichzeitig die Schleifenverstärkung. Auf diese Weise kann die Schwingneigung der OP-Schaltung reduziert werden. Mit einer Spannungsverstärkung von 20 dB wäre die OP-Schaltung grenzstabil. Ein Spannungssignal würde erhalten bleiben und nicht wieder abklingen. Mit einer Spannungsverstärkung von mehr als 20 dB wird die OP-Schaltung stabilisiert, da die Schleifenverstärkung bei der kritischen Frequenz von 1 MHz negativ wird.

Hier soll der Hinweis ergänzt werden, dass das Bode-Diagramm in diesem Buch mit Näherungsgeraden gezeichnet wird. In der Realität wird es demzufolge zu Abweichungen kommen.

6.4.2 Verfahren zur Analyse der Stabilität einer gegengekoppelten OP-Schaltung im Bode-Diagramm

1. Bode-Diagramm des OPs mit Betrag und Phase zeichnen.
2. Bestimmung der Frequenz im Phasendiagramm, bei der die Phase $\varphi_s = -180°$ ist. Bei dieser Frequenz (oder in diesem Frequenzbereich) wird aus der Gegenkopplung eine Mitkopplung. Hier kann möglicherweise Instabilität auftreten.
3. Diese Frequenz senkrecht nach oben in das Betragsdiagramm übertragen.

4. Ist die Leerlaufverstärkung des OPs bei dieser Frequenz größer als 0 dB ist die Schaltung potenziell instabil, kann aber durch Erhöhung der Verstärkung V_U des gegengekoppelten Verstärkers stabilisiert werden. Dazu muss die Spannungsverstärkung V_U so weit erhöht werden, dass bei der betrachteten Frequenz die Schleifenverstärkung V_S kleiner als 1, also kleiner als 0 dB, ist. Die Oszillationsfrequenz des OPs ergibt sich aus der Frequenz, bei der die Phase $\varphi_S = -180°$ ist, und bei der die Verstärkung V_0 maximal ist.

6.4.3 Stabilitätskriterien

Betrachtet wird wieder der Operationsverstärker mit dem Bode-Diagramm aus Abb. 6.9. Zunächst wird im Phasendiagramm kontrolliert, bei welcher Frequenz die Phase φ_S – 180° erreicht. Das ist für diesen OP bei einer Frequenz von 1 MHz der Fall. Durch Übergang in das Betragsdiagramm wird festgestellt, dass die Leerlaufverstärkung bei dieser Frequenz 20 dB beträgt und damit größer als 0 dB ist. Das bedeutet, dass der Operationsverstärker in dieser Betriebsart potenziell instabil ist. Der OP kann stabilisiert werden, wenn die Spannungsverstärkung V_U ausreichend hoch eingestellt wird. Damit genau die Stabilitätsgrenze erreicht wird, muss die Schleifenverstärkung V_S bei der potenziellen Schwingungsfrequenz 0 dB betragen. Das bedeutet, dass die Spannungsverstärkung V_U demzufolge auf einen Wert von 20 dB eingestellt werden muss, damit die Operationsverstärkerschaltung grenzstabil ist. Wird die Spannungsverstärkung V_U weiter erhöht, wird nach Gl. (6.8)

$$V_S = V_0 - V_U$$

die Schleifenverstärkung V_S bei der möglichen Schwingfrequenz negativ. Dadurch wird die OP-Schaltung weiter stabilisiert. Der Grad der Stabilisierung wird durch die Amplitudenreserve A_R ausgedrückt. Mit Amplitudenreserve wird die negative Gegenkopplung bei der potenziellen Schwingfrequenz bezeichnet. Allgemein gilt für die Amplitudenreserve als Gütekriterium für stabilen Betrieb:

$$A_R = -V_S|_{\varphi_S = -360°}$$

Für den hier betrachteten gegengekoppelten Operationsverstärker gilt wegen der Rückkopplung auf den invertierenden Eingang:

$$A_R = -V_S|_{\varphi_S = -180°}. \tag{6.14}$$

Die Amplitudenreserve wird bei der Frequenz bestimmt, bei der die Phasendrehung φ_S einen Wert von $-180°$ hat. Die Operationsverstärkerschaltung aus dem Beispiel in Abb. 6.9 wird auf eine Spannungsverstärkung $V_U = 40$ dB eingestellt. Das zugehörige Bode-Diagramm mit den Verstärkungswerten ist in Abb. 6.12 dargestellt.

Aus dem Diagramm kann abgelesen werden, dass die Schleifenverstärkung V_S bei der potenziellen Schwingungsfrequenz von 1 MHz -20 dB beträgt. Die Amplitudenreserve ergibt sich aus dem Zahlenwert der negativen Schleifenverstärkung zu + 20 dB. Für einen sicheren und stabilen Betrieb sollte die Amplitudenreserve mindestens ca. $A_R =$ 12 dB betragen. Das Verfahren zur Bestimmung der Amplitudenreserve wird anhand der Abb. 6.12 hier noch einmal beschrieben. Zunächst wird das Bode-Diagramm mit Betrag und Phase gezeichnet. Anschließend wird die Frequenz festgestellt, bei der die Phase φ_S einen Wert von $-180°$ erreicht, s. Markierungen ① und ② in Abb. 6.12. Diese Frequenz beträgt hier 1 MHz, s. Markierung ②. Bei dieser Frequenz wird aus dem Phasendiagramm in das Betragsdiagramm nach oben gewechselt (③). Da die Leerlaufverstärkung bei dieser Frequenz mit 20 dB größer als 0 dB ist (Markierung ④), ist die OP-Schaltung potenziell instabil. Durch eine Spannungsverstärkung mit $V_U = +$ 40dB ergibt sich eine Schleifenverstärkung V_S von -20 dB. Der negative Dezibelwert entspricht der Amplitudenreserve, die damit + 20 dB beträgt.

Eine Vereinfachung zur Beurteilung der Stabilität bewertet die Steigung der Leerlaufverstärkung insbesondere bei kompensierten OPs: Hat die Steigung der Leerlaufverstärkung V_0 bei der Transitfrequenz f_T einen Wert von -20 dB/Dekade ist die OP-Schaltung stabil. Die Begründung ist, dass bei einem Abfall von -20 dB/Dekade nur eine Grenzfrequenz bzw. Polstelle aktiv ist. Damit hat die Phasendrehung in der Regel einen Wert von $-90°$. Ist die Transitfrequenz identisch mit der zweiten Grenzfrequenz, erreicht die Phase einen Wert von $-135°$, ist damit aber immer noch ausreichend „weit" von $-180°$ entfernt. Die Transitfrequenz wurde in Abschn. 5.8 mit einem Tiefpass beschrieben. Insbesondere sog. kompensierte OPs weisen in der Regel eine dominante Grenzfrequenz bei relativ niedrigen Frequenzen auf. Diese OPs können in der Regel problemlos verwendet werden und sind für die meisten Schaltungen und Anwendungen stabil, da die frequenzabhängige Verstärkung bei Erreichen der zweiten Grenzfrequenz ausreichend niedrig ist.

Häufiger wird als Stabilitätskriterium die Phasenreserve φ_R verwendet. Die Phasenreserve ist die Phasendifferenz zwischen der Phase φ_S und dem Wert von $-180°$ bei der Frequenz, bei der die Schleifenverstärkung einen Wert von $V_S = 0$ dB hat. Dazu wird im Betragsdiagramm die Frequenz markiert, bei der die Schleifenverstärkung auf 0 dB abgefallen ist. Von dort wird die Frequenz in das Phasendiagramm übertragen. Wenn die Phase oberhalb von $-180°$ ist, ergibt sich die Phasenreserve aus der Differenz zwischen der aktuellen Phase und $-180°$.

Mathematisch wird die Phasenreserve als allgemeines Stabilitätskriterium folgendermaßen beschrieben:

$$\varphi_R = 360° + \varphi_S\big|_{V_S = 0\,\text{dB}}. \tag{6.15}$$

Für den Operationsverstärker mit Rückkopplung auf den invertierenden Eingang gilt:

$$\varphi_R = 180° + \varphi_S\big|_{V_S = 0\,\text{dB}}. \tag{6.16}$$

Die Phasenreserve für den Operationsverstärker mit dem Frequenz-/Phasengang aus Abb. 6.9 mit einer Spannungsverstärkung $V_U = 40$ dB ist in Abb. 6.13 dargestellt. Die Bestimmung der Phasenreserve erfolgt auf die folgende Weise: Zunächst wird das Bode-Diagramm mit Betrag und Phase gezeichnet. Zunächst wird die Phase φ_S von $-180°$ markiert, s. ①. Der Phasenwert von $-180°$ wird bei einer Frequenz von 1 MHz erreicht (mögliche Schwingfrequenz), s. ②. Zur Bestimmung der Phasenreserve wird die Frequenz markiert, bei der die Schleifenverstärkung V_S einen Wert von 0 dB erreicht, s. ③. Diese Frequenz ist in Abb. 6.13 in der geometrischen Mitte der Dekade von 100 kHz bis 1 MHz. Dieser Wert ergibt sich zu 316 kHz, s. Abschn. 1.8. Bei dieser Frequenz wird in das Phasendiagramm gewechselt (Pfeil mit Markierung ④). Die Phase φ_S ist bei dieser Frequenz mit $-157{,}5°$ größer als $-180°$. Die Phase ergibt sich aus dem Phasenverlauf der Dekade von 100 kHz bis 1 MHz. Bei 100 kHz beträgt die Phase φ_S $-135°$, bei 1 MHz werden $-180°$ erreicht. Die Phase in der geometrischen Mitte der Dekade ergibt sich damit als Mittelwert zu $-157{,}5°$. Die Phasenreserve ist die Differenz bis -180°, also 22,5°.

Aus der Phasenreserve φ_R lässt sich die Schwingneigung der Schaltung gut ablesen. Bei Phasenreserven von weniger als 90° kommt es sowohl im Zeit- als auch im Frequenzbereich zu Überschwingen, s. Abb. 6.14, nach [5].

Wichtig: Die dargestellten Überlegungen zur Stabilität von Operationsverstärkern gelten für unkompensierte Operationsverstärker. Einige Operationsverstärker, insbesondere die „Feld- und Wiesentypen", haben eine fest eingebaute Kompensation. Das bedeutet, dass die erste Grenzfrequenz sehr niedrig ist, häufig im Bereich weniger Hertz (Beispiel: µA741 hat eine untere Grenzfrequenz von etwa 3 Hz, [6]). Durch diese niedrige Grenzfrequenz ist die Verstärkung bei der möglichen Oszillationsfrequenz unter 0 dB. Damit

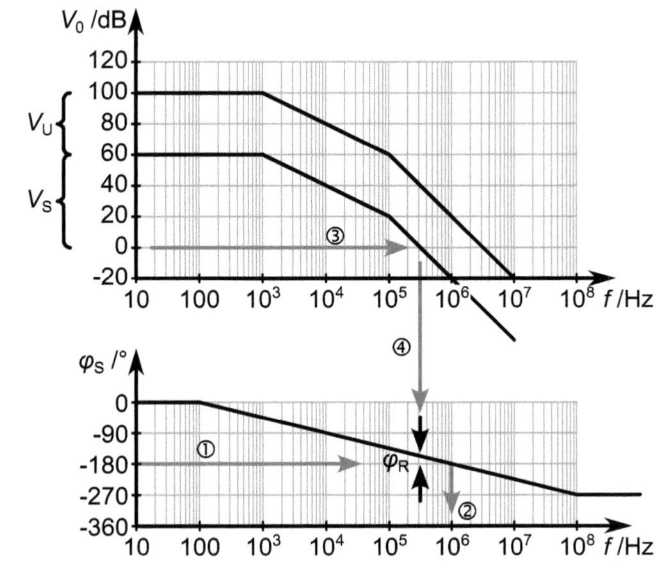

Abb. 6.13 Bestimmung der Phasenreserve für den Beispiel-OP mit einer Spannungsverstärkung von 40 dB, s. Text

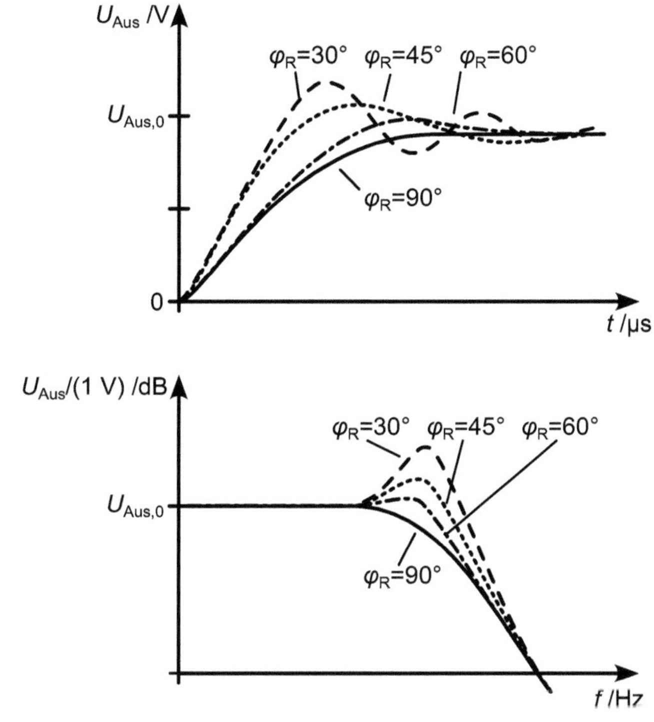

Abb. 6.14 Schematische Darstellung der Auswirkung der Phasenreserve auf einen Sprungimpuls im Zeitbereich (links) und Frequenzverhalten (rechts), nach [5]

ist dieser Operationsverstärker praktisch immer stabil. Eine Stabilitätsanalyse ist bei den kompensierten OPs daher in der Regel nicht erforderlich.

Mit den Mitteln der Regelungstechnik lässt sich aus der Phasenreserve das Überschwingverhalten bei einem Spannungssprung indirekt bestimmen, s. beispielsweise [2, 4]. Im Unterschied zur üblichen Darstellung wird in diesem Buch direkt das Überschwingen in Abhängigkeit der Phasenreserve dargestellt. Es ergibt sich der in Abb. 6.15 gezeigte Zusammenhang. Aus der Grafik lässt sich entnehmen, dass eine Phasenreserve von 75° (und höher) praktisch kein Überschwingen zeigt. Mit geringer werdender Phasenreserve steigt das Überschwingen stetig an. Bei einer Phasenreserve von 45° beträgt das Überschwingen etwa 23 %. Aus der Abbildung lässt sich per Interpolation die folgende Gleichung für das Überschwingen $\Delta U/U$ in Abhängigkeit der Phasenreserve φ_R bestimmen:

$$\Delta U/U_{\varphi R} = 0{,}0108\% \cdot \frac{\varphi_R^2}{1^\circ \cdot 1^\circ} - 2{,}0479\% \cdot \frac{\varphi_R}{1^\circ} + 92{,}839\%. \tag{6.17}$$

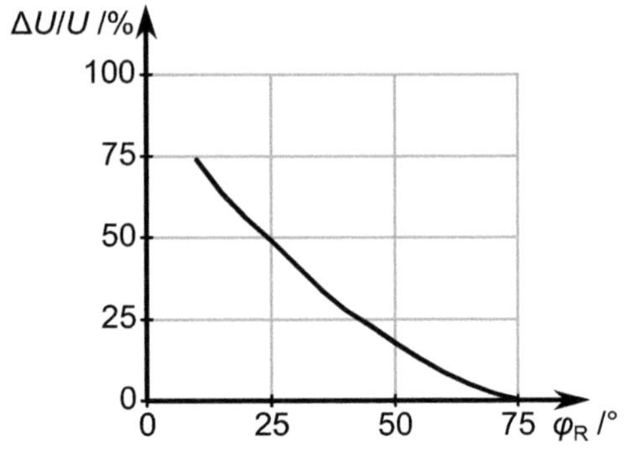

Abb. 6.15 Überschwingen eines Rechteckpulses in Abhängigkeit der Phasenreserve

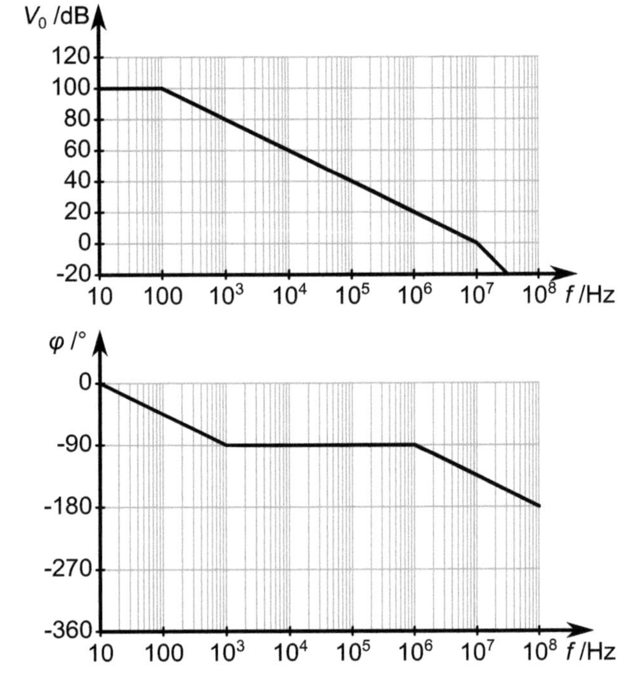

Abb. 6.16 Bode-Diagramm des OPs NE5532. Die Daten wurden dem Makromodell des OPs entnommen

6.5 Simulation und Messungen einiger OP-Schaltungen

Die Darstellung des Stabilitätsverhaltens ist nicht ganz einfach. Ein Punkt ist, dass das idealisierte Bode-Diagramm nicht komplett simuliert werden kann. Messtechnisch ist eine Darstellung ebenfalls mit den bisher behandelten Operationsverstärkertypen nicht ganz einfach. Der Grund ist, dass die verwendeten Operationsverstärker intern kompensiert sind und damit in den meisten Fällen stabil betrieben werden.

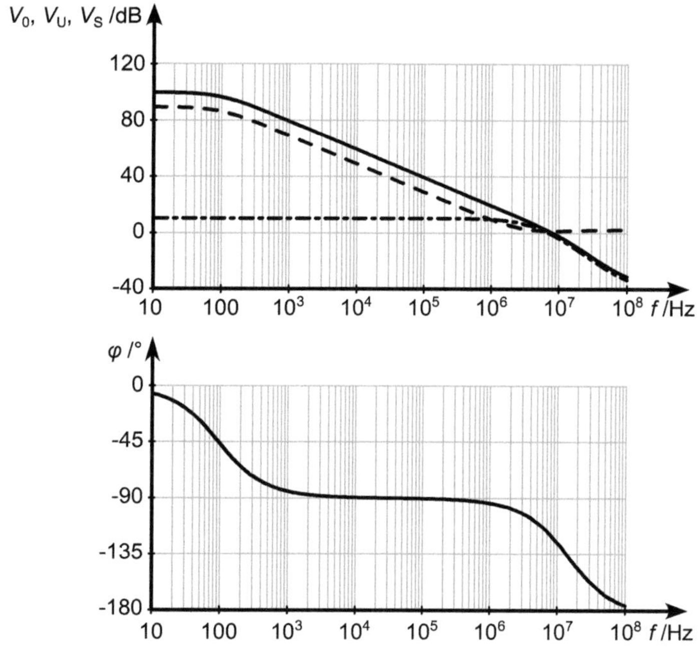

Abb. 6.17 Simulation des Bode-Diagramms eines invertierenden Verstärkers mit einem OP NE5532 mit $V_U = 10$ dB

Anhand des Operationsverstärkers NE5532 wird zumindest der Effekt vom Ansatz her gezeigt. Aus dem Makromodell des Operationsverstärkers NE5532 folgt eine Leerlaufverstärkung von 95 dB, Grenzfrequenzen von 110 Hz bzw. 7,3 MHz. Für eine einfachere Darstellung wird das Bode-Diagramm des NE5532 mit den Daten Leerlaufverstärkung 100 dB, Grenzfrequenzen 100 Hz und 10 MHz gezeichnet. s. Abb. 6.16. Aus diesem Diagramm kann entnommen werden, dass für eine Phasenreserve von 45° ein Spannungsverstärkung $V_U = 0$ dB erforderlich ist. Soll die Phasenreserve 67,5° betragen, muss die Spannungsverstärkung V_U auf + 10 dB erhöht werden. Dieses Ergebnis zeigt sich näherungsweise auch in der Simulation in Abb. 6.17. Dort sind die frequenzabhängige Leerlaufverstärkung, die Spannungsverstärkung und die Schleifenverstärkung V_S für den Fall mit der Phasenreserve von 67,5° gezeigt. In der Simulation wird die Schleifenverstärkung aus der Differenz der Leerlauf- und der Spannungsverstärkung bestimmt. Hier zeigen sich gegenüber der Theorie bei Frequenzen oberhalb der Grenzfrequenz Abweichungen. Der Grund ist, dass in der Simulation die Spannungsverstärkung nicht höher als die Leerlaufverstärkung werden kann. Das bedeutet, dass die Schleifenverstärkung V_S nicht negativ werden kann. Aus der Simulation lässt sich bei einer Frequenz von 3 MHz jedoch eine ähnliche Phasenreserve von 79° ablesen, die der Analyse mit dem Bode-Diagramm entspricht.

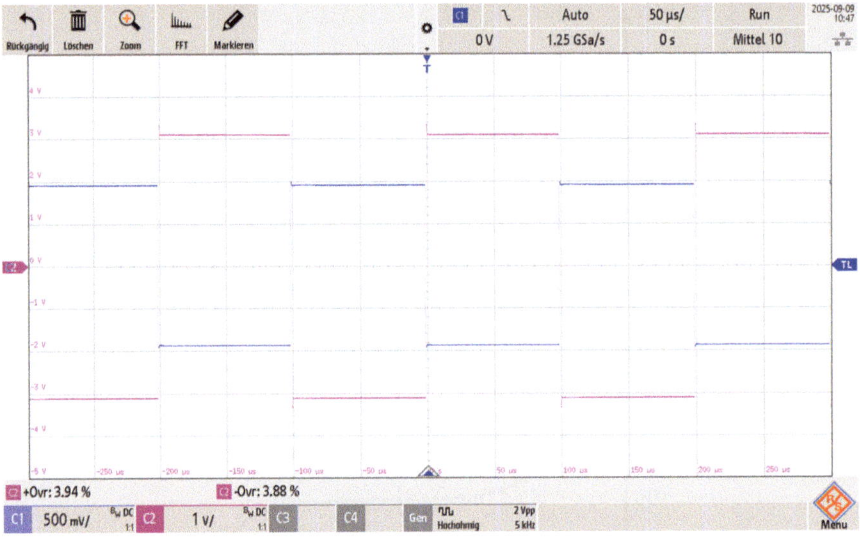

Abb. 6.18 Messung eines invertierenden Verstärkers mit einem OP vom Typ NE5532. Die Spannungsverstärkung + 10 dB. Als Eingangssignal wird ein rechteckförmiges Signal mit einer Amplitude von 1 V verwendet. Das Eingangssignal entspricht der blauen Kurve, das Ausgangssignal ist die pinkfarbene Linie. Das Überschwingen wird über die eingebaute Messfunktion gemessen. Die Skalierung ist 500 mV/□ für Kanal 1 und 1 V/□

Das Überschwingverhalten des invertierenden Verstärkers mit einem OP NE5532 ist für eine Spannungsverstärkung von 10 dB in Abb. 6.18 als Oszilloskopmessung gezeigt. Die eingebaute Messfunktion zeigt ein Über- bzw. Unterschwingen von etwa 3,9 % an. Aus dem Diagramm in Abb. 6.15 folgt ein Wert von etwa 7 %. Weitere Messungen mit Variation der Spannungsverstärkung durch Austausch des Rückkopplungswiderstandes ergeben dass in Abb. 6.19 gezeigte Verhalten. Im oberen Teilbild ist das Überschwingen des OPs NE5532 zusammen mit der Phasenreserve und dem aus der Phasenreserve bestimmten Überschwingen aus Abb. 6.15 dargestellt. Deutlich wird, dass das theoretisch bestimmte Überschwingen insbesondere bei niedrigen Phasenreserven zu hoch ist. Ein Grund ist sicherlich, dass im Bode-Diagramm Näherungsgeraden verwendet werden. Zudem sind die Daten für die Leerlaufverstärkung und die Grenzfrequenzen aus dem Makromodell des OPs bestimmt. Auch hier gibt es Abweichungen, s. auch Kap. 3. Eine wichtige Schlussfolgerung ist, dass die Stabilitätsuntersuchung sehr wichtige Hinweise für das Verhalten der Schaltung liefert, das reale Verhalten jedoch auch messtechnisch bestimmt werden muss.

Im unteren Teilbild sind die drei OP-Typen NE5532, TL062 und MC33078 im Vergleich dargestellt. Grundsätzlich ist für die drei Operationsverstärkertypen erkennbar, dass eine hohe Spannungsverstärkung V_U zu einem reduzierten Überschwingen führt. Der Grund ist, dass die Schleifenverstärkung mit steigender Spannungsverstärkung sinkt und

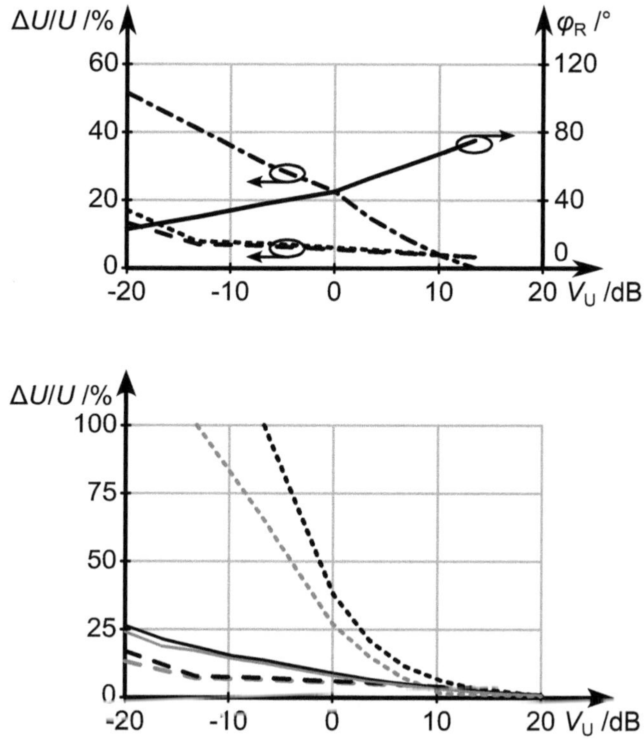

Abb. 6.19 Oberes Teilbild: Gemessenes Über- bzw. Unterschwingen in Abhängigkeit der Spannungsverstärkung V_U eines invertierenden Verstärkers mit einem OP NE5532 (gepunktet bzw. gestrichelt). Dargestellt sind ebenfalls die aus dem Bode-Diagramm bestimmte Phasenreserve (durchgezogene Linie) und das daraus bestimmte Überschwingen (strich-punktiert). Unteres Teilbild: Gemessenes Über- und Unterschwingen eines invertierenden Verstärkers mit den Operationsverstärken NE5532 (gestrichelt), TL062 (gepunktet) und MC33078 (durchgezogene Linie) im Vergleich

damit die Phasenreserve größer wird. Gleichzeitig ist auch sichtbar, dass der OP-Typ einen großen Einfluss auf das Überschwingverhalten und die Stabilität hat. Der letzte Punkt ist: Soll ein Spannungsverlauf ohne Verzerrung abgebildet werden, spielt die Stabilität und Phasenreserve bereits bei kompensierten Operationsverstärkern eine wichtige Rolle. Verzerrungsfreie Verstärkung ist beispielsweise für Anwendungen in der Messtechnik aber auch in der Audiotechnik sehr wichtig.

6.6 Verständnisfragen zu Kap. 6

6.6.1 Schleifenverstärkung und Gegenkopplungsgrad

Frage 6.1: Erläutern Sie die drei Verstärkungsangaben V_0, V_U und V_S!

6.6.2 Stabilität

Frage 6.2: Was bedeutet Stabilität bei Verstärkern? Woher kennt man instabiles Verhalten?

Frage 6.3: Welcher Verstärkungswert ist für die Stabilität wichtig?

Frage 6.4: Ein Verstärker ist bis auf einen kleinen Frequenzbereich bei 10 kHz stabil. Ist der Verstärker für Anwendungen bei 100 Hz nutzbar?

Frage 6.5: Welchen Einfluss hat es, wenn der Ausgang auf den invertierenden oder auf den nichtinvertierenden Eingang zurückgeführt wird?

Frage 6.6: Wie wird die Stabilität eines Verstärkers beurteilt?

Frage 6.7: Wie kann ein Operationsverstärker stabilisiert werden?

Frage 6.8: Wie wird die Schleifenverstärkung V_S bestimmt?

Frage 6.9: Bei welchem Frequenzwert ist die Schleifenverstärkung für die Beurteilung der Stabilität wichtig?

Frage 6.10: Wie wird die Amplitudenreserve bestimmt?

Frage 6.11: Wie wird die Phasenreserve bestimmt?

Frage 6.12: Es gibt auch universell stabilisierte OPs. Wie sind die aufgebaut?

6.7 Aufgaben zu Kap. 6

6.7.1 Aufgabe 6.1

Ein Operationsverstärker hat einen Frequenzgang mit folgenden Daten:

$V_0 = 120$ dB; $f_{g1} = 1$ kHz; $f_{g2} = 1$ kHz; $f_{g3} = 100$ kHz.

(Hinweis: Die Mitte der Dekaden hat einen Faktor von 3,162.)

a) Zeichnen Sie die Leerlaufverstärkung nach Betrag und Phase mit Näherungsgeraden. Verwenden Sie das unten dargestellte leere Bode-Diagramm.
b) Welche Frequenz hat die Eigenschwingung, die sich bei Instabilität ergibt?
c) Mit diesem OP wird ein nichtinvertierender Verstärker entworfen. Welche Verstärkung V_U (bei niedrigen Frequenzen) muss der beschaltete Operationsverstärker für eine Amplitudenreserve von 10 dB haben?
d) Der nichtinvertierende Verstärker weist eine Verstärkung V_U von 100 dB auf. Welche Phasenreserve hat diese Schaltung?

e) Bestimmen Sie die Bandbreite der Schaltung aus d) näherungsweise!

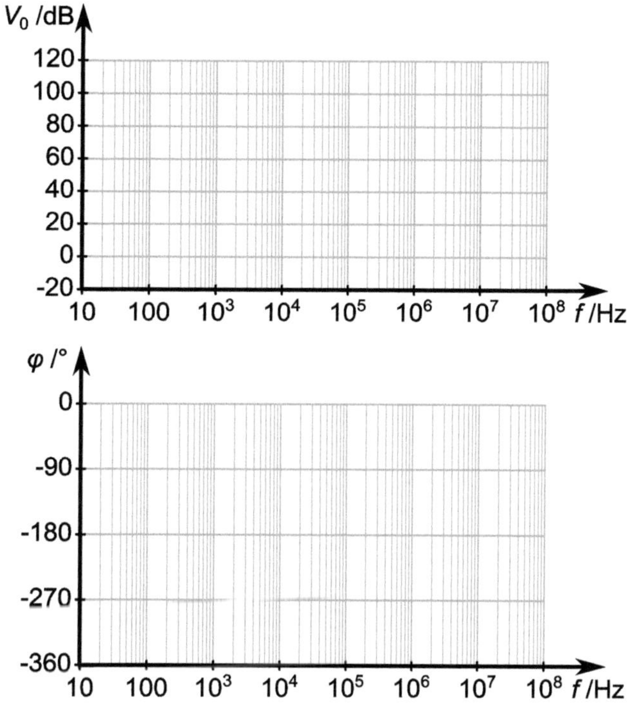

6.7.2 Aufgabe 6.2

Ein Operationsverstärker ist mit den folgenden Daten gegeben:

$V_0 = 120\ \text{dB}; f_{g1} = 10\ \text{Hz}; f_{g2} = 100\ \text{Hz}; f_{g3} = 100\ \text{kHz}.$

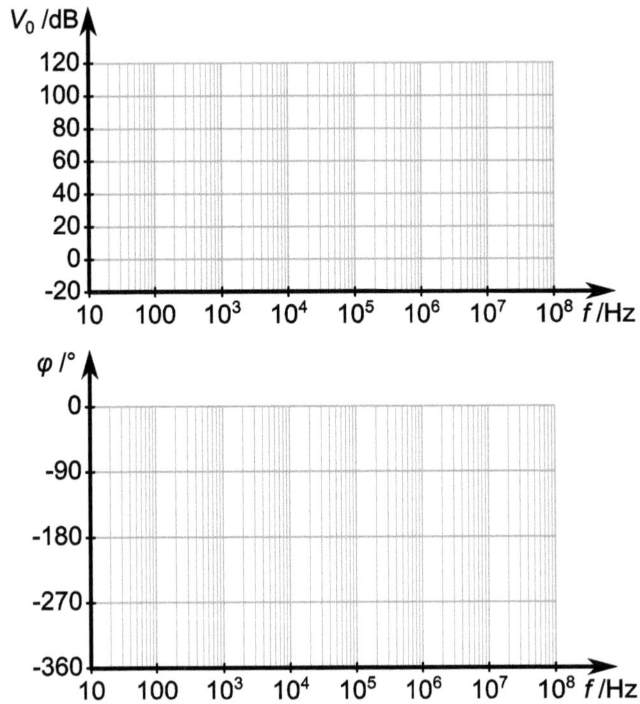

a) Zeichnen Sie den Frequenzverlauf der Leerlaufverstärkung in das oben dargestellte Bode-Diagramm mit Betrag und Phase. Verwenden Sie Näherungsgeraden.
b) Welche Frequenz hat die Eigenschwingung, die sich bei Instabilität ergibt?
c) Mit diesem OP wird ein nichtinvertierender Verstärker entworfen. Welche Verstärkung V_U (bei niedrigen Frequenzen) muss der beschaltete Operationsverstärker für eine Amplitudenreserve von 10 dB haben?
d) Der invertierende Verstärker weist eine Verstärkung V_U von 100 dB auf. Welche Phasenreserve hat diese Schaltung?
e) Bestimmen Sie die Bandbreite der Schaltung aus d)!

6.7.3 Aufgabe 6.3

Für einen Operationsverstärker wurde das folgende Bode-Diagramm gemessen.
(Hinweis: Die Mitte der Dekaden hat einen Faktor von 3,162.)

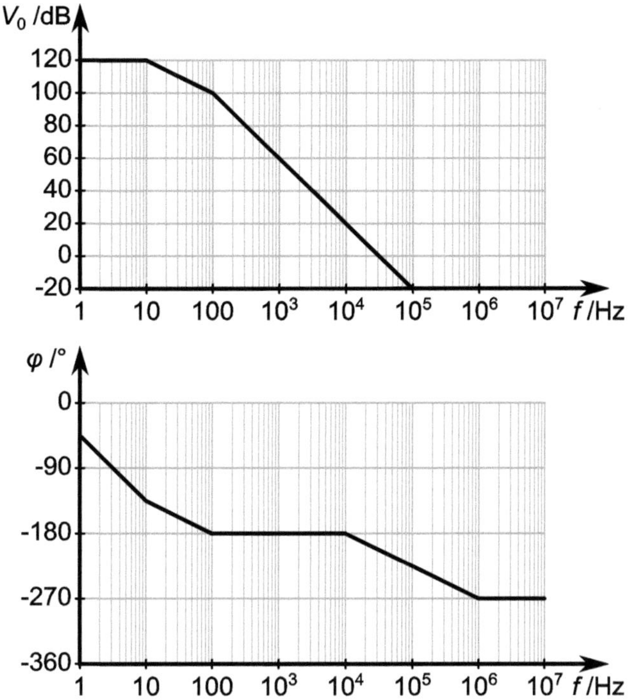

a) Bestimmen Sie aus dem Bode-Diagramm die Grenzfrequenzen des Operationsverstärkers in aufsteigender Reihenfolge.
b) Welche Frequenz hat die Eigenschwingung, die sich bei Instabilität ergibt?
c) Mit diesem OP wird ein nichtinvertierender Verstärker entworfen. Welche Verstärkung V_U (bei niedrigen Frequenzen) muss der beschaltete Operationsverstärker für eine Amplitudenreserve von 10 dB haben?
d) Bestimmen Sie die Bandbreite der Schaltung aus c) näherungsweise!

Literatur zu Kapitel 6

1. Texas Instruments, „Op Amps for Everyone"; Design Reference, September 2001, SLOD006A, www.ee.nmt.edu/~thomas/data_sheets/op-amp-slod006a.pdf, abgerufen am 25.11.2023
2. Texas Instruments, „Stability Analysis of Voltage-Feedback Op Amps", Application Report, SLOA020A, www.ti.com/lit/pdf/sloa020, abgerufen am 18.9.2025
3. Renesas, „Feedback, OP Amps and Compensation", Application Note AN9415, November 1996, www.renesas.com/en/document/apn/an9415-feedback-op-amps-and-compensation, abgerufen am 18.9.2025
4. Texas Instruments, „Feedback Amplifier Analysis Tools", Application Report SLOA017A, März 2001, www.ti.com/lit/pdf/sloa017a, abgerufen am 18.9.2025

5. U. Tietze, Ch. Schenk, „Halbleiter-Schaltungstechnik“, Springer-Verlag, Berlin, 2002, 3–540–42849–6
6. Datenblatt µA741, Texas Instruments, www.ti.com/lit/ds/symlink/ua741.pdf, abgerufen am 3.8.2025

Weiterführende Literatur

7. Analog Devices, „Does Your Op Amp Oscillate?“, www.analog.com/media/en/technical-documentation/application-notes/an148fa.pdf, abgerufen am 18.9.2025
8. Texas Instruments, „Op amp stability and input capacitance“, Analog Applications Journal 1Q 2004, www.ti.com/lit/pdf/slyt087, abgerufen am 18.9.2025

Anhang 7

Ausführliche Lösungen sind über SpringerLink erhältlich.

7.1 Lösungswerte zu den Aufgaben

7.1.1 Lösungswerte zu den Aufgaben aus Kap. 1

Aufgabe 1.1: a) $f = 100$ Hz, $\hat{U}_B = 2$ V; b) Spule; c) $L = 11{,}288$ mH; d) $\hat{I}_{Ges} = 345{,}72$ mA

Aufgabe 1.2: a) Kondensator; b) $I = 200$ mA, $I_{Eff} = 141{,}42$ mA; c) $C = 142{,}36$ µF; d) $\varphi{=}{-}48{,}489°$; e) $\varphi = 46{,}95$ mH bzw. $L = 842{,}73$ mH

Aufgabe 1.3: a) $X_C = 24{,}114$ Ω; b) $X_{Ges} = 55{,}511$ Ω; c) $\hat{I} = 360{,}29$ mA, $\hat{U}_R = 18{,}014$ V, $\hat{U}_C = 8{,}688$ V; d) Zeigerdiagramm ist bei den ausführlichen Lösungen enthalten

Aufgabe 1.4: Das Zeigerdiagramm ist bei den ausführlichen Lösungen enthalten. Es ergeben sich die folgenden Werte: $I_C = 40$ mA, $U_C = 2$ V, $U_{R1} = 2{,}82$ V, $I_R = 28{,}2$ mA, $I_L = 63{,}2$ mA, $U_L = 6{,}32$ V, $U = 5{,}657$ V

Aufgabe 1.5: a) $\underline{F}(\mathrm{j}\omega) = \frac{(1+\mathrm{j}\omega C\cdot R_1)\cdot R_2}{R_1+R_2+\mathrm{j}\omega C\cdot R_1R_2}$; b) $f_{g,HP} = \frac{1}{2\pi C\cdot R_1}$; $f_{g,TP} = \frac{R_1+R_2}{2\pi C\cdot R_1R_2}$; c) $f_{g,HP} = 1$ kHz, $f_{g,TP} = 100$ kHz; d) hohe Frequenzen: 1, Frequenz „0“: 0,01; e) Das Bode-Diagramm ist bei den ausführlichen Lösungen enthalten.

M. Alles, *Operationsverstärker*, https://doi.org/10.1007/978-3-662-72536-8_7

7.1.2 Lösungswerte zu den Aufgaben aus Kap. 2

Aufgabe 2.1: a) $R_C = 2\,\text{k}\Omega$; b) $R_0 = 1{,}9\,\text{k}\Omega$; c) $I_{Basis} = 18{,}75\,\mu\text{A}$; d) $U_{Basis} = -150\,\text{mV}$; e) $V_U = -115{,}4$; f) $V_{U,G} = -0{,}525$; $CMRR = 219{,}8$; g) $r_{Ein,G,kompl.} = 3{,}948\,\text{k}\Omega$

Aufgabe 2.2: a) $R_0 = 6{,}8\,\text{k}\Omega$; b) $R_C = 3\,\text{k}\Omega$; c) $R_{Basis} = 500\,\Omega$; d) $R_E = 187{,}5\,\Omega$; e) $V_{U,G} \approx 0$, $CMRR \approx \infty$; f) T_3 als Konstantstromsenke bewirkt, dass eine Stromänderung im linken Pfad mit umgekehrtem Vorzeichen am rechten Pfad wirksam wird; g) Das KS-ESB entspricht Abb. 2.8, dazu wird die Ersatzschaltung für T_3 ergänzt. Das KS-ESB ist in den ausführlichen Lösungen enthalten; h) $r_{Ein,D,Ges} = 839{,}6\,\Omega$

Aufgabe 2.3: a) $R_0 = 950\,\Omega$; b) $R_C = 1666{,}7\,\Omega$; c) nichtinvertierend d) Emitterwiderstände mit $R_E = 83{,}3\,\Omega$ ergänzen, s. a. ausführliche Lösung; e) $U_{C,0} = 2{,}899\,\text{V}$; g) Nein, da R_C, R_E und R_0 unverändert sind.

7.1.3 Lösungswerte zu den Aufgaben aus Kap. 3

Aufgabe 3.1: a) rail-to-rail OP; b) invertierend; c) Punkt ②; d) NPN-Pfad: −9,4 V bis 12,3 V, PNP-Pfad: −12,3 V bis 9,4 V; e) wechselnde Eingangsströme.

Aufgabe 3.2: a) $U_{G,Aus}$: 3,837 V, 4,336 V, 4,834 V, 8,821 V (für 0 V, 0,5 V, 1 V, 2 V); b) U_C = 8,221 V, 8,055 V, 7,557 V, 6,56 V (für 0 V, 0,5 V, 1 V, 2 V); c) $U_{D,Aus}$ = 0 V, −0,1 V, −1 V, −10 V (für 0 V, 1 mV, 10 mV, 100 mV)

7.1.4 Lösungswerte zu den Aufgaben aus Kap. 4

Aufgabe 4.1: a) s. Abb. 4.3; b) $R_1 = 1\,\text{k}\Omega$; c) $R_2 = 10\,\text{k}\Omega$; d) $V_0 = 1989$, 65,97 dB; e) $r_{Aus,Eff} = 0{,}275\,\Omega$; f) $R_{Ein} = 995\,\Omega$

Aufgabe 4.2: a) Integratorschaltungen; b) nichtinv. Additionsschaltung, Differenzverstärker, passende Zuordnung s. ausführliche Lösung; c) −1 V bzw. 1 V, Zuordnung s. ausführliche Lösung; d) Komparator, Schaltbilds s. ausführliche Lösung.

Aufgabe 4.3: Differenzverstärker.

Aufgabe 4.4: Spannungsverlauf s. ausführliche Lösung.

Aufgabe 4.5: a) inv. Verstärker entsprechend Abb. 4.3; b) $R_1 = 707{,}1\,\Omega$; c) $R_2 = 14{,}01\,\text{k}\Omega$; d) $U_{Ein,Eff} = 4{,}24\,\text{V}$; e) Vorschaltung nichtinv. Verstärker, s. ausführliche Lösung.

Aufgabe 4.6: a) Transformation des Kondensators C, Schaltbild s. ausführliche Lösung; b) $V_{\mathrm{U,Innen}} = -\frac{2}{3}$, $X_{\mathrm{C,Miller}} = \frac{1}{\omega C \cdot \frac{5}{3}}$; c) Vergrößerung der Kapazität um Faktor 5/3; d) $F_{\mathrm{Filter}}(\mathrm{j}\omega) = \frac{3}{7+10 \cdot \mathrm{j}\omega \cdot C \cdot R}$; e) $F_{\mathrm{Ges}}(\mathrm{j}\omega) - \frac{2}{7+10 \cdot \mathrm{j}\omega \cdot C \cdot R}$.

Aufgabe 4.7: $F(\mathrm{j}\omega) = -\frac{1}{2+3\mathrm{j}\omega CR}$, bei niedrigen Frequenzen: $F(\mathrm{j}\omega) = -\frac{1}{2}$, bei hohen Frequenzen: $F(\mathrm{j}\omega) = 0$.

7.1.5 Lösungswerte zu den Aufgaben aus Kap. 5

Aufgabe 5.1: a) Die Schaltung entspricht Abb. 4.3; b) $I_{\mathrm{Ein,Max}} = 20\ \mu\mathrm{A}$; c) $R_2 = 75\ \mathrm{k}\Omega$; d) 0 V; e) $f_{\mathrm{T}} = 100$ kHz; f) keine Änderung der Signalform; g) $S/N = 21504 = 86{,}65$ dB; h) OP mit niedriger Offsetspannung nach vorne.

Aufgabe 5.2: a) Schaltung des invertierenden Verstärkers entsprechend Abb. 4.3; b) $R_1 = 2\ \mathrm{k}\Omega$; c) $R_2 = 20\ \mathrm{k}\Omega$; d) 0 V; e) $-249{,}9\ \mu\mathrm{V}$; f) $V_{0,2\,\mathrm{kHz}} = 200$; g) $r_{\mathrm{Aus}} = 5{,}213\ \Omega$; h) keine Verzerrung.

Aufgabe 5.3: a)-d) Skizzen s. ausführliche Lösung

7.1.6 Lösungswerte zu den Aufgaben aus Kap. 6

Aufgabe 6.1: a) Bode-Diagramm s. ausführliche Lösung; b) $f_{\mathrm{Osz}} = 10$ kHz; c) $V_{\mathrm{U}} = 90$ dB; d) $\varphi = 45°$; e) $f_{\mathrm{3dB}} = 3{,}162$ kHz.

Aufgabe 6.2: a) Bode-Diagramm s. ausführliche Lösung; b) $f_{\mathrm{Osz}} = 1$ kHz; c) $V_{\mathrm{U}} = 70$ dB; d) $\varphi = 45°$; e) $f_{\mathrm{3dB}} = 100$ Hz.

Aufgabe 6.3: a) $f_{\mathrm{g1}} = 10$ Hz, $f_{\mathrm{g2}} = 100$ Hz, $f_{\mathrm{g3}} = 100$ kHz; b) $f_{\mathrm{Osz}} = 100$ Hz; c) $V_{\mathrm{U}} = 110$ dB; d) $f_{\mathrm{3dB}} = 31{,}62$ Hz

7.2 Antworten zu den Fragen

7.2.1 Antworten zu den Fragen aus Kap. 1

Antwort 1.1: $X_L = R$, Frequenz höher: X_L steigt, damit sinkt φ, anschaulich, weil ein geringerer Strom durch L fließt. Frequenz niedriger, X_L sinkt, damit steigt φ.

Antwort 1.2: $\tan(-\varphi) = \hat{I}_R/\hat{I}_C$, s. auch Tab. 1.3.

Antwort 1.3: Kondensator und Spule, Bauteilewerte im Idealfall beliebig.

Antwort 1.4: In vielen Schaltungen werden Signale der Reihe nach durch mehrere Filter, Verstärker und ähnliche Baugruppen geleitet. Mathematisch entspricht das einer Multiplikation, die bei logarithmischen Werten auf eine Addition zurückgeführt wird.

Antwort 1.5: Bei der Verwendung von sehr großen und sehr kleinen Größen werden die Zahlenwerte auf einen kleinen Bereich abgebildet. Das gilt beispielsweise für die Funktechnik, bei der gleichzeitig hohe Sendeleistungen von etlichen Kilowatt und niedrige Empfangsleistungen im Bereich von wenigen Pikowatt.

Antwort 1.6: a) dBm; b) dBm; c) dB; d) nicht lösbar; e) nicht lösbar; f) dBm; g) dB.

Antwort 1.7: Die Dezibelwerte sind: $V_U = 2$: 6 dB; $V_U = 4$: 12 dB; $V_U = 10$: 20 dB; $V_U = 20$: 26 dB. Eine Spannungsverstärkung um einen Faktor 25 kann man beispielsweise zusammensetzen aus 10 • 10/4. In Dezibel ist die Rechnung dann: 20 dB+20 dB−12 dB = 28 dB. Bei der Dezibelrechnung wird aus der Multiplikation eine Addition und aus der Division wird eine Subtraktion.

Antwort 1.8: Im Betragsdiagramm ist der maximale Fehler 3 dB bei der Grenzfrequenz. Im Phasendiagramm beträgt der Fehler 5,7° bei einem Zehntel und beim zehnfachen der Grenzfrequenz.

Antwort 1.9: In beiden Fällen dreht die Phase um −90°. Beim Tiefpass beginnt die Phase bei niedrigen Frequenzen bei 0° und dreht für einen einfachen Tiefpass auf −90°. Für den einfachen Hochpass gilt: Die Phase beginnt bei +90° und dreht auf 0° bei hohen Frequenzen.

Antwort 1.10: s. die folgenden Grafiken. Oben links: Einfacher Tiefpass, oben rechts: doppelter Tiefpass, unten: dreifacher Tiefpass.

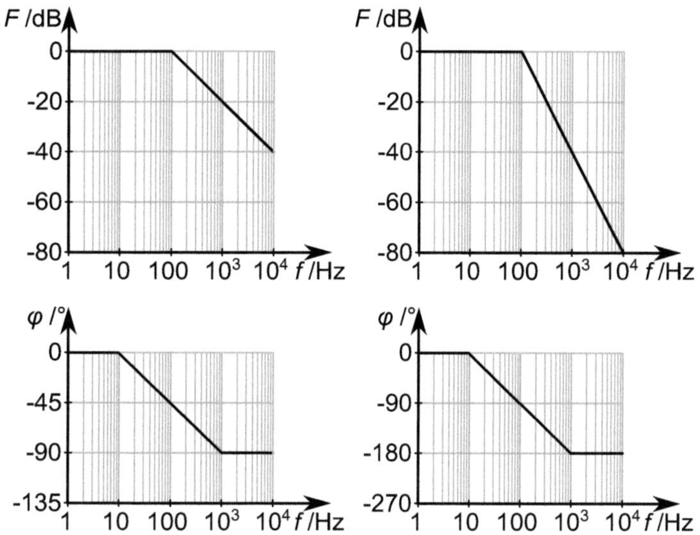

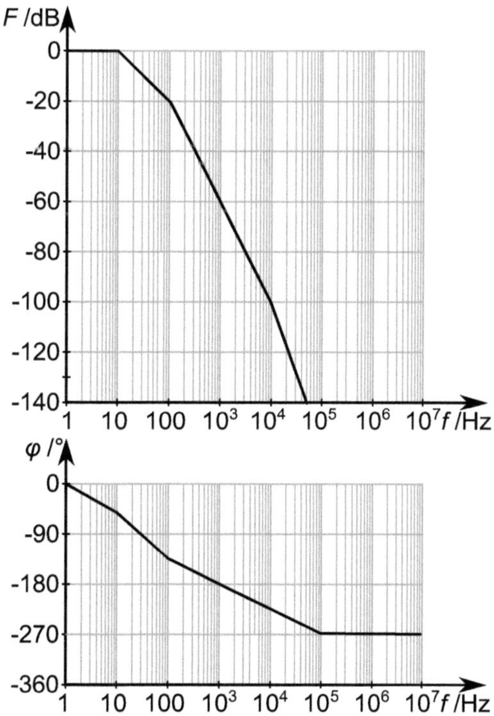

Antwort 1.11: Die Bezeichnungen Grenzfrequenz und 3 dB-Frequenz werden als Synonym benutzt und bezeichnen die Frequenz, bei der die übertragene Leistung auf den

halben Wert gesunken ist. Der Begriff Polstelle kommt aus der Mathematik und bezeichnet (hier) die Frequenz, bei der der Nenner einer Übertragungsfunktion zu Null wird. Diese Frequenz ist bei den hier verwendeten Filterstrukturen identisch zur Grenzfrequenz. In diesem Zusammenhang werden alle drei Begriffe gleichwertig verwendet!

Antwort 1.12: Für den Frequenzgang von Vierpolen ist es häufig hilfreich, zu überlegen, wie sich die Schaltung bei den Extremwerten der Frequenz, also bei 0 Hz und bei einer unendlich hohen Frequenz, verhält. Für den Tiefpass gilt bei der Frequenz von 0 Hz: Der Kondensator hat eine unendlich hohe Impedanz. Damit fließt kein Strom durch den Widerstand. Dementsprechend ist der Spannungsabfall am Widerstand 0 V, die Aus- und die Eingangsspannung sind bei dieser Frequenz identisch. Beim zweiten Frequenzwert, hier also der Frequenz unendlich, hat der Kondensator eine Impedanz von 0 Ω. Damit ist die Ausgangsspannung bei dieser Frequenz 0 V. Zusammenfassend gilt: Niedrige Frequenz können den Tiefpass praktisch ungestört passieren, hohe Frequenzen werden gedämpft.

7.2.2 Antworten zu den Fragen aus Kap. 2

Antwort 2.1: Umstellen von Gl. (2.2) nach U_{Ein1} bzw. U_{Ein2} und einsetzen in Gl. (2.1) liefert die beiden folgenden Gleichungen:

$U_{\text{Ein1}} = U_{\text{G}} + \frac{U_{\text{D}}}{2}$ und $U_{\text{Ein1}} = U_{\text{G}} + \frac{U_{\text{D}}}{2}$.

Anschaulich ergibt sich das Ergebnis aus dem Gleichanteil, der an einem Anschluss um die halbe Differenzspannung erhöht und am anderen Anschluss um die halbe Differenzspannung verringert wird.

Antwort 2.2: Wenn die Spannung U_{Ein1} beispielsweise einen höheren Wert annimmt, fließt durch den Transistor T_1 ein höherer Basisstrom. Das bedingt auch einen höheren Kollektor- und Emitterstrom für T_1. Der höhere Emitterstrom von T_1 fließt zur gemeinsamen Stromsenke mit dem Wert $2 \bullet I_0$. Die Stromsenke hält den Strom konstant. Wenn also der Emitterstrom von T_1 ansteigt, muss der Emitterstrom von T_2 gleichzeitig sinken. Mit dem geringeren Emitterstrom von T_2 sinken auch der Kollektorstrom und auch der Basisstrom im rechten Zweig. Der niedrigere Kollektorstrom bedingt einen geringeren Spannungsabfall am rechten Kollektorwiderstand R_{C}. Dadurch steigt schließlich die Ausgangsspannung U_{Aus2} an.

Antwort 2.3: Ein Differenzverstärker soll Spannungsunterschiede der Eingangssignale verstärken. Ein mögliches Gleichtaktsignal soll nach Möglichkeit unterdrückt werden.

Antwort 2.4: Die Gleichtaktunterdrückung *CMRR* ist das Verhältnis aus Differenzverstärkung zu Gleichtaktverstärkung. Je höher die Differenzverstärkung im Vergleich zur Gleichtaktverstärkung ist, desto idealer wird der Differenzverstärker und desto höher wird der *CMRR*-Wert. Der Differenzverstärker mit $CMRR = 10$ ist besser.

Antwort 2.5: Differenzverstärker müssen sehr symmetrische Schaltungen aufweisen. Das bedeutet, dass die verwendeten Widerstände, Transistoren und Kondensatoren insbesondere im Eingangspfad sehr symmetrisch sein müssen. Wenn man versucht, einen Differenzverstärker aus einzelnen, diskreten Bauteilen zusammenzusetzen, werden etliche Abgleichwiderstände benötigt. Selbst mit diesen Abgleichwiderständen unterscheiden sich in der Regel die Kennlinien der Transistoren erheblich. Mit Einzeltransistoren wird man nie die Qualität der integrierten Differenzverstärker erreichen. Bei integrierten Schaltungen ist es so, dass benachbarte Transistoren während der Herstellung sehr ähnliche Prozessschritte und Temperaturen haben. Zusätzlich wird häufig die „Umgebung" der Transistoren durch sog. Matching-Elemente sehr ähnlich gestaltet. Damit erreicht man, dass die elektronischen Eigenschaften nahezu gleich sind. Erst dann erhält man gute Differenzverstärker.

Antwort 2.6: Die „untere" Spannungsquelle ist eigentlich unnötig, weil die darüber angeordnete Stromquelle $2{\bullet}I_0$ die für die Schaltung erforderliche Spannung automatisch einstellt, s. auch Literatur Kap. 2, [1].

Antwort 2.7: Die Schaltung ist für die verwendeten Bauteile symmetrisch. Der einzige Unterschied ist, dass die linke Eingangsspannung $u_D/2$ positiv ist und die rechte Eingangsspannung $-u_D/2$ negativ. Die Kleinsignal-Basis-Emitterwiderstände r_{BE} sind identisch. Damit ist die resultierende Spannung am oberen Ende von R_0 der Mittelwert der beiden Eingangsspannungen, also 0 V. Durch einen Widerstand, der an beiden Anschlüssen die gleiche Spannung hat fließt kein Strom. Ein solcher Widerstand kann immer aus einer Schaltung entfernt werden, ohne dass sich das elektrische Verhalten ändert.

Antwort 2.8: Die Schaltung ist komplett symmetrisch, alle Bauteile, Spannungen und Ströme sind identisch. Damit fließt zwischen den beiden Teilschaltungen kein Strom, es gilt also $i_x = 0$ A.

Antwort 2.9: Mit einem Multimeter wird der Widerstand zwischen den beiden Basisanschlüssen gemessen. Gemäß Abb. 2.8 wird dann der Widerstand vom linken Eingang zur Masse und von der Masse weiter zum rechten Eingang gemessen. Der Strompfad enthält dann zweimal den Widerstand r_{BE} in Reihenschaltung.

Antwort 2.10: Der Transistor realisiert eine Stromquelle bzw. genauer eine Stromsenke, die nahezu ideal ist. Aus der Elektrotechnik ist bekannt, dass reale Stromquellen einen parallelgeschalteten Leitwert oder Widerstand haben, s. auch Literatur Kap. 2, [1]. Dieser Widerstand wird hier durch den Kleinsignal-Widerstand r_{CE} gebildet. Dieser parallelgeschaltete Widerstand r_{CE} ist relativ hochohmig, sodass diese Transistor-Stromsenke gute Eigenschaften aufweist.

Antwort 2.11: Eine ideale Stromsenke lässt den Strom fließen, hat aber gleichzeitig einen unendlich hohen Innenwiderstand. Bei dem Transistor ist es so, dass ebenfalls Strom fließt, der Ersatzwiderstand nicht unendlich, sondern nur sehr „hochohmig" ist. Das bewirkt, dass die Gleichtaktverstärkung sehr stark reduziert wird (s. Gl. 2.30). Für Überschlagsrechnungen wird in diesem Fall eine Gleichtaktverstärkung von 0 angenommen.

Antwort 2.12: Die Emitterwiderstände haben den gleichen Zweck, wie bei den Transistorgrundschaltungen, s. beispielsweise Literatur Kap. 2, [1]. Die Emitterwiderstände sorgen über die Gegenkopplung für ein besseres Temperaturverhalten und einen stabileren Arbeitspunkt. Gleichzeitig wird hier die Differenzverstärkung reduziert.

Antwort 2.13: Mit der „Verdoppelung“ des Mischers entsteht ein echter Vier-Quadranten-Mischer, der mit allen Eingangsspannungsbereichen arbeiten kann. Beide Eingangsspannungen können sowohl positive als auch negative Spannungswerte annehmen.

7.2.3 Antworten zu den Fragen aus Kap. 3

Antwort 3.1: Der Eingangsspannungsbereich geht bis sehr nahe an 0 V und damit praktisch bis an die untere Betriebsspannung von 0 V, die hier mit der untersten Signalspannung zusammenfällt.

Antwort 3.2: Eine doppelte Eingangsstufe ermöglicht einen Eingangsspannungsbereich, der von der negativen bis zur positiven Betriebsspannungsgrenze reicht. Nachteilig ist, dass sich der Eingangsstrom mit der Eingangsspannung sehr stark ändert und sogar die Polarität ändern kann.

Antwort 3.3: Bei stromkompensierten Operationsverstärkern ist der Eingangs-Offsetstrom, also der Unterschied zwischen den beiden Eingangsströmen, in der gleichen Größenordnung wie der Eingangsstrom. Bei nicht stromkompensierten Operationsverstärkern ist der Eingangs-Offsetstrom in der Regel um eine Größenordnung niedriger als der Eingangsstrom.

Antwort 3.4: S. Abschn. 3.7. OPs in Bipolartechnik haben häufig geringe Offsetspannung und niedriges Spannungsrauschen, dafür jedoch Eingangsströme, die bei Präzisionsanwendungen beachtet werden müssen. OPs auf Basis von Feldeffekttransistoren haben sehr geringe Eingangsströme, dafür häufig höhere Offsetspannungen und etwas höheres Spannungsrauschen.

Antwort 3.5: Der Vorteil der OP-Makromodelle ist die Verwendung idealer Bauelemente und die deutlich geringere Anzahl von internen Knoten. Häufig führt dieses Verhalten zu deutlich kürzeren Simulationszeiten, geringerem Speicherbedarf und stabileren Simulationen. Nachteilig ist, dass durch die Modelle und Vereinfachung das Verhalten angenähert wird, also in speziellen Betriebspunkten von der Realität abweichen kann. Einige Unterschiede zwischen Modell und Messung sind in Abschn. 3.8 gezeigt.

7.2.4 Antworten zu den Fragen aus Kap. 4

Antwort 4.1: Bei Operationsverstärkern werden üblicherweise nur die Eingänge und der Ausgang gezeichnet. Insbesondere bei mehreren Operationsverstärkern, die über einen

Schaltplan verteilt angeordnet sind, würden die Versorgungsspannungsleitungen sehr viele „unwichtige“ Verbindungen bewirken, die die Übersichtlichkeit des Schaltplans stören.

Antwort 4.2: Die idealisierten Eigenschaften sind in Abschn. 4.2 aufgelistet Ω: Differenzverstärkung unendlich hoch, Gleichtaktverstärkung 0, kein Eingangsstrom, Ausgangswiderstand 0 Ω. Diese Eigenschaften sind wichtig, da so eine einfache Berechnung von Operationsverstärkerschaltungen möglich ist. Die Abweichungen zwischen idealem OP und realem OP sind in der Regel sehr gering. Abweichungen gibt es vor allem bei hohen Frequenzen oder bei niedrigen Ausgangs- oder Rückkopplungwiderständen.

Antwort 4.3: Der Rückkopplungswiderstand R_2 bewirkt zusammen mit der unendlich hohen Verstärkung, dass die Differenzspannung zwischen den beiden Eingängen 0 V wird. Die Eingangsspannung am invertierenden Eingang wird damit auch 0 V, hat aber keine direkte Verbindung zur Masse. Man spricht in diesem Fall von einer virtuellen Masse. Als zweiter Punkt kommt dazu, dass in den Operationsverstärker kein Strom fließt. Der Strom, der durch R_1 fließt, muss also auch durch R_2 weiter zum Ausgang des Operationsverstärkers fließen. Das geht nur, wenn die Ausgangsspannung eine andere Polarität als die Eingangsspannung hat: Das ist der Grund für die Invertierung.

Antwort 4.4: Der Begriff „virtuelle Masse“ bezeichnet das Massepotenzial bzw. eine Spannung von 0 V am invertierenden Eingang. Eine „echte“ Masseverbindung gibt es nicht. Der Unterschied zwischen der virtuellen Masse und einer echten Masseverbindung gilt. dass eine echte Masseverbindung beliebig hohe Ströme zur Masse leiten kann. Das ist bei der virtuellen Masse nicht möglich.

Antwort 4.5: Die Innenbeschaltung des OPs (Operationsverstärkers) spielt für die Funktion des invertierenden Verstärkers eine untergeordnete Rolle und wird zu diesem Zeitpunkt komplett vernachlässigt.

Antwort 4.6: Ja, das geht durchaus. In diesem Buch wird das als „erweiterte virtuelle Masse“ bezeichnet. Das bedeutet, dass bei Vorhandensein eines Rückkopplungswiderstands vom Ausgang auf den invertierenden Eingang, der invertierende Eingang die Spannung des nichtinvertierenden Eingangs annimmt. Die Differenzspannung U_D zwischen den beiden Eingängen ist also 0 V. Das gilt später nicht nur für Widerstände sondern auch für weitere Bauteile.

Antwort 4.7: Der Eingangswiderstand der Schaltung ist sehr hoch und kann vereinfacht als unendlich angenommen werden.

Antwort 4.8: Erster Fall: Der Schalter S ist geschlossen. In diesem Fall ist der nichtinvertierende Eingang des OPs mit Masse verbunden. Die Schaltung entspricht damit einem invertierenden Verstärker. Über den Widerstand $R/2$ fließt ein Strom zur Masse, der keine große Bedeutung hat.

Zweiter Fall: Der Schalter S ist jetzt geöffnet. Am nichtinvertierenden Eingang und am invertierenden Eingang liegt im Idealfall die Eingangsspannung U_{Ein} an. Damit fließt durch den Widerstand R oben links keine Strom. Der Stromfluss von 0 A fließt weiter durch den rechten Widerstand R. Das geht nur, wenn die Ausgangsspannung genauso groß ist, wie die Spannung am invertierenden Eingang. Das ist erfüllt, wenn die Ausgangsspannung U_{Aus} der Eingangsspannung U_{Ein} entspricht.

Die Widerstände bekommen eine Bedeutung, wenn man davon ausgeht, dass doch ein kleiner Eingangsstrom in den OP hineinfließt. In diesem Fall ist die Spannung am invertierenden Eingang etwas niedriger als U_{Ein}. Der Ausgang bleibt jedoch auf der Eingangsspannung U_{Ein}. Dadurch sind die beiden Widerstände R elektrisch parallel geschaltet. Der resultierende Widerstand ist also $R/2$. Genau dieser Widerstandswert befindet sich jetzt vor dem nichtinvertierenden Eingang und verursacht einen ähnlichen Spannungsabfall. Hier ist es jetzt so, dass gilt: $U_{\text{Aus}} = U_{\text{Ein}}$, die Spannungen an den beiden OP-Eingängen sind ein klein wenig niedriger als U_{Ein}.

Antwort 4.9: Wenn die Verstärkung auf zwei OPs aufgeteilt wird, ist die nutzbare Bandbreite höher als bei einer Schaltung alleine. Grund ist das sog. Verstärkungs-Bandbreitenprodukt, s. Abschn. 5.8.

Antwort 4.10: Ein Nachteil ist, dass die gesteuerte Last ohne Masse angesteuert werden muss.

Antwort 4.11: Die gesteuerte Stromquelle funktioniert, wenn die Ausgangsspannung des OPs ca. 2 V bis 3 V „Abstand" zu den Versorgungsspannungen hat. Das gilt für Standard-OPs, bei rail-to-rail OPs kann die Ausgangsspannung praktisch die Betriebsspannungsgrenzen erreichen. Durch den in Reihe geschalteten Widerstand wird der effektiv nutzbare Spannungsbereich für die Last R_{L} weiter eingeschränkt.

Antwort 4.12: Der Strom I_2 ist die negative Summe der Eingangsströme.

Antwort 4.13: Die Zahl der Eingänge ist nach unten beschränkt auf mindestens zwei (bei nur einem Eingang ist es der invertierende Verstärker), nach oben ist die Zahl theoretisch unbegrenzt.

Antwort 4.14: Für diesen Fall wird eine Spannungsdifferenz in eine auf Masse bezogene Spannung umgewandelt.

Antwort 4.15: Die beiden linken Widerstände R_{11} und R_{12} in Abb. 4.30 bilden den Mittelwert der Spannung, wenn beide Widerstände gleich groß sind. Der nichtinvertierende Verstärker bestehend aus OP, R_2 und R_3 verstärkt bei gleichen Widerstandswerten um den Faktor 2. Damit ergibt sich eine vorzeichenrichtige Addition.

Antwort 4.16: Ein häufiges Problem ist das Vorhandensein einer Gleichspannung am Eingang, obwohl das eingespeiste Signal gleichspannungsfrei sein sollte. Soll das Eingangssignal ohne Gleichspannung sein, lohnt es sich häufig, einen Kondensator in Reihe zum Widerstand R1 zu schalten, s. Abb. 4.33. Ein ähnliches Problem tritt auf, wenn der Operationsverstärker eine Eingangs-Offsetspannung besitzt, die nicht vernachlässigt werden kann. Durch die Integration lädt sich auch hier der Kondensator C immer weiter auf. Irgendwann ist die maximale Ausgangsspannung des OPs erreicht. Ab hier treten Fehler auf. Dieses Verhalten kann durch einen hochohmigen „Entladungswiderstand" parallel zum Kondensator C verbessert werden. Beide Änderungen führen jedoch streng genommen zu einem Fehler in der Übertragungskennlinie

Antwort 4.17: Grund für die Oszillationen ist, dass der Eingangskondensator eine Phasendrehung bewirkt. Damit wird schon bei sehr niedrigen Frequenzen eine Phasendrehung von insgesamt $-180°$ erreicht. Diese Phasendrehung bewirkt, dass aus der Gegenkopplung eine Mitkopplung wird (s. Kap. 6). Eine Mitkopplung führt in der Regel zu Instabilitäten, also Oszillationen. Eine einfache Abhilfe ist die Ergänzung eines niederohmigen Reihenwiderstandes R2 vor dem Kondensator C1 in Abb. 4.44. Dieser Widerstand bewirkt zwei Punkte: Zunächst dämpft der Widerstand die Schwingung. Der zweite Effekt geht in die gleiche Richtung: Durch den additiven Tiefpass im Eingang wird die Verstärkung bei mittleren und hohen Frequenzen gedämpft. Damit wird auch das Entstehen von Oszillationen deutlich reduziert.

Antwort 4.18: Wenn das Eingangssignal genau bei der Schaltschwelle ist, wirkt sich bereits geringes Rauschen sehr stark aus: Der Komparator schaltet dann in sehr kurzen Zeitabständen zwischen positiver und negativer Betriebsspannung hin und her.

Antwort 4.19: Nein, die virtuelle Masse wird bei Komparatoren nicht genutzt. Zusammen mit dem Schmitt-Trigger ist der Komparator die Schaltung, die keine Gegenkopplung nutzt. Bei beiden Schaltungen wird der Ausgang immer bis nahe an die Betriebsspannungsgrenzen umgeschaltet.

Antwort 4.20: Der Widerstand R_2 bildet die Rückkopplung vom Ausgang auf den Eingang. Im Gegensatz zu den anderen Schaltungen, wird hier der Ausgang an den nichtinvertierenden Eingang angeschlossen. Es handelt sich also um eine Mitkopplung und nicht um eine Gegenkopplung. Die Mitkopplung bewirkt hier ein „hartes" Umschalten am Ausgang des OPs.

Antwort 4.21: Nein, eine solche Operationsverstärker ist für die Energieversorgung ungeeignet. Diese Schaltungen sind messtechnische Schaltungen, die Wechselspannungen gleichrichten können. Ein wichtiger Effekt ist, dass die Diodenspannung praktisch komplett eliminiert wird.

Antwort 4.22: Die erste Teilschaltung mit dem oberen OP in Abb. 4.76 ist ein invertierender Verstärker, der nur in der positiven Halbwelle aktiv ist. Die zweite Teilschaltung mit dem unteren OP ist ein invertierender Summationsverstärker mit den Teilverstärkungen -1 (für das Eingangssignal) und -2 (für den Ausgang von Teilschaltung 1).

Antwort 4.23: Der Vorteil der Gleichrichterschaltung in Abb. 4.81 ist, dass nur ein OP verwendet wird. Der Nachteil ist, dass das Ausgangssignal an Widerstand R_2 anliegt und damit ein differenzielles Signal ist. Wenn man ein auf Masse bezogenes Signal haben möchte, ist ein weiterer OP als Differenzverstärker erforderlich.

Antwort 4.24: Ein NIC (negative impedance converter) negiert grundsätzlich einen Widerstand bzw. eine Impedanz. Dabei können auf elektronischem Wege beispielsweise Widerstände mit negativen Widerstandswerten erzeugt werden. Diese „negativen" Widerstände werden beispielsweise zur Entdämpfung verwendet.

Antwort 4.25: Die beiden NIC Typen unterscheiden sich im Anschluss des Operationsverstärkers bzgl. des invertierenden und nichtinvertierenden Eingangs. Beim Typ A ist der invertierende Eingang am Ausgang der Schaltung angeschlossen, beim Typ B ist am Schaltungsausgang der nichtinvertierende Eingang angeschlossen. Dieser Unterschied hat Auswirkungen auf die Stabilität der jeweiligen Schaltung.

Antwort 4.26: Eine Vergrößerung der Kapazität bewirkt eine längere Ladezeit und damit eine geringe Frequenz. Bei dem Widerstand ist es ähnlich: Eine Erhöhung des Widerstandswertes reduziert den Ladestrom für den Kondensator. Damit dauert die Umladung länger, die Ladezeit steigt und die Frequenz sinkt.

Antwort 4.27: Strenggenommen müsste am Ausgang des OPs ein Widerstand bzw. eine Impedanz zur Masse geschaltet werden. Diese Impedanz ist in Abb. 4.117 mit dem Bezeichner $\underline{Z}_2$ dargestellt. Wenn der OP ausreichend Strom liefern kann, kann dieser Stromfluss ignoriert werden. Streng genommen müsste dieser Widerstand bzw. der Betrag der Impedanz jedoch berechnet werden. Wenn der Betrag der Impedanz Z im Bereich von Kiloohm ist, ist die Vernachlässigung in der Regel insbesondere für invertierende Verstärker möglich.

7.2.5 Antworten zu den Fragen aus Kap. 5

Antwort 5.1: Trotz aller Anstrengungen sind Operationsverstärker immer etwas unsymmetrisch. Das bedeutet, dass der Ausgang des OPs nicht 0 V ist, wenn beide Eingänge verbunden werden. Vielmehr muss eine kleine Differenzspannung an einen Eingang gelegt werden, damit der Ausgang des OPs auf 0 V geht. Genau diese Spannung wird als Eingangs-Offsetspannung bezeichnet.

Antwort 5.2: Die Eingangs-Offsetspannung ist meistens ein sehr geringer Wert, häufig im Bereich von ca. 10 µV bis 100 µV. Damit sich diese Spannung auswirkt, muss das Signal ebenfalls in diesem Bereich sein. Das bedeutet weiter, dass die Eingangs-Offsetspannung störend ist und das Ausgangssignal verfälscht, wenn das zu messende Signal ebenfalls im Bereich von 1 mV oder weniger ist.

Antwort 5.3: Der Eingangsstrom in einen OP ist in der Regel sehr niedrig, ca. 5 µA oder weniger. Der Spannungsabfall an einem Widerstand mit 1 kΩ ist damit bei 5 mV oder weniger. Eine Eingangsspannung von 0,5 V ergibt einen maximalen Fehler von 1 %.

Beachtet werden muss der Eingangsstrom, wenn die Schaltung sehr hochohmig ist, wenn also Widerstände im Bereich von 1 MΩ und mehr verwendet werden. Der zweite Punkt ist eine hohe Genauigkeitsanforderung. Auch dann müssen Eingangsströme beachtet werden. Ein Beispiel ist die Schaltung des umschaltbaren invertierenden/nichtinvertierenden Verstärkers.

Antwort 5.4: Hier hilft ein Blick auf das Kleinsignal-ESB des Differenzverstärkers: Hier ergeben sich auch unterschiedliche Eingangswiderstände, s. Gl. (2.37) und (2.40). Im Gleichtaktbetrieb ist der Eingangswiderstand deutlich hochohmiger.

Antwort 5.5: Es wird so sein, dass ausgehend vom Nulldurchgang des Sinussignals die Ausgangsspannung proportional zur Eingangsspannung bis auf ca. 12 V–13 V ansteigt.

Dieser Wert wird solange beibehalten, bis die Eingangsspannung auf ca. 1,2 V bis 1,3 V abgefallen ist und die Ausgangsspannung wieder im Regelbereich des OPs liegt. Ab jetzt ist die Ausgangsspannung wieder proportional zur Eingangsspannung bis ein Wert von ca. −12 V bis −13 V erreicht wird. Bei diesem Wert bleibt die Ausgangsspannung wieder eine gewisse Zeit. Die genauen Spannungswerte hängen vom verwendeten OP-Typ ab.

Antwort 5.6: Bei einem richtig guten Rail-to-Rail OP kann das Eingangssignal mit der Verstärkung von 10 als Ausgangssignal generiert werden. Genauso wird es auch in den Aufgaben gehandhabt. In der Praxis benötigen „echte" Rail-to-Rail OPs bis zu 50 mV Spannungshub zum „Atmen".

Antwort 5.7: Es wird ein Rail-to-Rail OP als invertierender Verstärker mit dem Verstärkungsfaktor −1 verwendet. Die Spannungsversorgung wird jetzt unsymmetrisch gewählt: 0 V und +15 V. In der positiven Halbwelle müsste der Ausgang negativ werden. Das geht aber durch die Beschränkung der Versorgungsspannung nicht. In der negativen Halbwelle arbeitet der OP normal als invertierenden Verstärker und liefert die geforderte (positive) Ausgangsspannung.

Antwort 5.8: Auch wenn die Bandbreite eines OPs hoch ist, kann es sein, dass es bei schnellen Flanken zu Signalverzerrungen kommt.

Antwort 5.9: Typische Digitalsignale sind eigentlich immer Rechtecksignale. Die zum Teil sehr steilen Flanken werden durch Operationsverstärker „abgeschrägt". Das kann die digitale Weiterverarbeitung erschweren. Vorteilhaft kann das sein, da viele Oberwellen aus dem Digitalsignal entfernt werden und so die Abstrahlung deutlich reduziert werden kann (Stichwort: EMV).

Antwort 5.10: Die endliche Verstärkung führt dazu, dass die virtuelle Masse nicht mehr exakt bei 0 V ist. Der genaue Wert kann u. a. mit Gl. (4.1) bestimmt werden.

Antwort 5.11: Die Grenzfrequenz ist der Wert, bei dem die Leerlaufverstärkung gegenüber dem Gleichspannungswert/Wert bei niedriger Frequenz auf die Hälfte gesunken ist. Dieser Wert würde gelten, wenn die OP-Schaltung wirklich mit der Leerlaufverstärkung arbeitet. Das ist in der Regel nicht der Fall. Deshalb können Verstärkung und Bandbreite gegeneinander ausgetauscht werden.

Antwort 5.12: Für die Umrechnung von Spannungsverstärkung in Dezibel gilt: $V|_{dB} = 20 \bullet \log(V_U)$. Die Rückrechnung erfolgt mit der Gleichung: $V_U = 10\text{^}V_{dB}/20$ dB. Für die gegebenen Zahlenwerte gilt: 40 dB entsprechen Faktor 100, 70 dB entspricht Faktor 3 162, 0 dB entspricht Faktor 1, 200 ist 46 dB, 10 000 ist 80 dB und 500 000 ist 114 dB. (Die genaue Rechnung mit dem Taschenrechner ergibt z. T. geringfügig andere Zahlenwerte. In der Regel werden jedoch die gerundeten Werte verwendet, die sich aus der Berechnung mit Faktor 10 = 20 dB und Faktor 2 = 6 dB ergibt.

Antwort 5.13: Hier werden immer zwei Punkte angeführt. Zum einen wird bei der Reihenschaltung von Verstärkern und anderen Schaltungsblöcken immer die Multiplikation der einzelnen Verstärkungen benötigt. Wenn man das logarithmische Verhältnismaß verwendet, wird aus der Multiplikation eine Addition, die sehr leicht im Kopf gerechnet werden kann.

Der zweite Punkt ist: In der Elektronik sind sehr große und sehr kleine Leistungen üblich. Die Skala reicht von Femtowatt bis in den Gigawattbereich, umfasst also sehr große Zahlenräume. Durch die Dezibelschreibweise (die auch für Leistungen üblich ist), wird der Zahlenbereich sehr eingeschränkt.

Antwort 5.14: Wenn man sich die Kurve in Abb. 5.32 anschaut, sieht man, dass die Leerlaufverstärkung V_0 bei 100 kHz 40 dB beträgt. 40 dB entsprechen einem Faktor 100. Mit einem OP alleine ist die Realisierung eines Verstärkers mit den geforderten Daten nicht möglich. Wenn zwei Verstärker in Reihe geschaltet werden, ist die Verstärkung von 10 000 (100 • 100) bei 100 kHz gerade erreichbar. Streng genommen ist das in der Praxis nicht möglich: Grund ist, dass genau bei der Grenzfrequenz die Leerlaufverstärkung bereits bei -3 dB ist. Hier wirken sich die Ungenauigkeiten der Näherungsgeraden aus.

Antwort 5.15: Der Grund liegt an der Rückführung des Ausgangssignals auf den invertierenden Eingang. Wenn die eingestellte interne Ausgangsspannung nicht ausreichend ist, wird das über die Rückkopplung an die interne Spannungsquelle „gemeldet". Die Spannungsquelle erhöht dann den Spannungswert und kann einen höheren Strom zur Verfügung stellen. Ein höherer Strom bei gleicher Ausgangsspannung am Ausgang bedeutet dann, dass der Widerstandswert „künstlich" reduziert wird.

Antwort 5.16: Dieser Wert drückt beispielsweise auch, wie gering die minimale Leistung an einem Widerstand werden kann, auch wenn kein Signal an den Widerstand angelegt wird.

Antwort 5.17: Bei höheren Temperaturen nimmt die Rauschleistung proportional mit der absoluten Temperatur zu. Bei geringeren Temperaturen sinkt die Rauschleistung entsprechend. Darum werden bei sehr empfindlichen Messungen die Sensoren gekühlt, beispielsweise bei Radioteleskopen.

Antwort 5.18: Jedes Bauteil bringt mindestens eine Rauschquelle mit. Damit steigt die Anzahl der Quellen in einer Schaltung sehr schnell auf sehr große Werte. Eine Handrechnung ist damit praktisch unmöglich.

Antwort 5.19: Mit diesen beiden Gleichungen ist eine einfache Abschätzung der Rauschspannung am Ausgang einer OP-Schaltung möglich. Wenn das Ergebnis kritisch oder knapp ist, sollte auch alle Fälle eine Simulation erfolgen. Jeder Spice-Simulator kann das Rauschen ohne großen Aufwand berechnen.

Antwort 5.20: Mit Signal-Rauschabstand wird bezeichnet, um wie viel „höher" ein Signal gegenüber dem Rauschen ist. Häufig wird für die Berechnung die Spannung oder die Leistung verwendet und das Ergebnis in Dezibel umgerechnet. Generell muss der Signal-Rauschabstand größer 1 bzw. größer 0 dB sein, wenn das Signal geeignete weiterverarbeitet werden soll. Eine Ausnahme ist möglicherweise GPS: Hier ist das Signal im Rauschen „versteckt" worden, damit es nicht so „sichtbar" ist. In den Anfangszeiten von GPS war das vielleicht sinnvoll, mittlerweile wohl nicht mehr so.

Mit der Rauschzahl kann vereinfacht ausgedrückt werden, um wie viel schlechter der Signal-Rausch-Abstand bei der Übertragung durch einen Schaltungsblock wird.

Antwort 5.21: Für die Rauschverstärkung wird die Spannungsverstärkung entsprechend einem nichtinvertierenden Verstärker verwendet, s. auch Abb. 5.56.

7.2.6 Antworten zu den Fragen aus Kap. 6

Antwort 6.1: Der Verstärkungswert V_0 ist die Leerlaufverstärkung des Operationsverstärkers. Dieser Wert ist vom Hersteller vorgegeben und kann vom Anwendet nicht beeinflusst werden. Die Spannungsverstärkung V_U wird beispielsweise durch das Widerstandsverhältnis eingestellt. Dieser Wert ist dadurch veränder- bzw. einstellbar. Der dritte Verstärkungswert ist die Schleifenverstärkung V_S. Dieser Wert ist später für die Beurteilung der Stabilität wichtig. Die Schleifenverstärkung kann nicht direkt verändert werden. Wie an (6.8) erkennbar ist: Über eine Änderung der Spannungsverstärkung V_U kann die Schleifenverstärkung V_S beeinflusst werden – allerdings nur indirekt.

Antwort 6.2: Ein Verstärker ist dann stabil, wenn das Ausgangssignal nur mit einem sehr kleinen Anteil auf den Eingang einwirkt. Ist der Anteil des Ausgangssignals, der auf den Eingang einwirkt, zu groß, entsteht eine Rückkopplung. Diese Rückkopplung bewirkt, dass das Signal in der Schleife Eingang-Verstärker-Ausgang-Rückkopplung-Eingang sehr schnell ansteigt. Diesen Effekt kennt man typischerweise von der Kombination Mikrofon-Lautsprecher. Dort tritt dann ein störendes Pfeifen auf. Praktisch alle anderen Töne werden dann übertönt.

Antwort 6.3: Für die Stabilität ist die Kombination aus Leerlaufverstärkung V_0 und Rückkopplung F_R entscheidend, s. beispielsweise Gl. (6.4) und Abb. 6.3. Mathematisch gesehen ist die Kombination die Multiplikation. Vorher wird noch die Rückkopplung F_R durch $1/V_U$ angenähert. Dann erhält man als entscheidenden Verstärkungswert die Schleifenverstärkung $V_S = V_0/V_U$. In Dezibel ausgedrückt gilt: $V_S = V_0 - V_U$. Wie schon vorher dargestellt, ist V_0 bekannt, V_U wird nach eigenen Wünschen eingestellt. Daraus ergibt sich die für die Stabilität wichtige Schleifenverstärkung V_S.

Antwort 6.4: Generell gilt: Wenn ein Verstärker instabil ist, schwingt er sehr nahe bei der Frequenz der Instabilität. Bei dieser Frequenz stellt sich eine Schwingung mit hoher Amplitude ein und „übertönt" alle anderen Signale. Wenn also ein Verstärker in einem Bereich – egal wie klein – instabil ist, ist eine sinnvolle Nutzung nicht mehr möglich.

Antwort 6.5: Wird der Ausgang des Verstärkers auf den nichtinvertierenden Eingang zurückgeführt, ist die Phasenbedingung für Instabilität direkt erfüllt, da der nichtinvertierende Eingang mit 0° auf den Ausgang wirkt. OP-Schaltungen mit einer Verbindung vom Ausgang auf den nichtinvertierenden Eingang sind damit grundsätzlich instabil. Die einzige Anwendung in diesem Skript, die eine Rückkopplung auf den nichtinvertierenden Eingang verwendet ist der Schmitt-Trigger. Diese Schaltung ist kein analoger Verstärker sondern ein „Umschalter".

Antwort 6.6: Für die Beurteilung der Stabilität eines Verstärkers (hier: Operationsverstärker) wird zunächst das Bode-Diagramm des OPs gezeichnet. Ausgehend von der

Leerlaufverstärkung V_0 werden bei den drei Grenzfrequenzen des OPs die „Knicke“ im Betrag bzw. die Änderungen bei der Phase eingezeichnet. Entscheidend ist jetzt das Verhalten bei einer Verstärkung von 0dB bzw. bei einer Phase von 180°. Je nachdem, welcher Wert betrachtet wird, spricht man von Amplituden- oder von Phasenstabilität.

Ist bei der Verstärkung $V_0 = 0$ dB die Phase $-180°$ oder niedriger (also vom Betrag her höher), ist der Verstärker potenziell instabil.

Die andere Möglichkeit: Ist bei einer Phase von $-180°$ die Leerlaufverstärkung größer als 0dB, ist der Verstärker potenziell instabil. Die Frequenz der Instabilität ist genau die Frequenz, bei der die Phase den Wert von $-180°$ erreicht. Hat die Phase einen Verlauf, der in einem Frequenzbereich den Wert von $-180°$ hat, ergibt sich die Frequenz der Instabilität aus der niedrigsten Frequenz, bei der die Phase $-180°$ ist.

Antwort 6.7: Ein potenziell instabiler Operationsverstärker kann stabilisiert werden, in dem die Spannungsverstärkung V_U erhöht wird. Durch die Erhöhung der Spannungsverstärkung sinkt die Schleifenverstärkung automatisch ab. In Dezibel gilt: $V_0 = V_U{+}V_S$. Da die Leerlaufverstärkung V_0 konstant ist, muss V_S bei einer Erhöhung von V_U um 10 dB genau um diese 10 dB geringer werden.

Antwort 6.8: Im Bode-Diagramm wird zusätzlich zur Leerlaufverstärkung V_0 die Spannungsverstärkung V_U eingetragen. Das kann über die beiden Möglichkeiten in Abb. 6.11 erfolgen.

Wird die Spannungsverstärkung V_U als fester Wert eingezeichnet (Abb. 6.11 unten, ist die Schleifenverstärkung V_S durch die Differenz $V_0{-}V_U$ gegeben. Wichtig ist: Die Schleifenverstärkung wird rechts vom Schnittpunkt aus V_0 und V_U negativ.

Zweiter Fall: Wird die Spannungsverstärkung V_U parallel zu V_0 gezeichnet (der Abstand zu V_0 ist dann die Spannungsverstärkung, s. Abb. 6.11 oben) ergibt sich die Schleifenverstärkung direkt durch die untere Linie.

In der Regel wird die erste Variante verwendet, weil sie schneller zu zeichnen ist.

Antwort 6.9: Hier gibt es zwei Möglichkeiten: Einmal die Frequenz, bei der die Phase $-180°$ ist (oder bei einem Frequenzbereich die niedrigste Frequenz dieses Bereiches). Dieses Verfahren führt zur Amplitudenstabilität.

Zweite Möglichkeit: Es wird die Frequenz betrachtet, bei der Schleifenverstärkung 0 dB ist, bei der sich also V_0 und V_U kreuzen. Dieses Verfahren führt zur Phasenstabilität.

Antwort 6.10: Im Bode-Diagramm wird im Phasendiagramm die Frequenz bestimmt, bei der die Phase $-180°$ erreicht (oder bei einem Frequenzbereich mit einer Phase von -180° die niedrigste Frequenz). Bei dieser Frequenz wechselt man senkrecht nach oben in das Betragsdiagramm. Wenn die Schleifenverstärkung positiv ist, ist der Verstärker instabil. Durch Erhöhung von V_U kann der Verstärker ggf. stabilisiert werden.

Ist die Schleifenverstärkung bei der betrachteten Frequenz bereits negativ, ist der Verstärker stabil. In diesem Fall ergibt sich der Wert der Amplitudenreserve aus dem Betrag der Schleifenverstärkung. Mathematisch korrekt ist die Amplitudenreserve der negative Wert der Schleifenverstärkung. Die Amplitudenreserve sollte mindestens im Bereich von 12 dB-20 dB oder höher sein.

Ist die Amplitudenreserve 0 dB ist der Verstärker grenzstabil und sollte ebenfalls stabilisiert werden.

Antwort 6.11: Hier geht man zunächst in das Betragsdiagramm: Hier wird die Frequenz bestimmt, bei der die Schleifenverstärkung V_S 0 dB erreicht. Genau bei dieser Frequenz geht man nach unten in das Phasendiagramm. Wenn die Phase bei dieser Frequenz positiver (höher) als $-180°$ ist, ist der Abstand der Phase von den $-180°$ der Wert der Phasenreserve. Dazu ein kurzes Beispiel: Wenn bei der betrachteten Frequenz die Phase $-160°$ ist, beträgt die Phasenreserve 20° (das entspricht dem „Abstand" von $-160°$ bis $-180°$). Die Phasenreserve sollte höher als 30° sein.

Antwort 6.12: Bei diesen Operationsverstärkern ist in der Regel eine Tiefpassfrequenz sehr niedrig. Ein Beispiel ist der OP µA741, der die unterste Grenzfrequenz bereits bei etwa 6 Hz hat. Durch diese niedrige erste Grenzfrequenz fällt die Leerlaufverstärkung V_0 stark ab. Bei einer Phasendrehung von $-180°$ ist die Leerlaufverstärkung in der Regel kleiner als 0 dB und der Verstärker damit für sehr viele Anwendungen stabil.

7.3 Liste der verwendeten Formelzeichen und Konstanten

Symbol	Einh.	Beschreibung
A_R	dB	Amplitudenreserve bei Stabilitätsanalyse
B	1	Stromverstärkung eines Bipolartransistors
B	Hz	Bandbreite (eines Filters)
C, C_1, C_2, C_{Ges}	F	Kapazität
$CMRR$	1	Gleichtaktunterdrückung
f	Hz	Frequenz
f_T	Hz	Transitfrequenz
$F, \underline{F}$	1	Übertragungsfunktion (Betrag), auch komplex
f_0	Hz	Resonanzfrequenz
$f_{g,o}, f_{g,u}$	Hz	obere bzw. untere Grenzfrequenz
G	S	Leitwert
$\hat{I}$	A	Amplitude eines Wechselstroms
$I, I_1, I_2, I_{Ges}, I_{Last}$	A	Strom
$\underline{I}$	A	Strom (komplex)
I_{3dB}	A	Strom bei der Grenzfrequenz
I_{Basis}, i_{Basis}	A	Basisstrom, Basisstrom zeitlich veränderlich
I_C	A	Kondensatorstrom

(Fortsetzung)

(Fortsetzung)

Symbol	Einh.	Beschreibung
i_C	A	Kollektorstrom, zeitlich veränderlich
I_C	A	Kollektorstrom
i_L	A	Strom durch eine Induktivität, zeitlich veränderlich
I_{Last}	A	Laststrom
I_{Max}	A	Maximalstrom
I_{Off}	A	Offsetstrom
k	A/V2	Steilheitskoeffizient (eines MOSFET)
L, L_1, L_2, L_{Ges}	H	Induktivität
P	W	Leistung
P_{Ein}, P_{Aus}	W	Eingangs- und Ausgangsleistung
P_N	W	Rauschleistung
Q	1	Güte
R, R_1, R_2, R_{Ges}	Ω	Widerstand
r_{Aus}	W	Kleinsignal-Ausgangswiderstand
$r_{Aus,Eff}$	W	Effektiver Kleinsignal-Ausgangswiderstand
R_C, R_E	Ω	Kollektor- bzw. Emitterwiderstand
r_{CE}	Ω	Kleinsignal-Kollektor-Emitterwiderstand
$r_{Ein,D}, r_{Ein,G}$	Ω	Kleinsignal-Eingangswiderstand für Differenz- bzw. Gleichtaktsignale
R_Q	W	Innenwiderstand (einer Stromquelle)
t	s	Zeit
T	s	Periodendauer
$U, U_1, U_2, \underline{U}$	V	Spannung, auch komplex
$\hat{U}$	V	Spannungsamplitude
U_{Aus}, U_{Ein}	V	Ausgangsspannung, Eingangsspannung, auch als komplexe Spannungswerte
u_{Aus}, u_{Ein}	V	Aus- und Eingangsspannung, zeitlich veränderlich
U_C, u_C	V	Kondensatorspannung, zeitlich veränderlich
U_D, u_D	V	Differenzspannung, auch zeitlich veränderlich
U_G, u_G	V	Gleichtaktspannung, auch zeitlich veränderlich
U_{konst}	V	Konstante Spannung (beim Integrator)
U_L, u_L	V	Spannung an einer Spule, auch zeitlich veränderlich
$\overline{u}_N$	$V/\sqrt{s}$	Rauschspannung (Betrag)
$u^*_{N,Ein}$	$V/\sqrt{s}$	Effektive Eingangsrauschspannung eines OPs
$u^*_{N,Aus}$	$V/\sqrt{s}$	Effektive Ausgangsrauschspannung eines OPs

(Fortsetzung)

(Fortsetzung)

Symbol	Einh.	Beschreibung
U_{Neg}	V	Spannung am invertierenden Eingang eines OPs
U_{Off}	V	Offsetspannung
U_{Pos}	V	Spannung am nichtinvertierenden Eingang eines OPs
U_{PP}	V	Spitze-Spitze-Spannung = doppelte Amplitude
U_{Ref}	V	Referenzspannung
U_{T}	V	Temperaturspannung
V_0	1	Leerlaufverstärkung eines OPs
$V_{\mathrm{U,Rauschen}}$	1	Rauschverstärkung einer OP-Schaltung
V_{S}	1	Schleifenverstärkung einer OP-Schaltung
V_{U}	1	Spannungsverstärkung einer OP-Schaltung
$V_{\mathrm{U,D}}$	1	Differenzverstärkung eines Differenzverstärkers
$V_{\mathrm{U,G}}$	1	Gleichtaktverstärkung eines Differenzverstärkers
$V_{\mathrm{U,Rauschen}}$	1	Rauschverstärkung einer OP-Schaltung
X	W	Blindwiderstand
X_{C}	Ω	Blindwiderstand eines Kondensators
X_{L}	Ω	Blindwiderstand einer Spule
Y	Ω	Betrag eines komplexen Leitwerts
$\underline{Y}$	S	Leitwert, komplex
$\underline{Z}$	Ω	komplexer Widerstand
Z	Ω	Betrag eines komplexen Widerstands
Z_{C}	Ω	Betrag des komplexen Widerstand des Kondensators
$\underline{Z}_{\mathrm{C}}$	Ω	Komplexer Widerstand eines Kondensators
Z_{Ges}	Ω	Betrag eines komlpexen Gesamtwiderstands
$\underline{Z}_{\mathrm{Ges}}$	Ω	Komplexer Gesamtwiderstand
Z_{L}	Ω	Betrag des komplexen Widerstands einer Spule
$\underline{Z}_{\mathrm{L}}$	Ω	Komplexer Widerstand einer Spule
Δ		Änderung eines Wertes, z. B.: ΔI: Stromänderung, auch Bereich eines Wertes
β	1	Stromverstärkung eines Bipolartransistors, Kleinsignalfall
φ	°	Phasenwinkel
$\varphi_{3\mathrm{dB}}$	°	Phasenwinkel bei der Grenzfrequenz
φ_{R}	°	Phasenreserve bei Stabilitätsbetrachtung
φ_{S}	°	Phasenwinkel (beim Bode-Diagramm)
t	s	Zeitkonstante

(Fortsetzung)

(Fortsetzung)

Symbol	Einh.	Beschreibung
ω	Hz	Kreisfrequenz
ω_0	Hz	Resonanzkreisfrequenz
ω_g, ω_{3dB}	Hz	Grenzkreisfrequenz

Konstante	Einh.	Beschreibung
e	1	Eulersche Zahl
j	1	imaginäre Einheit (Schreibweise in der Elektrotechnik)
k	J/K	Boltzmannkonstante: $1{,}3806 \bullet 10^{-23}$J/K
q	C	Elementarladung: $1{,}602 \bullet 10^{-19}$C

Stichwortverzeichnis

M. Alles, *Operationsverstärker*, https://doi.org/10.1007/978-3-662-72536-8

MIX
Papier aus verantwortungsvollen Quellen
Paper from responsible sources
FSC® C105338

If you have any concerns about our products,
you can contact us on
ProductSafety@springernature.com

In case Publisher is established outside the EU,
the EU authorized representative is:
Springer Nature Customer Service Center GmbH
Europaplatz 3, 69115 Heidelberg, Germany

Printed by Libri Plureos GmbH
in Hamburg, Germany